Олег Лекманов,
Михаил Свердлов,
Илья Симановский

Биография

Венедикт Ерофеев: посторонний

Олег Лекманов,
Михаил Свердлов,
Илья Симановский

РЕДАКЦИЯ
ЕЛЕНЫ ШУБИНОЙ

Издательство
АСT
Москва

УДК 821.161.1-09 Ерофеев В.
ББК 83.3(2Рос=Рус)6-8 Ерофеев В.
    Л43

Художественное оформление *Андрея Рыбакова*
Фото на переплете *Александра Кривомазова (передняя сторона)*
и Александра Кроника (задняя сторона)

В книгу вошли фотографии из архивов А. Авдиевой, Н. Архиповой,
Н. Беляевой, А. Брусиловского, Ж. Герасимовой, М. Гринберга, Л. Кобякова,
А. Кривомазова, А. Кроника, Б. Мессерера, А. Неймана, А. Петяевой,
М. Фрейдкиной, Н. Фроловой, Н.Черкес, В. Черных, С. Шарова-Делоне,
Н. Шмельковой, семьи Муравьевых, общества «Мемориал», Хибинского
литературного музея Венедикта Ерофеева центральной городской библиотеки
им. А. М. Горького, Музея нонконформистского искусства.

А также из семейного архива В. Ерофеева, переданные Г. А. Ерофеевой.

Авторы и издательство благодарят всех перечисленных
за предоставленные фотоматериалы.

Лекманов, Олег.

Л43   **Венедикт Ерофеев: посторонний** / О. Лекманов,
М. Свердлов, И. Симановский — Москва : Издательство
АСТ : Редакция Елены Шубиной, 2018. — 464 с. — (Литера-
турные биографии).

ISBN 978-5-17-111163-2

Персонаж Веничка близко знаком читателю — и русскому, и за-
рубежному, — чего нельзя сказать про самого создателя поэмы «Москва — Петушки».

Олег Лекманов, Михаил Свердлов и Илья Симановский — авторы первой биографии Венедикта Ерофеева (1938–1990), опираясь
на множество собранных ими свидетельств современников, документы и воспоминания, пытаются отделить правду от мифов, на-
рисовать портрет человека, стремившегося к абсолютной свободе
и в прозе, и в жизни.

Параллельно истории жизни Венедикта в книге разворачивается «биография» Венички — подробный анализ его путешествия из
Москвы в Петушки, запечатленного в поэме.

В книге представлены ранее не публиковавшиеся фотографии
и материалы из личных архивов семьи и друзей Венедикта Ерофеева.

УДК 821.161.1-09 Ерофеев В.
ББК 83.3(2Рос=Рус)6-8 Ерофеев В.

ISBN 978-5-17-111163-2

Содержание

Предисловие 11

Глава первая
Венедикт: Кольский полуостров — Москва 27

Веничка: Утро, до открытия магазина 54

Глава вторая
Венедикт: Москва. Филологический факультет МГУ 61

Веничка: Утро в электричке 90

Глава третья
Венедикт: Орехово-Зуево — Владимир 99

Веничка: Утро. Между Черным и Купавной 139

Глава четвертая
Венедикт: Владимир — Мышлино, далее везде 151

Веничка: Между Есино и Орехово-Зуево 186

Глава пятая
Венедикт: Петушки — Москва 201

Веничка: Вне реального времени и пространства 248

Глава шестая
Венедикт: Москва. Царицыно — проезд
Художественного театра 259

Веничка: В электричке «сквозь дождь и черноту» 295

Глава седьмая
Венедикт: Москва – Абрамцево – Москва................ 304

Веничка: Москва — последние мучения 358

Глава восьмая
Венедикт: Москва – последний приют.................. 374

Наша небольшая венедиктиана
(избранная библиография).............................. 437

Именной указатель...................................... 441

Об авторах... 461

Я долгом своим (не легким) считаю — исключить из рассказа лицемерие мысли и боязнь слова. Не до́лжно ждать от меня изображения иконописного, хрестоматийного. Такие изображения вредны для истории. Я уверен, что они и безнравственны, потому что только правдивое и целостное изображение замечательного человека способно открыть то лучшее, что в нем было. Истина не может быть низкой, потому что нет ничего выше истины. Пушкинскому «возвышающему обману» хочется противопоставить нас возвышающую правду: надо учиться чтить и любить замечательного человека со всеми его слабостями и порой даже за самые эти слабости. Такой человек не нуждается в прикрасах. Он от нас требует гораздо более трудного: полноты понимания.

Владислав Ходасевич. «Андрей Белый»

Свобода есть
Свобода есть
Свобода есть
Свобода есть
Свобода есть
Свобода есть
Свобода есть свобода.

Всеволод Некрасов

Предисловие

Венедикт Васильевич Ерофеев очень рано, в восемнадцатилетнем возрасте, раз и навсегда сошел с пути, обязательного для почти любого заботящегося о собственном благополучии интеллигента. «Он был "отвлечен" от множества обстоятельств, которые для обычного человека представляются первостепенно важными, — рассказывает Ольга Седакова. — Когда мы познакомились (в это время он писал "Петушки"), он был совершенно нищий, бездомный, жил у знакомых, кочевал, терял документы, без которых у нас человек не выживет. "Все ступеньки общественной лестницы" были ему на самом деле безразличны. Этот его взгляд издалека, глазами "Неутешного горя" или чего-то в этом роде, и был тем, что его больше всего отличало от других. Есть нечто совсем другое, вот оно и важно, — а то, что вы считаете важным, это все ерунда "и томление духа". Приблизительно с этим он приходил и уходил»[1].

---

[1] Те воспоминания о Ерофееве, которые далее будут цитироваться по книжным, журнальным и интернет-источникам, мы сопроводим библиографическими отсылками. Мемуары, оставленные без отсылок, написаны или надиктованы специально по нашей просьбе.

Сходно вспоминал об отношении Ерофеева к привычным социальным ценностям его самый близкий друг Владимир Муравьев: «У Венички было ощущение, что благополучная, обыденная жизнь — это подмена настоящей жизни, он разрушал ее»[1]. О «неприкрепленности Ерофеева к земным вещам» говорит и сын Владимира Муравьева, Алексей. Отчасти похожее наблюдение, переведенное в плоскость человеческих отношений, находим в дневнике Натальи Шмельковой 1988 года: «Все спокойное, устоявшееся в один прекрасный момент начинает его раздражать. И тогда — не избежать провокаций с его стороны на ссору и даже на разрыв»[2]. Как «отвязанный, безнадежный и целомудренный» определила ерофеевский мир Нина Брагинская.

Но чтó Ерофеев считал по-настоящему важным, ради чего он отказался от «благополучной, обыденной жизни»? Ясный ответ на этот вопрос дать очень трудно — как минимум, по двум причинам.

Первая причина: такой ответ предполагает использование «“хороших слов” и “мыслей”», по едкой из-за кавычек формуле Ольги Седаковой[3], то есть прямолинейных определений, которых сам Ерофеев избегал как мог. «Самый большой грех по отношению к ближнему — говорить ему то что он поймет с первого раза», — замечает Ерофеев в записной книжке 1964 года[4]. «Меньше всего Венедикт был склонен к открытости, к исповедальным разговорам о своей жизни. Он насмешливо и грубо оборонялся от попыток вызвать его на откровенность, выяснить мнение, мировоззрение и прочее», — пишет Елена Игнато-

---

[1] *Ерофеев В.* Мой очень жизненный путь. М., 2003. С. 573. Одни мемуаристы называют Ерофеева Вен*е*чкой, другие — Вен*и*чкой. Мы при цитировании сохраняем эту разность.

[2] *Шмелькова Н.* Последние дни Венедикта Ерофеева. Дневники. М., 2002, С. 91.

[3] *Седакова О.* Несказанная речь на вечере Венедикта Ерофеева // Дружба народов. 1991. № 12. С. 265.

[4] *Ерофеев В.* Записные книжки 1960-х годов. М., 2005. С. 204.

ва[1]. «Прямых слов он не любил; пафоса не выносил», — свидетельствует Людмила Евдокимова. «Он любил говорить: "давай только без высокопарщины"», — вспоминает Марк Гринберг. «Нет, ну надо же... Я, конечно, не буду отвечать на этот самый паскудный из всех вопросов...» — с явным раздражением отпарировал Ерофеев, когда интервьюер всего лишь поинтересовался у него: «Считаете ли вы себя интеллигентом?»[2]

Хорошее представление о том, насколько Ерофеев в этом смысле был строг, дает следующее его суждение из записной книжки 1973 года: «Не надо говорить о спектаклях "отлично", "великолепно" и пр. А, например, так: "С самого начала спектакля ужасно хотел пописать, но не сходил до самого конца"»[3].

Признаемся, что на предварительном этапе работы над этой книгой нас самих дважды одернули за использование «прямых слов». Когда мы спросили у Марка Гринберга, какова была ерофеевская «идейная программа», он ответил: «Если бы я употребил такое выражение, он бы засмеялся или, наверное, что-то злое сказал бы». А Ольга Седакова так отреагировала на наш вопрос, каковы были главные качества Ерофеева: «О, "главные качества"! Вот таких слов и таких идей — взять и выяснить "главные качества" — Венедикт решительно не переносил. Это было одно из его "главных качеств". У него была свирепая аллергия на тривиальности». «Он очень тяжело, болезненно переваривал стандартность мышления», — отмечает и Сергей Шаров-Делоне.

---

[1] *Игнатова Е.* Венедикт // Время и мы (Нью-Йорк). 1993. № 122. С. 188.

[2] *Ерофеев В.* Мой очень жизненный путь. С. 519–520. В записной книжке 1973 года Ерофеев сочувственно процитировал: «...у Г. П. Федотова определение понятия "русская интеллигенция": "Русская интеллигенция есть группа, движение, традиция, объединяемые идейностью своих задач и беспочвенностью своих идей"» (*Ерофеев В.* Записные книжки. Книга вторая. М., 2007. С. 77).

[3] Там же. С. 415.

Вторая причина, которая не дает легко сформулировать, чем в ценностной шкале Ерофеева были заменены «все ступеньки общественной лестницы», на самом деле — первая, потому что главная: внутренний мир Ерофеева был закрыт не только от далеких людей, но и от близких. В записной книжке 1965 года он отметил: «Я в последнее время занят исключительно прослушиванием и продумыванием музыки. Это не обогащает интеллекта и не прибавляет никаких позитивных знаний. Но, возвышая, затемняет "ум и сердце", делая их непроницаемыми ни снаружи, ни изнутри»[1].

И мемуаристы рассказывают в унисон: «Он к себе особенно не подпускал» (Ирина Дмитренко); «Ерофеев что-то "излучал". Доброта? Нет, не могу так сказать. Он был будто чем-то сильно переполнен, "загружен". Каким-то неизвестным мне контентом, возможно, стихами или воспоминаниями, не знаю. Но он явно старался культурой вокруг не сорить. И тут он был лорд. Все вокруг Венедикта казались чуть проще, грубей, даже тогдашняя Ольга Седакова. Я бы рискнул назвать это нежностью, но необычной. Неброской, неаффектированной, со смещенным центром. Рассеянная нежность, проходящая по касательной, объектом которой, наверное, стать было нелегко»[2] (Глеб Павловский); «...всегда была ощутима некая нестыковка, суверенность, отсутствие в присутствии. Словно какой-то незримый экран находился меж ним и окружающими, даже самыми близкими и преданными. Спорить с ним было бесполезно и не нужно. Просто выдавал очередную порцию саркастических и парадоксальных формулировок. Не убеждал, не навязывал своего мнения. Просто знал истину, зримую лишь ему, пребывающему в ином измерении <...> Никогда он не был ясен. Ни вблизи, ни — тем более — изда-

---

[1] *Ерофеев В.* Записные книжки 1960-х годов. С. 249.

[2] В дневниках Ерофеева 1986 года есть выписка из Брюсова: «у Брюс<ова>: "с небрежной нежностью"» (личный архив В. Ерофеева. Материалы предоставлены Г. А. Ерофеевой).

лече» (Анатолий Иванов)[1]; «Веня был человек очень закрытый, очень собранный, даже выпив, он таким оставался» (Александр Корноухов)[2]; «...внешним обликом, как ни странно, он немного напоминал пуританина, был застенчив, закрыт, что как-то не вязалось с представлениями о его пьяной жизни» (Наталья Четверикова)[3]; «Он всегда умел очертить магический круг приватности — из двух-трех имен на обложках по тумбочке разложенных книжек, из блокнота с авторучкой наискось» (Пранас Яцкявичус (Моркус))[4]; «Веня в быту был человеком по преимуществу молчаливым — я, признаться, не припомню, чтобы когда-нибудь в разговоре слышал от него больше 10–15 слов подряд. Он явно предпочитал слушать других, а не говорить сам» (Марк Фрейдкин)[5]; «Бенедикт[6], я думаю, открывался редко и очень немногим <...> Я часто ощущала, что он отчужден от людей, даже тех, с кем в хороших отношениях» (Лидия Любчикова[7])[8]. Вспомним еще раз определение Ниной Брагинской ерофеевского мира не только как «отвязанного», но и «целомудренного».

---

[1] *Иванов А.* Как стеклышко: Венедикт Ерофеев вблизи и издалече // Знамя. 1998. № 9. С. 174.

[2] Про Веничку. Книга воспоминаний о Венедикте Ерофееве. М., 2008. С. 110.

[3] Там же. С. 151.

[4] Там же. С. 66–67.

[5] *Фрейдкин М.* Каша из топора. М., 2009. С. 300.

[6] «Бенедикт» — одна из многочисленных форм шутливого именования Ерофеева, принятая среди друзей. — *О. Л., М. С., И. С.* В записной книжке 1966 года он сам перечисляет свои прозвища разных лет: «Вот клички:

в 1955–57 гг. меня называют попросту "Веничка" (Москва),

в 1957–58 гг. по мере поседения и повзросления — "Венедикт",

в 1959 г. — "Бэн",

в 1960 г. — "Бэн", "граф", "сам",

в 1961–62 г. — опять "Венедикт".

и с 1963 г. — снова поголовное "Веничка" (Влад<имир>, Кол<омна>)» (*Ерофеев В.* Записные книжки 1960-х годов. С. 440).

[7] Упоминается как Лида в поэме «Москва — Петушки» (глава «Черное — Купавна»).

[8] *Ерофеев В.* Мой очень жизненный путь. С. 540.

На память приходит стихотворение Тютчева «*Silentium!*»:

> Молчи, скрывайся и таи
> И чувства и мечты свои —
> Пускай в душевной глубине
> Встают и заходят оне
> Безмолвно, как звезды в ночи, —
> Любуйся ими — и молчи.
>
> Как сердцу высказать себя?
> Другому как понять тебя?
> Поймет ли он, чем ты живешь?
> Мысль изреченная есть ложь.
> Взрывая, возмутишь ключи, —
> Питайся ими — и молчи.
>
> Лишь жить в себе самом умей —
> Есть целый мир в душе твоей
> Таинственно-волшебных дум;
> Их оглушит наружный шум,
> Дневные разгонят лучи, —
> Внимай их пенью — и молчи!..[1]

В блокноте для записей 1959 года Ерофеев дважды обозначил тютчевским словом «*silentium*» нежелание говорить о тех или иных обстоятельствах своей жизни[2]. Из этого же «*silentium*», вероятно, выросла и его «антиколлективистская этика»[3], причем Ерофеев избегал вливаться не только во всяческие советские сообщества (как многие его современники), но и в антисоветские. «В литературном быту, — вспоминает Елена Игнатова, —

---

[1] *Тютчев Ф.* Лирика: в 2 т. Т. 1. М., 1966. С. 46.
[2] *Ерофеев В.* Записные книжки 1960-х годов. С. 14, 16.
[3] *Седакова О.* Несказанная речь на вечере Венедикта Ерофеева. С. 265.

Венедикт был из числа одиночек — не примыкал ни к какой "школе" или "направлению", его не заботили соображения групповой тактики. Попытки привлечь его к "общему делу" были заведомо безнадежны: он отлынивал, не соглашался или просто ссорился с остальными»[1]. «Я вынашиваю в себе тайну. Потому я капризен, меня тянет на кислое, на горькое, я отяжелел в своих душевных движениях», — полушутливо (уподобляя себя беременной женщине) отметил Ерофеев в записной книжке 1965 года[2].

Однако и тютчевское стихотворение «*Silentium!*» не дает единственного ключа к разгадке всегдашнего молчания Венедикта Ерофеева о главном, поскольку оно слишком определенно и догматично[3]. Восклицательный знак в заглавии этого стихотворения совсем не случаен, а Ерофеев, как мы уже поняли, пафоса и прямолинейности на дух не переносил. «Больше всего в людях мне нравится половинчатость и непоследовательность», — отметил он в записной книжке 1976 года[4]. Приведем и очень точное наблюдение Бориса Сорокина: «Всякий раз, касаясь Венедикта, так или иначе вызывая его к жизни, мы вызываем к жизни и одно неотъемлемое его свойство: неопределимость, неуловимость его облика при всей терпкой его очевидности. И всякое более или менее конкретное "да" по его поводу само же возбуждает ответное "нет", и — наобо-

---

[1] *Игнатова Е.* Венедикт. С. 185.

[2] *Ерофеев В.* Записные книжки 1960-х годов. С. 287.

[3] Близкий приятель Ерофеева с конца 1960-х годов Андрей Архипов полагает, что тютчевское «*Silentium!*» мы вообще цитируем в этой книге напрасно: «Вы пишете, что даже "и тютчевское стихотворение «*Silentium!*» не дает единственного ключа к разгадке всегдашнего молчания Венедикта Ерофеева о главном"». А по-моему, оно просто никакого ключа не дает. Тютчевский лирический мудрец ни в чем не похож на Ерофеева и *vice versa*. Ерофеевское молчание не вынужденное, не от императива ("молчи"), и не от того, что, мол, "Азия-с, не поймут-с"».

[4] *Ерофеев В.* Записные книжки. Книга вторая. С. 248.

рот»[1]. Ерофеев мог бы сказать о себе словами пастернаковского доктора Живаго: «Поймите, поймите, наконец, что все это не для меня <...> "кто сказал а, должен сказать бе" <...> — все эти пошлости, все эти выражения не для меня. Я скажу а, а бе не скажу, хоть разорвитесь и лопните»[2]. Мог бы, но никогда не сказал бы по той простой причине, что терпеть не мог вступать в идеологические споры[3].

Подобный подход к жизни задачу биографов Ерофеева, конечно же, не облегчает. «Поведение — вот такое немножко разное, не всегда последовательное» — эта характеристика Ерофеева из воспоминаний Людмилы Евдокимовой может быть легко проиллюстрирована контрпримерами даже к тем немногочисленным фрагментам из воспоминаний о нем, которые мы успели тут привести.

«Он разрушал благополучную жизнь», — пишет Владимир Муравьев. И он же уточняет: Ерофеев «ничего не имел против бытового комфорта»[4]. «Благосостояние ему не только шло, но и, внезапно оказалось, всегда было втайне желанно», — вторит Пранас Яцкявичус (Моркус)[5]. Отсюда — с одной стороны: «...сейчас бы сказали, что похож был Веня на бомжа, но тогда такого слова не употребляли» (из мемуаров Риммы Выговской)[6]. А с другой: «В ладно скроенном, хорошо сидящем на нем москвошвеевском пиджаке <...> Он выглядел как голливудский актер, играющий сильных личностей, героев-одиночек» (из воспоми-

---

[1] *Сорокин Б.* «Во что посвящен председатель пира, или Всего лишь реплика по ходу чтения вслух статьи «Пир на 65-м км» // Книжное обозрение. Ex libris НГ. 1998. 22 октября.

[2] *Пастернак Б.* Доктор Живаго // Полное собрание сочинений с приложениями: в 11 т. Т. 4. М., 2004. С. 337.

[3] «Я просто не помню, чтобы он рассуждал или спорил (о Боре Сорокине, у которого была репутация идеалиста-девственника, но и постоянно дискутирующего мыслителя, Ерофеев говорил: "Боря Сорокин размножается спорами")», — вспоминает тот же Архипов.

[4] *Ерофеев В.* Мой очень жизненный путь. С. 583.

[5] Про Веничку. С. 67.

[6] Там же. С. 48.

наний Виктора Баженова)[1]. Приведем и неожиданный портрет Ерофеева из мемуарного очерка Виктора Иоэльса: «На пришедшем был великолепно сшитый, тогда очень модный, синий клубный пиджак с золотыми пуговицами, явно не московского пошива рубашка, светлые, хорошо отглаженные брюки — мои гости так не одевались»[2].

Взгляд на внешний мир и людей «издалека, глазами "Неутешного горя" или чего-то в этом роде» не мешал Ерофееву быть по-детски смешливым. «Один раз мы до того с ним досмеялись, что уже не могли остановиться, — вспоминала Лидия Любчикова, — я ему показала палец, он закатился, перегнулся, прижал руки к животу, уже болевшему от смеха. Для него очень характерно было так смеяться — практически ни от чего, как в детстве — все смешно. Я в нем много видела ребяческого, наивного, нежного»[3]. «В небольшой группе, пока еще не начиналась попойка, он был очень смешлив. Я сам это видел много раз», — подтверждает Андрей Архипов. И он же свидетельствует: «По "природе" Ерофеев был совершенно здоровый тип, сангвиник. Чисто физически он был намного сильнее и привлекательнее "среднего". Эта привлекательность впечатляла. Если потом ее забывали ради чего-то "внутреннего", то это была большая ошибка наблюдателя». «Веня был веселый. Худшее, что он мог сказать о человеке: "Совершенно безулыбчивый" — вспоминает Марк Гринберг. — А сам он как-то замечательно улыбался. Слово "веселый", надо, конечно, уточнить. Он был совсем не из тех, кто в обществе сыплет анекдотами, хотя вполне мог ценить это в других... Нет, в нем было прекрасное сочетание готовности видеть смешное, улыбаться. Он не так уж много смеялся — скорее именно улыбался, но как бы на грани смеха. Меня эта улыбка завораживала, почти на бессознательном уровне, этого не передать. Какой-то

---

[1] *Баженов В.* Фотоувеличение. Венедикт Ерофеев и Алексей Зайцев // Знамя. 2016. № 10. С. 133.
[2] Про Веничку. С. 176.
[3] *Ерофеев В.* Мой очень жизненный путь. С. 540.

я в ней чувствовал особый знак внутренней музыкальности». С нежностью вспоминал об улыбке Ерофеева и его младший друг Сергей Филиппов: «У него потрясающей была улыбка. Сначала вот тут вот уголки глаз начинали улыбаться, а потом это доходило до губ, и он всегда немножко как-то... Ну, знаете, вот человек, который рот сдерживает, чтобы не расплыться в полной улыбке. Ну, может быть, это была и такая... ну... отрепетированная, я не знаю, модель улыбки. Но всегда она была абсолютно искренна и очень такая, что называется, "лучезарная". Вот. Всегда такой кусочек солнышка, да, появлялся — разгорался»[1].

При всей свойственной ему закрытости и даже некоторой отчужденности, Ерофеев был совсем не прочь поболтать с симпатичными ему людьми. «Мы проговорили несколько часов. Уже и автобусы пошли, и чай заваривался несколько раз, а Венедикт не спешил уходить», — вспоминает Елена Игнатова[2]. «Когда он чувствовал себя комфортно, он был интересным собеседником, он включался. По моим детским ощущениям у меня нет впечатления, что он был человеком, замкнутым в алкогольном угаре», — рассказывает Алексей Муравьев.

Даже, казалось бы, бесспорное суждение о том, что Ерофеев всячески избегал «хороших слов» и «мыслей» на самом деле нуждается в серьезном уточнении. «Он огорчался не всяким "хорошим словом" (или "мыслью"), — пишет Андрей Архипов, — а только таким, которое не было, как говорится, выстрадано. Серьезному собеседнику (подлинно серьезному) он никогда бы не попенял на "мысли" и "слова". Как-то раз Ерофеев сказал: "Какая гадость. Был вчера в гостях; там все говорили, и каждый начинал словами «Моя концепция такова...»". Ну конечно, гадость. Но гадко не желание отчетливости ("концепция"), а напы-

---

[1] Интервью Игоря Сорокина с Сергеем Филипповым 9 октября 2015 года. URL: https://artkommarchive.ru/filippov-s.
[2] *Игнатова Е.* Венедикт. С. 185.

щенность, непережитость слов». «Мне было тогда семнадцать лет — я был молодой совсем. И мы с Веней разговаривали каждый день, — вспоминает Сергей Шаров-Делоне. — Обсуждения литературы, жизни, людей, ситуаций. Я должен сказать, что в силу, видимо, того, кто меня воспитывал — мои бабушка с дедушкой, которые дореволюционные сильно, я был очень сильный консерватор в литературе. И мое понимание литературы более-менее современной — абсурдистов, например, — все это возникло благодаря Вене[1]. Когда он просто заставлял: "Подожди, подожди, подожди. Ты, прежде чем говорить «нет», посмотри вот на это". Подсовывал чтение и обсуждал со мной. Мое восприятие литературы в огромной степени — от него. От него — не в том смысле, что это его взгляд, а оттого, что он заставил на это посмотреть, убедил на это посмотреть»[2].

В больших компаниях Ерофеев почти всегда бывал молчаливым, но окружал он себя людьми с видимым удовольствием и роли немногословного верховного арбитра на античном пиру не чурался. Многие вспоминают о любимой позе Ерофеева во время шумных застолий и возлияний: он, как правило, «возлежал», «подперев голову кулаком»

---

[1] Сравните со свидетельством Бориса Сорокина: «С Заболоцким меня познакомил Венедикт. Естественным с его стороны было бы дать мне "Столбцы". А он знал, что я не очень люблю подобные вещи, и дал мне очень странную вещь Заболоцкого — кажется, самую странную его вещь — "Лодейников"». — *О. Л., М. С., И. С.*

[2] О наставничестве со стороны Ерофеева вспоминает и Сергей Филиппов (Интервью Игоря Сорокина с Сергеем Филипповым. Сравните также с фрагментом воспоминаний о Ерофееве племянницы — Елены Даутовой: «Для меня Вена был прежде всего доброжелательным, очень образованным, жизнерадостным человеком. В мои школьные годы <...> Вена составил для меня огромный список знаменитых произведений русских, англичан, французов. Это была своего рода энциклопедия шедевров, которые нужно прочитать, на его взгляд, обязательно <...> Сейчас я хорошо понимаю, что все самое лучшее и важное было прочитано тогда, в последних классах школьной жизни. И благодаря Венедикту я могу себя считать более или менее образованным человеком» (Про Веничку. С. 32–33).

(из воспоминаний Игоря Авдиева[1])[2], и внимательно созерцал происходящее. «Я не лежу, а простираюсь», — отметил Ерофеев в записной книжке 1965 года[3]. Он часто отказывался от активных проявлений собственной воли, позволяя жизненному потоку полностью захватить себя, и наблюдал за непосредственно касающимися его событиями с любопытством *постороннего*. «Веня никогда не сопротивлялся тому, что с ним происходило», — говорит Жанна Герасимова.

Так, может быть, и нам не пробовать искать *главного* в Венедикте Ерофееве, а выбрать позицию наблюдателей и в хронологическом порядке перечислить факты, из которых сложилась его биография? Эти факты можно было бы расцветить колоритными фрагментами из мемуаров о Ерофееве и цитатами из самóй поэмы. Тогда мы бы почти наверняка избежали упреков в нетактичности и тривиальности умозаключений.

Однако в этом случае наша книга неизбежно сместилась бы от жизнеописания Ерофеева к опыту в несколько ином, хотя и весьма достойном жанре — биографической хроники, которая, между прочим, уже составлена и опубликована[4]. Мы же все-таки попытаемся — бережно и избегая штампов — предложить осторожные варианты ответа на вопрос: какие «чувства и мечты» были по-настоящему важны для Ерофеева?

В этом нам помогут в первую очередь его собственные тексты, в которых все-таки отыскиваются прямые выска-

---

[1] Выведен в поэме «Москва — Петушки» как Черноусый (Глава «43-й километр — Храпуново» и далее) и министр обороны в главе «Воиново — Усад».

[2] *Ерофеев В.* Мой очень жизненный путь. С. 547.

[3] *Ерофеев В.* Записные книжки 1960-х годов. С. 291.

[4] Летопись жизни и творчества Венедикта Ерофеева / Сост. *В. Э. Берлин* // Живая Арктика. 2005. № 1. В своей работе В. Берлин использовал материалы Е. Шталя, дополнив их самостоятельно собранными мемуарами и документами. К сожалению, пользоваться этим источником следует с большой осторожностью, поскольку в нем содержатся многочисленные ошибки и стилистические вольности.

зывания о *главном*. Так, 6 июля 1966 года Ерофеев отметил в записной книжке: «Великолепное "все равно". Оно у людей моего пошиба почти постоянно (и потому смешна озабоченность всяким вздором). А у них это — только в самые высокие минуты, т. е. в минуты крайней скорби, под влиянием крупного потрясения, особенной утраты. Это можно было бы развить»[1].

Наблюдение из записной книжки Ерофеев «развил» в том монологе повествователя «Москвы — Петушков», на который опирается Ольга Седакова, говоря об авторе поэмы. Вот этот знаменитый монолог: «Помню, еще очень давно, когда при мне заводили речь или спор о каком-нибудь вздоре, я говорил: "Э! И хочется это вам толковать об этом вздоре!" А мне удивлялись и говорили: "Какой же это вздор? Если и это вздор, то что же тогда не вздор?" А я говорил: "О, не знаю, не знаю! Но есть".

Я не утверждаю, что мне — теперь — истина уже известна или что я вплотную к ней подошел. Вовсе нет. Но я уже на такое расстояние к ней подошел, с которого ее удобнее всего рассмотреть.

И я смотрю и вижу, и поэтому скорбен. И я не верю, чтобы кто-нибудь еще из вас таскал в себе это горчайшее месиво; из чего это месиво — сказать затруднительно, да вы все равно не поймете, но больше всего в нем "скорби" и "страха". Назовем хоть так. Вот: "скорби" и "страха" больше всего, и еще немоты. И каждый день, с утра, "мое прекрасное сердце" источает этот настой и купается в нем до вечера. У других, я знаю, у других это случается, если кто-нибудь вдруг умрет, если самое необходимое существо на свете вдруг умрет. Но у меня-то ведь это вечно! — хоть это-то поймите!»[2].

---

[1] *Ерофеев В.* Записные книжки 1960-х годов. С. 471.

[2] *Ерофеев В.* Москва — Петушки // *Ерофеев В.* Мой очень жизненный путь. С. 144. Далее поэма цитируется в нашей книге по этому изданию с указанием в круглых скобках номера страницы.

Мы видим, что текст «Москвы — Петушков» говорит об авторе поэмы едва ли не больше и откровеннее, чем воспоминания о нем, а также дневники, письма и другие документы эпохи. Поэтому биографические главы о жизненном пути Венедикта Ерофеева будут чередоваться в нашей книге с филологическими фрагментами о его поэме, в которой, как известно, рассказывается об одном дне Венички Ерофеева. Точкой схождения биографических и филологических фрагментов станет рассказ о смерти автора и повествователя «Москвы — Петушков»[1].

Наверное, следует сказать несколько слов о способе подачи и обработки материала в этой книге, опробованном нами при написании биографий Осипа Мандельштама, Сергея Есенина и Николая Олейникова[2]. Далее мы как можно больше места предоставим мемуарным высказываниям современников о Ерофееве, которые в совокупности и должны будут составить его целостный и менявшийся со временем портрет. Себе мы отвели роль отборщиков, тематических классификаторов, а также проверщиков всего этого материала на фактологическую точность. Также свою задачу мы видели в уловлении, подчеркивании и, по возможности, интерпретации противоречий между точками зрения мемуаристов на личность Ерофеева.

---

[1] Насколько Венедикт Ерофеев был похож на Веничку из «Москвы — Петушков»? Варианты ответа на этот вопрос мы постараемся предложить в книге, пока же лишь обратим внимание на то обстоятельство, что мемуаристы в данном случае не единодушны. «Они почти совпадают», — полагает Ольга Седакова. «Веничка совсем не похож на Венедикта», — считает Елена Игнатова. «Похож. Но не тот же самый, — говорит Жанна Герасимова. — Веничка в "Петушках" все время в закрытом состоянии, в состоянии мышления и анализа. Ерофеев такой и был. Но в "Петушках" он этот анализ описывает, а в реальной жизни он никогда ничего не рассказывал. Я думаю, что в "Петушках" он открывал то, что у него внутри. Дух в "Петушках" — это его. Его аура».

[2] *Лекманов О., Свердлов М.* Сергей Есенин. Биография. М., 2011; *Лекманов О.* Осип Мандельштам: ворованный воздух: Биография. М., 2016; *Олейников Н.* Число неизреченного / Сост., вступ. очерк, подготовка текста и примеч. *О. Лекманова и М. Свердлова.* М., 2016.

Завершим предисловие предупреждением, которое нужно постоянно держать в уме читателям биографии любого публичного человека, и уж тем более автора, обладавшего столь специфической славой, как Ерофеев. Именно для его случая это предупреждение четко сформулировал специалист по творчеству Саши Черного и ерофеевский приятель Анатолий Иванов: «Веня наплодил уйму легенд, "дез" и апокрифов о себе, пестовал их и множил. Всяческого дуракаваляния и фуфлогонства[1] в его изустных высказываниях хоть отбавляй. Меж тем стараниями апостолов — его приятелей и почитателей — это "Евангелие от Ерофеева" получило широкое хождение. И не завидую тем, кто возьмется за подлинное, немифологизированное жизнеописание Венедикта Васильевича Ерофеева. Отделить истинность от театрализации жизни непросто. Каков он настоящий, видимо, до конца не знает никто»[2]. Конечно же, «до конца» не узнали этого и мы, и нам часто далее придется пользоваться биографическими сведениями, исходящими от самого́ Ерофеева и его «апостолов», поскольку иной информации о некоторых этапах его жизни просто не сохранилось. Но иногда подобные факты все же удалось подтвердить или опровергнуть, обращаясь к другим источникам.

Мы хотим сказать большое спасибо Анне Авдиевой, Александру Агапову, Наталье Архиповой, Андрею Архипову, Дмитрию Баку, Наталье Беляевой, Андрею Бильжо, Александре Борисенко, Владимиру Величанскому, Жанне Герасимовой, Андрею Геннадиеву, Янушу Гжелёнзке, Елизавете Горжев-

---

[1] Сравните с отрывком из письма Ерофеева переводчице Эльжбете Вари: «Вам кажется нелепым "в назидание народам древности". Так ведь это обыкновеннейшее *дуракаваляние и фиглярство*» (Неизвестный Веничка // Новая газета. 2006. № 74. 28 сентября). Курсив наш. — *О. Л., М. С., И. С.*

[2] *Иванов А.* Как стеклышко: Венедикт Ерофеев вблизи и издалече. С. 170.

ской, Марку Гринбергу, Ирине Дмитренко, Даниле Дубшину, Людмиле Евдокимовой, Елизавете Епифановой, Шалве Епхошвили, Александру Жолковскому, Андрею Зорину, Елене Игнатовой, Нине Ильиной, Игорю Иртеньеву, Дмитрию Ицковичу, Бахыту Кенжееву, Наталии Ким, Юлию Киму, Льву Кобякову, Михаилу Комарову, Николаю Котрелеву, Александру Кравецкому, Юлии Красносельской, Александру Кронику, Александру Кротову, Юрию Кублановскому, Анатолию Кузовкину, Александру Кушнеру, Филиппу Лекманову, Дине Магомедовой, Павлу Матвееву, Михаилу Мейлаху, Надежде Муравьевой, Алексею Муравьеву, Алексею Нейману, Ольге Неклюдовой, Анне Обориной, Марии-Елене Овчинниковой, Глебу Павловскому, Лиле Панн, Анне Петяевой, Галине Погожевой, Евгению Попову, Елене Романовой, Ольге Савенковой, Ольге Седаковой, Борису Сорокину, Ирине Тосунян, Борису Успенскому, Валентине Филипповской, Нине Фроловой, Сергею Хоружему, Валерии Черных, Нине Черкес-Гжелоньской, Сергею Шарову-Делоне, Наталье Шмельковой, Татьяне Щербине и сотрудникам общества «Мемориал» — Алексею Макарову и Александру Черкасову.

Мы благодарим также сотрудников Хибинского литературного музея Венедикта Ерофеева центральной городской библиотеки им. А. М. Горького (г. Кировск), сотрудников Музея-резиденции «Арткоммуналка. Ерофеев и Другие» (г. Коломна) и его директора Екатерину Ойнас.

Отдельно благодарим за всестороннюю помощь исследователя жизни Ерофеева и создателя литературного музея его имени Евгения Шталя.

Особая признательность Галине Анатольевне Ерофеевой — за предоставленные материалы и доброжелательное содействие.

Благодарим за профессионализм Анну Колесникову и всю Редакцию Елены Шубиной.

Книга написана в рамках программы фундаментальных исследований НИУ ВШЭ в 2018 году.

Глава первая

ВЕНЕДИКТ:
Кольский полуостров —
Москва

24 октября 1938 года в поселке гидростроителей Нива-3, располагавшемся на окраине города Кандалакша (Кольский полуостров, Мурманская область), у начальника станции Чупа Кировской железной дороги Василия Васильевича Ерофеева и домохозяйки Анны Андреевны Ерофеевой (в девичестве Гущиной) родился сын, который стал пятым и последним ребенком в семье. До этого в 1925 году на свет появилась старшая дочь Тамара, в 1928 — старший сын Юрий, в 1931 — дочь Нина, в 1937 — предпоследний сын Борис. «Моя Родина в 1938 г., когда вынашивала меня, была в интересном положении», — отметит Ерофеев в записной книжке 1978 года[1].

«Младшего сына мама назвала необычно — Венедикт, — вспоминала самая старшая сестра Ерофеева, Тамара Гущина. — Это имя ей давно нравилось и было связано с воспоминаниями молодости: рядом с их селом было большое имение помещика Ерофеева, у которого сына звали Венедиктом. Может, Венедикт и сам по себе ей нравился, были какие-нибудь романтические воспоминания — не знаю.

---

[1] *Ерофеев В.* Записные книжки. Книга вторая. С. 412.

27

Но мама и мы все — семья, родственники — называли его не Веня, а Вена, потому что Веня, как мама объясняла, это уменьшительное от Вениамина. Вена был всеобщим любимцем: тихий, кроткий, худенький мальчик»[1]. «Вена (мы так его звали в семье) своим именем очень был доволен. Нас с сестрой назвали Нина и Тамара. "Мам, — спрашивала я, — ну что же ты нам грузинские имена дала?" Мама отвечала: "А ты хотела бы, чтобы я тебя назвала Искрой?" Я родилась в 1931 году, тогда это имя было модно. Мама шутила, конечно», — рассказывает еще одна старшая сестра Венедикта — Нина Фролова[2].

Она же с понятной обидой говорит о том, что младший брат, став взрослым и сойдя с обычной социальной орбиты, долгое время демонстративно не придавал никакого значения родственным связям и чувствам: «Когда жил у нас в Славянске, без конца моего мужа подкалывал тем, что он партийный человек, а сам при этом был у него на работе подчиненным. Но Юрий, как гостеприимный хозяин, терпеливо все это сносил, а он заявлял: "Я не признаю никаких родственных отношений. Приходится пользоваться, так же как, вот, пользоваться туалетом приходится"»[3]. Досадует Нина Фролова и на то, каким Ерофеев вывел в одном из своих юношеских произведений их отца: «Вена ведь в "Записках психопата" называет подлинные фамилии, а пишет чушь собачью о самых близких людях. Отца изображает там, что он такой был пьяница! Чуть ли прямо не напился и уснул голо-

---

[1] *Ерофеев В.* Письма к сестре // Театр. 1992. № 9. С. 122. В неопубликованном варианте своих воспоминаний Тамара Гущина сообщает, что имя Венедикт «было не редким в селе» Елшанка. (Личный архив В. Ерофеева. Материалы предоставлены Г. А. Ерофеевой.)

[2] Коктейль Ерофеева. Сестра культового писателя Нина Фролова: «От него всего можно было ожидать!» // Московский комсомолец. 2013. 22 октября.

[3] Телепрограмма «Острова» (автор и режиссер Светлана Быченко) // URL: https://www.youtube.com/watch?v=JvFp_0cxoQk. Далее: Острова.

вой в тарелке»[1]. Речь идет о том, изобилующем натуралистическими подробностями фрагменте из эпатажной ранней прозы Ерофеева, в котором «отец» «медленно поднимает седую голову из тарелки; физиономия — сморщенная, в усах — лапша». Затем он наливает водки сыну «Веньке» и материт жену[2]. «Папа был такой аккуратист, такой был чистюля, чтобы он себе такое позволил... — возмущается Нина Фролова. — Он говорил: "Как это может мужчина упасть? Я в своей жизни не упал ни разу!"»[3] Однако Тамара Гущина прибавляет: «Когда папа вышел из заключения, это был уже не тот человек. Когда он зарплату получал, ему нужно было обязательно напиться, поплакать»[4].

В позднем интервью Леониду Прудовскому[5] Ерофеев, отчасти подначиваемый собеседником, рассказывает о семье и детстве не с надрывно-истерической интонацией, характерной для «Записок психопата», а с шутливо-ернической, как бы руководствуясь собственным рецептом из записной книжки 1972 года («Не самоирония, а самоглумление, самоподтрунивание»[6]): «Родители были грустная мамочка и очень веселый папочка. Он был начальник станции. <...> <П>апеньку в 38-м году, когда я родился, только и видели. И действительно, папеньку мы увидели только в 54-м. Естественно, по 58-й статье. При-

---

[1] Острова.

[2] *Ерофеев В.* Мой очень жизненный путь. С. 32. Уже по детали про лапшу, вряд ли случайно напоминающей знаменитую строку из Маяковского: «Вот вы, мужчина, у вас в усах капуста...» из стихотворения «Нате!», можно предположить, что мы имеем дело с художественной прозой, а не с подлинными воспоминаниями. — *О. Л., М. С., И. С.*

[3] Острова.

[4] Там же.

[5] «Насколько я могу судить, по-настоящему "разговорить" его смог лишь Леонид Прудовский, а потому в его интервью Веничка дурака валяет свободно и весело», — говорит Анна Муравьева (Про Веничку. С. 256).

[6] *Ерофеев В.* Записные книжки. Книга вторая. С. 36.

помнили ему, что он по пьянке хулил советскую власть, ударяя кулаком об стол»[1].

Не хочется выступать здесь в роли доморощенных психоаналитиков и множить банальности, но почти невозможно отделаться от ощущения, что, рассказывая это, Ерофеев привычно уходил от серьезного и больного для него разговора о своем детстве. А оно было очень тяжелым даже на фоне трудного взросления всего поколения советских людей, родившихся незадолго до начала Великой Отечественной войны. Показательная деталь: в интервью Прудовскому Ерофеев намеренно и весьма сильно исказил реальные факты, ведь на самом деле его отца арестовали не в 1938 году, сразу после рождения младшего сына, а в 1945 году, когда Венедикту было уже почти семь лет. Не для того ли это делалось, чтобы «вычеркнуть» из своего раннего детства отца и, таким образом, избежать дотошных расспросов о нем?[2] «Сам Веня о Тамаре Васильевне (сестре) говорил, а о родителях — никогда», — пишет Людмила Евдокимова. «Венька никогда не говорил о своей семье и близких», — вспоминает и сосед Ерофеева по общежитию в Орехово-Зуевском педагогическом институте Виктор Евсеев[3]. «Не то чтобы Веничка об этом рассказывал, но мы знали, что его отец был репрессиро-

---

[1] *Ерофеев В.* Мой очень жизненный путь. С. 489. По просьбе сестры Венедикта, Нины Фроловой, мы купировали фрагмент, в котором Ерофеев указывает в качестве причины ареста якобы имевшие место неосторожные любовные связи отца. Никакой подтверждающей эту версию информацией мы не располагаем. «Венедикт был пьян, когда давал это интервью», — комментирует Нина Фролова. — *О. Л., М. С., И. С.*

[2] Впрочем, Сергею Куняеву и Светлане Мельниковой Ерофеев в интервью того же 1990 года об аресте отца рассказал, в хронологии не путаясь (*Ерофеев В.* «Я бы Кагановичу въехал в морду...» // День литературы. 2000. 15 февраля).

[3] *Евсеев В.* Он был белой вороной // Орехово-Зуево. Орехово-Зуевский литературный альманах. Ежегодное литературное приложение к газете «Ореховские вести». Вып. 2. 2007. С. 466. Далее: Орехово-Зуевский литературный альманах.

ван, что для него это была трагедия. А так чтобы он рассказывал что-нибудь действительно на разрыв аорты о своем детстве, нет, не особо он любил об этом распространяться», — свидетельствует поэт Вячеслав Улитин, познакомившийся с Венедиктом во Владимире в начале 1960-х годов[1].

Если Ерофеев все-таки заводил с приятелями речь о семье и об отце, то часто украшал эти истории абсолютно фантастическими подробностями. «Он мне рассказывал о детстве, о станции Чупа, — вспоминает прозаик Евгений Попов. — Он же мне сказал, что его отец был начальником станции маленькой около Чупы. А потом, когда пришли фашисты — не то финны, не то немцы, его заставили быть начальником этой же станции, и потом, когда советская власть возвратилась, — финнов выгнали, его посадили за сотрудничество с врагом. Причем Венедикт Васильич мне это рассказывал буквально со слезами на глазах. Я ушел просто на крыльях оттуда — очень был растроган этой историей, пока не оказался в Чупе и не узнал, что ее не брали ни немцы, ни финны. Она не была завоевана, это раз, и второе, что отца Венедикта Васильевича Ерофеева посадили не за сотрудничество с врагом».

Попробуем же здесь восстановить подлинную хронологию событий.

«Родители наши из Ульяновской области, с Поволжья», — вспоминает Нина Фролова[2]. Село, откуда отец и мать были родом, называется Елшанка, состояло оно в 1920-е годы из более чем пятисот дворов. До революции Ерофеевы в селе считались крепкими середняками — в их хозяйстве имелись корова и лошадь. Василий Васильевич Ерофеев родился 22 июля 1900 года (по старому стилю) и был крещен на следующий день. В Метри-

---

[1] Интервью В. Улитина А. Агапову (телеграм-канал «Слова и буквы») // URL: https://t.me/wordsandletters/109.

[2] *Ерофеев В.* Мой очень жизненный путь. С. 529.

ческой книге Симбирской духовной консистории сохранилась запись об этом событии, в которой упомянуты родители младенца: «села Елшанки однодворец» Василий Константинович Ерофеев «и законная жена его» Дарья Афанасьевна[1], «оба православные»[2]. На Анне Гущиной Василий Ерофеев женился в начале 1920-х годов, а летом 1925 года молодая пара снялась с насиженных мест. «Отец и его братья уехали на Север и все стали железнодорожниками, — рассказывает Нина Фролова, — В общем-то, наше детство на Кольском полуострове было такое нищее, что и вспоминать его не хочется. Но отцу полагались бесплатные билеты, и мы каждый год ездили на родину, в его деревню»[3].

Нужно сразу же отметить, что никакие тяготы нищего детства не мешали Венедикту Ерофееву уже во взрослой жизни совершать ностальгические поездки на родину. «Чтó он любил точно и безоговорочно, так это свой Кольский полуостров, — вспоминает Марк Гринберг. — Рассказывал про тамошние чудесные горы и возвышенности, названия которых оканчиваются на -чорр. И какие там прекрасные виды. И в какое-то лето он говорит: "Ну, давай уже, поехали, увидишь, как там..." Мы не смогли по какой-то причине поехать, а сам он поехал — спальник взял у меня и с кем-то поехал». «Он долго <...> вынашивал планы, и хотел опять побывать у себя на родине, — со слов Венедикта объясняет Сергей Филиппов участие Ерофеева в аэрологической экспедиции на Кольском полуострове в 1976 году и свидетельствует, что Ерофеев «перерисовывал себе топографические карты» Кольского полуострова. «Вот так ему хотелось как-то запечатлеть <...> в памяти

---

[1] Девичья фамилия — Кузнецова. — *О. Л., М. С., И. С.*

[2] Личный архив В. Ерофеева (материалы предоставлены Г. А. Ерофеевой). Однодворцем называли происходящего из служилых людей владельца небольшого (в один двор) земельного участка.

[3] *Ерофеев В.* Мой очень жизненный путь. С. 529.

или где, этот Кольский»[1]. «...Я родом из Мурманска и сказала ему об этом, — делится воспоминаниями о своей первой встрече с Ерофеевым Елена Романова. — Глаза потеплели, мы выпили по рюмочке. "Поехали на родину!" В. Е. говорил о заполярном детстве, о том, что с детства любит загадочные слова, которые произносили местные лопари, но которых нет ни в одном словаре». «С грустью поделился со мной, что каждый день во сне видит Кольский...» — записала в дневнике Наталья Шмелькова впечатления от одной из встреч с Ерофеевым в 1988 году, в палате онкологического центра[2].

В мемуарах о зрелом Венедикте Ерофееве, написанных Еленой Игнатовой, выразительно воспроизводится атмосфера, царившая на провинциальных железнодорожных станциях времен его раннего детства: «...выяснилось и некоторое сходство в наших родословных. Его родители и моя мама родом из Поволжья; и его отец, и мой служили начальниками железнодорожных станций. Я навсегда полюбила особый пристанционный мирок детства — с запахом мазута, бархо́тками на клумбе вокруг гипсового памятника вождю, платформами дрезин и ни с чем не сравнимым стуком колес, под который так крепко спалось. Казалось, мы чудесным образом встретились — земляки из провинциальной, сельской России послевоенных лет. В произвольном, с припоминанием случайных примет того мира разговоре не было сказано о том, как трудно приживаться (а, в общем, и не прижились) в мире, который нас окружал. Жизнь далековато отнесла нас от трагической идиллии детства, но многое было усвоено там накрепко. То, что помню и люблю я, оказалось понятным и Венедикту»[3].

---

[1] Интервью Игоря Сорокина с Сергеем Филипповым 9 октября 2015 года // «Коммунальная Одиссея» / Проект под эгидой музея-резиденции «Арткоммуналка. Ерофеев и Другие». URL: https://artkommarchive.ru/filippov-s .

[2] *Шмелькова Н.* Последние дни Венедикта Ерофеева. Дневники. С. 120.

[3] *Игнатова Е.* Венедикт. С. 186.

Идиллического в детстве Ерофеева оставалось чем дальше, тем меньше, однако период его младенчества, кажется, был для всей семьи относительно благополучным. В годы, предшествующие рождению младшего сына (1936 и 1937), Василий Ерофеев получал за «безаварийную работу» Наркомовскую премию, благодаря его должности семья была обеспечена бесплатным жильем в доме железнодорожников всего в нескольких шагах от станции Чупа.

«У нас был патефон, — вспоминает Нина Фролова. — Пластинки покупали всякие, например речи Ленина, "Замучен тяжелой неволей" (любимая песня Ильича), "Фарандола" Бизе, "Песня пьяных монахов" и т. д.»[1].

«Песню пьяных монахов» из оперы «Монна Марианна» (музыка Ю. Левитина, либретто Н. Толстой), оседлав совок и кочергу, любили исполнять младшие братья — Борис и Венедикт:

> Ехал монах на хромом осле.
> Задремал на седле.
> Рядом красотка гнала овцу
> И обратилась так к отцу:
>
> «Отец простой, молю, постой,
> На рынок подвези меня с овцой...»

В подражанье «Фарандоле» Жоржа Бизе сочинил для сына собственную «поросячью фарандолу» главный герой и рассказчик поэмы «Москва — Петушки»: «Там таки-е милые, смешные чер-те-нят-ки цапали-царапали-кусали мне жи-во-тик...» (147)

В записной книжке Ерофеева 1977 года приводится еще одно его «любимое стихотворение детства»:

> Гром гремит, земля трясется.
> Поп на курице несется,

---

[1] Про Веничку. С. 9.

Попадья идет пешком,
Чешет попу гребешком[1].

«Папочка» Венедикта, судя по воспоминаниям Тамары Гущиной, тогда действительно, был «очень веселым»: «...высокий, стройный, с роскошной шевелюрой на голове, он был большим оптимистом и любил напевать революционные песни. Чаще других затягивал "Братишка наш, Буденный" или "Наш паровоз, вперед лети, в коммуне остановка..."»[2] «У отца, мне сестры говорили, был замечательный голос», — рассказывала вторая жена Ерофеева, Галина[3]. Не была в то время «грустной» и «мамочка». Сестра Венедикта Тамара вспоминала: «Чувство юмора у нее было замечательное. Мама всегда была центром внимания в молодости, центром притяжения. Вокруг нее всегда крутилась молодежь: "Анюта сейчас что-нибудь такое сказанет, что все будут хохотать"»[4].

В начале войны Василия Васильевича почти сразу же перевели дежурным на станцию Хибины. «Как только началась война, через станцию пошли бесконечные воинские составы с вооружением, солдатами. И сразу же начались налеты немецкой авиации, — вспоминала Тамара Гущина. — Как только загудят самолеты, мама кричит: "Тамара, бери скорее ребятишек, бегите в лес!" Я хватаю Борю и Вену за ручонки, и все бежим в лес. А самолеты над нами разворачиваются и где-то поблизости бросают бомбы. Мама в панике, что нас под бомбежку послала, бежит к нам... Один самолет подбили на наших глазах. Он загорелся и стал падать — вот уж тут мы торжествовали»[5].

[1] *Ерофеев В.* Записные книжки. Книга вторая. С. 302.
[2] *Ерофеев В.* Письма к сестре. С. 122.
[3] *Ерофеев В.* Мой очень жизненный путь. С. 603.
[4] *Ерофеев В.* Письма к сестре. С. 123.
[5] *Мешкова Н.* Венедикт Ерофеев — наш земляк // Интернет-журнал Лицей. 2000. № 5. 2 мая. URL: https://gazeta-licey.ru/culture/literature/588-venedikt-erofeev.

В августе 1941 года мать и дети уехали сначала в село Нижняя Тойма Архангельской области, а потом — в родную для Анны Ерофеевой Елшанку. «Больше месяца мы были в дороге, — свидетельствует Нина Фролова. — Сначала поездом до Кандалакши, потом в трюме грузового парохода до Архангельска, по Северной Двине до Котласа. На какой-то из пересадок мы спали на перроне, а Борю и Вену взяли на ночь в детскую комнату. Когда все дети спали, наши братья собрали всю обувь и сделали из нее железнодорожный состав, играли в поезда, чем очень удивили воспитательницу. Потом мы плыли по Волге в барже из-под соли, нас буксировал пароход. Ночью пароход оставил нас посреди реки. Несколько дней мы плавали, голодали. Потом нас причалили к пристани, и некоторое время мы жили в каком-то колхозе, в Чувашии»[1].

«Ехали больше месяца, потому что нас везде высаживали, — вторит рассказу сестры Тамара Гущина. — Ночевали на перронах, на тротуарах, расстелив свои домашние постели. Вокзалы были забиты битком. Вначале нам еще давали хлеб — мама предъявляла документы, что у нее пятеро детей. А когда добрались до Горького, начались самые наши неприятные дни. Спали на траве, около Волги. Нигде ни куска хлеба не могли получить. Власти обращались с одной просьбой: "Уезжайте — город забит. Тысячи эвакуированных, кормить нечем. Вас на пароходе или барже покормят". Но все оказалось не так, просто надо было как-то разгрузить город. Через несколько суток мы, совершенно голодные, погрузились ночью на баржу из-под соли. Утром вспомнили про обещание покормить нас. Люди кричали на пароход, который волочил нашу баржу по Волге: "Когда же нам дадут хлеба?" И вдруг к нам обращается капитан парохода и говорит: "Товарищи! Мы ничем не можем вам помочь — для вас у нас хлеба нет". Нас на барже примерно с тысячу человек было, все кричат, плачут, есть

---

[1] Про Веничку. С. 8.

требуют. Помню, Боря все время канючил: "Хлеб-ца, хлеб-ца". А Вена — молчал. Пароход оставил нас посреди Волги и ушел. Мы сутки находились посреди реки, пока какой-то буксирный пароходик не подтянул нас к пристани в Чувашии. Из ближнего колхоза, видимо, хлеб привезли — теплый, только что испеченный. Мама принесла буханочку, мы сразу набросились, а она остановила: "Нет-нет! Только по куску! Больше нельзя, а то как бы не было плохо"»[1].

«В Елшанке нас не ждали, — рассказывает Тамара Гущина. — У дедушки, Василия Константиновича, уже жила семья младшего сына Павла и приехала семья Ивана из Керети. Нам места не было. Мы поселились в пустующем доме младшей маминой сестры Натальи. Дедушка принес нам мешок муки и что-то еще из продуктов, но для такой оравушки это было ненадолго. Своих запасов не было, и продать было нечего»[2]. Дом, в котором мать с детьми поселились в Елшанке, не был приспособлен для житья: «печь дымила, всегда было холодно» (из воспоминаний Нины Фроловой)[3]. К этому времени будто бы относятся первые и «самые траурные» воспоминания Венедикта Ерофеева о себе: «Покойная мать сказала всем старшим братьям и сестрам — подойдите к кроватке и попрощайтесь с ним. Со мной то есть»[4]. Подлинность этого эпизода опровергает Нина Фролова: «Да нет, это венедиктова фантазия. Такого не было». Однако сгустил краски Ерофеев не очень сильно: «Рахит был у него — животик большой, косолапить стал. Он невзгоды переносил болезненнее всех нас», — поясняла Тамара Гущина[5].

Однако все обошлось. Зимой 1941–1942 годов Ерофеевых, как и многие эвакуированные семьи в то время, спас-

[1] *Мешкова Н.* Венедикт Ерофеев — наш земляк.
[2] Личный архив В. Ерофеева (материалы предоставлены Г. А. Ерофеевой).
[3] *Ерофеев В.* Мой очень жизненный путь. С. 530.
[4] Там же.
[5] *Мешкова Н.* Венедикт Ерофеев — наш земляк.

ла мерзлая картошка с неубранных осенью колхозных полей. Так что тогда самые страшные времена для семьи еще не настали. «Керосин берегли, сумерничали: и, чтобы время так не проходило, мама начинала нам что-нибудь рассказывать, — вспоминала Тамара Гущина. — Ребятишки лежали кто на полатях, кто на русской печи. Мама рассказывает-рассказывает, а потом говорит: "Ну, всё. А теперь — спать". Все мы начинали ныть: "Мама, что дальше?" Но она уж была неумолима и продолжение было на следующий день. Помню, рассказывала нам очень долго, с продолжениями, "Месс Менд" — был такой роман детективного характера Мариэтты Шагинян. Мельникова-Печерского, например, мне впоследствии пришлось читать, и оказалось, что мама так подробно рассказывала "В лесах" и "На горах", что я читала, как совершенно знакомые вещи. Мама вообще была замечательная рассказчица, ее истории о жизни их села, о семье Архангельских, о разных чудачествах заставляли нас надрываться от хохота»[1]. В записной книжке 1972 года Венедикт Ерофеев со знанием дела отметит, вероятно, вспомнив о том, как слушал пересказы матери: «Из всех пишущих русских К. Победоносцев более всего ценил Мельникова (Печерского). Даже пересылает "В лесах" Александру III и рекомендует прочесть»[2].

Со всеми понятными различиями, безмятежное описание Тамары Гущиной смотрится едва ли не как простецкая советская вариация на тему ностальгических строк юной Марины Цветаевой (которая позже станет одним из любимых поэтов Венедикта Ерофеева):

Из рая детского житья
Вы мне привет прощальный шлете,
Неизменившие друзья
В потертом, красном переплете.

[1] *Ерофеев В.* Письма к сестре. С. 123.
[2] *Ерофеев В.* Записные книжки. Книга вторая. С. 14.

Чуть легкий выучен урок,
Бегу тотчас же к вам, бывало.
— «Уж поздно!» — «Мама, десять строк!»...
Но, к счастью, мама забывала.
Дрожат на люстрах огоньки...
Как хорошо за книгой дома!
Под Грига, Шумана и Кюи
Я узнавала судьбы Тома.

«Книги в красном переплете», 1910[1]

Во время пребывания Ерофеевых в Елшанке случилась беда — был арестован проживавший там отец Василия Васильевича Ерофеева, Василий Константинович. Евгений Шталь в своей статье цитирует судебное дело старшего Ерофеева, в котором приведены такие его упреки завхозу: «Брось трепать языком, по всему Советскому Союзу одно б...ство — довели народ до нищенства»[2]. По утверждению доносчика, в кругу колхозников Василий Константинович говорил: «Вот, ребята, какое правительство нам навязали. Везде хлеб гниет, а крестьяне околевают с голоду. Разве это правители: двадцать лет нас, дураков, морят»[3]. 27 июля 1942 года дед Венедикта Ерофеева был приговорен к расстрелу с конфискацией имущества в пользу государства. Через некоторое время расстрел был заменен на 10 лет лишения свободы, которые ему отсидеть не пришлось — через несколько дней после «помилования» Василий Константинович скончался в тюрьме. Причина смерти осталась родственникам неизвестной[4].

---

[1] *Цветаева М.* Собрание стихотворений, поэм и драматических произведений: в 3 т. Т. 1. М., 1990. С. 40.

[2] *Шталь Е.* Венедикт Ерофеев // Газета «30 октября». 2005. № 50. С. 13.

[3] Там же.

[4] Нина Фролова полагает, что реальной причиной ареста деда был рассказанный им анекдот про Ленина. Она же отмечает подозрительную нестыковку дат в деле, где дата смерти получилась ранее даты пересмотра дела. Возможно, Василий Константинович Ерофеев был все-таки расстрелян.

Осенью 1943 года в Елшанку неожиданно приехал Ерофеев-отец и забрал жену и детей обратно на Кольский полуостров, на станцию Хибины, где он служил начальником. «Возвращались с приключениями — по причине того, что на пятилетнего Венедикта пропуска почему-то не дали, — вспоминала Тамара Гущина. — А поезда́ все время проверяли. Идет наряд, и мы Венечку на третью полку забрасываем, накрываем какими-то узлами, чтоб его не видно было. Он там, бедный, еле дышит»[1]. «Мама работала приемщицей рыбы, — рассказывает Нина Фролова о следующем лете. — Я и мои братья Боря и Вена, часто сидя на берегу озера» Имандра, «наблюдали, как рыбаки ловили неводом рыбу. Иногда мы плавали за ягодами на остров в лодке»[2].

Кончилась война. Казалось бы, теперь жизнь должна стать хоть чуть-чуть более легкой, однако над главой семейства Ерофеевых сгустились нешуточные тучи. Еще в 1944 году «за ослабление контроля» над транспортными агентами Василия Васильевича понизили до должности дежурного по станции[3]. А в начале июля 1945 года его арестовали. «Пришли 4 человека в 1945 году», — рассказывал Ерофеев в интервью Светлане Мельниковой и Сергею Куняеву[4]. «Пришли с ордером на обыск, — вторила брату Тамара Гущина, — перевернули все, что только было у нас. А кроме барахла в семье, где пять человек детей и один папа работающий, что там могло быть? Конфисковали только сто рублей и хлебную карточку. Это вот они не постеснялись от семьи отобрать»[5].

---

[1] *Мешкова Н.* Венедикт Ерофеев — наш земляк.

[2] Про Веничку. С. 9.

[3] Эта информация из личного дела Василия Ерофеева была опубликована Е. Шталем (см.: *Шталь Е.* Венедикт Ерофеев. С. 13).

[4] День литературы. 2000. 15 февраля.

[5] Телепрограмма «Венедикт Ерофеев. Гении и злодеи». URL: https://www.youtube.com/watch?v=b1vU8Iz8fm8. В описи изъятого у Василия Ерофеева при обыске имущества, кроме документов, 100 рублей и хлебной карточки, фигурирует «карточка на жиры,

«На перегоне был дефект железной дороги, — рассказывает Нина Фролова. — О том, что там следовало сделать ремонт, папа писал начальству, которое руководило этим куском железной дороги до Мурманска. И вот однажды там был сильный толчок, и несколько вагонов с углем упали. Никаких жертв не было, но папу, конечно, сразу арестовали. Вроде как вредительство. Он оправдался! Нашли его обращения к начальству, что следует отремонтировать участок. Но это был 45-й год, время-то какое...»

Отпускать уже арестованного человека было не в принципах сталинской карательной системы, и 25 сентября 1945 года постановлением военного трибунала Кировской железной дороги Василий Васильевич Ерофеев был осужден на пять лет лишения свободы с отбыванием в исправительно-трудовых лагерях с последующим поражением в правах сроком на три года и «без конфискации имущества за отсутствием такового»[1]. В приговоре о его вине говорилось так: «Предварительным и судебным следствием установлено, что Ерофеев, будучи начальником станции Хибины Кировской жел<езной> дор<оги> в период войны Советского Союза с фашистской Германией в 1941–1945 гг., систематически занимался контрреволюционной агитацией среди подчиненных ему работников и других лиц, проживающих на станции Хибины. Так, он восхвалял силу и мощь армии фашистской Германии, одновременно клеветал на силу и мощь Красной Армии и ее полководцев. Высказывал пораженческие настроения Советского Союза в войне с фашистской Германией. Восхвалял жизнь и быт трудящихся при царском строе, высказывал клеветнические измышления на жизнь и быт рабочих Советского Союза и клеветал на ведение колхозной систе-

---

500 гр.» Копия уголовного дела Василия Ерофеева. Военный трибунал Кировской железной дороги. Дело № 045434. Личный архив В. Ерофеева (материалы предоставлены Г. А. Ерофеевой).

[1] Там же.

мы хозяйства»[1]. Разумеется, обвинение это было сфабриковано. «Папа мне сам рассказывал, что с ним делали, когда он был под следствием, — говорит Нина Фролова. — Его держали в камере, в которой нельзя было ни встать во весь рост, ни сесть, человек там находился в скрюченном положении. А ночью открывали камеру, папа оттуда выпадал, его обливали ледяной водой и вели на допрос». «Веничка рассказывает, как над отцом издевались на допросах. Сам себя прерывает: "Женщинам рассказывать такое нельзя". Из глаз его хлынули слезы», — записала в дневнике Наталья Шмелькова[2]. В 1990 году Василий Ерофеев был реабилитирован.

В постановлении о реабилитации было сказано: «Вопреки требованиям уголовно-процессуального закона военный трибунал не привел в приговоре доказательств вины осужденного <...> Обвинительный приговор постановлен военным трибуналом на основании показаний свидетелей Голубева Н. Г., Морозова А. Н., Никонова Г. А., Белотелова и других. Как пока<за>ли эти лица, Ерофеев во время разговоров с ними пояснял, что "при царе крестьяне жили хорошо. Сейчас народ голодает. Нам нечего воевать без толку. У немцев первоклассная техника, у солдат хорошая выучка". <...> Ерофеев не признал себя виновным <...> и заявил, что антисоветской агитацией он не занимался. Негативно высказывался о колхозе, в котором жила его семья. Они за работу ничего не получали»[3].

О реабилитации Василия Ерофеева его смертельно больной младший сын еще успел узнать.

В 1945 году Венедикт и Борис Ерофеевы уже учились в первом классе начальной школы на станции Хибины.

---

[1] Военный трибунал Кировской железной дороги. Дело № 045434. Личный архив В. Ерофеева (материалы предоставлены Г. А. Ерофеевой).

[2] *Шмелькова Н.* Последние дни Венедикта Ерофеева: Дневники. С. 80.

[3] Копия постановления президиума Мурманского областного суда №44у-123 от 22 февраля 1990 г. из личного архива В. Ерофеева (материалы предоставлены Г. А. Ерофеевой).

Туда принимали с восьми лет, но мать уговорила учительницу, чтобы вместе со старшим братом взяли и младшего. «Один портфель, главное, экономия была, не надо было второй портфель покупать, и учебники одни», — объясняет мотивацию Анны Ерофеевой Нина Фролова[1]. Задачу матери значительно облегчило то обстоятельство, что к шести годам Венедикт уже умл читать и писать. «И как он выучился читать? По-моему, никто с ним не занимался, никто и не заметил. У нас в доме, собственно, и книг-то не было. Был громадный, растрепанный том Гоголя», — рассказывала Тамара Гущина[2]. Однажды, еще в 1943 году, она спросила у младшего брата: «Веночка, что ты там все пишешь и пишешь?» Он посмотрел на меня очень серьезными голубыми глазами и ответил: "Записки сумасшедшего". Над этим все очень долго смеялись, хотя он не шутил»[3].

Очень рано проявились еще три основополагающих свойства личности Венедикта Ерофеева — его стремление к сбережению себя от внешнего мира, его умение хранить в памяти бездну фактов и его страсть к систематизации. «Он был сдержанный, углубленный в свои мысли, память у него была превосходная, — свидетельствует Нина Фролова. — Например, такой эпизод. Книг особых у нас не было, поэтому читали все подряд, что под руку попадается; был у нас маленький отрывной календарь, который вешают на стену и каждый день отрывают по листочку. Веничка этот календарь — все 365 дней — полностью знал наизусть еще до школы; например, скажешь ему: 31 июля — он отвечает: пятница, восход, заход солнца, долгота дня, праздники и все, что на обороте написано. Такая была феноменальная память. Мы, когда хотели кого-нибудь удивить, показывали это»[4].

В марте 1947 года на Анну Ерофееву и на всю семью об-

---

[1] Острова.
[2] Там же.
[3] *Ерофеев В.* Письма к сестре. С. 123.
[4] *Ерофеев В.* Мой очень жизненный путь. С. 529.

рушилась еще одна беда. За кражу хлеба на станции Заше-ек арестовали старшего из братьев — Юрия, и вскоре он был осужден на пять лет исправительно-трудовых лагерей. Вдобавок к этой беде Венедикта, Бориса и Нину в мае с цингой положили в больницу. «Когда мы были в больнице, сгорела наша квартира, — вспоминает Нина Фролова. — Ничего там ценного не было, конечно. Только большой портрет на стене — папа с мамой молодые и шкура белого медведя, кем-то подаренная...»

Вот тогда и случилось, пожалуй, самое печальное событие среди всех перечисленных: не выдержав груза навалившейся на нее ответственности, Анна Ерофеева на неопределенное время уехала в Москву к родственникам, искать работу, оставив сыновей и дочерей на произвол судьбы. «Получалось так, что она живет за счет своих детей, — объясняла поступок матери Тамара Гущина. — На них-то продовольственная карточка была, а на нее не было. Она собралась и уехала»[1]. «Маменька сбежала в Москву», — скупо констатировал в интервью Л. Прудовскому сам Ерофеев. А на последовавший далее вопрос: «И тебя бросила?» — ответил еще короче: «Да»[2]. «Однажды к нему приехали телевизионщики из ленинградской программы "Пятое колесо", — вспоминает актриса Нина Черкес-Гжелоньска случай, произошедший в 1988 году. — А он из своей комнаты не захотел выходить. Я спрашиваю: "Почему ты, Венедикт, не хочешь с ними разговаривать?" А он говорит: "Будут спрашивать, почему меня мама в детдом отдала"».

«Не было у меня с ним разговора на эту тему, — рассказывает Нина Фролова. — С Борисом — да, а Венедикт как этому отнесся я даже не знаю...»[3] «Я так не люблю это вспоминать... — продолжает она. — Мы не плакали, мы были такие растерянные, к нам сразу на другой день яви-

---

[1] Острова.
[2] *Ерофеев В.* Мой очень жизненный путь. С. 489.
[3] Острова.

лась милиция. Мама сказала: "Не рассказывай, куда я уезжаю". Она к тете Дуне[1] поехала в Москву»[2].

«Я обратилась в горком комсомола, и они сказали: "Привозите ребятишек, устроим в детский дом"», — вспоминает Тамара Гущина[3]. В начале мая 1947 года она забрала братьев Бориса и Венедикта Ерофеевых из больницы и отвезла их в детский дом в город Кировск. Здесь Венедикту предстояло пробыть долгие шесть лет.

С братом он в детстве был очень близок. «С Борей они были неразлучны. Их считали двойняшками. У них был какой-то свой, непонятный нам, лексикон, а они хорошо понимали друг друга», — рассказывала Тамара Гущина в неопубликованном варианте своих воспоминаний[4]. «Вена зимой потерял шапку, а Боря надел на него свою, а сам с голой головой явился домой», — вспоминала она же характерный случай еще из додетдомовской жизни братьев[5]. Сходно распределились роли Бориса с Венедиктом и в детском доме — старший брат всячески оберегал и защищал младшего. «У Вени была кличка "Курочка", потому что он ходил все время следом за мной. Так было до 1951 года, — рассказывал Борис Ерофеев. — У меня было прозвище "Бегемот", потому что я был задиристый, умел постоять за себя и Веню и защитить от хулиганов. Дрались обычно детдомовцы с мальчишками с улицы Нагорной <...> Однажды мы пошли в лес поесть ягод. Веня с книгой сел и ел ягоды. На него напали мальчишки, стали бить. Я заступился за брата. Меня побили, но Веньку оставили в покое»[6]. А может быть, кличку «Курочка» Ве-

---

[1] Авдотье Андреевне Карякиной (1889–1981) — родной сестре Анны Ерофеевой. — *О. Л., М. С., И. С.*

[2] Острова.

[3] Там же.

[4] Личный архив В. Ерофеева (материалы предоставлены Г. А. Ерофеевой).

[5] Острова.

[6] Про Веничку. С. 24–25.

недикт получил за то, что его любимым детским чтением была знаменитая сказка Антония Погорельского? Во всяком случае, в записной книжке 1977 года он отметил: «Достать, наконец, "Черная курица" Антона Погорельского. Больше всего слез из всех детских слез»[1].

Описание Борисом их с братом полутюремной жизни в детском доме, конечно же, было далеко от ностальгического: «Поместили в палату из 26 человек <...> Подъем был в 6 утра, потому я гимн не люблю. Летом собирали ягоды. Норма — 1 литр черники, чтобы заработать на сладкий чай. Черного хлеба до 1949 года была норма 1 кусочек, позднее норму отменили. Но нельзя было зевать — украдут хлеб или колбасу»[2]. Тем не менее, старший брат, в силу своего умения социально адаптироваться к окружающим обстоятельствам, кажется, лучше переносил казарменные порядки, чем младший. «Ничего хорошего о детском доме он не говорил, Вена, — рассказывала Тамара Гущина, — а Борис говорил: "Все было там хорошо!"»[3] Она же поделилась с Натальей Шмельковой некоторыми подробностями о жизни братьев в детском доме: «Мать думала, что там сытнее, а им, детям, выдавали подбеленную молоком воду, в которой плавали несколько картошинок и макаронин. А дети считали, сколько макаронин у каждого. У кого больше!»[4] «Венедикт-то макаронины не считал, — замечает на это Нина Фролова. — Он всегда был равнодушен к еде».

Вспоминая о жизни в детдоме в интервью Л. Прудовскому, Ерофеев на некоторое время даже отказался от глумливого тона: «Меня перетащили в детский дом г. Кировска Мурманской области, и там я прозябал <...> Ни одного светлого воспоминания. Сплошное мордобитие и культ физической силы. Ничего больше. А тем более —

---

[1] *Ерофеев В.* Записные книжки. Книга вторая. С. 313.
[2] Про Веничку. С. 24.
[3] Острова.
[4] *Шмелькова Н.* Последние дни Венедикта Ерофеева. Дневники. С. 138.

это гнуснейшие года. 46–47-й»[1]. Чуть ниже в этом же интервью Ерофеев признался, что уже в детском доме нашел для себя спасительный выход из ситуации коллективной агрессии, да и просто коллективной активности. Прудовский спрашивает его: «Веня, а в детдоме ты был среди тех, кого били или — кто бил?» Ерофеев отвечает: «Я был нейтрален и тщательно наблюдателен». Прудовский задает уточняющий вопрос: «Насколько это было возможно — оставаться нейтральным?» Ерофеев отвечает: «Можно было найти такую позицию, и вполне можно было, удавалось занять вот эту маленькую и очень удобную позицию наблюдателя. И я ее занял. Может быть, эта позиция и не вполне высока, но плевать на высокость»[2].

Это признание Ерофеева о себе — ребенке кое-что существенное объясняет в том, как он себя часто вел, будучи уже взрослым человеком: «Он был скорее поощряющим наблюдателем, чем активным участником наших проделок, мог сидеть рядом и уходить в себя» (из воспоминаний Натальи Четвериковой)[3]. А вот еще более красноречивый фрагмент из мемуаров Людмилы Евдокимовой (речь идет о 1978 годе): «Помню один из его дней рождений, на которые народу всегда набивалось видимо-невидимо. В тот раз в какой-то момент подвалили осиповцы и кто-то из противоположного лагеря (со стороны Даниэля, что ли, точно не помню). Здесь же начались взаимные обвинения (кто кого посадил), а затем и драка. Веня все это время лежал в позе Воланда на ложе в своей комнате и наблюдал; он был, конечно, уже сильно выпивши, но не суть. Разнимал дравшихся не он, не он кого-то выпроваживал. Ему нравилось "наблюдать" в таких случаях, это вполне в его духе». Важно отметить, что и во взрослой жизни обычно находились люди, которые занимали при наблюдателе-Ерофе-

---

[1] *Ерофеев В.* Мой очень жизненный путь. С. 489, 490.
[2] Там же. С. 490–491.
[3] Про Веничку. С. 147.

еве позицию опекунов и защитников. Судя по всему, его обаяние действовало на большинство окружающих просто неотразимо. «Во-первых, дело было в каком-то особом энергетическом поле, которым обладал Ерофеев, — что это за поле и в чем его особенности, объяснить я не сумею — по-моему, это вообще невозможно выразить словами, — вспоминает Жанна Герасимова. — А во-вторых, он буквально очаровывал своим умом — такого феноменального интеллекта я не встречала больше ни у кого». «Он был не просто мыслящим, а быстромыслящим. Там, где другие успевали подумать один раз и в одном направлении, он — раз десять: и туда, и обратно, и по сторонам», — рассказывает Ольга Седакова.

Но, даже зная об очень раннем самоопределении Венедикта Ерофеева по отношению к окружающим его людям, трудно не подивиться ерофеевской стойкости, продемонстрированной во время одного мелкого, но показательного случая в детдоме. Рассказывает Тамара Гущина: «Однажды, помню, вызывает меня заведующая детским домом, я прихожу, она говорит: "Убедите вашего младшего брата, он категорически отказывается вступать в пионеры". Я говорю: "Венечка, ну почему ты не хочешь-то? Все же в пионеры вступают..." Он — голову вниз и отвечает: "А я не хочу!"»[1] Это, конечно, был тихий бунт не против советской пионерской организации, а против коллективизма как такового.

Однообразный быт кировского детского дома слегка разбавлялся ежегодными летними сменами в пионерских лагерях. В частности, в июне 1950 года Венедикта за отличную учебу направили в пионерский лагерь, располагавшийся в весьма удаленном от Кольского полуострова городе Рыбинске в Ярославской области. В 1976 году, вспоминая этот лагерь и второй куплет популярной пионерской песни про картошку:

---

[1] Телепрограмма «Венедикт Ерофеев. Гении и злодеи».

Наши бедные желудки
Были вечно голодны,
И считали мы минутки
До обеденной поры... —

Ерофеев с ироническим изумлением отметит в записной книжке: «Удивляюсь, как пропустили и почему не сажают, слышу песню "Наши бедные желудки были вечно голодны"»[1].

В том же, 1950 году, из совсем другого лагеря, исправительно-трудового, освободился Василий Ерофеев. Он устроился на работу в пригороде Кировска, получил там жилье в двухэтажном бараке и вызвал из Москвы в Кировск жену Анну. «Между ними были сложные отношения, папа не мог ей простить, что она нас оставила», — вспоминает Нина Фролова[2]. «И ты ее принял?» — спрашивает Ерофеева Л. Прудовский в интервью. «Ну что, мать. Иначе она не могла», — отвечает Ерофеев[3].

При этом жить оба младших брата продолжали в детском доме. Борис покинул его в июне 1952 года; Венедикт — в июне 1953 года, в четырнадцатилетнем возрасте. Еще раз спросим себя: какие воспоминания и впечатления он вынес из детдома? Косвенный ответ на этот вопрос, кажется, дает реплика Ерофеева, прозвучавшая после рассказа Людмилы Евдокимовой о том, как ее тогдашнего мужа, Марка Гринберга, жестоко избили хулиганы, и по возрасту, и по повадкам весьма близкие к юным сожителям Венедикта по детскому дому в Кировске[4]. Ерофеев отреагировал неожиданно жестко:

---

[1] *Ерофеев В.* Записные книжки. Книга вторая. С. 201. Ср. в его же записной книжке 1977 года: «Постоянно помню о песне "Наша милая картошка" и мой детский гнев: отчего не посадят хормейстера пионерлагеря и пр.» (Там же. С. 304).

[2] Острова.

[3] *Ерофеев В.* Мой очень жизненный путь. С. 490.

[4] В 1977 или 1978 году.

«А я бы вообще всех подростков в возрасте от 12 до 16 лет поголовно бы уничтожал, потому что у них нет представления о том, что такое чужая боль» (эта реплика приведена в воспоминаниях Гринберга). «Эпизод из "Москвы — Петушков" с детьми, которые смеялись над человеком, зарезанным поездом, очень красноречив, — полагает Борис Сорокин[1]. — Дети — сволочи... Дети и ангелы. Это у Ерофеева некая зловещая сила»[2].

Нужно сказать, что Борис и Венедикт в этот период еще больше отдалились от родителей. «Когда мама уехала, — размышляет Нина Фролова о тогдашнем поведении братьев, — они были совсем маленькие. А потом, когда она вернулась, они были уже независимыми людьми, школьниками, которые выросли в детском доме. Общения почти не было»[3]. Но она же вспоминает: «Он был мамин любимчик. Мама очень надеялась, что Венедикт у нас будет прославленным человеком»[4].

Для столь радужных надежд у Анны Ерофеевой были некоторые основания. Еще с 1 сентября 1952 года Венедикт начал учиться в средней школе № 1 города Кировска, в которой подобрался по-настоящему сильный состав преподавателей. «У нас были дьявольски требовательные учителя, — рассказывал Ерофеев Л. Прудовскому. — Я таких учителей не встречал более, а тем более на Кольском полуострове. Их, видно, силком туда загнали, а они говорили, что по зову сердца. Мы понимали, что такое зов сердца. Лучшие выпускники Ленинградского уни-

---

[1] Упоминается в поэме «Москва — Петушки» как Боря С. (глава «Воиново — Усад») и Боря (главы «Черное — Купавна», «Крутое — Воиново»).

[2] Тут можно вспомнить любимого Ерофеевым Даниила Хармса: «Травить детей — это жестоко. Но что-нибудь ведь надо же с ними делать!» (*Хармс Д.* Цирк Шардам: собрание художественных произведений. СПб., 2001. С. 849).

[3] Острова.

[4] Там же.

верситета приехали нас учить на Кольском полуострове. Они, блядюги, из нас вышибали все что возможно. Такой требовательности я не видел ни в одной школе потом»[1].

Выбор Венедикта в это время был — учиться как можно лучше, чтобы отличаться от сверстников. «Я наблюдал за своими однокашниками — они просто не любят читать, — презрительно констатировал он во все том же интервью, взятом Л. Прудовским. — Ну вот, скажем, есть люди, которые не любят выпивать. Поэтому выделиться там было нетрудно, потому что все были, как бы покороче сказать... ну, мудаки. Даже еще пониже, но — чтобы не оскорблять слуха... Таков был основной контингент»[2]. В итоге Ерофеев, единственный из всего своего выпуска, окончил школу с золотой медалью.

«В школе у него не было того, что потом в университете, когда он прославился тем, что все отрицал, — рассказывала ерофеевская учительница литературы Софья Неустроева (Гордо). — Да и какой была литература в школе в 50-е годы? Маяковский — патриотическая лирика, Горький — с очерком "Ленин", романом "Мать" и пьесой "На дне", Фадеев, Николай Островский, Шолохов — и всё! И давали произведения современной литературы, которые прославились в данный момент»[3].

«Вспоминаю, как он сдавал за 10 класс экзамены, — рассказывала Тамара Гущина, — я тогда жила в своей девятиметровочке на Хибиногорской, и он каждый раз после экзамена заходил ко мне, у порога становился и улыбался. Я говорю: "Ну что? Какая отметка?" — "Пять!"»[4]. «Пришла в наш почтовый зал какая-то женщина и громко сокрушалась: "Сегодня писали сочинения. Ужасно все пережива-

[1] *Ерофеев В.* Мой очень жизненный путь. С. 492.
[2] Там же.
[3] *Мешкова Н.* Венедикт Ерофеев — наш земляк.
[4] Острова.

ли. Говорят, какой-то Ерофеев только написал на пять"», — свидетельствовала она же[1].

По наблюдениям Людмилы Евдокимовой, ряд повадок «прилежного ученика» Ерофеев сохранил и культивировал в себе во взрослом возрасте: «В нем само́м (странным образом) сохранилось много детских привычек, можно сказать, какой-то непрожитый, несостоявшийся слой добропорядочной жизни, который при нас проживался игровым образом. Веня ж в школе был отличником, все такое; приехал в Москву с золотой медалью. При нас вся эта жизнь "отличника" продолжилась: заполнялись "Дневники природы": "В марте к нам прилетели (оставлено пустое место)"; Веня вписывал. "На деревьях распустились первые (пустое место)". И т. д. Мы и сами ему дарили такие дневники. Заполнялись бесконечные тетради о сборе грибов: 23 августа было найдено: маслят 123 штуки; лисичек 257 штук и т. д. И так на много дней. А чего стоили эти грядки с редисом "Красный богатырь". Кажется при этом, что он так и не вырос, редис этот, несмотря на неустанные Венины заботы о нем и отмечание всего в тетрадке (все полевые работы расписаны пунктуальнейшим образом). Уже в 1980-х годах он возобновил изучение немецкого языка, который в школе учил (это, кстати, немножко помогло ему продержаться на плаву, я думаю): последовали опять тетрадки, аккуратно записанные упражнения, спряжения глаголов, выписанные слова. Все это он обожал показывать; любил играть в пай-мальчика (которым не удалось долго побыть?)»

24 июня 1955 года в кировской школе № 1 состоялся торжественный выпускной вечер. По воспоминаниям Тамары Гущиной, он ознаменовался двумя событиями, которые, с одной стороны, маркировали вступление Венедик-

---

[1] Из неопубликованных воспоминаний Тамары Гущиной. Личный архив В. Ерофеева (материалы предоставлены Г. А. Ерофеевой). Тамара Гущина долгие годы работала на почте.

та во взрослую жизнь, а с другой — лишь дополнительно подчеркивали его школьную привычку к «прилежанию» и «примерному поведению»: «Он первый раз закурил папиросу, когда был выпускной вечер, 10 класс он кончил. И впервые выпил какого-то шампанского, или что там у них было»[1].

«Преподавательница литературы Софья Захаровна Гордо советовала ему поступить на филологический факультет, — рассказывала Тамара Гущина. — Венедикт написал заявления и в Ленинградский университет, и в Московский, и еще куда-то, кажется, в Горьковский. Он решил так: кто первый ответит, туда он и поедет. Москва откликнулась первой. Он отправил туда все документы и ждал. Пришла телеграмма: "Вызываем на собеседование". Медалисты тогда экзаменов не сдавали. А Вене еще 17-ти нет, и он сроду нигде один не бывал. Тогда мама его повезла в Москву к тетушке Дуне. После собеседования профессор сказал Вене: "Приходите, посмотрите в списках, но, я думаю, вы будете зачислены". На второй или третий день они пошли в университет, увидели его фамилию в списках и тут же дали мне телеграмму, где было только одно слово: "Принят"»[2].

---

[1] Острова.
[2] *Ерофеев В.* Письма к сестре. С. 123–124.

ВЕНИЧКА:
Утро, до открытия магазина

Биография литературного персонажа не обязательно должна быть равна всей его жизни, от рождения до смерти. В истории литературы, особенно новейшей, вовсе не редкость сюжеты, сокращающие биографическую линию героя до одного дня (как в случае с «Улиссом» Дж. Джойса и «Миссис Дэллоуэй» В. Вульф) или переводящие ее в «литературное путешествие»[1] из пункта A в пункт B (как в случае с Джимом Хокинсом и Холденом Колфилдом). Однако в любом контексте биография героя «Москвы — Петушков», Венички, стоит особняком. Дело даже не в том, с какой виртуозностью в ней согласованы условия времени и места — суточный отсчет (с утра до ночи) с отсчетом пути (от Курского вокзала к Петушкам и обратно). Веничкина уникальность в другом: его биографическая логика определяется не чем иным, как «алкогольным» хронотопом; временно́й мерой и смысловым ритмом его дороги-судьбы является доза — то, сколько выпито.

---

[1] См.: *Гаспаров Б. М., Паперно И. М.* «Встань и иди» // Slavica Hierosolymitana. Slavic Studies of the Hebrew University. 1981. Vol. 5–6. С. 387. Далее: Гаспаров, Паперно.

Стихия пьянства в «Москве — Петушках» поистине вездесуща. Она может обернуться любым означающим или означаемым на любом уровне текста — и приемом, и мотивировкой[1], и метафорой[2], и мифом[3], и религиозно-философской идеей[4]. Но главное — спиртное в ерофеевской поэме становится «принципом композиционной организации»[5], тем «стержнем, на который нанизан сюжет»[6]; а это значит, что биографические вехи Венички отмериваются граммами и градусами.

В развертывании Веничкиной биографии под знаком алкоголя линейная формула катастрофически опрокидывается в кольцевую[7]: от отвращающей Москвы к чудовищной, от уничижающего подъезда к уничтожающему, от тошноты к ужасу, от телесных недугов к пределу боли, от обесценивания к ликвидации, от подобия небытия к окончательному небытию. Так Веничка, доза за дозой, проходит не просто однодневный, но именно жизненный круг от мучительного рождения заново к мученической «полной гибели всерьез».

Итак, начальным биографическим этапом в этом Веничкином цикле становится утро от блужданий по направлению к Курскому вокзалу до станций Серп и Молот, Карачарово, Чухлинка, то есть от похмелья до первой выпивки.

---

[1] См.: *Генис А.* Иван Петрович умер. М., 1999. С. 51.

[2] «Метафора бытия», «синоним письма» (*Липовецкий М.* Паралогии. Трансформации (пост)модернистского дискурса в русской культуре 1920–2000-х годов. М., 2008. С. 296). Далее: Липовецкий.

[3] «Симпосий в царстве мертвых» (*Седакова О.* Пир любви на «Шестьдесят пятом километре», или Иерусалим без Афин // Книжное обозрение. Ex libris НГ. 1998. № 41, октябрь).

[4] «Церковь водки» (*Найман А.* Оксфорд. ЦПКиО. М., 2004. С. 263), пьянство как «трансцендентальный проект» (Липовецкий. С. 296–297).

[5] *Седакова О.* Пир любви на «Шестьдесят пятом километре», или Иерусалим без Афин.

[6] Липовецкий. С. 295.

[7] Параллелизм первых и последних глав «придает композиц форму замкнутого круга» (Гаспаров, Паперно. С. 387).

Это время оказывается как бы предбытийным — временем переживания абстинентного «нуля», того отрицательного состояния, из которого ему предстоит символически воскреснуть, вновь родиться с первой четвертинкой.

Состояние героя и мира «с перепоя» раскрывается на трех уровнях текста и подтекста.

На первом уровне происходит погружение в московский ад как пространство тотального отчуждения. Изначально Веничка в городе — «посторонний»; столица словно отторгает его, не пуская в свое «сердце», Кремль, и всякий раз выталкивая к Курскому вокзалу. Ранним похмельным утром в городской пустыне каждый локус или объект воспринимается героем-изгоем как «тупик бытия» (аптека, магазин), препятствие (площадь), место стыда, угрозы, насильственного действия (подъезд, ресторан, снова площадь). Вещи видятся неприязненными (вокзальные часы), отвратительными (чулки официантки) и опасными (ресторанная люстра). Еще более травматичными для Венички становятся столкновения с людьми — в полном соответствии с сартровской известной формулой: «Ад — это другие»; окружающие, встречные, даже поющие из динамика, непременно оказываются врагами — или невольными мучителями, как «пидор», скребущий тротуар (124), и Козловский, терзающий слушателя «мерзким» голосом с «песьими» модуляциями (127), или сознательными «палачами» (128), как официантки и охранники ресторана, сначала изводящие несчастного иронией с сарказмом, а затем применяющие к нему прямое насилие. Мало того, что ерофеевский герой до предела съеживается под взглядом обесценивающей власти («вышибала <...> оглядел меня, как дохлую птичку или грязный лютик», 126); он еще и находится в конфликте с собой — и телесном («так дыши, чтобы ноги за коленки не задевали», 124), и мысленном («...отмахнулся я сам от себя», 125), будучи одержимым не только физической, но и духовной, хуже — мистической, «сверхдуховной» тошнотой. «С похмелюги» (123) все в Веничкином мире обманчиво: помимо социума — и собственное естество, помимо естества — и само сверхъестественное; вот и ангелы лживо соблазняют страдающего героя ресторанным хересом, обрекая его на худшие страдания.

На втором уровне утренняя дорога от подъезда до электропоезда становится своего рода травестией крестного пути[1]. Евангельские ассоциации вызываются то сниженной парафразой из Матфея и Марка в рассуждениях о кориандровой (отсылкой к сомнениям и тревогам в Гефсиманском саду[2]), то метонимической деталью (колонной, к которой прислоняется Веничка, как намеком на бичевание Христа), то многозначительной гиперболой (превращающей официантов и охранника в «палачей» и тем самым перекликающейся с соответствующими эпизодами Евангелия — взятия Христа под стражу, восхождения на Голгофу[3]). Эти ассоциации еще усиливаются метафорическими и стилистическими сдвигами в тексте, акцентирующими мотивы тяжкой ноши («какую тяжесть в сердце пронес...», 124); «какую тяжесть вынес на воздух» (124), «утренняя ноша в сердце», 124), затрудненного шага («я пошел <...> чуть покачиваясь...», 124) и пространственного преодоления («Я пошел через площадь — вернее, не пошел, а повлекся», 126). Обобщая, И. Паперно и Б. Гаспаров последовательно уподобляют каждый отрезок Веничкиной дороги от подъезда до площади Курского вокзала эпизодам страстей Христовых в их евангельской очередности: выход из подъезда — Гефсиманский сад, сцена в ресторане — взятие под стражу и шествие на Голгофу, замирание на площади Курского вокзала — казнь[4].

---

[1] Об этом см.: Гаспаров, Паперно. С. 387–388.

[2] В «Москве — Петушках»: «душа в высшей степени окрепла, а члены ослабели»; у Матфея (26:41) и Марка (14:38): «Дух бодр, плоть же немощна» (см.: *Власов Э.* Бессмертная поэма Венедикта Ерофеева «Москва — Петушки». Спутник писателя // *Ерофеев В.* Москва — Петушки; с комментариями Эдуарда Власова. М., 2000. С. 130). Далее: Власов.

[3] См.: Гаспаров, Паперно. С. 388.

[4] Там же.

На третьем уровне разворачивается отчаянная борьба страждущего героя с похмельным хаосом, подобная комическим сценам с пантомимой, в которых пьяница выводится агонистом, пытающимся выправить, выпрямить покосившийся, уходящий из-под ног мир. Веничка оглядывается кругом и видит городской пейзаж как абсурдный, потерявший бытийные начала и концы, — скажем, бессмысленную «блоковскую» аптеку и нелепую фигуру человека, зачем-то скребущего тротуар («пидора в коричневой куртке»). Но волевым усилием Веничка пытается «вправить сустав времени» — вписать эти «полые» явления в мировой порядок и вместе с тем восстановить пространственные координаты: «Ну вот и успокойся. Все идет как следует. Если хочешь идти налево, Веничка, иди налево <...> Если хочешь идти направо — иди направо» (124).

Главным делом героя до открытия магазина становится битва с собой и миром за восстановление памяти, за логическое заполнение пространственно-временных зияний и провалов. Веничкино дискретное «вчера» может быть по-прустовски найдено и спасено, разумеется, только по меткам выпитого. Так, маршрут от Савеловского вокзала к Каляевской улице прочерчивается по двум точкам, где были выпиты стаканы зубровки и кориандровой; возникает такое впечатление, что та же зубровка тогда в один миг перенесла пьющего на два с половиной километра от одного пункта до другого[1]. Но в дальнейшем магия зелья дает сбой: вчерашнее время и пространство, начиная где-то с припоминания двух стаканов охотничьей на улице Чехова, путаются и пропадают. И вот теперь, когда близится решающее время, «кайрос» открытия магазина, Веничка должен совершить решающее усилие памяти, «анамнез»: «...А что и где я пил? и в какой последовательности? во

---

[1] См.: *Яблоков А.* От вокзала до вокзала, или Московская одиссея Венички Ерофеева // Анализ одного произведения: «Москва — Петушки» Вен. Ерофеева. Тверь, 2001. С. 101.

благо ли себе я пил или во зло?» (124); «Так когда же вчера ты купил свои гостинцы? После охотничьей? <...> Между первым и вторым стаканом охотничьей? <...> До кориандровой или между пивом и альб-де-дессертом?» (126). Вопросы эти имеют для ерофеевского персонажа едва ли не судьбоносное значение: проблема последовательности выпитого приравнена к великим загадкам истории («Не знаем же мы до сих пор: царь Борис убил царевича Димитрия или наоборот?», 124), а проблема соотношения благого действия (покупки гостинцев) и выпитого — к великим тайнам мирозданья («Боже милостивый, сколько в мире тайн! Непроницаемая завеса тайн!», 126).

Раз за разом срываясь в своих попытках восстановить «связь времен», герой-агонист вместе с тем делает и другую комически-отчаянную ставку против хаоса — на силлогистику, научную систематику и аналитику. Вот он блуждает в лабиринтах математики, разгадывая темное уравнение с шестью рублями и «иксом» литража или высчитывая время, найденное на покупку гостинцев между отменяющими время дозами охотничьей. А вот — упорядочивает «страшный мир» за счет каталогизации и классификации: составляет списки выпитого и купленного для опохмелки, выделяет три типа тошноты, выводит рвотный алгоритм в зависимости от порядкового счета доз. И наконец, — спасается от «звериного оскала бытия» в сфере изысканных дефиниций и силлогизмов: то переворачивает формулу воздействия кориандровой на душу и тело, то указывает на «тонкое» различение между «сблевать» и «стошнит» (130).

Но самое сильное средство против хаоса — риторика. Веничка последовательно переводит невыразимую похмельную ломку на язык «патетической декламации». Жалобы и сетования выстраиваются стройными рядами развернутых параллелизмов: например, за периодом восклицаний-апострóф («О, иллюзорность бедствия. О, непоправимость!», 124; «О, тщета! О, эфемерность!», 125) следует период риторических вопросов («...Разве суета мне твоя нужна? Люди разве твои нужны?», 125), а за ними вновь наступает черед восклицательного форсажа («О, сколько безобразия и смутности...», 128; «...о, боль такого позора!», 128; «О, пустопорожность! О, звериный оскал бытия!», 128). Энергию для этого спасительного риторического нагнетения ораторствующий страдалец черпает прежде всего в стихии Достоевского. При этом до открытия магазина преобладает диалогизм самооправдания в духе Мармеладова иже с ним: «Отчего они все так грубы? <...> И грубы-то ведь, подчеркнуто грубы в те самые мгновения, когда нельзя быть грубым...» (128)[1]; после же того, как Веничкин чемоданчик наполнился спиртным, диалогизм становится наступательным, как у «смешного человека», — с маневрами пролепсиса, ложной уступки и других сложных полемических фигур (ср. троекратное «Пусть примитив!» (130) у Ерофеева и «Ну и пусть сон, и пусть...» у Достоевского).

И все же основным мотивом в риторике Венички становятся сентенции самоумаления, смирения, готовности «пострадать»: «Все на свете должно происходить медленно и неправильно, чтобы не сумел загордиться человек, чтобы человек был грустен и растерян» (124); «О, если бы весь мир, если бы каждый в мире был бы, как я сейчас, тих и боязлив, и был бы так же ни в чем не уверен: ни в себе, ни в серьезности своего места под небом — как хорошо бы!» (128). Именно в этих формулах прячется Веничкина надежда на Провидение, ведущее страстотерпца к живой воде опохмелки. Знаки Провидения чудятся и в голосе, «льющимся из ниоткуда» (129), который направляет героя в Петушки, и в том чудесном искривлении пространства, которое бережет героя от темной силы Кремля.

---

[1] Согласно классификации Ю. И. Левина, это «стилистическая цитата» из Достоевского (*Левин Ю.* Классические традиции в «другой» литературе. Венедикт Ерофеев и Федор Достоевский // Литературное обозрение. 1992. № 2. С. 46).

Глава вторая

Венедикт:

Москва. Филологический факультет МГУ

С Кольского полуострова в столицу для поступления на филологический факультет Московского государственного университета имени М. В. Ломоносова Ерофеев отбыл первого июля 1955 года. «Веня прошел собеседования успешно и приехал домой в Кировск. Осенью мы всей семьей проводили его в Москву», — вспоминал брат Борис[1].

Сам Ерофеев, привычно снижая пафос[2], поделился впечатлениями от той летней поездки в интервью Л. Прудовскому. Ради красного словца он исказил действительность и представил дело так, будто в 1955 году «впервые в жизни пересек Полярный круг, только в направлении с севера на юг»[3], и увидел природу Центральной России, но ведь во время войны Венедикт был в эвакуации, а в 1950 году отдыхал в пионерском лагере под Рыбинском: «...И вот я на 17 году жизни впервые увидел высокие

---

[1] Про Веничку. С. 27.

[2] В записной книжке 1963 года Ерофеев сочувственно отметит о С. Кьеркегоре: «В молодости унаследованную от отца склонность к меланхолии скрывает от себя и других под маской сарказма и иронии» (*Ерофеев В.* Записные книжки 1960-х годов. С. 169–170).

[3] *Ерофеев В.* Мой очень жизненный путь. С. 494.

деревья, коров увидел впервые <...> Увидел я корову — и разомлел. Увидел высокую сосну и обомлел всем сердцем <...> Там с медалью было только собеседование[1], и этот мудак так меня доставал, но достать не смог. Я ему ответил на все вопросы, даже которые он не задавал. И он показал мне на выход. А этот выход был входом в университет»[2]. «Я вышел в Москве на Ленинградском вокзале, увидел это огромное количество людей, машин и эти дома... И я сел — и заплакал» — так Сергей Шаров-Делоне вспоминает рассказ Венедикта о встрече с Москвой и поясняет: «Во всем городе Кировске меньше народу и меньше машин, чем он увидел тут. Он заплакал, потому что почувствовал себя никем. Песчинкой, выброшенной на берег».

В интервью Ирине Тосунян Ерофеев рассказывал о дороге в Москву следующим образом: «Ехал в поезде и про себя пел песню Долматовского "Наш дворец — величавая крепость науки"»[3]. Однако продолжение у этого рассказа было далеко не такое радужное: «Когда я пришел в эту "величавую крепость", услышал: "По отделениям! Делай — раз! По отделениям! Делай — три! Руки по швам". И был немедленно разочарован»[4].

Это «И был немедленно разочарован», конечно же, заставляет вспомнить о знаменитом «И немедленно выпил» из «Москвы — Петушков» (132). И действительно, разочарование наступило быстро: студентом филологического факультета МГУ Ерофеев числился всего лишь год и четыре с половиной месяца — до середины января 1957 года,

---

[1] Кроме собеседования, в июле 1955 года Ерофеев прошел еще через освидетельствование врачебной комиссией. — *О. Л., М. С., И. С.*

[2] *Ерофеев В.* Мой очень жизненный путь. С. 494.

[3] Там же. С. 510. Ерофеев перепутал: слова «Песни московских студентов» (на музыку А. Новикова) написал не Евгений Долматовский, а Лев Ошанин. Цитируемое Ерофеевым место на самом деле звучит так: «Ведь не зря на простор // Смотрит с Ленинских гор // МГУ — величавая крепость науки».

[4] Там же.

а реально проучился в университете и того меньше. Тем не менее значение этого короткого периода для его биографии было очень большим. Университет придал интеллектуальному развитию Ерофеева столь мощное ускорение, что его хватило на всю оставшуюся жизнь. «У него был вполне филологический склад ума, несмотря на то что вокруг клубился самый разный, далеко не гуманитарный и не артистический люд (его, пожалуй, даже нельзя назвать богемным)», — вспоминает Марк Гринберг поздние годы Ерофеева.

Александр Жолковский, так же, как Ерофеев, окончивший школу с золотой медалью (только это было не на Кольском полуострове, а в центре Москвы) и поступивший на филологический факультет МГУ в 1954 году, описывает тогдашнюю околофакультетскую жизнь следующим образом: «Одной из форм нового стала атмосфера турпоходов — и малых загородных, и далеких вплоть до альпинистских. Песни туристов и блатные были предвестием дальнейшей культуры бардов. В моей жизни и на факультете это был Игорь Мельчук (“знавший десять языков, сто песен и тысячу анекдотов”) и Валера Кузьмин. Возникло даже ощущение комсомольской самодеятельности, и какое-то время я был членом комитета комсомола курса, выбранным. Быстро разочаровался и вышел. На курсе я участвовал и в написании капустника. Но была и травля, личные дела, рейды комсомольских дружин по общежитиям (и на Стромынке, и на Ленгорах уже), чтобы застукать парочки».

В списке преподавателей факультета в середине 1950-х годов числились такие видные ученые, как филолог-классик Сергей Иванович Радциг, пушкинист Сергей Михайлович Бонди, специалист по древнерусской литературе Николай Каллиникович Гудзий... Вел занятия на филологическом факультете и молодой тогда ученый-универсал Вячеслав Всеволодович Иванов. «По коридору бочком иногда проходил А. А. Реформатский (он не преподавал), — вспоминает Александр Жолковский. — На нашей английской кафедре вдруг появился настоящий англичанин Алек Уистин (*Alec Wisitin*), один раз курс по поэзии прочел Илья Голенищев-Кутузов, отчасти по-французски (или целиком?). Девочки увлекались В. Н. Турбиным. Среди классиков был А. Н. Попов — древний гимназический учитель и автор учебника. Уважался Н. И. Либан. Презирались партийные В. И. Кулешов, А. Г. Волков, П. Ф. Юшин... Экзотична была О. С. Ахманова. Ужасен и колоритен был — декан факультета Р. М. Самарин». «Нашему поколению сильно повезло», — писал в воспоминаниях о филологическом факультете Александр Чудаков, слушавший в МГУ тех же лекторов, что и первокурсник Ерофеев[1].

Но, в отличие от Жолковского, Чудакова или от своего однокашника Бориса Успенского, Венедикт Ерофеев не стал завсегдатаем самых интересных лекций и семинаров филологического факультета. От преподавателей он, кажется, взял очень мало. В роли главных просветителей Ерофеева предстояло выступить компании его ближайших университетских друзей.

«Это был блистательный курс: Моркус, Муравьев, Успенский, Кобяков... — свидетельствовала Наталья Трауберг. — Непонятно, как их всех приняли в университет: слишком они не совпадали с официальными стереотипами и с официозными представлениями. Вероятно, что-то тогда действительно начало "оттаивать" в общественной жизни. Впрочем, позже по разным причинам многие из этих ярких юношей так же, как и Веня, оказались изгнанными из МГУ. Веня тогда был очень молодым и очень красивым»[2]. Сокурсницы вспоминают о Ерофееве так: «Он был самым младшим в группе, а может быть, и на курсе: в начале первого курса ему еще не исполнилось и семнад-

---

[1] *Чудаков А.* Учились, учимся // Время, оставшееся с нами. Филологический факультет в 1955–1960 гг. Воспоминания выпускников. М., 2006. С. 28.

[2] Про Веничку. С. 78.

цати. Высокий, худой, узкоплечий, с яркими голубыми глазами, непокорными густыми темными волосами, спускавшимися на лоб <...> Выглядел он очень юно, по-мальчишески»[1]. «Он был младше меня и выглядел совсем еще маленьким. Худенький, длинная шейка...» Таким было начальное впечатление от Ерофеева у Бориса Успенского.

Выразительные штрихи к воспоминаниям о первых днях Ерофеева в университете добавляет Лев Кобяков, познакомившийся с Венедиктом еще летом 1955 года, под Можайском, куда всех только что поступивших в МГУ студентов добровольно-принудительно загнали менять грунт в совхозе («...старый снимали, а новый смешивали с навозом и клали вместо старого»[2]): «Веня тогда был типичным провинциальным мальчиком, золотым медалистом с голубенькими глазками, тихим, застенчивым, добрым, милым и очень наивным. Помню, он показал мне роскошную логарифмическую линейку, которую привез в Москву. Я спросил: "Зачем?" Он ответил: "Ну как же, мы же будем в университете учиться". Почему-то он считал, что раз в университете, то обязательно у нас будет математика. Я, конечно, очень по этому поводу веселился»[3]. «Ерофеев на протяжении всего первого семестра был на редкость примерным мальчиком», — писал о себе сам автор «Записок психопата»[4]. «Когда Ерофеев приехал с Кольского полуострова, в нем еще не было ничего, кроме через край бьющей талантливости и открытости к словесности», — вспоминал Владимир Муравьев[5].

Встреча с Муравьевым, как представляется, стала самым значительным событием в университетской жизни

---

[1] *Жуковская Е., Музыкантова А. и др.* Кое-что о 4-й немецкой группе // Время, оставшееся с нами. Филологический факультет в 1955–1960 гг. Воспоминания выпускников. С. 227.

[2] Про Веничку. С. 38.

[3] Там же.

[4] *Ерофеев В.* Мой очень жизненный путь. С. 16.

[5] Там же. С. 574.

Ерофеева и многое предопределила в дальнейшей судьбе обоих друзей. «Веня был одним из немногих людей, к которым мой отец относился с настоящей, очень большой нежностью», — свидетельствует Надежда Муравьева. «Муравьев на Веньку огромное влияние оказал, — полагала вторая жена Венедикта, Галина Ерофеева. — Он его духовный отец, хотя и немного моложе. Муравьев, я думаю, даже не подозревал, до какой степени Ерофееву важно было общение с ним, а уж как он дорожил этой дружбой! Конечно, они совершенно разные: академический Муравьев, москвич, библиотеки, книги и т. д., и Ерофеев с его образом жизни, буквально "вышедший из леса". Но в какое бы время они ни встречались, их разговор был таким, как будто они только вчера расстались. Трудно себе представить, что было бы, если бы не было Муравьева на его пути. Он буквально Веньку родил»[1]. Если не бояться высоких слов, то можно сказать, что дружбой с Владимиром Муравьевым Венедикт Ерофеев был, цитируя Мандельштама, «как выстрелом, разбужен»[2].

Равновесия и справедливости ради, приведем здесь и свидетельство Григория Померанца, несколько корректирующее эмоциональное высказывание второй ерофеевской жены: «Думаю, что в первый год дружбы с Венедиктом Ерофеевым, приехавшим из северного поселка, ведущим был Володя. Но Венечка — случай особый, не подходящий под общие мерки; и в какой-то миг он из ведóмого стал ведущим. Ерофеевский стиль жизни повлиял на Володю, когда Венечка вступил на свой путь в Петушки»[3].

---

[1] *Ерофеев В.* Мой очень жизненный путь. С. 605.

[2] «Когда я спал без облика и склада, // Я дружбой был, как выстрелом, разбужен» (*Мандельштам О.* «К немецкой речи» (1932) // Собрание сочинений: в 4 т. Т. 3. М., 1994. С. 70).

[3] *Померанц Г.* Портрет на фоне времени // Время, оставшееся с нами. Филологический факультет в 1955–1960 гг. Воспоминания выпускников. С. 402.

Сам Ерофеев в интервью И. Болычеву, варьируя монолог Хлопуши из есенинского «Пугачева»[1], четко определил границы того периода, в течение которого он был «ведомым» в отношениях с Муравьевым: «В университете мне сказали: "Ерофеев, ты тут пишешь какие-то стишки, а вот у нас на первом курсе филфака человек есть, который тоже пишет стишки". Я говорю: "О, вот это уже интересно, ну-ка покажьте его мне, приведите мне этого человека". И его, собаку, привели, и он оказался действительно настолько сверхэрудированным, что у меня вначале закружился мой тогда еще юный башечник. Потом я справился с головокружением и стал его слушать. И было чего слушать. И если говорить об учителе нелитературном, то — Владимир Муравьев. Наставничество это длилось всего полтора года, но все равно оно было более или менее неизгладимым. С этого все, как говорится, началось»[2]. «Мой тогдашний равви В. Муравьев» — так шутливо определил это наставничество Ерофеев в автобиографии, написанной для Светланы Гайсер-Шнитман[3].

Познакомились Ерофеев и Муравьев в университетском общежитии на улице Новые Черемушки, корпус 102, в котором поселили многих первокурсников. «Четыре железные кровати вдоль стен с наивными цветочками на обоях, больничные тумбочки при каждой из них, стол посередине под свисшей с потолка лампочкой, да еще обязательная для тех лет радиоточка <...>, — вспоминает Пранас Яцкявичус (Моркус). — Восточные окна показывали золотившиеся в московских далях башни и колокольни. С той стороны приезжали трамваи и возле барака при начатой стройке вываливали десант; отдохнув, заворачива-

---

[1] «Проведите, проведите меня к нему, // Я хочу видеть этого человека» (*Есенин С.* Пугачев // Полное собрание сочинений: в 7 т. Т. 3. М., 1998. С. 29).

[2] *Ерофеев В.* Мой очень жизненный путь. С. 522.

[3] *Гайсер-Шнитман С.* Венедикт Ерофеев «Москва—Петушки», или «The Rest Is Silence». Bern; Frankfurt am Main; New York; Paris, 1989. С. 20.

ли назад — в центр. Тут же располагался продуктовый, а за углом — пункт приема стеклотары с непременной гроздью мужчин и авосек с бутылками. Ерофееву досталось окно на запад. Там пылали милые сердцу мечтателя закаты и простирались заброшенные колхозные поля, руины ферм и складов, густые заросли на холме. К ним вела романтическая тропинка. По ней, возбуждая всеобщую зависть, водил своих девушек неотразимый Витя Дерягин»[1].

Венедикт никуда «своих девушек» тогда не «водил», но и он, как и положено студенту, обзавелся возлюбленной. Ею стала ерофеевская одногруппница. «На первом же занятии по немецкому Антонина Григ<орьевна> Муз<ыкантова> попала в поле моего зрения, и мне, без преувеличения, сделалось дурно...» — писал Ерофеев в «Записках психопата»[2]. «Наконец, вижу, внизу, на лестнице. До вечера привожу дыхание в норму», — отметил он в блокноте 1956 года[3]. «...Опрокидывающее действие оказала первая любовь», — вспоминал Венедикт в интервью И. Тосунян[4].

Судя по всему, Антонина Музыкантова принадлежала к тому типу девушек, пристрастие к которым Ерофеева его друг более поздних лет, Вадим Тихонов, объяснял так: «У него был идеал женщины — бывшая "тургеневская женщина", а в наши времена — кондовая комсомолка. "Тургеневская женщина" в наши дни переродилась в "комсомольскую богиню"»[5]. «Комсомольской богиней» Музыкантова все-таки не была, и это не с ней в начале 1980-х годов Ерофеев шутливо сравнивал слависта Вальдемара Вебера: «...ты мне напоминаешь одну комсомолку из МГУ

---

[1] Про Веничку. С. 59, 60–61.

[2] *Ерофеев В.* Мой очень жизненный путь. С. 22.

[3] *Ерофеев В.* Записные книжки 1960-х годов. С. 372.

[4] *Ерофеев В.* Мой очень жизненный путь. С. 508.

[5] Телепрограмма: «Вадим Тихонов: "Я — отблеск Венедикта Ерофеева"». URL: https://www.youtube.com/watch?v=_Efl3hjNTUY. «Комсомольская богиня» — образ из знаменитой «Песенки о комсомольской богине» Булата Окуджавы.

розлива 1961 года. Я ей говорю: идеальных людей не бывает, а она в ответ: а Никита Сергеевич Хрущев?»[1] А вот определение «тургеневская девушка розлива 1950-х годов» к тогдашней Антонине Музыкантовой, кажется, приложить можно.

В комнате университетского общежития вместе с Ерофеевым жило еще четыре человека. Кроме уже упомянутого Льва Кобякова, это были Леонид Самосейко из Белоруссии, Валерий Савельев из Казахстана и будущий известный чеховед Владимир Катаев из Челябинска. В мемуарах Катаев раскрывает университетское прозвище Ерофеева — Тухастый (от знаменитой парадигмы Л. В. Щербы: «Гло́кая ку́здра ште́ко будлану́ла бо́кра и курдя́чит туха́стого бокренка»)[2], а затем делится трогательными подробностями о его первом семестре в МГУ: «Добираться от общежития до университета надо было на трамвае и автобусе час с лишним, и, чтобы успеть к первой лекции, мы дружно вставали в семь утра — и Тухастый вместе со всеми. Вообще в первом семестре он выглядел как самый примерный студент. Не курил, ни капли спиртного не употреблял и даже давал по шее тем, у кого в разговоре срывалось непечатное слово. Однажды, получив месячную стипендию, чуть не всю ее потратил на компот из черешни, который привезли в общежитский буфет: ходил и покупал банку за банкой, что для северянина вполне извинительно. Нельзя сказать, чтобы он особенно выделялся. Любили его все — пожалуй, как самого младшего. Его голубые, как небеса, глаза, длинные ресницы и румянец во всю щеку исключали по отношению к нему обычную в подростковых компаниях (а все мы были тогда подростками) грубость»[3].

---

[1] *Вебер В.* Был, в каком-то смысле, знаком лично // Знамя. 2009. № 11. С. 158.

[2] *Катаев В.* Как доехать до Петушков? // Время, оставшееся с нами. Филологический факультет в 1955–1960 гг. Воспоминания выпускников. С. 165.

[3] Там же. С. 167.

Юрий Романеев, еще один университетский товарищ Ерофеева и его сосед по общежитию, вспоминает о том, какое большое впечатление на всех окружающих произвела ерофеевская «необыкновенная память»[1]. «Например, — рассказывает Романеев, — он помнит наизусть всего Надсона, дореволюционный томик которого носит с собой. А еще Веня может единым духом перечислить все сорок колен Израилевых: Авраам родил Исаака; Исаак родил Иакова; Иаков родил Иуду и братьев его...»[2] В этом Ерофеев был сходен с Владимиром Муравьевым. «Они устраивали состязания между собой, кто больше прочитает стихов, — это могло длиться часами», — пишет Лев Кобяков[3]. Отчим Муравьева, Григорий Померанц, полагал, что свою феноменальную память Владимир Сергеевич получил в наследство от матери, Ирины Игнатьевны Муравьевой: «Ира знала наизусть чуть ли не всю поэзию Серебряного века, а память Володи почти не уступала материнской. Подхватывая стихи на лету, он стал своего рода арбитром в восстановлении культурной традиции после советского погрома»[4].

Понятно, что в поэтическом пантеоне Муравьева центральное место уже в 1955 году занимал *не* Семен Надсон. И *не* Владимир Маяковский, которым Ерофеев сильно увлекался в Кировске. Своими представлениями об иерархии имен в русской поэзии Муравьев, конечно же, делился с чрезвычайно восприимчивым и наделенным фантастической памятью другом.

Теперь мы можем конкретизировать разговор о влиянии Муравьева на Ерофеева в начальный период их дружбы. Продолжением этого разговора пусть станет большой

---

[1] *Романеев Ю.* Мой Радциг, мои Дератани // Время, оставшееся с нами. Филологический факультет в 1955–1960 гг. Воспоминания выпускников. С. 208.

[2] Там же.

[3] Про Веничку. С. 40.

[4] *Померанц Г.* Портрет на фоне времени. С. 402.

отрывок из устного рассказа сына Владимира Муравьева — Алексея: «Насколько я понимаю, для Ерофеева встреча с отцом была фундаментальным событием в жизни, которое перевернуло полностью все его ориентиры. Венедикт Васильевич приехал, как известно, с Хибин прямо на первый курс филологического факультета Московского университета и там, как иногородний, оказался в общежитии. В результате необычайно сложной констелляции разных обстоятельств отец поселился там же. Дело в том, что моя бабушка, Ирина Игнатьевна, тогда развелась с Елизаром Моисеевичем Мелетинским, вышла замуж за Григория Соломоновича Померанца, места (квартиры или комнаты свободной) особенного для детей в Москве не было, тем более что все 1950-е годы она провела в ссылке. Поэтому отец и поселился в университетском общежитии.

И вот в МГУ собралась уникальная компания, в которой некоторым интеллектуальным лидером отчасти был отец, но туда входили Евгений Костюхин, который потом стал фольклористом, а также Борис Успенский, Лев Кобяков и еще несколько разных людей. Ерофеев же, хотя он и был медалист и отличник, насколько я понимаю, тогда был еще не очень развит, и, собственно говоря, отец оказался тем, кто начал ему рассказывать про литературу в более глубоком смысле, и особенно про поэзию. В частности, из рук отца впервые он получил стихи Игоря Северянина, который стал его любовью на всю жизнь.

Нужно сказать, что в компании отца не было никакого восторга по поводу шестидесятничества. Что касается Евтушенко, то он воспринимался как символ пошлятины. И Окуджаву тоже никто в серьезные поэты не думал записывать... Отец вообще ранжировал литературу по родам — кто главный, кто неглавный. Скажем, Мандельштаму отводилась высшая ступень, кому-то — чуть пониже и так далее.

Отец производил абсолютно магнетическое действие на многих окружающих, не в последнюю очередь потому, что он всегда говорил максимально жестко и с очень большой уверенностью. Сергей Сергеевич Аверинцев как-то мне сказал: "Я человек сомнения", а отец, даже если в чем-то сомневался, внешне этого никак не выражал. Это было то, что Набоков назвал *strong opinion*. И плюс ко всему отец детство и раннюю юность провел с книгой, он прочел всю библиотеку Мелетинского тогда — в Петрозаводске и в других местах, поэтому он феноменально много знал для молодого человека его поколения».

Учитывая то, какую значительную роль в становлении Ерофеева сыграл не только Муравьев, но и вся его университетская компания, приведем здесь выжимки-характеристики некоторых ее участников из воспоминаний Евгения Костюхина: «Борис Успенский с его умением всему на свете дать трезвую и ироничную оценку <...> Пранас Яцкявичус <...> Наверное, более ироничного, насмешливого человека среди нас не было. Пранас — это всегда спектакль <...> Ерофеев с его подачи стал Веничкой <...> Но любовь моя, мой первый и самый дорогой наставник, дружба с которым прошла сквозь всю мою жизнь, — Володя Муравьев. Он не только ввел меня в мир литературы, но и воспитал меня. Мальчик из подлинно интеллигентной семьи (дядя — филолог и поэт, тетя — редактор Учпедгиза и автор книг о зарубежных классиках, мать — филолог, автор книги об Андерсене, отчим — видный философ и эссеист Григорий Соломонович Померанц), он поражал воображение не только энциклопедическими знаниями, но и смелостью и широтой суждений. Он пришелся не ко двору советской эпохе и в полной мере себя не реализовал. Но пусть толкиенисты будут ему благодарны за открытие Толкиена. Что до его человеческого потенциала, то мне его хватило на всю жизнь»[1].

---

[1] *Костюхин Е.* Коротко о минувшем // Время, оставшееся с нами. Филологический факультет в 1955–1960 гг. Воспоминания выпускников. С. 219–220. В. С. Муравьев и А. А. Кистяковский стали первыми переводчиками на русский язык «Властелина колец» Дж. Р. Р. Толкина.

Сам Венедикт Ерофеев в интервью И. Болычеву рассказывал об этой компании не столь патетически, но тоже с ностальгией и симпатией: «...основное студенчество было настолько плохо, что противно и вспоминать, — но опять же, как всегда, как и в Царскосельском лицее, непременно найдется семь-восемь людей, которые кое-что кое в чем смыслят. Так вот, мне повезло, я на них напал»[1]. Л. Прудовскому Ерофеев рассказывал: «Среди них были такие, вроде чуть-чуть видящие, вроде Володи Муравьева — опять же мой однокурсник»[2]. А дальше Ерофеев снова использовал «лицейскую» метафору и отметил, что компания была похожа «немножко на царскосельскую, на кюхельбекерскую такую, в несколько заниженном варианте. Я там представлял барона Дельвига»[3]. Интересно, что в сходную игру в интервью Соломону Волкову с увлечением сыграл младший современник Ерофеева и чтимый им поэт Иосиф Бродский: «В свое время в Ленинграде возникла группа, по многим признакам похожая на пушкинскую "плеяду". То есть примерно то же число лиц: есть признанный глава, признанный ленивец, признанный остроумец. Каждый из нас повторял какую-то роль. Рейн был Пушкиным. Дельвигом, я думаю, скорее всего, был Бобышев. Найман, с его едким остроумием, был Вяземским. Я, со своей меланхолией, видимо, играл роль Баратынского»[4].

Десятым января 1956 года датируется старт первой в студенческой жизни Венедикта Ерофеева сессии. Открывалась она трудным экзаменом по античной литературе. «Не без страха ожидали мы своей участи у Сергея Ивановича Радцига и Николая Алексеевича Федорова (первый читал нам лекции по античке, а второй проводил по ней коллоквиумы), — рассказывает Юрий Романеев. —

---

[1] *Ерофеев В.* Мой очень жизненный путь. С. 521.
[2] Там же. С. 495.
[3] Там же.
[4] *Волков С.* Диалоги с Иосифом Бродским. М., 1998. С. 227.

И вдруг новость: <...> Веня Ерофеев сдал античную литературу на пятерку самому Сергею Ивановичу!»[1] Столь же удачно Ерофеев выдержал остальные экзамены первой сессии (введение в языкознание, устное народное творчество, логику и немецкий язык).

После этого он триумфатором уехал домой, в Кировск, на зимние каникулы.

В конце февраля Ерофеев вернулся в Москву. И сразу же для всех стало очевидным то его «разочарование» в университете, о котором он многие годы спустя говорил в интервью И. Тосунян. «Перемена, и очень резкая, наступила во втором семестре, — вспоминает Владимир Катаев. — Съездив на зимние каникулы к себе домой, Тухастый вдруг превратился в мрачного затворника и целыми днями валялся на постели. Что-то писал, пряча тетрадь под подушку. К весне он уже выкуривал по пачке папирос в день и мог выпить за раз бутылку красного вина. На занятиях теперь почти не бывал. Читал много, но с программой не сверялся»[2]. Сам Ерофеев нарочито грубо говорил в интервью Л. Прудовскому: «Я просто перестал ходить на лекции и перестал ходить на семинары. И скучно было, да и незачем. Я приподнимался утром и думал, пойти ли на лекцию или семинар, и думаю: на хуй мне это надо, — и не вставал и не выходил <...> Я, видимо, не вставал, потому что слишком вставали все другие. И мне это дьявольски не нравилось. Ну, идите вы, пиздюки, думал я, а я останусь лежать, потому что у меня мыслей до хуища»[3]. «Ему было неинтересно учиться, потому что он понял, что это все такая мура, что это не дает ему такого движения, которого он хотел бы. Сам процесс учебы его не устраивал, это ему было неинтересно. Он явно хотел большего и был о себе более высокого мнения. Причем без какой-то особой гордыни и подчеркивания, но было

---

[1] *Романеев Ю.* Мой Радциг, мои Дератани. С. 208.
[2] *Катаев В.* Как доехать до Петушков? С. 168.
[3] *Ерофеев В.* Мой очень жизненный путь. С. 494.

ясно, что он настолько вникал в литературу сам и настолько ее знал, что его не устраивал обычный процесс формального обучения. Это ему было не нужно. Потому что он знал больше. Потому что он сам работал над собой», — со слов Ерофеева рассказывает Ирина Дмитренко.

Что же произошло? В каких конкретных событиях следует искать если не глубинную причину, то хотя бы внешний повод для столь определенного (и первого в ряду многих) отказа Венедикта Ерофеева от пути, ведущего к успеху в общепринятом смысле этого слова? «Каждая минута моя отравлена неизвестно чем, каждый мой час горек», — отметит 34-летний Ерофеев в записной книжке 1972 года[1]. Но чем оказались «отравлены» в 1956 году «минуты и часы» вчерашнего мальчика-медалиста «с голубенькими глазками»?

В семье Ерофеева ответственность за резкую перемену в поведении сына и брата, естественно, возлагали на шумную столицу в целом и на разгульную студенческую жизнь в частности. «Мне кажется, что Москва на него как-то повлияла, — предполагала Тамара Гущина. — Окружение... в МГУ — все дети таких родителей... Там и Маша Марецкая[2] училась, он мне про нее рассказывал... Муравьев — из профессорской, писательской семьи... и затянуло человека»[3]. «Проблемы с алкоголем начались в Москве. Раньше Вена был пай-мальчик, — вторит сестре Нина Фролова. — Он не курил, не выпивал, пока не стал студентом МГУ. Там училось много детей известных людей»[4]. Недостаточность этого простого объяснения бросается в глаза хотя бы потому, что реакция отторжения от университета

---

[1] *Ерофеев В.* Записные книжки. Книга вторая. С. 16.

[2] Дочь популярной советской актрисы Веры Марецкой. — *О. Л., М. С., И. С.*

[3] Острова.

[4] Коктейль Ерофеева. Сестра культового писателя Нина Фролова: «От него всего можно было ожидать!»

у Ерофеева началась не в Москве, а в Кировске или, по крайней мере, сразу же после возвращения в Москву из Кировска.

Объяснение поведения Ерофеева, которое хотим предложить мы, еще проще, чем у Тамары Гущиной и Нины Фроловой, но, как кажется, и правдоподобнее: именно на зимних каникулах в Кировске Венедикт узнал, что его отец смертельно болен и жить ему осталось совсем недолго.

Рассказывая в первой главе этой книги о детстве Венедикта Ерофеева на Кольском полуострове, мы пропустили одно важное событие, о котором самое время сообщить сейчас: еще в конце 1953 года за опоздание на работу его отец Василий Васильевич был вторично осужден на три года лагерей. Однако здоровье заключенного оказалось настолько расшатано первой отсидкой[1], что бóльшую часть нового срока он провел в больнице и по настоянию врачей был освобожден из лагеря раньше истечения времени наказания. Как раз в начале января 1956 года Василия Васильевича положили в Мурманскую областную больницу, чтобы определиться с диагнозом, а затем сделать ему операцию на желудке. Но в ходе исследований врачи обнаружили у Ерофеева-отца рак легкого в запущенной, безнадежной стадии и отпустили Василия Васильевича умирать домой.

Вновь (только с сокращениями) процитируем здесь те два микрофрагмента из «Москвы — Петушков» и записной книжки Ерофеева, которые мы уже приводили в предисловии: «У других, я знаю, у других это случается, если кто-нибудь вдруг умрет, если самое необходимое существо на свете вдруг умрет. Но у меня-то ведь это вечно! — хоть

---

[1] Еще находясь под следствием по первому делу, Василий Ерофеев писал начальнику следственного отдела: «Убедительно прошу ускорить мое дело, болезнь моя обостряется, были случаи кружения головы и я падал на пол <...> у меня туберкулез и порок сердца» (Копия уголовного дела Василия Ерофеева из личного архива В. Ерофеева. Материалы предоставлены Г. А. Ерофеевой).

это-то поймите!» И: «Великолепное "все равно". Оно у людей моего пошиба почти постоянно <...> А у них это — только в самые высокие минуты, т. е. в минуты крайней скорби, под влиянием крупного потрясения, особенной утраты». Мы совершенно не собираемся утверждать, что отец в описываемый период был для Ерофеева «самым необходимым существом на свете», — они были уже очень давно далеки друг от друга, а отъезд сына в Москву лишь увеличил дистанцию между ними. Вероятно, Венедикта поразила не столько неизбежная скорая смерть Василия Васильевича, сколько впервые близко увиденная надвигающаяся смерть как таковая. «Веничка постоянно думал о смерти и сильно и болезненно переживал преходящесть, — отмечает Ольга Седакова. — Я думаю, что тема смерти, тема необратимого движения времени его не отпускала»[1]. «Я думаю, что в какой-то момент жизни Ерофеев столкнулся с опытом смерти, — пишет Андрей Архипов. — И я думаю, что впечатление от этого столкновения действительно изменило психику Ерофеева (или, наоборот, актуализовало ее)».

Допускаем, что самому Ерофееву все эти рассуждения показались бы нестерпимой «высокопарщиной», как, наверное, и следующий концептуальный пассаж из мемуаров Григория Померанца: «Закончив школу с золотым аттестатом, он два года продолжал свое образование, врастал в элиту своего времени и вдруг вспомнил, откуда родом, и захотел со всем своим умом вернуться к судьбе товарища по школьной парте, не получившего аттестата с отличием и не попавшего в Московский университет. Его вел демон, велевший довести задуманное до конца, проверить на себе, может ли Святой Дух жить в пропойце»[2].

---

[1] *Седакова О.* Венедикт Ерофеев — человек страстей // Правмир. ру. Православие и мир. 2013. 24 октября. URL: http://www.pravmir.ru/venedikt-erofeev-chelovek-strastej2/.

[2] *Померанц Г.* Портрет на фоне времени. С. 403.

Так или иначе, но в частично автобиографическом фрагменте из «Записок психопата», написанном как бы от лица однокурсников Ерофеева, упоминается и о болезни, и о смерти его отца (Василий Васильевич умер 15 июня 1956 года, и Венедикт на его похороны не приехал — не был готов эту смерть принять (?); в дневнике 1986 года он отметит: «Не забыть: 15 июня 30-летие смерти отца»[1]).

Приведем здесь полностью этот обширный фрагмент: «Не то суровый зимний климат, не то "алкоголизм семейных условий" убили в нем "примерность", и к началу второго семестра выкинули нам его с явными признаками начавшейся дегенерации.

Весь февраль Ерофеев спал и во сне намечал незавидные перспективы своего прогрессирования.

С первых же чисел марта предприимчивому от природы Ерофееву явно наскучило бесплодное "намечание перспектив", и он предпочел приступить к действию.

В середине марта Ерофеев тихо запил.

В конце марта не менее тихо закурил.

Святой апрель Ерофеев встречал тем же ладаном и той же святой водой – правда, уже в увеличенных пропорциях.

В апреле же Ерофеев подумал, что неплохо было бы "отдать должное природе". Неуместное "отдание" ввергло его в пучину тоски и увеличило угол наклонной плоскости, по которой ему суждено бесшумно скатываться.

В апреле арестовали брата.

В апреле смертельно заболел отец.

Майская жара несколько разморила Ерофеева, и он подумал, что неплохо было бы найти веревку, способную удержать 60 кг мяса.

---

[1] Личный архив В. Ерофеева. Материалы предоставлены Г. А. Ерофеевой.

Майская же жара окутала его благословенной ленью и отбила всякую охоту к поискам каких бы то ни было веревок, одновременно несколько задержав его на вышеупомянутой плоскости.

В июне Ерофееву показалось слишком постыдным для гения поддаваться действию летней жары, к тому же внешние и внутренние события служили своеобразным вентилятором.

В начале июня брат был осужден на 7 лет.

В середине июня умер отец.

И, вероятно, случилось еще что-то в высшей степени неприятное.

С середины июня вплоть до отъезда на летние каникулы Ерофеев катился вниз уже вертикально, выпуская дым, жонглируя четвертинками и проваливая сессию, пока не очутился в июле на освежающем лоне милых его сердцу Хибинских гор.

Июльские и августовские действия Ерофеева протекли на вышеупомянутом лоне вне поля зрения комментатора.

В сентябре Ерофеев вторгся в пределы столицы и, осыпая проклятиями вселенную, лег в постель.

В продолжение сентября Ерофеев лежал в постели почти без движения, обливая грязью членов своей группы и упиваясь глубиной своего падения.

В октябре падение уже не казалось ему таким глубоким, потому что ниже своей постели он физически не смог упасть.

В октябре Ерофеев стал вести себя чрезвычайно подозрительно и с похвальным хладнокровием ожидал отчисления из колыбели своей дегенерации.

К концу октября, похоронив брата, он даже привстал с постели и бешено заходил по улицам, ища ночью под заборами дух вселенной.

Ноябрьский холод несколько охладил его пыл и заставил его вновь растянуться на теплой постели в обнимку с мечтами о сумасшествии.

Весь ход ноябрьских событий показал с наглядной убедительностью, что мечты Ерофеева никогда не бывают бесплодными»[1].

Все же абсолютно доверять этому фрагменту не сто́ит, реальные факты биографии Ерофеева соседствуют в нем с вымышленными. В частности, ни одного из братьев Венедикт тогда не похоронил[2]. По «Запискам психопата» можно судить о стиле жизни Ерофеева тех месяцев, его круге чтения и философских поисках, однако в качестве даже и беллетризованного дневника рассматривать их не следует. Отметим, что первый же серьезный литературный опыт Ерофеева в чем-то предвосхитил поэму «Москва — Петушки» — и там и там центральный персонаж заимствует у автора имя и ряд деталей биографии.

Попробуем теперь прояснить некоторые темные места из приведенного отрывка «Записок психопата».

Об апреле 1956 года, в котором Венедикт «отдавал должное природе», сохранились воспоминания ерофеевских одногруппниц: «Неотвратимо приближалась сессия, а Веня так и не появлялся в университете. Положение становилось критическим, и к нему в общежитие в Черемушки были направлены "представители общественности" — мы: профорг А. Дунина и комсорг Е. Жуковская с заданием "спасать" Веню. Миссия была невыполнимой, но деваться было некуда. Кто-то из общежитских проводил делегацию к Вениной двери. Вошли. Веня возлежал на кровати с фолиантом (кажется, Гегеля) в руках. Кровать была коротка, и его длинные ноги просовывались сквозь железные прутья спинки. В комнате было накурено, хоть топор вешай, сосед его начал поспешно убирать разбросанные по комнате вещи, подвинул нам стулья. Видно, ему было неловко. Он сказал Вене: "Ты бы хоть встал,

---

[1] *Ерофеев В.* Записки психопата // *Ерофеев В.* Мой очень жизненный путь. С. 16–17.
[2] Юрий Ерофеев умрет через четверть века, в 1981 году. Борис Ерофеев переживет Венедикта и напишет о нем мемуары.

к тебе же пришли, неудобно". На что Веня буркнул: "А я никого не приглашал". И продолжал читать (или делал вид, что читает). Пока говорили не о его проблеме, а на какие-то нейтральные темы, он что-то даже отвечал. Но когда мы начали уговаривать, точнее, упрашивать его прийти на занятия, говоря, что деканат допустит его к сессии, если он все-таки явится, он перестал отвечать и демонстративно углубился в книгу. Но судя по коротким взглядам, которые он иногда бросал на нас, было видно, что он все-таки слушал. Наконец все доводы иссякли, и мы могли лишь пойти по второму кругу. Ему это, видно, надоело. Он махнул рукой и изрек что-то вроде "Изыдьте!", что "комиссия" и сделала. Сессию он не сдавал»[1]. Последнее не совсем верно. Вторую сессию Ерофеев все же сдал, хотя и «с некоторым скрипом» (вспоминал Владимир Муравьев[2]). «Его тогдашняя пассия выгоняла его на экзамены (он ей этого не простил)», — пояснил Муравьев далее[3].

О промежутке в жизни Ерофеева «с середины июня вплоть до отъезда на летние каникулы» кое-что рассказывает Пранас Яцкявичус (Моркус): «Летом 56-го, когда студенты разъехались и Черемушки опустели, Ерофеев оставался один на всю комнату. Откуда-то он притащил ультрамаринового цвета заводимый вручную проигрыватель. Имелась у него одна-единственная пластинка, и он без конца ее ставил. Это было "Болеро" Равеля, нескончаемое кружение по спирали»[4].

О том, что Венедикт делал на летних каникулах 1956 года, можно получить некоторое представление из тогдашнего сердитого и ироничного письма Ерофеева Антонине Музыкантовой: «Здравствуй, Тоня. Вчера ты обрадова-

---

[1] *Жуковская Е., Музыкантова А. и др.* Кое-что о 4-й немецкой группе. С. 227–228.

[2] *Ерофеев В.* Мой очень жизненный путь. С. 575.

[3] Там же.

[4] Про Веничку. С. 63.

ла (!) меня своим крохотным письмом. Приятно-таки получать письма от просвещенных людей, а то, понимаешь ли, здесь дикость, варварство, невежество, зверские холода, апатитовая пыль, повальное пьянство и прочие неинтересные вещи. Приехал совсем недавно. Встретили вызывающе хорошо. Богомольной мамаше сразу же прочел наизусть "Иуду" Надсона, а сестру, скромно наделенную от природы умственными способностями, обозвал гением. И обе, довольные, успокоились. Да и ругать меня бесполезно. Вчера посетил кладбище и созерцал свежую могилу отца. Вчера же ходил через горы к брату Юрику в лагерь... Юрик по-прежнему веселый, длинный, жизнерадостный. Кстати, читал конвоирам Надсона наизусть, и все были безобразно восхищены. Еще раз убедился в том, что самый тупой конвоир чувствительней, чем десять Музыкантовых. (Только, пожалуйста, не злись!) Немецким заниматься не хочется. Я даже не понимаю, зачем забивал чемодан твоими глупыми тетрадями. Каждый день ухожу в горы, жгу костры; завернувшись в плащ, читаю Эдгара По. Просвещаю трехлетнего племянника, убеждаю его следовать по стопам своего остроумного папаши. А в университет мне совсем не хочется, тем более не хочется видеть надоевших членов нашей группы. Вот, кажется, и все. Желаю успеха, процветания и благополучия, а твоей маме скорейшего выздоровления. Да, кстати! У нас в горах ожидается третье, на этот раз шестибалльное землетрясение. Все боятся, а я жду с нетерпением нового горного обвала на дома кировских мещан. Может быть, если тебе не лень, ты меня еще "поистязаешь"? Или заставишь хоть кого-нибудь из нашей группы написать мне?»[1] В этом пронизанном байроновской романтикой письме фантазий тоже едва ли не больше, чем правды. Например, вторичное пребывание брата Юрия в лагер-

---

[1] *Жуковская Е., Музыкантова А. и др.* Кое-что о 4-й немецкой группе. С. 228.

ном заключении Ерофеев придумал, видимо, чтобы сильнее поразить адресата.

Что касается упомянутого во все том же отрывке из «Записок психопата» «тихого курения», то отказаться от этой привычки Ерофеева тщетно уговаривал Юрий Романеев в шуточном стихотворении, представлявшем собой портреты-характеристики участников их общей студенческой компании:

> Но брось курить, чтоб заблистала
> Для всех народов и времен
> Твоя заслуженная слава...[1]

«24 марта 56 г. — 1-я серьезная папироса», — отметит, как важную дату, Венедикт в записной книжке 1966 года[2].

Однако едва ли не главным открытием «нового» Ерофеева, заложившим основы его будущего времяпрепровождения, стало «тихое пьянство». «Веня жил в общежитии и пил уже тогда сильно очень, знаменит был этим», — вспоминает Борис Успенский. В разговоре с Ольгой Седаковой сам Ерофеев свой алкогольный дебют впоследствии описал следующим образом: «Поступив в МГУ, в Москве, бредя по какой-то улице, он увидел в витрине водку. Зашел, купил четвертинку и пачку "Беломора". Выпил, закурил — и больше, как он говорил, этого не кончал. Наверное, врачи могут это описать как мгновенный алкоголизм»[3]. «В студенческие годы Веничка совсем ничего не ел, — вспоминал Владимир Муравьев. — Он говорил: "Идеальный завтрак: полчетвертинки, оставшейся с вечера

---

[1] *Романеев Ю.* Мой Радциг, мои Дератани. С. 211. Приведем также отрывок из коллективных воспоминаний одногруппниц Ерофеева: «Видимо, чтобы казаться старше и солиднее, он непрерывно курил» (*Жуковская Е., Музыкантова А. и др.* Кое-что о 4-й немецкой группе. С. 227).

[2] *Ерофеев В.* Записные книжки 1960-х годов. С. 390.

[3] *Седакова О.* Венедикт Ерофеев — человек страстей.

(нужно, чтобы кто-нибудь оставил), и маленькое пиво. Идеальный обед: четвертинка и две кружки пива. Идеальный ужин: полчетвертинки (вот то, что должно остаться на завтрак, но на ужине все время спотыкаюсь, обязательно получается целая четвертинка), большое и маленькое пиво". Но это, конечно, идеал, никогда такого не было. Не те были наши достатки»[1]. «К сожалению, у Венедикта Васильевича достаточно рано проявилась пагубная русская привычка, причиной которой была некоторая усталость от бытия, от жизни, и вот он стал уходить в алкогольный транс, — рассказывает Алексей Муравьев. — По воспоминаниям старшего поколения (Померанца, Георгия Александровича Лесскиса) в начале 1950-х годов пить водку было не принято. Пили в основном слабоалкогольные напитки, винцо, бутылку на пять-шесть человек. Им хватало того драйва, который был среди них. А вторая половина 1950-х — это было уже совсем другое время».

Легендарную историю об университетском пьянстве Ерофеева со слов «кого-то из Вениных однокурсников» пересказала в своих воспоминаниях Наталья Логинова: «На первом курсе Венедикт Ерофеев стал чемпионом "выпивки" (не помню, как был обозначен в рассказе этот титул). Происходило это в Ленинской аудитории, рядом с кафедрой, ставился стол, на котором были кастрюля с вареной картошкой, банка с килькой, хлеб и бутылки с водкой. С каждой стороны стола садился представитель какого-то факультета. Мне запомнились историк, математик и от филологов — Венедикт Ерофеев. Зрители, они же и болельщики, располагались амфитеатром. По гонгу участники соревнования выпивали по стакану водки, после чего закусывали и начинали беседовать на заданную тему. Через некоторое время гонг повторялся, как и все остальное,

---

[1] Несколько монологов о Венедикте Ерофееве // Театр. 1991. № 9. С. 97.

и постепенно участники начинали отваливаться. И вот остались математик и Веня. Но после очередного стакана кто-то из болельщиков очень бурно приветствовал математика, тот обернулся и упал со стула. И так Веничка остался один за столом как Чемпион, хотя тоже был "под завязку"»[1]. Конечно, многое в этой истории вызывает обоснованные сомнения: например, стол с бутылками водки, накрытый в Ленинской аудитории МГУ. Однако и сам Ерофеев, как бы в память о своем бывшем (или не бывшем) подвиге, отметил в записной книжке 1972 года: «Обязательно вставить соревнование, кто кого перепьет»[2].

Анекдоты анекдотами, но в мемуарный рассказ Владимира Муравьева о пьянстве Ерофеева и его расставании с филологическим факультетом МГУ многократно вплетено слово, которое мы предлагаем считать рабочей разгадкой ключевой внутренней загадки Венедикта Ерофеева: «Самым главным в Ерофееве была свобода. Он достиг ее: видимо, одной из акций освобождения и был его уход из университета. Состоянием души свобода быть не может, к ней надо постоянно пробиваться, и он работал в этом направлении всю жизнь. Сколько он пил — видит бог, это

---

[1] Про Веничку. С. 87.

[2] *Ерофеев В.* Записные книжки. Книга вторая. С. 29. Впрочем, речь в записной книжке могла идти и об одном из многочисленных последующих соревнований подобного рода, до которых Ерофеев был больши́м охотником. См., например, в мемуарах известного подпольного прозаика Юрия Мамлеева: «...первые наши встречи были... доброжелательные, в обстановке алкогольного экстаза, на квартире Павла, мужа замечательной Светланы Радзиевской <...> Присутствовало еще несколько человек, и они тут же, хором, предложили устроить соревнование — кто из нас больше выпьет водки. Мои алкогольные путешествия тоже были знамениты, но до Венички мне было далеко. Выпив два стакана, мы уже наливали третий, и тут Маша (жена Мамлеева. — *О. Л., М. С., И. С.*) запретила это "безобразие", испугавшись за меня, потому что третий стакан водки — это уже серьезно. Соревнование окончилось ничьей, но если бы оно было продолжено, то Веничка, несомненно, перепил бы меня» (*Мамлеев Ю.* Воспоминания. М., 2017. С. 101).

был способ поддержания себя то ли в напряжении, то ли в расслаблении — не одурманивающий наркотик, а подкрепление <...> Он не шел, глядя в небо. Он видел границу, через которую переступал, когда другие останавливались»[1]. «Он был человеком исключительно искренним, не было никакой позы, не старался подладиться ни к кому. Я совершенно не испытывал никаких затруднений с ним при общении и ничего кроме глубокой симпатии к нему не питал. Он не поддерживал разговор для того, чтобы его поддерживать, поэтому мог производить впечатление молчаливого. Вместе с тем свободно вступал в разговор. Он был очень свободный человек. Искренний и свободный» — так определил главное в своем университетском товарище Борис Успенский. «Он мне очень нравился: статный красавец с обаятельным баритоном. Его ирония и безмятежность говорили об абсолютной свободе его умственного и душевного существования», — таким уже в 1972 году увидит Венедикта Юлий Ким. «У него была вот такая, я бы сказал, свободная жизнь скорбящего человека. Скорбеть он считал самым главным делом», — говорит о Ерофееве один из его «владимирских» знакомцев, поэт Вячеслав Улитин[2]. «Что в Вене особенно потрясало — абсолютная свобода, умение никак не реагировать на обстоятельства, в которых все тогда жили. Полное невосприятие. Диссиденты — понятно. Коммунисты — понятно. А он был вне этого», — говорит художник Алексей Нейман, познакомившийся с Ерофеевым в последние годы его жизни.

Через три года после ухода из университета Ерофеев в записной книжке сочувственно процитирует высказывание Фридриха Ницше: «Я — человек, <...> который ищет и находит все свое счастье в постепенном, с каждым днем все более полном духовном освобождении. Возможно даже, что я больше хочу быть человеком духовно сво-

---

[1] *Ерофеев В.* Мой очень жизненный путь. С. 582–583.
[2] Интервью В. Улитина А. Агапову.

бодным, чем могу быть им»[1]. К этой цитате он сделает приписку: «Незаменимо»[2]. «Было в нем эдакое ницшеанство, скорее всего, книжного происхождения, усвоенное как маска, тоже в порядке игры, но она, так сказать, приросла», — вспоминает о Ерофееве Людмила Евдокимова[3]. А о роли алкоголя в своей жизни он сам в 1966 году высказался в записной книжке так: «Кто создал наше тело? Природа. Она же и разрушает его каждый день. Кто выпестовал наш дух? — Алкоголь выпестовал наш дух, и так же разрушает и живит его, и так же постоянно»[4].

Ерофеевский алкогольный радикализм и его способы продвижения к абсолютной свободе, по-видимому, были чрезвычайно соблазнительными. В течение некоторого времени ими был заражен и Владимир Муравьев. Сокурсник обоих друзей, Николай Ермоленко, вспоминает юного Ерофеева: «Наверное, он был заметен, но мне, с моим комсомольским пуризмом, он был заметен только тем, что он был всегда опухшим от пьянства. Он же пил, и я его терпеть не мог, потому что он спаивал Володю Муравьева. Володя с ним очень дружил и находился, как ни странно, под его влиянием, хотя Володя был не очень подвержен другим влияниям, но тут он явно был под Веничкиным влиянием. Когда Веничку поперли из университета, Володя пить так, как он пил с Веничкой, перестал»[5]. Впрочем, некоторое размежевание путей Мура-

---

[1] *Ерофеев В.* Записные книжки 1960-х годов. С. 23.

[2] Там же.

[3] «Скоре всего, он пережил что-то относительно Ницше, — говорит Борис Сорокин. — Эти проблемы его волновали. И довольно долго. Но белокурых бестий, идеал Ницше, он ненавидел. Не в смысле фашиствующих молодчиков, а в смысле несъеденных рефлексией цельных людей. Я помню, Ницше он мне очень долго не давал, очень отговаривал. "Ты не готов к этому"».

[4] *Ерофеев В.* Записные книжки 1960-х годов. С. 460.

[5] *Еромоленко Н.* Мои студенческие годы // Время, оставшееся с нами. Филологический факультет в 1955–1960 гг. Воспоминания выпускников. С. 369.

вьева и Ерофеева, кажется, произошло еще до отчисления последнего из университета. «Ерофеев начал уходить в астрал, а отец, наоборот, пошел учить санскрит, ходил на мехмат, там занимался математикой... — рассказывает Алексей Муравьев. — А Ерофеев предпочитал лежать на Стромынке, читать книжки в постели и попивать портвейн. И все это кончилось тем, что у него возникли академические задолженности, и он был представлен к отчислению, а отец продолжал отлично учиться и с красным дипломом закончил университет».

Упоминаемая в рассказе Алексея Муравьева «Стромынка» — это название улицы, на которой располагалось еще одно университетское общежитие. Сюда Ерофеева и его сокурсников переселили в конце августа — начале сентября 1956 года. Здесь Венедикт поселился в одной комнате с Муравьевым, здесь он работал над своими «Записками психопата». Здесь же он весьма экстравагантно встретил новый, 1957 год. «За пару минут до курантов Спасской башни Ерофеев встал и заявил, что лучше зайдет в уборную. Взял бутылочку и ушел», — пишет Пранас Яцкявичус (Моркус)[1].

Незадолго до этого или вскоре после этого (вспоминал Владимир Муравьев) на лестнице здания МГУ Ерофеева встретил декан филологического факультета Роман Михайлович Самарин. Он поинтересовался: «Ну, Ерофеев, вы когда собираетесь сдавать сессию?» — на что Веничка, проходя, ткнул его в брюхо пальцем и сказал: "Ах, граждане, да неужели вы требуете крем-брюле?" — и пошел наверх»[2]. Но даже после этого чудовищно наглого цитирования стихотворения Игоря Северянина «Мороженое из сирени!»:

Я сливочного не имею, фисташковое все распродал...
Ах, граждане, да неужели вы требуете крем-брюле?[3] —

---

[1] Про Веничку. С. 59.
[2] *Ерофеев В.* Мой очень жизненный путь. С. 575.
[3] *Северянин И.* Стихотворения. Л., 1975. С. 206.

Ерофеева не изгнали из университета. Мальчики и так во все времена занимали на филологических факультетах привилегированное положение (в частности, численный состав ерофеевской группы один из его однокурсников охарактеризовал так: «Пятнадцать человек, четыре так называемых мужчины и китаец»)[1]. Что́ уж тут говорить о мальчике, который первую сессию сдал на одни пятерки?

В нескольких своих автобиографиях и интервью Ерофеев утверждал, что из МГУ он был «отчислен за нехождение на занятия по военной подготовке»[2]. «Вышибли за... как раньше говорили в XIX веке "за нехождение в классы". Дело в том, что я демонстративно отказался от посещения военных занятий. Из принципа», — рассказывал он Нине Черкес-Гжелоньской[3]. По-видимому, акцент на бойкоте военной кафедры Ерофеев делал для придания эпизоду с отчислением сюжетности и драматизма. На деле он был отчислен действительно за «нехождение в классы», то есть нехождение на *все* занятия. «Ситуация была совершенно безвыходной, потому что он уже совсем перестал сдавать экзамены, вообще ходить...» — свидетельствовал Владимир Муравьев[4].

---

[1] Эту характеристику приводит в своих воспоминаниях об МГУ Владимир Курников (см.: *Курников В.* Бедные люди, или Мемуары невольного мучителя // Время, оставшееся с нами. Филологический факультет в 1955–1960 гг. Воспоминания выпускников. С. 67).

[2] *Ерофеев В.* Краткая автобиография // *Ерофеев В.* Мой очень жизненный путь. С. 7. Ср. еще в интервью Ерофеева Л. Прудовскому: «Вышиблен был в основном военной кафедрой. Я этому подонку майору, который, когда мы стояли более или менее навытяжку, ходил и распинался, что выправка в человеке – это самое главное, сказал: "Это – фраза Германа Геринга: «Самое главное в человеке – это выправка». И между прочим, в 46-м году его повесили"» (Там же. С. 495).

[3] Документальный фильм «Моя Москва», режиссер Ежи Залевски, съемка 1989 года. Из домашнего архива Нины Черкес-Гжелоньской.

[4] *Ерофеев В.* Мой очень жизненный путь. С. 575.

Веничка:
Утро в электричке

После первой четвертинки, подействовавшей вроде живой воды, Веничка как бы заново рождается — открывается миру и устремляется в мир. Преображается опохмелившийся герой — преображается и все вокруг него. Былой пафос ламентации: «О, самое бессильное и позорное время в жизни моего народа — время от рассвета до открытия магазинов!» (125) — теперь сменяется гимническим энтузиазмом: «О, блаженнейшее время в жизни моего народа — время от открытия и до закрытия магазинов!» (138). Апострофы-вопли, исторгнутые на Курском вокзале, затем, за чертой Карачарова, симметрически оборачиваются восторженными, воспевающими апострофами, восходящими от травестии политических лозунгов («О, свобода и равенство! О, братство и иждивенчество! О, сладость неподотчетности!», 138) к евангельской проповеди («О, беззаботность! О, птицы небесные, не собирающие в житницы! О, краше Соломона одетые полевые лилии!», 138). Приняв дозу, Веничка от полного отчуждения прорывается к приятию всего и вся — природы («Я уважаю природу...»), народа («Мне нравится мой народ»), бригады («принц-аналитик, любовно перебирающий души своих людей»,

90

141), единственной женщины («любимейшей из потаскух», 142), единственного сына («самого пухлого и самого кроткого», 142). При этом сила чувства последовательно нагнетается: к природе возродившийся герой испытывает лишь уважение (132), к народу — еще только приязнь («мне нравится...», 132) и «законную гордость» (133), к соседям-собутыльникам — не более чем симпатию («жили душа в душу», 134); но о бригаде он уже заботится и «любовно» волнуется («...забота о судьбе твоих народов», 139); к своей «белесой» испытывает все возрастающее желание; наконец, сына-младенца любит высшей, невыразимой любовью («...где сливаются небо и земля <...> — там совсем другое...», 142). Особенно показательна в главках от Карачарова до Реутова высокая концентрация личных притяжательных местоимений; Веничка торжественно провозглашает: «мой Бог» (132), «моя страна» (132), «своих людей» (141), «мой младенец» (142) — или еще более торжественно обращается к себе во втором лице: «твои народы» (139).

Если до отправления электрички на Петушки герой был мучеником дискретной памяти и жертвой дезориентации, то на первых перегонах, под воздействием живительной влаги, его обращенное ко всему сущему сознание готово вобрать в себя мир и потому стремительно расширяется. В герое, сподобившемся взглянуть вокруг себя и вдаль через призму «Российской», отныне пробуждается своего рода «всемирная отзывчивость»[1]. Это проявляется по ходу трех последующих главок (от Карачарова до Никольского) в невероятном, даже для «Москвы — Петушков», изобилии

---

[1] Знаменитая формула Ф. М. Достоевского из его Пушкинской речи: *Третий пункт*, который я хотел отметить в значении Пушкина, есть та особая, характернейшая и не встречаемая, кроме него, нигде и ни у кого черта художественного гения — способность всемирной отзывчивости и полнейшего перевоплощения в гении чужих наций, и перевоплощения почти совершенного» (*Достоевский Ф.* Полное собрание сочинений: в 30 т. Т. 26. Л., 1984. С. 130).

цитат, парафраз, упоминаний, реминисценций, параллелей, аллюзий, явных и скрытых, всего — более двадцати. Карачарово-Никольская часть ерофеевской поэмы едва ли уступит по сложности и изощренности четырнадцатому эпизоду «Улисса» Дж. Джойса («Быки Гелиоса»), в котором пародически разворачивается история английских литературных стилей. В сценах от дозы «Российской» до дозы «Кубанской» одновременно выстраиваются два плана «упоминательной клавиатуры»[1] — план русской идеи и план западноевропейской формы.

В подтексте первого плана угадывается скрытая отсылка к шестой главе любимых Ерофеевым «Записок из подполья» Ф. М. Достоевского, в которой «алкогольный» мотив соединяется с «шиллеровским»: «Я бы тотчас же отыскал себе и соответствующую деятельность, — а именно: пить за здоровье всего прекрасного и высокого. Я бы придирался ко всякому случаю, чтоб сначала пролить в свой бокал слезу, а потом выпить его за все прекрасное и высокое. Я бы все на свете обратил тогда в прекрасное и высокое; в гадчайшей, бесспорной дряни отыскал бы прекрасное и высокое»[2]. Развивая до предела подпольного человека, Веничка по очереди посвящает выпитое основным идеям «прекрасного и высокого» в русской литературе и последовательно ищет их во всякой «гадчайшей, бесспорной дряни».

Так по ходу первых шести станций прерывистой линией обозначена программа «положительно прекрасного человека»[3]; например, отсылка к трилогии Л. Толстого «Детство. Отрочество. Юность» (134) метонимически намекает на *идеал воспитания в истине и добре*, упоминание И. Тургенева (135) — на *образец душевной красоты*, «голуби-

---

[1] Формула О. Мандельштама («Разговор о Данте»; см.: *Мандельштам О.* Собрание сочинений: в 2 т. Т. 2. М., 1990. С. 112).

[2] *Достоевский Ф.* Собрание сочинений: в 15 т. Т. 4. Л., 1989. С. 464.

[3] Формула Достоевского (из письма С. А. Ивановой от 17 января 1868 года).

ной нежности»[1]; цитирование известного высказывания
Н. Чернышевского о Л. Толстом («диалектика сердца»,
139)[2] объединяет такие ценности, как *сочувствие простому
человеку* и *поиск правды в духовном углублении*; наконец, сюжет с внедрением в бригадную жизнь поэмы А. Блока «Соловьиный сад» (138–139) ернически разыгрывает *идею
трансцендирующей любви*.

Вместе с тем в начале петушинского маршрута отрывочно классифицированы «благие порывы»[3] отечественной классики: здесь и *мечта о свободном общежитии* (в описании жизни соседей-собутыльников с аллюзией на «Что
делать?» Чернышевского, 134[4]), и нагнетение *пафоса народолюбия, ответственности за народную судьбу* (в тургеневской цитате: «...во дни сомнений, во дни тягостных раздумий...», 133), и *готовность к самопожертвованию во имя свободы* (в реплике о «клятве на Воробьевых горах» А. Герцена
и Н. Огарева, 135[5]), и *причастность героическому энтузиазму*
(в градации романтических штампов от Лермонтова до
Горького: «биение гордого сердца[6], песня о буревестнике
и девятый вал», 140).

---

[1] Формула из романа И. А. Гончарова «Обломов»; прекраснодушие
тургеневских персонажей родственно обломовскому высокому
строю души.

[2] У Чернышевского — «диалектика души» (*Чернышевский Н.* Полное собрание сочинений: в 15 т. Т. 3. М., 1947. С. 422. Далее: Чернышевский).

[3] Формула из стихотворения Н. А. Некрасова «Рыцарь на час».

[4] См.: Чернышевский. Т. 5. С. 22–23 («И в самом деле они все живут
спокойно. Живут ладно и дружно, и тихо и шумно, и весело и дельно
<...> Они все четверо еще люди молодые, деятельные; и если их
жизнь устроилась ладно и дружно, хорошо и прочно, то от этого она
нимало не перестала быть интересною...»). Наблюдение сделано
Э. Власовым (Власов. С. 193).

[5] См.: *Герцен А.* Былое и думы. М., 1979. С. 69. («...Постояли мы, постояли, оперлись друг на друга и, вдруг обнявшись, присягнули,
в виду всей Москвы, пожертвовать нашей жизнью на избранную
нами борьбу»). См.: Власов. С. 200–201.

[6] См. «Измаил-Бей» Лермонтова: «...Хоть сердце гордое и взгляды // Не ждали от небес отрады...».

Но Веничкин диапазон явно не ограничивается веселой игрой в «духовные искания» русской литературы XIX века; по принципу контрапункта на нее накладывается другая, не менее веселая игра — в сжатую историю европейских повествовательных форм. Ерофеевский герой, только что опохмелившийся, как будто начинает заново осваивать мир, перебирая самые разнообразные нарративные жанры, от средневекового примитива до модернистских изощрений. Вслед за ренессансными рассказчиками он должен, предавшись «игре форм, полных жизни», овладеть «земной действительностью», завоевать ее «во всем <...> земном многообразии»[7].

Нарратив Венички вырастает из атомарной формы анекдота, с карнавальным выпячиванием, точно по М. Бахтину, «телесного низа» и выворачиванием морали наизнанку: восхищение героем, который «тем знаменит, что за всю жизнь ни разу не пукнул», обращается в полную противоположность — в ропот возмущения («Он все это делает вслух...», 136). Из похожего анекдотического ядра исходит новелла о соседях-собутыльниках: фабульный казус (товарищи осуждают героя за то, что он не ходит «до ветру», 135) усложняется риторическими ходами, философскими рассуждениями и психологическими подробностями. Как в иных новеллах «Декамерона» Боккаччо, элементарная история обретает лукаво-загадочное двойное дно: даже по своему сюжету она двоится — с одной точки зрения представляется рассказом о разоблачении ложных чудес (это только иллюзия, что Веничка не пукает и не ходит до ветру), а с другой — рассказом-сенсацией (о человеке, столь расширившем «сферу интимного», 134, что ему стало незачем пукать и ходить до ветру). Наконец, за новеллистической формулой открывается перспектива романа — в повествовании о Веничкином

---

[7] *Ауэрбах Э.* Мимесис. Изображение действительности в западноевропейской литературе. М., 1976. С. 223, 233.

бригадирстве. Весьма неслучайной здесь оказывается ироническая «наполеоновская» цитата («Один только месяц — от моего Тулона до моей Елены», 140): именно стремительное возвышение и столь же стремительное падение Наполеона становится своего рода архетипом романного сюжета в XIX веке; за «моим Тулоном» угадывается не только князь Андрей («Как же выразится мой Тулон?») и Раскольников («если бы <...> на моем месте случился Наполеон и не было бы у него <...> ни Тулона, ни Египта...»), но и Жюльен Сорель с Растиньяком[1]. В бурлескном мире Венички столь же внезапны и контрастны перипетии, низводящие недавнего бригадира — властителя дум и знатока душ — до положения изгоя и козла отпущения, которого теперь положено «п...ть» и «м...ть» (141).

При этом гротескная схема истории повествовательных жанров в первых дорожных главках «Москвы — Петушков» разветвляется за счет попутных аллюзий и намеков-упоминаний. От новеллистической линии соседей-собутыльников отделяется пунктирная линия, соединяющая две точки «далековатой» антитезы — комическую идиллию Телемского аббатства из «Гаргантюа и Пантагрюэля» Ф. Рабле[2] и романтический бунт байроновских

---

[1] См. размышления Жюльена Сореля («Красное и черное» Стендаля): «Вот такая была судьба у Наполеона, может быть, и его ожидает такая же?»; см. также высказывание Вотрена, обращенное к Растиньяку: «Если вы человек высшего порядка, смело идите прямо к цели. Но вам придется выдержать борьбу с посредственностью, завистью и клеветой, идти против всего общества. Наполеон столкнулся с военным министром по имени Обри, который чуть не сослал его в колонии. Проверьте самого себя!»

[2] Ср.: «Мы жили душа в душу, и ссор не было никаких. Если кто-нибудь хотел пить портвейн, он вставал и говорил: "Ребята, я хочу пить портвейн". А все говорили: "Хорошо. Пей портвейн. Мы тоже будем с тобой пить портвейн". Если кого-нибудь тянуло на пиво, всех тоже тянуло на пиво» («Москва — Петушки», 134); «Благодаря свободе у телемитов возникло похвальное стремление делать всем то, чего, по-видимому, хотелось кому-нибудь одному. Если кто-нибудь из мужчин или женщин предлагал: "Выпьем!", — то выпивали все; если

драматических поэм — «Манфреда» и «Каина». Свернутый же романный сюжет Веничкиного бригадирства развивается «далековатым» уподоблением комического, игрового романа (в духе Л. Стерна[1]) и философской притчи (в духе А. де Сент-Экзюпери[2]); общим знаменателем Веничкиного донкихотства, стернианства и *мессианизма á la Petit Prince* становится формула трагикомического героя, любящего людей отщепенца.

Чем же замыкается парадигма повествовательных модусов — выстроенная героем за те примерно 16 минут, что едет электричка от Карачарова до Никольского? Закономерным итогом внесюжетной, лирической прозы, стилизующей соответствующие опыты русского модернизма. Характерно, что позже сам Веничка именно таким образом, в отталкивании от нарратива, определит начальный жанровый маршрут своего путешествия: «Черт знает, в каком жанре я доеду до Петушков... От самой Москвы все были философские эссе и мемуары, все были стихотворения в прозе...» (162); вот и на перегоне «Реутово — Никольсокое» мелькают тени А. Ремизова и В. Розанова[3]; то узнается ремизовский сказ («...там в дымных и вшивых хоромах»), то розановский прием, парадоксально совмещающий ангелов, Царицу небесную и стакан орехов. Свободное, личное высказывание, столь близкое по духу самому Ерофееву, как бы становится итогом Веничкиного мини-экскурса в историю повествовательных форм и высшим выражением его «всемирной отзывчивости».

кто-нибудь предлагал: "Сыграем!", — то играли все; если кто-нибудь предлагал: "Пойдемте порезвимся в поле", — то шли все» («Гаргантюа и Пантагрюэль» Ф. Рабле). См.: Власов. С. 193.

[1] На стернианство намекает явное сходство Веничкиных графиков со знаменитыми кривыми из стерновской «Жизни и мнений Тристрама Шенди, джентльмена». См.: Власов. С. 123.

[2] Эти ассоциации вызваны упоминанием «маленького принца» (139).

[3] Именно Розанов назвал Д. Мережковского «певцом "белой дьяволицы"», по названию первой книги II тома трилогии Мережковского «Христос и Антихрист» (Власов. С. 239).

Однако есть и еще один секрет в чрезвычайно пестрой интертекстуальной мозаике первых путевых главок: рамой всей этой части «Москвы — Петушков» являются отсылки к великим трагедиям; в ее начале борющийся с тошнотой Веничка разыгрывает шекспировского «Отелло» — ближе к концу, перед самым Реутовым, герой Ерофеева описывает борьбу сердца с рассудком, «как в трагедиях Пьера Корнеля...» (141). И это символично — не только как предвестие предстоящей трагедии, но и как указание на тот неразрешимый конфликт, который раскрывается уже здесь, в начале пути. Веничка распахивает душу в своей «всемирной отзывчивости», а его отталкивают и гонят; он пьет «за здоровье всего прекрасного и высокого», а его приготовились «п...ть по законам добра и красоты» (141). Соседи-собутыльники «отстраняют» Веничку (134), дамы «по всей петушинской ветке» — «понимают» его «строго наоборот» (136), товарищи по бригаде и начальство — распинают («Распятие совершилось — ровно через тридцать дней после Вознесения», 140), ангелы — порицают («Фффу!», 141). Все оборачивается против любящего мир героя — даже философские категории: вот «умный-умный в коверкотовом пальто» профанирует интимный ритуал выпивки, всуе повторяя «трас-цен-ден-тально» (133), вот собутыльники используют гегелевскую диалектику, чтобы уличить гордеца («Ты негативно утверждаешь», 135), вот втуне пропадают его «кантовские» оправдания перед дамами («...пукнуть — это ведь так ноуменально...», 136), вот, наконец, «философия истории» того же Гегеля (141) предвещает, что Веничку будут бить.

В какой роли, таким образом, оказывается любовно вышедший в мир герой — в главках между маской Отелло и маской Сида? Через все комические призмы — главным трагическим героем, в роли Гамлета («вдумчивого принца-аналитика», 141), захваченного к тому же пастернаковской стихией всеприятия. Едва проехав Карачарово, ерофеевский герой уже глядит в глаза своего народа совсем по-пастернаковски, расширительно перифразируя стихи эпохи «Тем и вариаций»:

> Где вечер пуст, как прерванный рассказ,
> Оставленный звездой без продолженья
> К недоуменью тысяч шумных глаз,
> Бездонных и лишенных выраженья[1].

Когда же Веничка доезжает до Реутова, может быть, как раз ассоциация с другим знаменитым стихотворением Пастернака приводит к соединению «любовного» анализа Гамлета с великой жертвой Христа («Распятие свершилось»). Так Веничка, только опохмелившись, сразу спешит вправить «сустав времени», преодолеть «море бед» и при этом готов принять муки крестного пути. И от чаши, конечно, — не отказывается.

---

[1] Стихотворение «Весна, я с улицы, где тополь удивлен...», 1918 (*Пастернак Б.* Полное собрание сочинений: в 11 т. Т. 1. М., 2003. С. 199). О том, что совпадение строк неслучайно, свидетельствует пометка от 1964 года в записной книжке Ерофеева: "Глаза бездонные и лишенные выражения" (Б. Пастернак)» (*Ерофеев В.* Записные книжки 1960-х годов. С. 188).

Глава третья

ВЕНЕДИКТ:
Орехово-Зуево — Владимир

«Я ушел тихонько, без всяких эффектов», — вспоминал Ерофеев в интервью с Л. Прудовским свое расставание с филологическим факультетом МГУ[1]. На самом деле, уйти совсем «тихонько» не получилось. Под разнообразными предлогами Венедикт, сколько мог, не выселялся из университетского общежития, ведь жить ему в Москве было решительно негде. Наконец администрации это надоело, и 8 февраля 1957 года Ерофеева со скандалом выдворили со Стромынки.

С этого выселения начался долгий период его бродяжничества и ночлегов у друзей, подруг, знакомых и родственников, в общежитиях педагогических институтов и рабочих контор, в съемных комнатах, на дачах, в экспедиционных палатках, а то и просто под открытым небом. «Он по природе своей был очень бездомным человеком», — резюмировал Владимир Муравьев[2]. «Москва — Петушки» — это то, что вызревало в нем с конца

---

[1] *Ерофеев В.* Мой очень жизненный путь. С. 495.
[2] Там же. С. 583.

1950-х», — свидетельствует филолог Николай Котрелев, не в последнюю очередь имея в виду скитальческий опыт Ерофеева[1].

«Не вино и не бабы сгубили молодость мою. Но подмосковные электропоезда ее сгубили», — отметил Ерофеев в записной книжке 1973 года[2]. «Лет восемь или десять мы жили в железнодорожных тупиках, — лишь самую малость сгуща краски, рассказывал о второй половине 1960-х — начале 1970-х годов и тогдашнем быте Ерофеева и его компании один из ее участников, Игорь Авдиев. — Мы садились в электричку и ехали по старому любимому маршруту, до Петушков. А потом последний поезд загоняли в тупик, и там, в тупиках, приходилось ночевать»[3]. Он же вполне убедительно обосновал одну из главных причин, заставлявших Ерофеева в юности постоянно переезжать с места на место и бросать один институт за другим, — нежелание служить в армии: «С 1963 по 1973 гг. Венедикт имел работу в СУС-5 (Специализированное управление связи), пристанище (вагончики, общежития), убежище: на этой работе не требовали прописки и приписки. Последнее место, где гражданин В. В. Ерофеев был прописан, это Павловский Посад, и там же приписан к местному горвоенкомату в 1958 году. После этого "гражданин" (со священной обязанностью перед Родиной) исчез. Можно удивляться, с какой легкостью Венедикт оставляет институты, сам провоцирует изгнание себя из общежитий этих институтов, если только не понимать всей подоплеки этих поступков. Я шел по следам Венедикта и знаю: после исключения из первого института я поступил в следующий, но не мог прописаться в общежитии — уже был объявлен всесоюзный розыск дезер-

---

[1] См.: Россия — Russia. Семидесятые как предмет истории русской культуры. М.; Венеция, 1998. С. 14.

[2] *Ерофеев В.* Записные книжки. Книга вторая. С. 44.

[3] Документальный фильм «Москва — Петушки» (режиссер П. Павликовский). URL: https://www.youtube.com/watch?v=WHvNN0r_A8w.

тира»[1]. Относительно «всесоюзного розыска» Авдиев несколько погорячился, однако прикрепление к военкомату действительно было обязательным условием прописки для любого гражданина СССР. А с военкоматами и в те времена шутки были плохи.

Однако в феврале 1957 года до житья в вагончиках еще не доходило. Тогда Ерофеев коротал ночи у своей тети Авдотьи Карякиной, а также у друзей из университета и их знакомых. Тот же Николай Котрелев вспоминает, как Венедикт несколько раз оставался на ночь в коммуналке на Трубной улице, в комнате младшего брата Владимира Муравьева, Леонида (Ледика[2]), и сосед Ледика по квартире потом ворчал: «Опять мурма́нский ночевал».

В начале марта Ерофеев устроился разнорабочим во второе строительное управление «Ремстройтреста» Краснопресненского района и получил комнату в общежитии этого треста. На инерционной волне студенческой дружбы сюда к нему несколько раз заглядывали прежние товарищи. «Была осень 1957 года, наш курс жил еще на Стромынке, — вспоминает Юрий Романеев. — Леня Самосейко сказал мне, что у Вени день рождения, и я смог бы его поздравить, только непременно с бутылкой водки. Дал мне Леня адрес, по которому я в вечерней Москве легко нашел новое Венино обиталище. Именинник оказался дома. В комнате было несколько кроватей с тумбочками при них. На Вениной тумбочке возвышалась стопка книг. Это было дореволюционное издание Фета. Кажется, в комнате были и другие жильцы, но в общение с нами они не вступали. И сам я долго не засиделся, поздравил Веню посредством бутылки и вскоре ретировался на Стромынку»[3].

[1] *Авдиев И.* Предисловие // *Ерофеев В.* Последний дневник (сентябрь 1989 г. — март 1990 г.) // Новое литературное обозрение. 1996. № 18. С. 164.

[2] Упоминается вместе с братом Владимиром в главе «Черное — Купавна» поэмы «Москва — Петушки».

[3] *Романеев Ю.* Мой Радциг, мои Дератани. С. 215.

Упоминание про «стопку книг» на тумбочке Ерофеева — это деталь характерная и весьма значимая. Где бы он ни жил, в каких бы трудных условиях ни оказывался, его всегда сопровождало множество книг. «У Ерофеева была удивительная способность русского человека к самообразованию, то есть — способность без учителей начитать огромное количество материала, — рассказывает Алексей Муравьев. — Я думаю, что первоначальный разгон у него был такой сильный, что на этом разгоне он много чего освоил. Читал он постоянно». «Ерофеев не был систематически образованным человеком, однако знал очень много и этим знанием не подавлял. Цену себе знал, но держался с непоказной скромностью», — вспоминает Николай Котрелев. «Чаще всего, когда все были на лекциях, он читал лежа. И все свои знания он приобретал именно так — самоподготовкой и запойным чтением», — рассказывает Виктор Евсеев[1]. «Он всю жизнь читал, читал очень много, — свидетельствовал Владимир Муравьев. — Мог месяцами просиживать в Исторической библиотеке, а восприимчивость у него была великолепная»[2]. «У него были большие амбарные тетради, в которые он записывал то, что ему было неизвестно и что он хотел бы узнать, например, списки композиторов, музыку которых он еще не слушал», — рассказывает пианист Януш Гжелёнзка.

Посетила Ерофеева в общежитии «Ремстройтреста» и сестра Нина Фролова: «Я поехала к Венедикту, его проведать. Какой-то мужичок все мне пытался что-то о Венедикте сказать, а Венедикт ему не давал, потому что мама еще была жива тогда и Венедикт скрывал, что в университете уже не учится. И я помню, вид у него, конечно, был не очень-то... Я помню, я ему еще брюки отглаживала»[3].

---

[1] *Евсеев В.* Он был белой вороной // Орехово-Зуевский литературный альманах. С. 466.

[2] *Ерофеев В.* Мой очень жизненный путь. С. 574.

[3] Острова.

Совсем по-другому описывает встречу с Ерофеевым и его новыми соседями Владимир Муравьев: «...общежитие его было возле Красной Пресни. Когда я туда пришел, все простые рабочие на задних лапках перед ним танцевали, а главное — все они принялись писать стихи, читать, разговаривать о том, что им несвойственно. (Веничка эти стихи обрабатывал, а потом сделал совершенно потрясающую "Антологию стихов рабочего общежития". Кое-что, конечно, сам написал.) Я спрашивал у Венички, как удалось так на них повлиять, но в этом не было ничего намеренного. Он просто заражал совершенно неподдельным, настоящим и внутренним интересом к литературе. Он действительно был человеком литературы, слова. Рожденным словом, существующим со словесностью»[1]. Проблема истинного вклада рабочих в «Антологию» остается открытой. Например, Пранасу Яцкявичусу (Моркусу) на вопрос «Там все стихи написал ты?» Ерофеев ответил: «Да, все сам»[2].

Некоторые из стихотворений, вошедших в «Антологию стихов рабочего общежития», сохранились. Приведем здесь три из них, впервые опубликованные Борисом Успенским.

Автором первого значится Василий Павлович Пион:

> Граждане! Целиком обратитесь в слух!
> Я прочитаю замечательный стих!
> Если вы скажете: «Я оглох!»,
> Я вам скажу: «Ах!»
>
> Если кто-нибудь от болезни слёх,
> Немедленно поезжайте на юх!
> Правда, туда не берут простых,
> Ну, да ладно, останемся! Эх![3]

---

[1] *Ерофеев В.* Мой очень жизненный путь. С. 578.

[2] Про Веничку. С. 68.

[3] Материалы к биографии и творчеству Венедикта Ерофеева // Varietas Et Concordia: No. 31: Essays in Honour of Pekka Pesonen. Slavica Helsingiensia Paperback. October, 2007. Helsinki, 2007. P. 503–504.

Второе стихотворение с заголовком «Инфаркт мио-
карда», подписано псевдонимом «Огненно рыжий завсег-
датай», который сразу же и раскрывается — автором чис-
лится А. А. Осеенко:

> Сегодня я должен О. З. ‹очень заболеть›
> Чтобы завтра до вечера Л., ‹лежать›
> Мне очень не хочется С. ‹спать›
> Но больше не хочется Р. ‹работать›
>
> С утра надо выпить К. Д. ‹кило денатурата›
> Потом пробежать К. Э. Т. ‹километров этак триста›
> И то, что П. З. М. Ц. Д.
> З. С. У. Б. В. С. А. Т.[1]

Жанр третьего стихотворения обозначен как эпиграм-
ма, авторы Ряховский и Волкович, а обращена эта эпи-
грамма к самому Ерофееву:

> Ты, в дни безденежья глотающий цистернами,
> В дни ликования — мрачней свиньи,
> Перед расстрелом справишься, наверное,
> В каком году родился де Виньи![2]

Чтобы у читателя не возникало иллюзий относительно достигнутого в случае Ерофеева духовного единения
интеллигента и простого народа, приведем здесь откровенный фрагмент из ерофеевской записной книжки
1966 года: «...мне ненавистен "простой человек", т. е. ненавистен постоянно и глубоко, противен и в занятости,

---

[1] Материалы к биографии и творчеству Венедикта Ерофеева.
С. 504. «П. З. М. Ц. Д.» Пранас Яцкявичус (Моркус) предлагает рас-
шифровывать как «придется зверски мучиться целый день»), а «З. С.
У. Б. В. С. А. Т.» как «зато с утра буду в состоянии абсолютной трезвости» (Про Веничку. С. 75).
[2] Материалы к биографии и творчеству Венедикта Ерофеева. С. 503.

и в досуге, в радости и в слезах, в привязанностях и в злости, и все его вкусы, и манеры, и вся его "простота", наконец»[1]. Очевидно, Ерофееву были абсолютно чужды как толстовская последовательная программа просвещения «простого человека», так и страстное толстовское желание опроститься самому. Может быть, поэтому он и не испытывал никаких трудностей при общении с «простыми рабочими»? Тон и стиль этого общения попытался передать в своих, к сожалению, чуть беллетризованных воспоминаниях о Ерофееве и Вадиме Тихонове Игорь Авдиев: «Не успели мы шлепнуть по маленькой, в комнату к нам стали всовываться коллеги Вени, работяги. Они были стыдливы. В них не было наглости и панибратства.

— Ну-ну, заходите, суки, — нехотя разрешил Веня. — Нальем им чуток? — Мы с Вадей согласились.

В комнату наползло человек пять-шесть. Что это были за люди? С ревнивым интересом я вглядывался в этих людей. Тихонов всех знал, он работал с ними. С Тихоновым они были на равных. А к Вене они относились с почтением.

Один из работяг, выпив, начал спрашивать у Вени что-то "умное".

— О дурак! Откуда ты это взял? — отмахнулся Веня.

— Да ты же, Веничка, сам советовал почитать... — виновато промямлил пожилой обормот... — Вот я и взял в библиотеке книгу. — Вот — "Давид Строитель"...»[2]

11 ноября 1957 года Ерофеева уволили из «Ремстройтреста» за систематические прогулы. При этом «Стройтрестовское начальство настрочило на Ерофеева несколько доносов в местную милицию с требованием "принять меры" <...> И милицейское начальство запретило ему покидать место обитания — общагу строительных ра-

[1] *Ерофеев В.* Записные книжки 1960-х годов. С. 479.
[2] *Ерофеев В.* Мой очень жизненный путь. С. 549.

бочих в Новопресненском переулке — до рассмотрения заведенных на него дел в местном райсуде. Узнав об этом, Ерофеев из общаги спешно бежал и перешел на нелегальное положение»[1].

Тем не менее в Москве Ерофеев прожил до лета 1958 года, успев поработать кочегаром и подсобным рабочим в пункте приема стеклотары[2]. Лето он провел в Кировске, а осенью 1958 года уехал в украинский город Славянск, где его сестра Нина работала с июня 1951 года в геолого-разведочной партии.

С Ниной Фроловой и ее мужем Юрием Ерофеев 24 октября 1958 года встретил в Славянске тот свой день рождения, который описан в «Москве — Петушках»: «...когда мне стукнуло 20 лет, — тогда я был безнадежно одинок. И день рождения был уныл. Пришел ко мне Юрий Петрович, пришла Нина Васильевна, принесли мне бутылку столичной и банку овощных голубцов, — и таким одиноким, таким невозможно одиноким показался я сам себе от этих голубцов, от этой столичной — что, не желая плакать, заплакал» (152). В декабре по протекции Юрия Фролова Ерофеев устроился грузчиком в отдел снабжения местного ремонтного завода, а в апреле перешел в Славянский отряд Артемовской комплексной геолого-разведочной партии. «Он был рабочим на глинистой станции, — рассказывает Нина Фролова. — Поскольку мы разведку делали на соляном месторождении, при бурении велась промывка глинистым раствором. И он там работал. Венедикт пишет в краткой автобиографии, что рабо-

---

[1] *Матвеев П.* Венедикт Ерофеев и КГБ // Colta.ru. 2014. 4 июня. URL: http://www.colta.ru/articles/literature/3459.

[2] Об этой работе Ерофеев позднее рассказывал Пранасу Яцкявичусу (Моркусу): «Вот сидим мы с приятелем в вагончике для приема стеклотары, в темноте, разговариваем себе, ночь, тишина... Как вдруг — бабах по ставням! Они снаружи обиты жестью, грохот адский, крики. Мы притихли, молчим, слушаем. А оттуда: "Пора открывать, вам говорят! На часы посмотрите! Вешать таких мало!"» (Про Веничку. С. 70).

тал бурильщиком, но никогда он бурильщиком не был. Просто бурильщик — это звучит более романтично, чем просто рабочий. Там работали в основном женщины и он, в окружении женщин, молодой, красивый, вечно с записными книжками... Конечно, он там не особенно работал, а просто общался. И женщины от него были в восторге. Венедикт, он ни в чем не знал меры. Хотя тогда совсем еще был юный мальчик. Он безбожно много курил... Он даже ночью курил, как старики делают». «В эту пору он составлял "Антологию русской поэзии", — вспоминает она же. — <...> Любил петь романсы. Научил мою пятилетнюю дочь Лену петь "На заре ты ее не буди". К моей младшей дочери Марине относился с нежностью. При прощании поцеловал ее, а она заплакала. Хотя, по его словам, он не признавал родственных отношений»[1].

Страсть Венедикта Ерофеева к составлению всевозможных антологий (например, «стихов рабочего общежития» в Москве или «русской поэзии» в Славянске) вытекала из того основополагающего свойства его личности, которое позднее отразилось и в знаменитых графиках из «Москвы — Петушков». Ерофеев был одержим идеей систематизации всего, что он по-настоящему любил и ценил в жизни, будь то стихотворения русских поэтов, или количество выпитых каждый день граммов[2], или найденные в течение лета и осени грибы, или свидания с любимой девушкой. Причем желание все описать и систематизировать не противостояло в сознании Ерофеева хаосу его беспорядочной жизни, а мирно уживалось с ним.

Вероятно, как раз стремление все-таки продолжить регулярное, систематическое образование (и конечно, необходимость обрести постоянный кров) побудили Еро-

---

[1] Про Веничку. С. 10.

[2] И не только им самим. Борис Сорокин рассказывал нам, как Венедикт читал Хемингуэя, подсчитывая, «сколько он выпил мартини за один день».

феева 14 июля 1959 года подать документы на филологический факультет Орехово-Зуевского педагогического института. Он «сразу обратил на себя внимание необыкновенной эрудицией. В конце августа прошел слух, что в институт поступил молодой человек необыкновенных способностей. Это сообщил моей жене ее отец — заведующий кафедрой педагогики и психологии А. В. Осоков»[1]. «Его появление произвело некий фурор — о нем говорили все»[2] — так описывают яркий дебют Ерофеева в ОЗПИ его сокурсники Виктор Евсеев и Лидия Жарова.

Выбор именно этого института, если верить самому Ерофееву, был осуществлен наобум, куда бог пошлет: «...я бы так и исцвел на Украине в 59-м году, если бы мне один подвыпивший приятель не предложил: вот перед тобой глобус, ты его раскрути, Ерофеев, зажмурь глаза, раскрути и ткни пальцем. Я его взял, я его раскрутил, я зажмурил глаза и ткнул пальцем — и попал в город Петушки <...> Потом я посмотрел, чего поблизости есть из высших учебных заведений, а поблизости из высших учебных заведений был Владимирский пединститут»[3]. Что́ и говорить, история замечательная, прямо из «Москвы — Петушков», но и откровенно завиральная. А что если Ерофеев ткнул бы пальцем в какую-нибудь Бельгию или Аргентину? На каком это глобусе он нашел город Петушки или хотя бы Владимир? А главное, если нашел Владимир и узнал, что там есть педагогический институт (откуда, кстати, узнал?), почему тогда документы подал в Орехово-Зуево, а во Владимирский пединститут поступил только в июне 1961 года?

«Когда было Орехово-Зуево, когда — Владимир и все остальное, я уже не разбирал, — рассказывал в своих мему-

---

[1] *Евсеев В.* Он был белой вороной // Орехово-Зуевский литературный альманах. С. 465.

[2] *Жарова Л.* Веничка, или Речь в защиту... // Орехово-Зуевский литературный альманах. С. 468.

[3] *Ерофеев В.* Мой очень жизненный путь. С. 496.

арах о Ерофееве друг Муравьев. — Он приезжал ко мне и высыпáл, как из рога изобилия: "Давай я тебе составлю списки русских городов. Ты их читай по-разному: сначала по алфавиту, потом — в обратном направлении". Из него сыпало все что угодно: Коломенское, Павлово-Посад, Владимир-на-Клязьме. Он говорил: "Я люблю двойные имена". Приезжая, сообщал: "Я привез тебе рапорт о достижениях"»[1].

Чтó происходило в жизни Ерофеева в орехово-зуевский, а что во владимирский период перепутать, действительно, немудрено. Например, знанием Библии Ерофеев поражал своих товарищей не только по Владимирскому, но и по Орехово-Зуевскому пединституту. «Его аргументами в споре, как правило, были цитаты из Евангелия, о котором мы, полностью погруженные в коммунистическую атмосферу, тогда и не слыхивали», — вспоминает Виктор Евсеев[2]. И посещать действующие церкви Венедикт подбивал своих институтских приятелей и приятельниц и во Владимире, и в Орехово-Зуеве. «Как-то по приглашению Веньки мы группкой — трое ребят, две девчонки — тайком отправились на ночную службу в церковь (Рождество? Пасха?), а затем на кладбище, — пишет Лидия Жарова. — Это был поступок, — посещение церковных служб тогда не поощрялось. Венька рассказывал о сути христианства, о его исторических корнях, и то, о чем он говорил, поражало нас своей новизной и неадекватностью господствовавшим тогда взглядам»[3]. «Единственное, что для нас было важно, что он светился, а мы рядышком с ним были как маленькие свечечки. Мы тогда впервые вошли в церковь, чувствовали себя первохристианами», — рассказывает владимирский друг Ерофеева Вячеслав Улитин[4].

---

[1] *Ерофеев В.* Мой очень жизненный путь. С. 575.
[2] *Евсеев В.* Он был белой вороной. С. 466.
[3] *Жарова Л.* Веничка, или Речь в защиту... С. 470.
[4] Интервью В. Улитина А. Агапову.

Стремясь избежать путаницы, условимся орехово-зуевский отрезок ерофеевской биографии считать прошедшим в первую очередь под знаком любви, а владимирский — под знаком дружбы[1].

Прежде чем речь пойдет о взаимоотношениях Ерофеева с орехово-зуевскими девушками, коротко расскажем об условиях быта в ОЗПИ и, собственно, отношении Ерофеева к учебе. «Лекции он не посещал принципиально, считал это пустой тратой времени, — свидетельствует Виктор Евсеев и рассказывает, как Ерофеев поспорил, что «первым перед началом сессии пойдет и сдаст самый трудный тогда экзамен по старославянскому языку на “отлично”. Зная, что Венька вообще не посещал никаких занятий, ребята смело поспорили с ним на бутылку коньяка. Каково же было их изумление, когда суровый преподаватель поставил ему “отлично”»[2]. «Ходил он избирательно — только на лекции по зарубежной литературе, — уточняет студентка ОЗПИ Лидия Жарова. — У нас в ту пору считалось признаком дурного тона не ходить “на Савицкого” — он был любимейшим из любимейших преподавателей наших. Как он читал Вергилия — на латыни! <...> Когда Ерофеев появлялся на галерке нашей просторной аудитории, всем нам нестерпимо хотелось обернуться, но останавливал риск нарваться на спокойный,

---

[1] Сразу же отметим, что в Орехово-Зуеве Ерофеев продолжал литературные опыты. «Своих рукописей в руки он не давал, но я знаю, что он начинал работу (пьесу? повесть?) под названием “Тушинский вор, или Второе воскресение”. Время действия — начало 17 века, герой — второй Лжедмитрий. <...> Что-то мне удалось подсмотреть в его тетради <...> Помню, поразил не только почерк (как одиноки были несоединенные друг с другом буквы!), но и манера изложения — для каждого персонажа своя. Помню, как Дмитрий (в отчаянии?) пытался отравить себя водкой, с каким убийственным презрением была подана изменившая первому Дмитрию Марина Мнишек...» — вспоминает Лидия Жарова о не дошедшей до нас повести или пьесе Ерофеева этого времени (*Жарова Л.* Веничка, или Речь в защиту... С. 470–471).

[2] *Евсеев В.* Он был белой вороной. С. 466.

насмешливый взгляд. Нам казалось, что Савицкий был польщен тем, что неординарный Ерофеев оказывал предпочтение только ему. Мы несколько раз видели их за оживленной беседой»[1].

Среди причин, по которым Ерофеев редко посещал занятия, его сокурсники называют и чисто материальные. «Порой ему было просто не в чем идти на занятия — институт находился на окраине города», — свидетельствует Лидия Жарова[2]. Вторит ей Виктор Евсеев: «Жил он, как и многие из нас, крайне скромно и бедно, ограничиваясь минимумом как в еде, так и в одежде. Зимой ему было просто не в чем ходить в институт (не было зимнего пальто, шапки, сапог), а, возможно, он просто стеснялся появляться среди студентов в своем затрапезном виде. На девушек он совсем не обращал внимания, тогда как многим он нравился, а некоторые были даже влюблены в него»[3].

Тут нужно заметить, что мемуаристки по-разному оценивают как степень увлеченности Ерофеева противоположным полом, так и степень его собственной привлекательности. Скажем, Ирина Нагишкина считает, что у Ерофеева не было «эротического куража»[4]. «Я никогда не воспринимала Веничку как эротический объект. Он какой-то андрогинный был, казалось странным, что у него могут быть отношения с женщинами», — вспоминает Наталья Архипова. Наталье Бабасян тоже запомнилось, что «человек он был милый и совершенно асексуальный». А вот ерофеевская племянница Елена Даутова (та, которую он научил петь «На заре ты ее не буди...») рассказывает, что с дядей в пору его молодости «невозможно было идти по улице: проходящие дамы всегда обращали на него

---

[1] *Жарова Л.* Веничка, или Речь в защиту... С. 468–469.
[2] Там же. С. 468.
[3] *Евсеев В.* Он был белой вороной. С. 466.
[4] Про Веничку. С. 91.

внимание»[1]. «Женщины сами проявляли инициативу. Чтобы он сам кого-то добивался — не помню такого», — вторит дочери Нина Фролова[2]. «Красивым он, вообще говоря, не был, черты лица у него были неправильные, нос курносый, который он любил подпирать пальцем, — вспоминает Людмила Евдокимова. — Но у женского пола он пользовался успехом». «Силу своего мужского обаяния Веня намеренно гасил, дабы нечаянно не ранить кого-нибудь напрасно. Он щадил женщин. Он берег людей от самого́ себя», — как бы примиряет эти полярные оценки Наталья Четверикова[3]. В записной книжке 1966 года Ерофеев признался, что «еще не встречал человека, которого эротическое до такой степени поглощало бы всего»[4].

Как мы помним, в МГУ его поглощало чувство к Антонине Музыкантовой. В Орехово-Зуеве в жизнь Ерофеева на долгие годы вошла тогдашняя студентка биологического факультета педагогического института Юлия Рунова.

«Рунова у них была "комсомольская богиня", — рассказывала Лидия Любчикова. — Она была, кажется, секретарь комсомольской организации, девица с волевым характером, ездила на мотоцикле, стреляла и так далее»[5]. Как «румяную пышную красавицу-комсомолку» определил Рунову Игорь Авдиев. Сам Ерофеев в записной книжке 1976 года назовет ее «белокаменной девушкой»[6].

По-видимому, именно свою первую встречу с будущей возлюбленной Ерофеев преобразил в «сладостную легенду» (пользуясь формулой Федора Сологуба)[7] в сочинении

---

[1] Про Веничку. С. 30.

[2] Коктейль Ерофеева. Сестра культового писателя Нина Фролова: «От него всего можно было ожидать!»

[3] Про Веничку. С. 151.

[4] *Ерофеев В.* Записные книжки 1960-х годов. С. 452.

[5] *Ерофеев В.* Мой очень жизненный путь. С. 536.

[6] *Ерофеев В.* Записные книжки. Книга вторая. С. 203.

[7] «Беру кусок жизни, грубой и бедной, и творю из него сладостную легенду, ибо я — поэт» (*Сологуб Ф.* Творимая легенда. Кн. 1. М., 1991. С. 7).

1962 года под названием «Благая весть», которое, по его собственным словам, «знатоки в столице расценили как вздорную попытку дать "Евангелие русского экзистенциализма" и "Ницше, наизнанку вывернутого"»[8]:

«...и вот явилась мне дева, достигшая в красоте пределов фантазии,

и подступила ко мне, и взгляд ее выражал желание и кроткую решимость;

и — я улыбнулся ей;

она — в ответ улыбнулась,

я — взглянул на нее с тупым обожанием,

она — польщенно хихикнула,

я — не спросил ее имени,

она — моего не спросила,

я — в трех словах выразил ей гамму своих желаний,

она — вздохнула,

я — выразительно опустил глаза,

она — посмотрела на небо,

я — посмотрел на небо,

она — выразительно опустила глаза,

и — оба мы, как водится, испускали сладостное дыхание, и нам обоим плотоядно мигали звезды,

и аромат расцветающей флоры кутал наши зыбкие очертания в мистический ореол,

и лениво журчали в канализационных трубах отходы бесплотных организмов, и классики мировой литературы уныло ворочались в гробах,

и — я смеялся утробным баритоном,

она — мне вторила сверхъестественно-звонким контральто,

я — дерзкой рукой измерил ее плотность, объем и рельеф,

она — упоительно вращала глазами,

---

[8] *Ерофеев В.* Мой очень жизненный путь. С. 8. В другой редакции — «Благовествование». — *О. Л., М. С., И. С.*

я — по-буденновски наскакивал,

она — самозабвенно кудахтала,

я — воспламенял ее трением,

она — похотливо вздрагивая, сдавалась,

я — изнывал от бешеной истомы,

она — задыхалась от слабости,

я — млел,

она — изнемогала,

я — трепетал,

она — содрогалась,

и — через мгновение — все тайники распахнулись и от-
верзлись все бездны, и в запредельных высотах стонали
от счастья глупые херувимы

и Вселенная застыла в блаженном оцепенении»[1].

Свои последующие встречи с Юлией Руновой Ерофеев
тщательно зафиксировал в записной книжке декабря
1959 — мая 1960 гг., не забывая о мельчайших деталях, до
которых он вообще был большой охотник. На наш взгляд,
сегодня эта хроника читается как проза куда более увлека-
тельная, чем претенциозная «Благая весть».

Процитируем здесь записи за декабрь 1959 года:
«4 дек<абря> — первое столк<новение> В 20-й.

5 дек. — Толки. Вижу, спуск<ается> по лестнице, в оран-
жевой лыжной куртке.

6 дек. — Вижу. Потупила глаза. Прохожу мимо с подсви-
стом.

7 дек. — Вижу: у комендантши меняет белье. Исподтиш-
ка смотрит.

8 дек. — В какой-то белой штуке с хохлацким вышитым
воротничком. С Сопачевым.

9 дек. — Вижу. Промелькнула в 10-ю комн<ату>.

10 дек. — Сталкивались по пути из буфета. В той же ма-
лороссийской кофте.

11 дек. — Р<унова> в составе студкомиссии.

---

[1] *Ерофеев В.* Мой очень жизненный путь. С. 300.

12 дек. — У нас с Оболенским сидит два часа. С каки-ми-то глупыми салфетками.

13 дек. — Вижу, прогуливаясь с пьяной А. Захаровой.

14 дек. — Обозреваю с подоконника, в составе комис-сии.

15 дек. — В глупом спортивном костюме. Вероятно, на каток. Вечером с Красовским проявляем ее портрет.

16 дек. — Не вижу.

17 дек. — Вижу, прогуливаясь с Коргиным по 2-му этажу.

18 дек. — Не вижу.

19 дек. — Р<унова> с Тимофеевой у нас в комнате. Пья-но с ней дебатирую.

20 дек. — С дивана 2-го этажа созерцаю ее хождения.

21 дек. — Вижу ее с А. Захаровой, студобход. Подклеила Евангелие.

22 дек. — Вызывает А. Сопачева.

23 дек. — Вижу дважды. В пальто, с Красовским. И стол-кн<овение> на лестнице.

24 дек. — Не вижу.

25 дек. — С Красовским на лыжах едут за елкой, я отка-зываюсь. Встречаю их по возвращении. В 22-ю. Неужели забыли? Вечером обозреваю ее внизу, сидя с Окуневой.

26 дек. — Серж и Лев у них в комнате. Встречи. Посла-ние к Синичен<ковой>. Р<унова>: "А мне записки нет?".

27 дек. — Обозреваю Р<унову> и К°, сидя в вестибюле 2-го этажа. Подходит Р<унова> и просит убрать от них по-стылого Коргина. Отказываюсь. Встаю и иду к Ок<уне-вой>.

28 дек. — Встретившись на лестнице, не здороваемся.

29 дек. — С Тимофеевой вторгается в нашу комнату в поисках Сопачева.

30 дек. — По сообщению Оболен<ского>, была у нас в комнате около часу, покуда я слушал музыку у Захаровой.

31 дек. — Новый год. Моралина, Окунева *etc.*»[1]

---

[1] *Ерофеев В.* Записные книжки 1960-х годов. С. 11–12.

Нужно иметь в виду, что Ерофеев «был чудовищно застенчив» (как отмечает, например, Алексей Муравьев). Ему, наверное, было куда легче эпатировать возлюбленную, чем нормально, «по-взрослому» с ней общаться. Однако еще важнее указать, что именно в свой орехово-зуевский период Венедикт пришел к пониманию жизни как большого эксперимента, в котором роль главного экспериментатора отведена ему самому. «Возлюбленным его университетским не позавидуешь никак. Тут включались разрушительные силы, — прямо сформулировал Владимир Муравьев. — Близко подошедшие становились объектами почти издевательских экспериментов. А вокруг него всегда был хоровод. Многое он провоцировал. Жизнь его была непрерывным действом, которое он режиссировал, — отчасти сочинял, отчасти был непредсказуем, и все становились соучастниками этого действа»[1]. «Он был ужасный экспериментатор, Ерофеев», — вторил Муравьеву Вадим Тихонов[2]. «Однажды он сказал мне, что хочет собрать в своей деревне мужей, жен, любовниц мужей и любовников жен, — рассказывала о гораздо более позднем периоде ерофеевской жизни Лидия Любчикова. — Я его идеи не оценила и даже рассердилась, что он хочет всех "наколоть на булавку и разглядывать". А он улыбался, мечтательно прищуривался и приятным голосом говорил: "Нет, это было бы очень интересно". Я сейчас вспоминаю его милое лицо, и мне смешно и грустно. И я понимаю, что у него, очевидно, была потребность встать в сторонку или над и посмотреть. И это нисколько не исключает, что он смотрел из своего "над" с любовью, нежностью. А боль-

---

[1] *Ерофеев В.* Мой очень жизненный путь. С. 583.

[2] Вадим Тихонов: «Я — отблеск Венедикта Ерофеева». «<И>ногда он экспериментировал над собой и окружающими: ну, ну, посмотрим, что из этого получится...» — вспоминает и Людмила Чернышева, познакомившаяся с Ерофеевым в 1965 году (*Чернышева Л.* Венедикт Ерофеев глазами друзей // Молва. 1997. № 129 (1031). 28 октября).

шинству, наверное, кажется, что со злостью, тяжестью, ерничеством»[1].

Впрочем, с декабря 1959 по октябрь 1960 года Венедикт не столько ставил «издевательские эксперименты» с участием Юлии Руновой, сколько как мог и умел за ней ухаживал. То он вступал с Юлией в несколько утомительную игру многих влюбленных на первом этапе отношений — кто кого молча пересидит на общежитском диване (победа осталась за Юлией; Венедикт в час ночи отправился спать). То преподносил Руновой в подарок на день рождения плакат «Ударница Паша Ангелина на своем тракторе устанавливает рекорд по вспашке». То бросал на балкон комнаты, где жила Юлия, букет черемухи вместе с запиской, в которой предлагал вместе ехать на Кольский полуостров на все лето. Ответом Руновой тоже была записка с коротким текстом: «Я не понимаю твоих действий и намерений»[2].

Однако завершилась институтская стадия взаимоотношений Ерофеева и Руновой как раз скандальным экспериментом. Юлия заранее предупредила Венедикта, что 14 октября 1960 года в комнату, где он жил со своими товарищами, наведается внеплановая комиссия. Она состояла из проректора педагогического института по учебной части Сергея Васильевича Назарьева, парторга Камкова, коменданта общежития и нее самой. Вот для этих-то незваных гостей Ерофеев и срежиссировал целое коллективное представление, включавшее в себя прослушивание по радио запрещенного «Голоса Америки», молитвы на коленях перед иконами и другие эпатажные выходки[3].

---

[1] *Ерофеев В.* Мой очень жизненный путь. С. 541.

[2] Летопись жизни и творчества Венедикта Ерофеева. С. 36.

[3] См.: Там же. С. 37. Ерофеев с товарищами и до этого уже не раз испытывали пределы терпения институтского начальства. «В Орехово-Зуевском пединституте Ерофеев и Бармичев были редакторами стенгазеты, — рассказывает Андрей Архипов. — Первый номер был такой. Большими буквами было написано: КТО МЧИТСЯ, КТО СКАЧЕТ

Понятно, что этот спектакль положил конец пребыванию Венедикта Ерофеева в Орехово-Зуевском педагогическом институте и его общежитии: приказом ректората от 19 октября «за академическую задолженность и систематическое нарушение трудовой дисциплины» Ерофеев был исключен из числа студентов. Однако с Юлией Руновой он общаться продолжал. Более того, новый, 1961 год Ерофеев и Рунова встречали вместе.

В конце апреля этого года Венедикт устроился грузчиком на строительстве дорожной трассы во Владимире, а 25 мая написал заявление ректору Владимирского педагогического института с просьбой допустить его к вступительным экзаменам на заочное отделение филологического факультета. При этом Ерофеев сознательно умолчал, что учился в МГУ. Не стал он пользоваться и своей золотой медалью, а просто взял и сдал (все — на «отлично») четыре вступительных экзамена в институт, причем сделал это всего за 10 дней[1].

Чтобы легче было понять, каким человеком Венедикт Ерофеев предстал в глазах начальства Владимирского пединститута, приведем здесь его автобиографию, сохранившуюся в числе других вступительных документов.

ПО ТЕМНЫМ АЛЛЕЯМ? ЭТО: Цедринский, Оболенский, Бармичев и т. д., СРЕДСТВ ГОСУДАРСТВЕННЫХ НЕ ЖАЛЕЯ. Второй номер выглядел примерно так же: КТО МЧИТСЯ, КТО СКАЧЕТ и т. д. Это: Ерофеев, Оболенский, Цедринский и т. д., СРЕДСТВ ГОСУДАРСТВЕННЫХ НЕ ЖАЛЕЯ. Когда приблизились октябрьские праздники, декан призвал Ерофеева и Бармичева и попросил сделать что-нибудь праздничное, разнообразное. И они сделали. В газете было помещено два стихотворения, одно: "Врывайся, октябрьский ветер, // В посадки хлопка-сырца..." и другое: "Врывайся, октябрьский ветер, // В посадки льна-долгунца..." Продолжения у этих стихов, кажется, не было». С Валерием Бармичевым и его женой Валентиной Ерофеев сохранил дружеские связи на всю жизнь. 10 июля 1986 года датируется его шуточный инскрипт на книге ортодоксального советского поэта Николая Грибачева: «Ненавистным Бармичевым от любимого ими В. Ерофеева».

[1] За предоставленную информацию об этом периоде жизни Венедикта Ерофеева мы благодарим Евгения Шталя.

Автобиография

Я, Ерофеев Венедикт Васильевич, родился 24/X 1938 года в ст. Чупа Карельской АССР. Мой отец — станционный служащий, мать — домохозяйка. В 1945 году я начал учиться в школе и в 1955 году закончил 10 классов в 1-й Средней школе города Кировска Мурманской области. Затем работал грузчиком на железнодорожной станции, каменщиком на строительстве в Москве, кочегаром в ЖКО Ремстройтреста Советского района г. Москвы, буровым рабочим в геологоразведочной партии в Донбассе. Летом 1959 г. я поступил на филологический ф-т Орехово-Зуевского педагогического института. Но, вынужденный совмещать учебу с работой на товарной станции, я допустил много пропусков и был отчислен в октябре 1960 года. С апреля этого года я работаю на строительстве трассы ДСР-4 города Владимира.

В. Ерофеев

«Что касается начальства — Веню приняли они с распростертыми сначала объятьями, — рассказывал Борис Сорокин журналисту Евгению Викулову. — Они увидели, что это человек со стройки. Они его посчитали за самородка. Он работал на стройке во Владимире. Вдруг подал заявление в пединститут. На первом же экзамене он их совершенно ошеломил. И вместо того, чтобы, как теперешний, скажем, человек подумает: ага! а не учился ли он где-нибудь? И не является ли он каким-нибудь сыном лейтенанта Шмидта, который случайно здесь работает? <...> Шаблоны тогда в головах были: "Человек из народа, сверходаренный, на стройке... Его надо поднять. Гений, самородок". Вот они его взяли, <...> дали ему сразу повышенную стипендию»[1].

---

[1] Радиопрограмма «Говорит Владимир». 2018. 31. 03. URL: https://vk.com/wall-66573084_3673.

Сам Ерофеев рассказал о подробностях своего поступления в институт в коротком мемуарном тексте, написанном в 1988 году по просьбе Натальи Шмельковой («за страницу рукописного текста — бутылка шампанского» — такое условие он поставил подруге)[1]: «Июль 61-го. Город Владимир. Приемные испытания во Владимирский педагогический институт имени Лебедева-Полянского. Подхожу к столу и вытягиваю билет: 1. Синтаксические конструкции в прямой речи и связанная с ней пунктуация. 2. Критика 1860-х гг. о романе Н. Г. Чернышевского "Что делать?". Трое за экзаменационным столом смотрят на меня с повышенным аппетитом. Декан филологического факультета Раиса Лазаревна с хроническою улыбкою: "Вам, судя по вашему сочинению о Маяковском, которое все мы расценили по самому высшему баллу, — вам, наверное, и не надо готовиться к ответу. Присаживайтесь".

Само собой, ни о каких синтаксических конструкциях речь не идет.

— Кем вы сейчас работаете? Тяжело ли вам?

— Не слишком, — говорю, — хоть работа из самых беспрестижных и препаскуднейших: грузчик на главном цементном складе.

— Вы каждый день в цементе?

— Да, — говорю, — каждый день в цементе.

— А почему вы поступаете на заочное отделение? Вот мы все, и сидящие здесь, и некоторые отсутствующие, решили единогласно: вам место в стационаре, мы все убеждены, что экзамены у вас пройдут без единого "хор.", об этом не беспокойтесь, да вы вроде и не беспокоитесь. Честное слово, плюйте на ваш цемент, идите к нам на стационар. Мы обещаем вам самую почетную стипендию института, стипендию имени Лебедева-Полянского. Вы прирожденный филолог. Мы обеспечим вас научной рабо-

---

[1] *Шмелькова Н.* Последние дни Венедикта Ерофеева. Дневники. С. 152.

той. Вы сможете публиковаться в наших "Ученых записках" с тем, чтобы подкрепить себя материально. Все-таки вам 22, у вас есть определенная сумма определенных потребностей.

— Да, да, да, вот эта сумма у меня, пожалуй, есть.

В кольце ободряющих улыбок: "Так будет ко мне хоть какой-нибудь пустячный вопрос, ну, хоть о литературных критиках 60-х годов?"

— Будет. Так. Кто, по вашему разумению, оценил роман Николая Гавриловича самым точным образом?

— По-моему, Аскоченский и чуть-чуть Скабичевский. Все остальные валяли дурака более или менее, от Афанасия Фета до Боткина.

— Позвольте, но как вам может нравиться мнение Аскоченского, злостного ретрограда тех времен?

Раиса Лазаревна: "О, на сегодня достаточно. Я, с согласия сидящего перед нами уникального абитуриента, считаю его зачисленным на дневное отделение под номером один, поскольку экзамены на дневное отделение еще не начались. У вас осталась история и *Sprechen Sie Deutsch*? Ну, это для вас безделки. Уже с первого сентября мы должны становиться друзьями".

Сентябрь 61-го года. Уже четвертая палата общежития института и редчайшая для первокурсника честь — стипендия имени Лебедева-Полянского»[1].

Пройдет всего лишь несколько месяцев, и декан филологического факультета Раиса Засьма вместе с другими преподавателями пединститута горько пожалеет о принятом в июле скоропалительном решении. «Раиса Лазаревна говорила, что поступление Ерофеева в пединститут было ее главной педагогической ошибкой», — рассказывает Борис Сорокин. Позволим себе личное воспоминание: когда один из авторов этой биографии в 1995 году, во Владимире, будучи в гостях у прекрасного ученого, либерала

[1] *Шмелькова Н.* Последние дни Венедикта Ерофеева. С. 152–154.

и любимца студентов Александра Борисовича Пеньковского, спросил: «А какие воспоминания у вас остались о студенте Ерофееве?» — тот в ужасе схватился за голову.

В интервью Л. Прудовскому о своем обычном времяпрепровождении во владимирском студенческом общежитии Ерофеев рассказывал так: «Я лежал себе тихонько, попивал. Народ ко мне... в конце концов получилось так, что весь народ раскололся на две части. Вот так, если покороче, <...> весь институт раскололся на попов и на... Там было много вариаций, но в основном на попов и комсомольцев. Этак я оказался во главе попов, а там глав-зам-трампампам оказался во главе комсомольцев моим противником. <...> За мной стоит линия, за ними тоже линия. Мы садимся, это я предлагаю садиться за стол переговоров, чтобы избежать рукоприкладства и все такое. Они говорят: давай, садимся. И вот мы садились и пили сначала сто грамм, потом по пятьдесят, потом по сто пятьдесят, потом... и понемногу, ну, набирали <...> Попы с комсомольцами садились тихонько... Ну, одним словом, они занимались делом. А я сидел и чувствовал себя человеком, который предотвратил кровопролитие»[1].

А вот как вспоминал о буднях Венедикта в общежитии Владимирского пединститута его тогдашний сосед по комнате Г. Зоткин: «Выпивал (много об этом говорили, говорят и поныне досужие языки). Выпивали и мы, но отнюдь не во вред делу. Имею в виду самообразование в самом хорошем смысле. Но я никогда не видел Ерофеева пьяным. Наоборот, в такие минуты каждая клеточка его мозга и сердца была словно обнажена, очищена от временного налета, каждая сияла, как начищенная монета, источая перлы великого смысла и незаурядного чувства. В такие минуты он был неотразим. Конечно, по утрам чувствовал себя плохо. Подолгу сидя в постели в позе "больного Некрасова" — привалясь к подушке, подложен-

---

[1] *Ерофеев В.* Мой очень жизненный путь. С. 497–498.

ной к спинке кровати, много курил. Развертывал сигаретные окурки, ссыпал в газетную заготовку (обертку) и закуривал "цигарку". Обыкновенную "мужицкую", держа ее двумя пальцами. Бумажная пепельница — освободившаяся из-под сигарет пачка — постоянно переполнялась. Пепел сыпался на тумбочку, где она стояла, потом — на пол. Недруги видели это, заходя в нашу комнату, судачили по углам и прилюдно. Создавалось общественное мнение. К декабрю <19>61-го оно определилось и вылилось в собрание жильцов общежития, головной проблемой которого был вопрос, поставленный на ребро: быть или не быть В. Ерофееву в студобщежитии»[1].

Нужно, тем не менее, отметить, что именно числясь студентом Владимирского пединститута, Ерофеев предпринял единственную в жизни попытку написания и опубликования научных филологических статей. В интервью Л. Прудовскому он позднее рассказывал: «Когда поступил во Владимирский пединститут, мне сказали: "Венедикт Васильевич, если вам не на что будет жить, то у нас есть «Ученый вестник» Владимирского пединститута, и мы вам охотно предоставим страницы". Но я, как только охотно сунул им в эти страницы всего две статьи о Генрике Ибсене, они заявили, что они методологически никуда не годятся <...> Я был тогда ослеплен вот этой скандинавской моей литературой. И только о ней писал <...> Потому что они — мои земляки»[2].

Некоторые подробности об истории *не*публикации этих ерофеевских статей можно найти в радиоинтервью Бориса Сорокина: «Аксенова Евдокия Максимовна решила Веню как-то легализовать. "Ну что, Ерофеев... Ну напишите... Мы вас включим... Мы вас сделаем членом научного общества. Неужели вы не напишете. Ну, что вам инте-

---

[1] *Зоткин Г.* «Москва — Петушки», далее без остановок // Комсомольская правда. 1991. 28 мая.

[2] *Ерофеев В.* Мой очень жизненный путь. С. 498.

ресно? Я вас не ограничиваю в этом выборе..." И он выбрал. Его тогда очень занимал Ибсен. <...> И он написал две вещи. Одна из них — "Хилая совесть". Как тогда он говорил для нас, грешных, упрощенно, что это как бы антифашистские вещи. Или это заранее был такой ход, чтобы он пошел у Аксеновой <...> Несмотря на такой демократизм Аксеновой, она сказала, что это возмутительно невыдержанные методологически вещи. И они никуда не пошли. Где эти вещи сейчас — неизвестно»[1].

Во время учебы во Владимирском пединституте Венедикт обзавелся целым эскортом, как он сам их назвал, «оруженосцев»[2]. Это определение достаточно точно характеризует тип отношений, установившийся между Ерофеевым и его новыми друзьями. Уже в Орехово-Зуеве он с успехом примерил на себя то амплуа, которое в их московской университетской компании было устойчиво закреплено за Владимиром Муравьевым, — амплуа всеобщего наставника и признанного арбитра вкуса, насмешливого и категоричного. Во Владимире орехово-зуевский опыт был не просто повторен, а усовершенствован — постоянно мучившийся от собственной застенчивости Венедикт в глазах своих «оруженосцев» превратился в непререкаемый авторитет. «Муравьев на него оказывал такое же влияние в университете, как Ерофеев на меня», — прямо говорит Борис Сорокин.

Вот как он описывает обстоятельства своего знакомства с Ерофеевым в общежитии Владимирского пединститута: «Я постучался. За столом за книгой сидел молодой человек в пиджаке и рубашке[3]. На нем были узенькие,

---

[1] Радиопрограмма «Говорит Владимир».

[2] *Ерофеев В.* Записные книжки 1960-х годов. С. 163.

[3] «Я помню, как он стирал эту рубашку, — приводит Борис Сорокин другие подробности владимирского быта Ерофеева. — Он ее стирал по частям. Сначала он стирал воротник, потом стирал рукава... Я ему: "Веня, но почему же не всю?" — "Да нет, не надо..." И можно представить, что это за рубашка и какая она была белоснежная. Но

модные тогда, брюки-дудочки, а на ногах — белые спортивные тапочки. Он производил странное впечатление — с одной стороны, в нем была некоторая претензия на моду, с другой — поношенность. Глядя на кок на его голове, я подумал, что, может быть, Венедикт в свое время стиляжничал. При этом слово "модный" не относилось к нему никак. Около него стоял большой казенный чайник с кипятком, рядом лежали полбуханки черного хлеба и крошечный кулечек с сахарным песком. И во всем облике сидевшего чувствовались одновременно и бедность, и интеллигентность.

Оторвав глаза от "Философских этюдов" Мечникова, Венедикт вопрошающе посмотрел на меня своими маленькими, медвежьими и очень проницательными глазками. Мы познакомились. Я к тому времени считал себя умненьким мальчиком и взахлеб стал делиться с Ерофеевым своими ощущениями от "Диалектики природы" и недавно прочитанной диссертации Чернышевского об эстетике. Я только начал говорить, как Венедикт меня раздраженно прервал:

— Да что же ты, Сорокин, все мне энгельсовщину да чернышевщину порешь (он сразу узнал, что я цитирую из Чернышевского).

— Ну а что вы можете возразить, — не унимался я, — на то, что "прекрасное есть жизнь"?

— Что могу возразить? — Венедикт интересно пошевелил губами. (В первые минуты знакомства он еще не осмелился меня вслух обматерить.) — А вот что, — непринужденно продолжал он. — Иконы византийские, с их много-

почему-то это, да, производило такое впечатление. Так же говорила Любчикова, что на нем была всегда белая и чистая рубашка... Не знаю, не знаю, каким образом она сохранялась во всех поездках... Нет, у него, конечно, были некие запасы. Кроме тапочек, про которые я говорил, у него под кроватью стояли ботинки. А ботинки тогдашние... Я всегда носил ботинки за 10 рублей. А эти были за 20 с чемто. Некоторый шик. Но он надевал их, видимо, очень редко».

численными сценами страшного суда, видел, надеюсь? А ведь это скорее образцы человеческого уродства, где же здесь красота и полнота жизни? Но любой искусствовед тебе скажет, что они прекрасны.

Никаких византийских икон я не видел, но принял это к сведению. Потом мне пришлось принять к сведению почти все, что говорил мне Веня. Многие вещи, о которых я даже не подозревал... философия, литература, религия — все это я взял у Вени. Почти все. И до сих пор этим пользуюсь. Можно сказать, что своим образованием я обязан ему.

Во Владимире совсем недавно (в 1960 г.) вышел сборник Андрея Вознесенского "Мозаика", и я начал было читать понравившиеся мне стихи, но снова попал под охлаждающий душ ерофеевского негодования.

— Не там ты ищешь, Сорокин, ты же совсем не знаешь предшественников его.

Потом, когда я стал часто заходить к Ерофееву, он знакомил меня с поэзией Серебряного века, каждый раз чемто ошарашивая. Помню, например, из Брюсова: "Тень несозданных созданий // Колыхается во сне, // Словно лопасти латаний // На эмалевой стене".

Тогда же (а может быть, и в одну из последующих встреч) Венедикт вынул из тумбочки Библию и сказал: "Вот, Сорокин, единственная книга, которую еще стоит читать". Я ужаснулся и подумал: "Как же так, он читает Мечникова и так говорит про Библию?" Уходил я от него сильно озадаченный, одновременно с симпатией и страхом»[1]. «Сначала я прочитал что-то из Ветхого завета, принес ему и сказал: "Веня, но это же все сказки!" — дополняет этот свой рассказ Сорокин. — А он был, возможно, с похмелья, несколько мрачный, и сказал мне: "Слушай,

---

[1] Этот мемуар основан на «Летописи жизни и творчества Венедикта Ерофеева» (С. 40–41) и наших разговорах с Борисом Сорокиным, в которых он внес в текст из «Летописи» некоторые поправки и дополнения.

Сорокин. Может быть, ты когда-нибудь поумнеешь. Но запомни, что такого-то числа такого-то года ты был круглый дурак"». Сильно забегая вперед, приведем здесь и итоговую сорокинскую реплику о его взаимоотношениях с Ерофеевым: «Веня ко мне относился иногда хамовато. И, по-моему, не очень меня любил. Но это общение мне было необходимо как глоток свежего воздуха среди советской паскудности»[1].

Сперва «озадаченный», а впоследствии безоглядно увлекшийся Венедиктом Борис Сорокин со временем ввел в его орбиту почти всех своих друзей: Валерия Маслова, Андрея Петяева, Игоря Авдиева[2] и будущего «любимого первенца» из «Москвы — Петушков» — Вадима Тихонова[3]. Они-то и сформировали ерофеевскую свиту. Далее мы вслед за Лидией Любчиковой будем называть друзей Венедикта из этой компании «владимирцами». Отметим, что она не была однородной, а ее состав — постоянным, поэтому иные рассказы о «владимирцах» не следует распространять на всех перечисленных нами людей.

«Человек не успевал оглянуться, как становился его почитателем и рабом, — вспоминал Вадим Тихонов. — Рабом

---

[1] «Для меня это было как взрыв. Я абсолютно изменился. И моя жизнь изменилась на 180 градусов», — рассказывает Борис Сорокин в интервью Евгению Викулову (радиопрограмма «Говорит Владимир»).

[2] Александр Кравецкий вспоминает об Игоре Авдиеве так: «Этот заводной двухметровый человек с огромной бородой страшно пугал моих дочерей, церемонно обращаясь к ним, как к маленьким леди. Сейчас его имя в основном встречается в комментариях к "Петушкам". А вот о чем совсем не вспоминают, так это о составленной Игорем книге "Всенощное бдение. Литургия", выпущенной в 1982 году. Тогда это была единственная доступная книга про устройство богослужения. 60 тысяч экземпляров тиража разлетелись мгновенно. Книгу переснимали при помощи фотоаппарата, печатали на ксероксе (у меня она была в ксерокопии), репринт сделали на Западе, а с началом перестройки эта книга была переиздана бессчетное число раз. При этом об авторстве Игоря никто не знал».

[3] «Вадик Тихонов был хулиган, — рассказывает о нем Сорокин. — Мы учились в одной школе, и он однажды директрису шлепнул по заду и что-то еще добавил такое».

его *мысли*, его *обаяния*»[1]. А ведь начинал Тихонов не с почитания Ерофеева, а, по своему обыкновению, с глумления над ним, правда, глумления заглазного. «У меня есть такой друг, Боря Сорокин, — рассказывал "любимый первенец". — Он поступил во Владимирский пединститут. И когда Ерофеева погнали из общежития за аморалку и пьянку, Сорокин ко мне пришел и сказал: "У меня есть сокурсник, совершенно гениальный, колосс и так далее..." Я, конечно, тут же сострил: "Небось, колосс на глиняных ногах?"»[2] Тем не менее Тихонов явился к Ерофееву с великодушным и самоотверженным предложением. «Вадим надел розовое пальто, синюю шляпу, появился там и сказал Ерофееву: "Я готов вам предоставить *политическое убежище*!"» — рассказывает Борис Сорокин. А сам Венедикт вспоминал в интервью Л. Прудовскому: «Во Владимире <...> мне сказали: "Ерофеев, больше ты не жилец в общежитии". И приходит абсолютно незнакомый человек и говорит: "Ерофейчик. Ты Ерофейчик?" Я говорю: "Как, то есть, Ерофейчик?" — "Нет, я спрашиваю: ты Ерофейчик?" Я говорю: "Ну, в конце концов, Ерофейчик". — "Прошу покорно в мою квартиру. Она без вас пустует. Я предоставляю вам *политическое убежище*"»[3]. «Во Владимире он жил в деревянной двухэтажной развалюхе, улица Фрунзе. Там, недалеко от лесной линии, стоят мрачные старые постройки, сто лет им. Это была коммуналка, зловещая и вонючая. Клоповник такой», — вспоминал Владислав Цедринский[4] о тихоновском жилье[5]. «Владимирцу» Алексею Чернявскому Тихонов рассказывал, что

---

[1] Вадим Тихонов: «Я — отблеск Венедикта Ерофеева».

[2] Там же. «Я написала ему стишок — я его уже забыла совершенно. Помню, что в содержании было, что он колосс на глиняных ногах. Что-то такое», — вспоминает о Ерофееве Ирина Дмитренко.

[3] *Ерофеев В.* Мой очень жизненный путь. С. 505.

[4] Упоминается в поэме «Москва — Петушки», глава «Орехово-Зуево — Крутое».

[5] Про Веничку. С. 152.

он тогда же предложил Венедикту вместе работать: «Он не знал, что делать. Я сказал ему: а хуй с ним, Ерофеев. Живи пока у меня. Пойдем на станцию цемент разгружать».

С этого момента Вадим Тихонов сделался при Ерофееве весьма нужным человеком, его добровольным «продюсером и менеджером» (по определению злоязычного Славы Лёна)[1]. В записной книжке 1973 года, обыгрывая название одноименного советского телесериала, Ерофеев назовет Тихонова «адъютантом его превосходительства»[2]. «У Вади Тихонова первый глоток водки немедленно выливался через нос в стакан, — пишет Андрей Архипов. — Этот "любимый первенец" — довольно важная фигура для понимания Ерофеева. Он устраивал балаган вокруг или около Ерофеева, говорил от лица благосклонно помалкивавшего Ерофеева, задирался, шутил как будто бы вместо него, и часто довольно забавно». «По-моему, Тихонов только среднюю школу закончил, — вспоминает Ольга Седакова. — Он был как бы сниженной тенью Венечки, вроде шута при короле у Шекспира. Но он тоже был совсем не простой человек! Работал он всегда в самых "негодных" местах: сторожил кладбище, работал истопником в психбольнице... И вот однажды он мне звонит с одной такой работы и говорит: "Прочитал Джойса, «Портрет художника в юности». Вот белиберда! (я смягчаю его отзыв) Совсем писать не умеет, балбес. Лучше бы «Детство» Толстого прочитал"»[3].

---

[1] Слава Лён рассказывает о Венедикте Ерофееве. URL: https://www.youtube.com/watch?v=9xQaMcMZEUY.

[2] *Ерофеев В.* Записные книжки. Книга вторая. С. 184.

[3] *Седакова О.* Венедикт Ерофеев — человек страстей. Характерную историю о Тихонове времен его работы на московском Новодевичьем кладбище вспоминает Ольга Савенкова (Азарх): «Много-много лет тому назад мой друг Вадя Тихонов, будучи сам родом из Владимира, не мог никак устроиться на работу в Москве. Он попросил меня взять у себя на работе справку о совместительстве. Была тогда такая практика. Я взяла, но дело не в этом. Справка была мне выдана для

Вот как свиту Ерофеева характеризует Ольга Савенкова (Азарх), познакомившаяся с Венедиктом и его друзьями уже в 1970-х годах: «Очень длинный, в рыжем клетчатом пиджаке, с черной бородой, горящим взором, Игорь Авдиев был ярким персонажем. Он был умным, талантливым и очень необычным человеком, недаром в "Петушках" ему поручено озвучить столько парадоксов. Игорь с душой пел русские народные песни: "Среди долины ровныя", "Лучина", "Вдоль да по речке". Андрей Петяев прекрасно пел Окуджаву, я потом уже не могла воспринимать оригинальное исполнение, так хорошо Андрей пел. Боря Сорокин всегда был религиозен. Над ним безобидно подтрунивали, но он был тверд. Когда было совсем голодно, из его кармана волшебным образом появлялся мятый кулек: "Ольга, будем пить чай с прениками". Уютно жить, зная, что есть человек, у которого в кармане — "преники". Боря был и, надеюсь, остался поэтом. Самый, пожалуй, светлый человек в моей жизни. Вадя Тихонов был мелкий бес. Язвительный, остроумный, но очень жуликоватый. Его постоянно отовсюду выгоняли, но он был такой обаятельный, что его тут же принимали обратно. А Веня, несомненно, был гением и мог стать кем угодно, но всему мешало "неутешное горе", эта постоянная душевная боль. Я очень благодарна этой компании. Потому что даже Вадя Тихонов открывал нам такие горизонты, о которых мы, конечно, не слышали тогда. А когда говорили Игорь или Веня, я просто тихо сидела в уголке и слушала».

Ерофеевские блокноты са́мого начала 1960-х годов пестрят цитатами не только из Библии и Ильи Ильича Мечникова, но и из Ницше, а также из Достоевского. «Я постоянно считал себя умнее всех, которые меня окру-

___

работы по совместительству могильщиком на Новодевичьем кладбище. Работал, естественно, Вадя. А когда я уезжала в Крым, Вадя принес мне на вокзал огромный букет цветов, стыдливо лепеча: "Не думай, не с могилок". Да кто ж ему поверил».

жают, и иногда, поверите ли, даже этого совестился», — сочувственно выписывает Венедикт признание парадоксалиста из «Записок из подполья»[1]. Как о заветном для их владимирской компании авторе вспоминал о Достоевском Вадим Тихонов[2]. «В нем была достоевщина, — констатировал Владимир Муравьев. — У каждого человека есть подполье в душе, чтобы было что преодолевать. И Веничка играл с темными силами, которые выходят из подполья души. Людям, которые подходили к нему на очень близкое расстояние, было нелегко»[3].

Встречаются на страницах записной книжки Ерофеева 1961 года и цитаты из «Бесов». Трудно отделаться от ощущения, что свои взаимоотношения с «владимирцами» Ерофеев едва ли не сознательно строил по модели «Ставрогин — участники "пятерки" Петра Верховенского». Во всяком случае, такие ассоциации приходили в голову мемуаристам. «В самом Вене мерещилось иногда что-то версиловское, иногда — ставрогинское», — пишет Ольга Седакова[4]. «А по манере — ну, чистые бесы, по Достоевскому», — рассказывал о «владимирцах» Феликс Бух[5], а Марк Фрейдкин даже сравнил Вадима Тихонова с участником «пятерки» из «Бесов» — Липутиным[6]. «Бесу» из произведения другого великого писателя Тихонов был уподоблен в мемуарной зарисовке Людмилы Евдокимовой: «Вадим этот вообще состоял при нем шутом, эдаким Коровьевым, и думал только о том, как угодить своим балагурством. У Седаковой. Сидит Никита Ильич Толстой, рядом с ним Вадя, щупает его за рукав: "Никита Ильич, а сукнецо-то какое добротное", — все покатываются. Что Толстой ответил, уж не помню. А ведь останься Вадя в своем Владими-

---

[1] *Ерофеев В.* Записные книжки 1960-х годов. С. 33.
[2] Вадим Тихонов: «Я — отблеск Венедикта Ерофеева».
[3] *Ерофеев В.* Мой очень жизненный путь. С. 583.
[4] Там же. С. 598.
[5] Про Веничку. С. 101.
[6] *Фрейдкин М.* Каша из топора. С. 305.

ре, жил бы, кто знает, обычной жизнью, может, и пил бы не так шибко»[1].

Неудивительно, что в мемуарах участников московской университетской компании Ерофеев, как правило, предстает совсем другим человеком, чем в воспоминаниях тех, кто общался с ним во Владимире. Он абсолютно по-разному относился к «москвичам» и «владимирцам» и, по-видимому, дорожил дружбой с первыми гораздо больше, чем со вторыми. Так, приглашая в 1974 году Валентину Филипповскую вместе встречать православное Рождество, он специально оговорил, что «никакой "швали" не будет, а будут только его друг Муравьев и еще кто-то, но кто именно, не помню», по всей вероятности, Лев Кобяков.

«Я думаю, настоящих друзей у него было мало, — рассказывала Лидия Любчикова, бывшая долгое время женой Вадима Тихонова. — Когда он был молодым, я знала, что его самым близким другом был Муравьев. Очевидно, это так и осталось до конца. А все эти "владимирцы", которые были в молодости, скорее сами дружили с ним, чем Бен с ними. И Тихонов, которому он посвятил "Москву — Петушки", в общем, другом его, конечно, не был, тут было

---

[1] Ольга Савенкова (Азарх) сравнивает Тихонова с другим бесом из воландовской свиты: «Вадя явно был Бегемотом». О том, как Ерофеев с друзьями однажды посетил семинар лингвиста и фольклориста Никиты Ильича Толстого вспоминает Ольга Седакова: «Вероятно, это был 1972 год. И, вероятно, весна. На семинаре Н. И. Толстого по славянским древностям я делала доклад о погребальном обряде (это была тема моего диплома). Совсем в конце моей речи дверь аудитории открылась — и вошла страннейшая группа людей. Двухметровый черный, как смоль, Игорь Авдиев. Рядом — маленький горбатый В. Цедринский. Любимый первенец Тихонов. Еще кто-то не совсем форматный. Веничка с плетеной авоськой (пластиковых пакетов тогда не знали), в которой звенели две-три бутылки портвейна и батон за 13 копеек. Никиту Ильича это ничуть не смутило. Он приветливо пригласил их сесть и сказал мне: "Ну, Оля, теперь для вновь пришедших расскажите все с самого начала, хотя бы вкратце". Н. И. Толстому нравились "Петушки". Потом я привела Веничку к нему в гости, и Н. И. достал для дорогого гостя семейную посуду с гербом (нечасто он ее доставал!)».

что-то иное»[1]. А ведь Тихонова Ерофеев, «кажется, по-настоящему любил» (свидетельствовал Марк Фрейдкин)[2].

Чем конкретно в 1961 году так сильно прогневали администрацию и преподавателей Владимирского педагогического института Венедикт Ерофеев и его приятели? Покойный Александр Пеньковский в давнем разговоре с нами не слишком внятно изложил зловещую историю о некоем клубе студенток-самоубийц, якобы организованном Венедиктом со товарищи[3]. Ольге Седаковой Ерофеев говорил, что «из владимирского педа» «его выгнали за венок сонетов, посвященный Зое Космодемьянской». В интервью И. Тосунян он сообщил, что его исключили «за чтение Библии»[4]: «Я Библию тихонечко держал в тумбочке общежития ВПГИ, а те, кто убирали в комнате, ее об-

---

[1] *Ерофеев В.* Мой очень жизненный путь. С. 544.

[2] *Фрейдкин М.* Каша из топора. С. 305.

[3] Реакция Бориса Сорокина на этот рассказ о Ерофееве такова: «По-моему, это чушь совершенная про клуб самоубийц. У него был клуб женщин, но это никакие не самоубийцы. Они все назывались по цвету: Оранжевая, Серая, Зеленая, Белая, Розовая... Зимакова была Черная, она всегда ходила в черном...» Процитируем также фрагмент из мемуаров Игоря Авдиева, в котором речь явно идет о Пеньковском: «Один преподаватель как-то остановил меня и спросил: "Вы, кажется, знакомы с Ерофеевым?" Сознаться значило стать изгоем и изгнанным из института. Я сказал: "Знаком". Он, улыбаясь: "А вам не страшно? Ведь Ерофеев поставил себе в жизни цель: привести к самоубийству сто человек?!" — "Почему сто?" — глупо удивился я». Анна Авдиева, вдова Игоря Авдиева, рассказала нам: «Насчет клуба самоубийц — Игорь об этом говорил. Сам он, как я понимаю, в момент знакомства с Ерофеевым был молодым человеком с раздраем в голове и, возможно, находился в том периоде свой жизни, который у некоторых сопровождается мыслями о самоубийстве. Собственно, он об этом мне так и рассказывал. Что когда ехал в поезде-электричке, бес ему нашептывал, что — отличный выход, шагнуть на ходу. Возможно, Игорь свои мысли и чувства поведал Вене, на что тот ему сказал (наверное) что-то вроде "э-э-э... дурак" и дал почитать Евангелие. Это факт — и Игорь не раз это вспоминал, что, наоборот, Веня его спас от шага в пустоту. Этот эпизод он рассказывал как раз в опровержение слухов о "клубе самоубийц". И возможно, это было одной из причин, почему он так обожал Веню».

[4] *Ерофеев В.* Мой очень жизненный путь. С. 512.

133

наружили. С этого началось! Мне этот ужас был непонятен, ну подумаешь, у студента Библия в тумбочке!»[1] «За Библию его и вышибли. Узнали, что у него Библия есть, — подтверждает рассказ Ерофеева Борис Сорокин. — Кто-то непрошенный сунулся в комнату, а Веня в него швырнул Библией. И вот увидели: Библия. Это ужасное дело было тогда. Пединститут. Идеологический вуз. И — Библия...» «Про Венедикта ходили разные слухи, — продолжает он. — Например, что он заслан во Владимир из семинарии, чтобы разлагать советское студенчество».

Судя по всему, конкретного проступка, послужившего поводом к изгнанию из Владимирского педагогического института Ерофеева, а затем и части его окружения, не было. «Веню выгонять было, в общем, не за что, — рассказывает Борис Сорокин. — Он хорошо учился еще и потому, что так же на первом курсе учился в МГУ, а после этого в Орехово-Зуеве». Однако вызывающее поведение Венедикта и его влияние на других студентов, многие из которых стремительно вовлекались в ерофеевскую орбиту, подтолкнули руководство ВПГИ к решению избавить институт от Ерофеева под любым предлогом.

Владислав Цедринский, учившийся вместе с Ерофеевым во Владимире и живший с ним в общежитии, рассказывает о причинах изгнания Венедикта из института так: «Он не был одиозной личностью и начальство ничем не донимал — просто он был абсолютно свободен и поэтому непонятен. А все непонятное угрожает. Его постоянно принимали за некую абсолютную угрозу и формулировали ее для себя всякий по-разному. То это был агент иностранной державы, то это был агент черных демонических сил, то еще кто-то»[2]. Между прочим, Цедринского и еще нескольких студентов отчислили из Владимирского педагогического института за один только факт прия-

---

[1] *Ерофеев В.* Мой очень жизненный путь.
[2] Про Веничку. С. 154.

тельства с Ерофеевым. «Они узнали, что он знаком со мной и с Венедиктом... — рассказывает Борис Сорокин. — А Владик, он был такой прямой — прямая душа. Сказал, что Венедикт — замечательный человек, очень умный. А эти ему: "Как можно так говорить?! Нельзя..." А я ушел сам и сказал, почему ухожу: в знак протеста. Потому что Венедикта выгнали ни за что. Потом Засьма стала говорить, что меня тоже выгнали...»

Окончательно проясняет ситуацию с исключением Ерофеева из Владимирского педагогического института содержательная статья Евгения Шталя. В ней, в частности, приводится текст «объективки» на Ерофеева, написанной по просьбе Раисы Засьма заведующим институтским кабинетом марксизма-ленинизма и преподавателем Игорем Ивановичем Дудкиным: «Мне пришлось случайно беседовать со студентом 1-го курса т. Ерофеевым. Разговор шел на философские темы. Формальным поводом для беседы был вопрос о возможности его участия в философском кружке. Надо заметить, что с самого начала Ерофеев отбросил все претензии диалектического материализма на возможность познания истины. Он заявил, что истина якобы не одна. И на мои доводы он отвечал не иначе как усмешкой. В разговоре он показал полную политическую и методологическую незрелость. Он бездоказательно отвергает коренные, принципиальные положения марксизма: основной вопрос философии, партийность философии и т. д. Кроме того, его хвастливо-петушиный и весьма нескромный тон очень неприятно действовал на окружающих. Ерофеев, несмотря на болтовню, является абсолютным профаном в вопросах идеалистической философии. Он что-то слышал о Ф. Аквинском и Беркли, о Канте и Юме, но отнюдь не разобрался в их учениях по существу. Я, как преподаватель философии, считаю, что Ерофеев не может быть в числе наших студентов по следующим причинам:

1. Он самым вреднейшим образом воздействует на окружающих, пытаясь посеять неверие в правоту нашего мировоззрения.

2. Мне представляется, что он не просто заблуждается, а действует как вполне убежденный человек, чего, впрочем, он и сам не скрывает»[1].

«Я его немного помню, — рассказывает о Дудкине Алексей Чернявский. — Он был человеком совершенно не вредным. Бывало, принимал у студентов зачет в ближайшей пивной. Но: честный верующий марксист. И тут к нему приходит Ерофеев! Я думаю, уже после пары ерофеевских вопросов, подъёлдыкиваний, *etc.* (тапочки тоже не забудем!), Дудкин почувствовал себя как простой честный патер рядом с ересиархом»[2].

27 января 1962 года Раиса Засьма подала на имя ректора пединститута специальную докладную записку о Ерофееве, которую тоже впервые опубликовал Евгений Шталь. Эта докладная содержит три пункта обвинения: «1. В октябре месяце Ерофеев был выселен из общежития решением общего собр<ания> и профкома ин<стиу>та за систематическое нарушение правил внутреннего распорядка: выпивки, отказы от работы по самообслуживанию, неуважение к товарищам, чтение и распространение среди студентов Библии, привезенной им в общежитие якобы "для изучения источников средневековой литературы", грубость по отношению к студентам и преподавателям. 2. Ерофеев неоднократно пропускал занятия по неуважительным причинам. Всего им пропущено по н<астоящее> вр<емя> 32 часа. И хотя после выговора, полученного в деканате, и неоднократных предупреждений он последующее время <не> пропускал лекции, но занятия

---

[1] *Шталь Е.* Москва — Владимир — Петушки: Университеты Венедикта Ерофеева // Независимая газета. 2004. 12 августа.

[2] «Заключались пари: придет ли он в тапочках на первое занятие?» — вспоминает Борис Сорокин (радиопрограмма «Говорит Владимир»).

по уч<ебному> кино[1] и физвоспитанию не посещал до конца. З. Ерофеев оказывает самое отрицательное влияние на ряд студентов I-го и старших курсов (на Модина, Сорокина, отчасти Лизюкова, Авдошина, Зимакову, Ивашкину и т. д.) благодаря систематическим разговорам на "религиозно-философские" (так он их называет) темы. Скептическое, отрицательное отношение Ерофеева к проблемам воспитания детей, к ряду моральных проблем, связанных со взаимоотношениями людей, извращенные, методологически неправильные, несостоятельные взгляды Ерофеева на литературу (его будущую специальность), искусство, анархические, индивидуалистические взгляды на смысл и цель собственной жизни, некрасивое поведение в быту, бесконечная ложь в объяснениях причин того или иного поступка, все это делает невозможным дальнейшее пребывание Ерофеева в ин<ститу>те»[2].

Приказ ректора об отчислении Ерофеева с филологического факультета института датирован 30 января 1962 года. В объяснительной своей части этот приказ варьировал докладную записку декана. Ерофеев исключался из состава студентов как человек, «моральный облик которого не соответствует требованиям, предъявляемым уставом вуза к будущему учителю и воспитателю молодого поколения»[3].

«Серия комсомольских собраний на всех пяти факультетах, — записал Венедикт в блокноте. — Запрещено не только навещать меня, но даже заговаривать со мной на улице. Всякий заговоривший подлежит немедленному исключению из ВГПИ. Неслыханно»[4]. В этой же запис-

---

[1] Ср. в воспоминаниях Бориса Сорокина: «У нас были дикие тогда некоторые экзамены. Например, "кинодело". И его выгнали из-за кинодела». — *О. Л., М. С., И. С.*

[2] *Шталь Е.* Москва — Владимир — Петушки: Университеты Венедикта Ерофеева.

[3] Там же.

[4] *Ерофеев В.* Записные книжки 1960-х годов. С. 166.

ной книжке Ерофеев пометил себе для памяти: «С 30 авг<уста> <19>61 г. — начало непреднамеренного и тихого разложения Владимирского пединститута»[1]. А в его блокноте 1966 года появилась такая запись, касающаяся и Владимира, и Орехово-Зуева: «Стоило только поправить кирпич над входом — рушится весь фасад пединститута»[2]. В этой записи была вывернута наизнанку и «осовременена» евангельская метафора: «Камень, который отвергли строители, тот самый сделался главою угла» (Матфей 21:42).

[1] *Ерофеев В.* Записные книжки 1960-х годов. С. 159.
[2] Там же. С. 457.

ВЕНИЧКА:
Утро. Между Черным
и Купавной

Следующая доза Венички, принятая в два приема — перед Никольским и перед Салтыковской, — сопровождается особенным нагнетением патетики. Одно за другим следуют высокие слова: при первом заходе — «порыв» и «величие» (143), при втором — «демон», «вздымался» и «с небес» (145). С пафосом, по мысли Ф. Шиллера, неизбежно связано душевное страдание («Существо чувственное должно страдать жестоко и глубоко...»); вот и опустошение «Кубанской» вызывает в душе героя что-то вроде благоговейного ужаса. Счет выпитому ведет нарастающая тревога; мрачные предчувствия («Не в радость обратятся тебе эти тринадцать глотков», 143) сменяются намеками трагического фатума («Зачем ты все допил, Веня? Это слишком много...», 145). Значит, начинается новый, героический этап Веничкиной биографии: после Реутова он, в полном соответствии с шиллеровской эстетикой, «одним-единственным волевым актом» возвышается «до высшей степени человеческого достоинства», поскольку отваживается сначала устремиться к чрезмерному[1], а затем — открыться таинственному и страшному.

---

[1] «...Во всей земле, от самой Москвы и до самых Петушков — нет ничего такого, что было бы для меня слишком многим...» (145).

Хотя патетика эта, по Веничкиному обыкновению, опрокинута в низовой гротеск и пародическую буффонаду, все же именно в момент возвышенной декламации, как раз между Никольским и Салтыковской, через все пересмешнические заглушки, кажется, прорывается авторский голос. Не такова ли тенденция первых главок поэмы — от иронической дистанции к последовательному сближению автора и персонажа? В похмельное утро Веничка еще воспринимается как «всякий человек», его эмоции — как цитаты и перифразы[1], а если и угадывается позиция Венедикта Ерофеева за Веничкиным сказом, то только в отрицании: «Я согласился бы жить на земле целую вечность, если бы прежде мне показали уголок, где не всегда есть место подвигам» (128). Зато после Карачаровской опохмелки авторские подмигивания, знаки искреннего присутствия, становятся явственнее. «...Я безгранично расширил сферу интимности...» (134) — здесь за комической гиперболой легко угадать бытовой стиль самого создателя «Москвы — Петушков», готового, как и Веничка-бригадир, на любые эксперименты над другими, но ни в коем случае не позволяющего этим другим проникнуть в свое сокровенное. И вот, испив кубанской перед Салтыковской, персонаж на какие-то две-три минуты (два-три абзаца) почти сливается с писательским «я»; тут-то и происходит лирический прорыв — по формуле Л. Гинзбург, «скрещение травестированного с настоящим»[2].

---

[1] Взять, например, «гуманное место» из главки «Москва. Ресторан Курского вокзала»: «Отчего они так грубы? А? И грубы-то ведь, подчеркнуто грубы в те самые мгновенья, когда нельзя быть грубым, когда у человека с похмелья все нервы навыпуск, когда он малодушен и тих?» (128). Этот пассаж явно отзывается на выписанное из В. Розанова и процитированное в эссе «Василий Розанов глазами эксцентрика»: «Грубы люди, ужасающе грубы, — и даже по этому одному, или главным образом поэтому — и боль в жизни, столько боли» (311).

[2] *Гинзбург Л.* Записные книжки. Воспоминания. Эссе. СПб., 2002. С. 494.

В предисловии к этой книге мы уже цитировали соответствующий пассаж как один из ключевых для понимания ерофеевской телеологии; сначала Веничка снова, еще выразительнее, отказывается прямо говорить о самом главном: «Все, о чем вы говорите, все, что повседневно вас занимает, – мне бесконечно постороннее. Да. А о том, что меня занимает, – об этом никогда и никому не скажу ни слова. Может, из боязни прослыть стебанутым, может, еще отчего, но все-таки – ни слова» (144). А затем – указывает на некую тайну, мерцающую как в словах, так и в умолчании, как в поступках, так и в бездействии: «Помню, еще очень давно, когда при мне заводили речь или спор о каком-нибудь вздоре, я говорил: "Э! И хочется это вам толковать об этом вздоре!" А мне удивлялись и говорили: "Какой же это вздор? Если и это вздор, то что же тогда не вздор?" А я говорил: "О, не знаю, не знаю! Но есть"» (144).

Так «есть» ли разгадка этого Веничкиного секрета в тексте поэмы – а заодно и подступ к той заповедной мысли, о которой Венедикт Ерофеев упоминал в своей записной книжке: «Я вынашиваю в себе тайну»? Во всяком случае, в начальных главках «Москвы – Петушков» можно найти одно из ключевых слов, – то, которое приближает к ней, то, с помощью которого «ее удобнее всего рассмотреть» (144). Это слово – «бездна». Впервые в поэме оно возникает еще в главке «Москва – Серп и Молот» – как бы вскользь, но с тихой настойчивостью, с усилением интонационного напора, едва замаскированного комической ужимкой: «Зато по вечерам – какие во мне бездны! – если, конечно, хорошо набраться за день – какие бездны во мне по вечерам!» (131); «...Если ты не подонок, ты всегда сумеешь к вечеру подняться до чего-нибудь, до какой-нибудь пустяшной бездны...» (131); особенно примечательно здесь оксюморонное сочетание «подняться до бездны». Но вовсе не когда-нибудь вечером, а именно этим утром – после второй, героической дозы, — Веничка обретает порыв к переживанию и постижению бездн; вдохновившись бутылкой кубанской, он «поднимается» до роли следопыта провалов и проводника вглубь.

Всего на перегонах от Никольского до Есино ерофеевский герой подводит нас к краю трех бездн. Первая из них — *бездна повседневного опыта*, ежедневно, ежечасно разверзающаяся перед ним «истина» скорби, страха и немоты: «И я смотрю и вижу, и поэтому скорбен» (144). Говоря об этой страшной истине, Веничка вроде бы привычно играет алкогольными ассоциациями — «горчайшее месиво», «настой» (144), но с особенным намеком, направляющим нас вглубь культурной памяти. Путь, который исследует Веничкино «неутешное горе», ведет от шопенгауэровского пессимизма («Истина же такова: мы должны быть несчастны...»[1]) к «фундаменту» и «корням» ницшеанского дионисийства. Как известно, в «Рождении трагедии из духа музыки» Ницше призывает вместо аполлонического «волшебного напитка»[2] испробовать другой[3], настоянный на «страхе и ужасе». В тамбуре перед Салтыковской как будто разыгрывается известный диалог Мидаса и Силена, в котором Ницше перепевает древних греков и Шопенгауэра с многократным усилением резонанса: «Ходит стародавнее предание, что царь Мидас долгое время гонялся по лесам за мудрым Силеном, спутником Диониса, и не мог изловить его. Когда тот наконец попал к нему в руки, царь спросил, что для человека наилучшее и наипредпочтительнейшее. Упорно и недвижно молчал демон; наконец, принуждаемый царем, он с раскатистым хохотом разразился такими словами: "Злополучный однодневный род, дети случая и нужды, зачем вынуждаешь ты

---

[1] *Шопенгауэр А.* Собрание сочинений: в 6 т. Т. 2. М., 2001. С. 485.

[2] *Ницше Ф.* Сочинения: в 2 т. Т. 1. М., 1990. С. 66.

[3] Говоря о «дионисическом начале», Ницше использует «аналогию опьянения» и говорит о «влиянии наркотического напитка» (Там же. С. 61).

меня сказать тебе то, чего полезнее было бы тебе не слышать? Наилучшее для тебя вполне недостижимо: не родиться, не *быть* вовсе, быть *ничем*. А второе по достоинству для тебя — скоро умереть"»[1].

Вслед за Шопенгауэром Веничка оказывается «выше» «воли к жизни»[2], как героиня «Неутешного горя» Крамского «выше всяких пеньюаров и кошек и всякого севра» (145); вслед за Ницше сподобился принять жизнь, не «заслоняясь» от «пытки» бытия[3], — через испитие скорби до дна, через постоянное, всегдашнее переживание утраты, через открытость небытию.

На пороге первой бездны подтверждается правомерность былого сравнения Венички с Манфредом и Каином, но совсем не в том издевательски-обвинительном смысле, который вкладывали в свою аналогию соседи-алкоголики: «Ты Манфред, ты Каин, а мы как плевки у тебя под ногами...» (135). К героям Байрона мученика «интимности» приравнивает вовсе не сатанинская гордыня, а «мировая скорбь»[4] (*Weltschmerz*). Веничка готов принять по эстафете формулу, брошенную Жан-Полем, а затем подхваченную Г. Гейне, А. де Мюссе и «проклятыми поэтами»; готов разделить «общую европейскую печаль»[5], при-

---

[1] *Ницше Ф.* Т. 1. С. 66.

[2] См. тезис Шопенгауэра: банкротство мира «должно отвратить нашу волю от жизни» (*Шопенгауэр А.* Т. 2. С. 481).

[3] См. рассуждение Ницше: «Как относится к этой народной мудрости олимпийский мир богов? Как исполненное восторгов видение истязуемого мученика к его пытке. Теперь перед нами как бы расступается олимпийская волшебная гора и показывает нам свои корни. Грек знал и ощущал страхи и ужасы существования: чтобы иметь вообще возможность жить, он вынужден был заслонить себя от них блестящим порождением грез — олимпийцами» (*Ницше Ф.* Т. 1. С. 66).

[4] «Я знаю лучше, чем вы, что "мировая скорбь" — не фикция, пущенная в оборот старыми литераторами, потому что я сам ношу ее в себе и знаю, что это такое, и не хочу этого скрывать» (144).

[5] Формула Г. Брандеса (*Брандес Г.* Собрание сочинений. Т. 5. Главные течения в литературе XIX века. Литература эмигрантов. СПб., 1909. С. 47). Далее: Брандес.

вязать себя к тянущейся от романтиков «траурной нити пессимизма и уныния»[1].

В своей речи над бездной ерофеевский герой берется реализовать расхожую метафору «мировой скорби» как напитка (цитата навскидку: «На редкого из французских писателей XIX века не упала хоть одна капля мировой скорби, редкий из них не выпил хоть одного глотка из ее отравленного кубка»[2]); таким кубком для Венички становится допиваемая им из горлышка бутылка («...как же не пить кубанскую?», 144). Но если критика рубежа XIX–XX веков видит в этой поглощаемой и поглощающей стихии проклятие («заразу»[3], «диссонанс»[4], «необузданную меланхолию»[5]), то сам герой — несомненно, благословение («Надо привыкнуть смело, в глаза людям, говорить о своих достоинствах. Кому же, как не нам самим, знать, до какой степени мы хороши?», 144). Веничкино «неутешное горе» ничего общего не имеет с «отвращением к жизни»[6]; оно говорит миру «да», отвечает всем ужасам цветением души в хвалебных словах: «достоинства», «хороши» и еще — «мое прекрасное сердце»[7] (144). Разумеется, это мрачное благодушие надежно защищено авторской иронией, но стоит только, вновь вспомнив наше предисловие, повторить слова самого Венедикта Ерофеева из его записной книжки 1966 года — и мы за ритуальным ерничаньем легко услышим прямое высказывание автора: «Вели-

---

[1] Формула Н. Стороженко (*Стороженко Н.* Поэзия мировой скорби // *Стороженко Н.* Из области литературы. Статьи, лекции, речи, рецензии. М., 1902. С. 188). Далее: Стороженко.

[2] Стороженко. С. 210.

[3] См.: «...Ею [мировой скорбью] <...> заражены...» (Стороженко, 210).

[4] Брандес. С. 46.

[5] Брандес. С. 48.

[6] Брандес. С. 41.

[7] Формула, в которой отзывается гейневское: «*Gross ist das Meer und der Himmel, // Doch grösser ist mein Herz, // Und schöner als Perlen und Sterne // Leuchtet und strahlt meine Liebe*».

колепное "все равно". Оно у людей моего пошиба почти постоянно (и потому смешна озабоченность всяким вздором). А у них это — только в самые высокие минуты, т. е. в минуты крайней скорби, под влиянием крупного потрясения, особенной утраты. Это можно было бы развить». «Великолепное», «высокие» — именно по линии «лучших» слов и развивает персонаж авторскую идею бездны как чуда.

«Мировая скорбь» и «мое прекрасное сердце» — в смежности, в диалектическом родстве этих «минуса» и «плюса», возможно, и прячется ключ к загадкам Венички и Венедикта: *настоящие ценности испытуются и утверждаются бездной, вне бездны – они обесцениваются, оборачиваются «вздором»*. Условие «прекрасного сердца» — «бездонная пропасть <...> сердца» (по формуле Шопенгауэра[1]); чтобы цвести, оно должно стать «органом страдания и отчаянья» (по формуле Л. Аккерман[2]). Перед лицом бездны и пьянство обретает высший смысл — становится дионисийским ритуалом воскрешения ценностей, священным возлиянием («...Как же не пить кубанскую?»).

Идея первой бездны проясняется на пороге второй — *бездны отцовства*. Спрашивается, за счет чего отцовство определяется как ценность? За счет отцовской заботы? Нет. Забота Венички о своем первенце ограничивается стаканом орехов, да и эта забота оказывается под сомнением; «...Мы боимся, что ты до него не доедешь, и он останется без орехов», — сокрушаются ангелы (145). За счет отцовской ответственности? Нет. Опасения ангелов явно исходят из дурной повторяемости невыполненных обещаний: «...Мы просто боимся, что ты опять не доедешь» (145), и незадачливому отцу нечего возразить упрекающим его: «В прошлую пятницу — верно <...> Я раскис, ангелы, в прошлую пятницу...» (145). И право — какой ответственности можно ждать от того, кто «легко-

---

[1] *Шопенгауэр А.* Т. 2. С. 481.
[2] Цит. по: Стороженко. С. 213.

веснее всех идиотов», кто «и дурак, и демон, и пустомеля разом» (145)?

Остается только один исток, из которого берет начало отцовство как смысл и сверхсмысл, — стихия ужаса. Заметим, что герой поэмы, говоря о своем чувстве к сыну, всячески избегает слова «любовь»; он выражает не прямое переживание любви к сыну, а отраженное переживание любви сына к нему, да еще и оборачиваясь из субъекта в объект христианской заповеди[1]: «младенец, любящий отца, как самого себя» (146). То, что Веничка испытывает к «бедному мальчику», он может выразить лишь на языке аффекта и обсессии. В присутствии больного сына отца преследует панический страх, под воздействием которого отец начинает зацикливаться, мучительно повторять пугающее его слово: «Он и в самом деле был в жару, и даже ямка на щеке была вся в жару, и было диковинно, что вот у такого ничтожества еще может быть жар...» (146). Но и на расстоянии от здорового сына отец не может успокоиться — одержимый навязчивой тревогой. Каждая вещь в отцовском воображении превращается в угрозу: крыльцо мыслится чреватым сломанной рукой или ногой, нож или бритва — кровью, печка — ожогом. Но зато и сакральная глубина младенческого логоса — от буквы (знает «букву "ю" как свои пять пальцев», 146) до фразы («Понимаю, отец...», 146) — раскрывается отцу именно ввиду разверзающейся рядом с сыном бездны, в перспективе смерти: «...Все, что они говорят, — вечно живущие ангелы и умирающие дети, — все это так значительно, что я слова их пишу длинными курсивами, а все, что мы говорим, — махонькими буковками, потому что это более или менее чепуха» (146).

Продиктованная триадой бездны — «скорбью», «страхом» и «немотой», практика Веничкиного отцовства неизбежно становится магической. Что, собственно, он де-

---

[1] См.: «Почитай отца и мать; и люби ближнего твоего, как самого себя» (Матфей 19:9). См. также: Власов. С. 257.

лает как отец? Во-первых, пьет лимонную — символические четыре стакана. Во-вторых, твердит молитвы, доходящие до абсурда: «Боже милостивый, сделай так, чтобы с ним ничего не случилось и ничего никогда не случалось!..» (146). В-третьих, доводит абсурдный диалог с ребенком до суггестии заговóра: «Она такая зеленая и вечно будет зеленая, пока не рухнет. Вот и я — пока не рухну, вечно буду зеленым...» (147). Магическая процедура на пороге бездны стремится к превращению слова-смерти в слово-жизнь. Сначала это простейший эвфемизм — замена обсценной лексики на романтические формулы в духе «германских поэтов»: «Я покажу вам радугу!»; «Идите к жемчугам!» (145). Затем — замещение-сублимация демонической фарандолы про Эрос и Танатос («Там та-кие милые, смешные чер-тенят-ки цапали-царапали-кусали мне жи-во-тик...»; «с фе-вра-ля до августа я хныкала и вякала, на ис-хо-де августа ножки про-тяну-ла...», 147) жизнеутверждающей «Леткой-енкой» (с контекстуальным намеком на евангельское «встань и иди»: «раз-два-туфли-одень-ка-как-ти-бе-не-стыдно-спать?»[1], 147). И наконец, — преображение слова, откровение ангельского языка:

Разве не противно глядеть, как я целыми днями все облетаю да облетаю?..

— Противно, — повторил за мной младенец и блаженно заулыбался...

Вот и я теперь: вспоминаю его «противно» и улыбаюсь, тоже блаженно (147).

Это преображение, манифестация высшей ценности — есть дар бездны, обретаемый ценой катастрофического опыта.

Третья Веничкина бездна — многоликая *бездна Эроса*. При первой встрече с «рыжей стервозой» бездонная про-

---

[1] Власов. С. 262; Гаспаров, Паперно. С. 390.

пасть ощущается уже в отмене меры и счета выпитого, влекущей за собой реализацию каламбура: «бездна всякого спиртного» (148). Безмерность российской с жигулевским питает чувство распахнутой беспредельности («совершенству нет предела», 149), неограниченности возможностей:

— ...Я бы никогда не подумала, что на полсотне страниц можно столько нанести околесицы. Это выше человеческих сил!

– Так ли уж выше! – я, польщенный, разбавил и выпил. – Если хотите, я нанесу еще больше! Еще выше нанесу!.. (148–149).

И, в свою очередь, это «выше» героя опрокидывается вниз — в расщелину «беспамятства», в «три часа провала» (149), в неизвестность («день рождения непонятно у кого», 148; «что-то в них прозревал», 148; «бросил счет» изгибов, «не окончив», 151). У «белого алтаря Афродиты» (149) «хаос шевелится»: «и дым коромыслом, и ахинея» (148), «околесица» (148), «все смешалось» (150). В любовном экстазе речь разверзается зиянием немоты, темнеющей за значками стернианских отточий: «Ну, конечно, она...
..................! Еще бы она не...
....!» (149). Язык Эроса требует катастрофических метафор: «содрогнется земля и камни возопиют» (149); в пределе своем — стремится к слиянию с языком Танатоса: «до смерти изнемочь» (147), «душегубство» (150).

Встреча с «белесой» описывается как взаимное откровение («что-то <...> прозревал», «ответное прозрение», 148), сопровождающееся обменом знаками; так, она, подобно самому Веничке в тамбуре у Никольского, тоже пьет свои сто грамм с откинутой головой, «как пианистка» (149). Прозрение, знаки — чего? Бездны. Только благодаря этой демонической причастности бездне («дьяволица», 151; «искусительница», 148; «волхование», 148; «колдовство», 148) она, «рыжая сука», и способна воскресить героя, повелеть ему: «Талифа-куми!»

Итогом путешествия по трем безднам становится экстатический вывод: «Жизнь прекрасна — таково мое мнение» (152). Это значит, что отныне (между Черным и Купавной) Веничка готов пригласить читателя разделить с ним бездны и руководить им в его грядущих «дерзаниях».

Ерофеевский герой — отныне учитель, приобщающий читателя к бездне. Одно за другим, предлагает он публике три конспективных сочинения, призванных просветить, наставить в вере и помочь советом. От Черного до 43-го километра возрастает величина и жанровая амбициозность Веничкиных рассуждений о погружении в бездны и «бездонном» познании: до 33-го километра следуют «эссе», «мысли», «максимы» и «сентенции» об алкогольных пропорциях и дозах — в традиции французских моралистов; до Электроуглей разворачивается апологетический опус, доказывающий бытие Божие через непостижимость икотных интервалов; до 43-го километра — алхимический трактат, открывающий профанам рецепты чудодейственных эликсиров. От опыта и наблюдений (Черное — 33-й километр) Веничка восходит к умозрению и медитации (33-й километр — Электроугли), а затем спускается к народу с практическими дарами[1].

В кульминационной части каждого из Веничкиных манифестов намечен для читателя прорыв в бездну. От все более усложняющихся психологических изысканий, прослеживающих противоречивые связи дозировки и состояний души, после Купавны Веничка-моралист подходит к тому пределу, за которым уже можно учить усилием во-

---

[1] О связи этих практических даров (Веничкиных рецептов) с русской поэтической традицией см.: *Красильникова Т.* Коктейли в поэме Венедикта Ерофеева «Москва — Петушки»: к интерпретации рецептов. (В печати.)

ображения создавать пробелы и провалы в счете доз и так переходить в другое измерение винопития:

...Если вы уже выпили пятую, вам надо и шестую, и седьмую, и восьмую, и девятую выпить сразу, одним махом, — но выпить идеально, то есть выпить только в воображении. Другими словами, вам надо одним волевым усилием, одним махом — не выпить ни шестой, ни седьмой, ни восьмой, ни девятой.

А выдержав паузу, приступить непосредственно к десятой, и точно так же, как девятую симфонию Антонина Дворжака, фактически девятую, условно называют пятой, точно так же и вы: условно назовите десятой свою шестую (154).

В районе Электроуглей Веничка-апологет, отталкиваясь от иррационального алгоритма икоты, вместе с читателем медитативно погружается в мировую бездну и посредством «духовных упражнений» (в духе Игнатия Лойолы) укрепляет адепта в вере.

Наконец, к 43-му километру преображающие средства, предлагаемые Веничкой-алхимиком, достигают такой сверхъестественной силы, что перед дерзающим учеником непременно должна разверзнуться бездна: «Уже после двух бокалов этого коктейля человек становится настолько одухотворенным, что можно подойти и целых полчаса с полутора метров плевать ему в харю, и он ничего тебе не скажет» (160).

Обучение безднам завершается скрытым обещанием нового крещения — невиданным напитком в баснословных Петушках: «...В Петушках я обещаю поделиться с вами секретом "иорданских струй", если доберусь живым; если милостив Бог» (161).

Глава четвертая

Венедикт:
Владимир — Мышлино,
далее везде

Чтобы пребывание Ерофеева в Орехово-Зуеве не путалось у читателя со временем его учебы во Владимире, в третьей главе мы почти ничего не стали рассказывать о роли, которую во владимирский период жизни Венедикта играли окружавшие его девушки. А между тем эта роль была весьма значительной, хотя порою и несколько комичной. «В пединституте Ерофеев был, по рассказам, очень заметен, — со слов ерофеевских "оруженосцев" писала Лидия Любчикова. — Очень красив, очень беден, очень счастлив в любви. Это ему и дружкам его, вроде Тихонова, помогало жить и пить. Они подкатывались к очередной жертве и, пользуясь своей красотой, с нахальством занимали трешку "до понедельника", не уточняя — которого <...> В пединституте он был "первый парень на селе", в него там влюблялись все поголовно, мне потом перечисляли девиц, которые прямо-таки драму переживали. И Бен этот свой статус ценил. В юности он был очень добродушен и деликатен, никогда он никого резко не отталкивал. И у него, по-моему, были романы, но не знаю, насколько они его глубоко трогали»[1]. «Бенедикт

---

[1] *Ерофеев В.* Мой очень жизненный путь. С. 535–536.

Ерофеев — самое целомудренное существо на свете. По его же собственным подсчетам (15–20/VI), — он тает всего лишь от каждой 175-й юбки по среднему исчислению», — иронически отметил Ерофеев в записной книжке 1965 года[1].

Не сразу, но зато надолго привилегированное место рядом с Ерофеевым удалось занять студентке третьего курса филологического факультета Владимирского пединститута Валентине Зимаковой. «Валентина выражала ему такую абсолютную преданность <...>, что устоять он, конечно, не мог, — вспоминает Борис Сорокин. — Валентина почти ни в чем никогда Ерофееву не возражала, хотя почти ни о чем с ним и не говорила. И очень скоро, подыгрывая Венедикту во всем, Валентина стала его вторым я, и то, что не удавалось в полной мере орехово-зуевским девушкам, полностью реализовалось в Валентине Зимаковой. Во Владимире они представляли собой довольно приметную пару. Высокий и широкоплечий, с пышной копной русых волос Венедикт, и зеленоглазая и под стать ему высокая, в черном свитере, черной юбке и с черными распущенными волосами Валентина. Они вместе заходили в церковь и раздавали нищим мелкие монеты (предварительно запасаясь ими в магазине). Еще они любили останавливаться возле салона новобрачных и долго рассматривать подвенечные платья, как будто готовятся к свадьбе»[2]. «Валя Зимакова, тоже из пединститута, оказалась, очевидно, той, которая полюбила Веню сильнее других, "прилепилась" к нему, как советует Писание», — полагала Лидия Любчикова[3].

При этом Ерофеев не только не прекратил переписки с Юлией Руновой, но и, верный духу эксперимента-прово-

---

[1] *Ерофеев В.* Записные книжки 1960-х годов. С. 282.
[2] Летопись жизни и творчества Венедикта Ерофеева. С. 41. По нашей просьбе Борис Сорокин прослушал этот отрывок из «Летописи» и внес в него некоторые поправки. Цитата приведена с их учетом.
[3] *Ерофеев В.* Мой очень жизненный путь. С. 536.

кации, посвятил в перипетии своих отношений с орехо-во-зуевской возлюбленной возлюбленную из Владимира. И наоборот. «Она к нему приезжала, а он ее дразнил. Дразнил Зимаковой, — рассказывает о Руновой Борис Сорокин. — И говорил, что любит обеих. Как у Достоевского. И не может никак разделиться...» Впрочем, Зимакова по понятным причинам и сама проявляла к Руновой большой интерес.

Так, 22 ноября 1961 года именно зимаковская ближайшая подруга Нина Садкова вручила Венедикту очередное письмо от Юлии. «Злое и глупое письмо», — отметил он в блокноте[1]. А 24 ноября уже сама Зимакова «расспраш<ивала>» Венедикта «об "ореховской девушке" *etc. etc. etc.*» (еще одна запись из ерофеевского блокнота)[2]. 28 ноября Ерофеев отметил там же: «Опускаю письмо к Ю<лии> Р<уновой>, самое длинное и самое туманное из всех писем к ней. 3-й курс биофака и 3-й курс филфака смотрят на меня в упор, проходя. Беседа с Зимак<овой> и игра в загадочность»[3]. 16 декабря он получил письмо от Руновой «с приглашением приехать в Орехово»: «В 20:00 встретимся на автобусной остановке около общежития. Я буду готова выслушать любой "приговор". Ты согласен приехать? Напиши"»[4]. Незадолго до Нового года Венедикт известил Рунову, что приедет на днях и провел вечер с Зимаковой во владимирском ресторане[5]. 30 декабря Ерофеев встретился с Юлией в Орехово-Зуеве и договорился с ней «назавтра ехать во Влад<имир> на Нов<ый> год»[6]. 31 декабря он внес в свой блокнот запись о тяжелой ссоре с Юлией: «Утро. Размежевание с Ю<лией> Р<уновой> окончательное. Тягостное прощание во Владимире. Конец

---

[1] *Ерофеев В.* Записные книжки 1960-х годов. С. 161.
[2] Там же.
[3] Там же.
[4] Там же. С. 162–163.
[5] Там же. С. 163.
[6] Там же.

Ю<лии> Р<уновой> за 10 часов до конца <19>61 года»[1]. Впрочем, уже 2 января 1962 года Венедикт получил от Руновой телеграмму: «Поздравляю новым годом желаю успехов Юля»[2].

Разрешение этого трехстороннего конфликта пришлось на 10 февраля 1962 года. Если поверить ставшему легендарным рассказу, главные подробности которого сегодня известны лишь в изложении Вадима Тихонова, развязка получилась весьма экзальтированной и напоминала сцену из Достоевского. «Мы с Венедиктом отправились в Орехово-Зуево, — вспоминает Борис Сорокин. — Рунова и Еселева на 5-м курсе снимали квартиру в частном доме. Дверь нам открыла Юля, которая очень обрадовалась приезду Венедикта. И я никогда не видел такого Ерофеева. Он весь светился, когда пытался в чем-то помочь Руновой, работавшей над дипломом. Наутро меня там уже не было, но Тихонов, который присутствовал при этом, рассказывал, как к Руновой приехала Зимакова, приглашенная Венедиктом. И будто бы Юля стреляла в Ерофеева, а Тихонов пытался ей помешать, ударил по ружью... Вадя еще говорил, что он кричал на Юлию: "Я тебя в монастырь сошлю!"»[3]. Приведем также изложение эпизода с выстрелом из ружья, записанное журналистом за Вадимом Тихоновым: «Как-то я Веничку от смерти спас. Это была удиви-

---

[1] *Ерофеев В.* Записные книжки 1960-х годов. С. 163.

[2] Там же. С. 164.

[3] В «Летописи жизни и творчества Венедикта Ерофеева» этот эпизод тоже изложен со слов Бориса Сорокина, но там он украшен множеством драматических подробностей: «Вдруг из дверей кухни появляется Рунова. В руках она держит охотничье ружье <...> Венедикт остолбенел. Он со страхом и удивлением смотрит на Юлию. Подбежавший Тихонов пытается вырвать у Руновой ружье. Гремит выстрел. В клубах дыма парят бумажные остатки пыжа. Зимакова тихонько плачет у порога. А Венедикт медленно поворачивается и, не проронив ни слова, уходит из дома» (С. 46). Отсутствие Сорокина при сцене выстрела превращает все эти подробности в сугубо беллетристические.

тельная история. Он любил одну женщину в Орехово-Зуеве — совершенно до безумия. Но это не мешало ему ходить к другой — он ее туда аж из Владимира привез. Веничка разрывался надвое: то к ореховской, то к владимирской. Первой говорил: "Не серчай, дурочка. Ну, раз она ко мне приехала, я же должен с ней повидаться". А той объяснял совсем по-другому: "Я же не к ней приехал, а к тебе, но мне и с ней тоже посидеть надо". Это Юлия Рунова. Была такая. Строгая и неприступная комсомольская богиня. Однажды в пылу ревности она схватила ружье и пальнула в Ерофеева. Слава Богу, заряд оказался холостым, а то бы нашему Веничке тяжко пришлось. Ружье я выхватил. Смотрю, мой Ерофеич лежит на земле белый как снег. "Ничего, — говорю, — успокойся. Сейчас пойдем ворон стрелять»[1].

Временный разрыв Ерофеева с Юлией Руновой, вероятно, поспособствовал переходу его отношений с Валентиной Зимаковой в новую стадию. 7 марта Венедикт записал в дневнике: «...появляется Зимакова в сопр<овождении> Мироновой. Бездна вина и куча вздора. В полночь удаляется сумеречная Миронова. Зим<акова> остается. Грехопадение»[2]. Тема продолжается в записи следующего дня: «Весь день с Зим<аковой>, и теперь плевать на все остальное»[3].

Торжествующий тон этих двух записей позволяет предположить, что символически свершившееся именно в Международный женский день «грехопадение» было первым в жизни 23-летнего Венедикта. Тамара Гущина вспоминает его диалог с братом Борисом перед отъездом в 1955 году с Кольского полуострова в Москву: «Борис го-

---

[1] *Аверкин С.* Как Веничка, справляя нужду, горкому ВЛКСМ репутацию подмочил // Комсомольская правда. 1998. 15 мая. «Мы любили такие побасенки. Все это могло быть, но я не ручаюсь за это, меня там не было», — комментирует Борис Сорокин.

[2] *Ерофеев В.* Записные книжки 1960-х годов. С. 167.

[3] Там же.

ворил: "Вена, ты мне письма будешь писать?" — "С какой это стати я буду тебе письма отдельно писать? Я буду всем вместе писать". — "А вдруг у тебя там будут секреты?" — "Какие секреты?" — "Ну, вдруг что-нибудь про любовь?" — "Какая любовь?" — сказал Вена с возмущением и покраснел. Он тогда еще был такой застенчивый: когда окончил десятилетку, первую папиросу закурил. Я никогда не слышала ни о каких его школьных романах ни от него, ни от других»[1]. «А потом, — продолжает рассказ Тамара Гущина, — он должен был приехать на зимние каникулы. Я на почте работала и смотрю: письма идут "До востребования" на имя Венедикта. Когда он вернулся — целую пачку уже получил. И все от девиц. Даже телеграмма, я помню, была»[2].

Но письма письмами, а пуританские советские нравы начала 1960-х годов — пуританскими нравами. Можно предположить, что ни с Антониной Музыкантовой, ни с последующими провинциальными возлюбленными (а с суровой комсомолкой Юлией Руновой в первую очередь) дело у Ерофеева до «грехопадения» не доходило. Весьма характерную запись о влюбленной в него без памяти четверокурснице филфака Нине Ивашкиной Венедикт внес в дневник 7 января 1962 года: «Ночь в комнате Ивашкиной. Ивашкина: "Ты не представляешь, что начнется завтра!" Всего-навсего милые шалости. Утром все женское общежитие следит, когда я выхожу от нее, коварно улыбаясь»[3].

В апреле 1962 года Венедикт Ерофеев и Валентина Зимакова привлекли к себе пристальное и неодобрительное внимание администрации и комсомольской организации института. Сам он в интервью Л. Прудовскому рассказывал об этом весьма туманно, с хлестаковскими преувели-

---

[1] *Ерофеев В.* Письма к сестре. С. 124.
[2] Там же.
[3] *Ерофеев В.* Записные книжки 1960-х годов. С. 164.

чениями: «...когда я стал жениться, приостановили лекции на всех факультетах Владимирского государственного педагогического института им. Лебедева-Полянского и сбежалась вся сволота. Они все сбежались. Потом они не знали, куда сбегаться, потому что не знали, на ком я женюсь, — опять же, было неизвестно. Но на всякий случай меня оккупировали и сказали мне: "Вы, Ерофеев, женитесь?" Я говорю: "Откуда вы взяли, что я женюсь?" — "Как? Мы уже все храмы... все действующие храмы Владимира опоясали, а вы все не женитесь". Я говорю: "Я не хочу жениться". — "Нет, на ком вы женитесь — на Ивашкиной или на Зимаковой?" Я говорю: "Я еще подумаю". — "Ну, мать твою, он еще думает! Храмы опоясали, а он еще, подлец, думает!"»[1]

Эту лихо, но не очень внятно рассказанную историю делает абсолютно прозрачной позднейший рассказ Валентины Зимаковой владимирскому журналисту Александру Фурсову: «Когда стало известно о наших взаимоотношениях, начались гонения и на меня. По институту прошел слух о будто бы намечающемся нашем венчании в церкви. Кончилось тем, что меня взяли "под стражу" члены комитета комсомола, и я три дня жила у декана факультета, которая всячески уговаривала меня порвать с Ерофеевым какие-либо отношения. Вызывали в институт мою мать. И я была вынуждена дать обещание — не встречаться с Веней. Но, конечно, мы все равно встречались»[2]. Алексей Чернявский вспоминает позднейший рассказ Зимаковой о том, что из квартиры декана ей пришлось бежать через окно. «Надо представлять Р. Л. Засьму, ее студенты звали мама-Засьма, она действительно за них костьми ложилась. И поселить "заблуждающуюся" студентку у себя, лишь бы та не встречалась

[1] *Ерофеев В.* Мой очень жизненный путь. С. 497.
[2] *Фурсов А.* Снятие с креста. Тернии и звезды русского писателя Венедикта Ерофеева // Призыв. [Владимир], 1991. 19 января. Субботний выпуск. С. 4–5.

"с этим страшным человеком" — это было в ее неповторимом стиле», — прибавляет Чернявский уже от себя. Приведем также характеристику Раисы Засьмы, данную Олегом Федотовым: «Она причудливо совмещала в себе черты Екатерины II, Фурцевой и Малюты Скуратова. Наукой практически не занималась. Как декан радела за факультет, позиционируя себя его любящей матерью, и держала в патриотическом тонусе всех преподавателей. Была виртуозным мастером административных интриг. Не верила в коммунистическую идею, но демагогически ее отстаивала».

О том, что Ерофеев и Зимакова «все равно встречались», стало в конце концов известно начальству. Это привело к тому, что комсомольская организация пединститута подала ходатайство об исключении студентки Зимаковой из числа студентов вуза. 1 октября 1962 года Валентина отправила в комитет комсомола пединститута отчаянное покаянное письмо: «Весной 1962 года мне был сделан выговор за связь с таким человеком, как Ерофеев, и в настоящее время грозит опасность исключения из института. Да, я искренно давала слово не встречаться с Ерофеевым и я старалась бороться с собой более 2-х месяцев. Но Ерофеев в духовном отношении гораздо сильнее меня. Его вечные преследования, преследования его друзей вывели вновь меня из нормальной колеи. Его влияние на меня, конечно, велико. Но ведь есть еще коллектив, который поможет (ведь летом я была совсем одна), да притом Ерофеев идет в армию. И если меня исключат из института, жизнь не представляет для меня ценности, идти мне некуда, слезы матери меня сводят с ума.

Я готова на любые ваши условия, только бы остаться в институте. Связь с Ерофеевым — это большая жизненная ошибка. Я понимаю, что изжить ее необходимо, хотя и не сразу это получится. Я уверена, что пропущенные занятия восстановлю в самый кратчайший срок. Очень прошу оставить меня в институте, наложив любое взыскание»[1].

В итоге Зимаковой из института все-таки не исключили, «но с тем условием, что она никогда не будет встречаться с Ерофеевым»[2].

Ни в какую армию Венедикт «идти», конечно, не собирался. Он действовал по уже отлаженной схеме: весной поработал кочегаром в жилищно-коммунальной конторе, летом — разнорабочим на Павлово-Посадском заводе стройматериалов, а в сентябре подал документы и был зачислен на второй курс историко-филологического факультета Коломенского педагогического института в порядке перевода. «Он вообще мечтал весь век учиться, быть школьником или сидеть с книжечкой в библиотеке, — свидетельствовал Владимир Муравьев. — Потом ему часто снилось, что он опаздывает на экзамен»[3]. «На берегу Москвы-реки было большое общежитие, комнаты по 15 человек[4]. Я жила на первом этаже, а Ерофеев — на втором, — вспоминает Нина Ильина. — Он длинный такой, в тапках. Наденет тапки простые — и в институт. Потому что там рядышком идти было». Знаменитые ерофеевские тапочки запомнились и другому сокурснику Ерофеева по Коломенскому пединституту, Анатолию Кузовкину: «Он не выделялся ничем, кроме как внешним видом. Запомнилось мне: у нас на втором этаже коридор расширялся — были колонны, и я видел, как он стоит, прислонившись к колонне, в белых тапочках на босу ногу, угрюмый. Кто-то заметил, что, видимо, он еще не опохмелился». «Мы с женой в одной группе учились, и я спросил ее, чем ей

---

[1] Владимирские страницы Венедикта Ерофеева // Литораль: стихи и проза хибиногорских авторов / Сост. *О. И. Составкина.* Кировск, 2015. С.184.

[2] Там же. С. 185.

[3] *Ерофеев В.* Мой очень жизненный путь. С. 575.

[4] Общежитие, где проживал в Коломне Ерофеев, располагалось по адресу: улица Пушкинская, дом 5.

Веня запомнился, — добавляет Кузовкин. — Она рассказала: "Помню, с девчонками идем, а на ступеньках института ребята стояли — кто курил, кто разговаривал... Смотрю, парень стоит: в вылинявшей сиреневатой майке с длинными рукавами и в тапочках на босу ногу. Хотя уже октябрь был, холодно парню-то. И я спросила "Кто это такой?" "А это Веничка. Мы в комнате одной живем"». «Наши койки стояли близко, практически рядом, — рассказывает сосед Ерофеева по комнате, Михаил Комаров. — Мое первое впечатление от него: как Сергей Есенин. Хотя повыше ростом и волосы потемнее. Но в отношениях с другими он миролюбив был и с юмором. Не сторонник скандалов, как Есенин. Вел он себя скромно до аскетизма. Питался даже скромнее, чем мы. Одевался очень просто, зимой особенно. Драповое пальтишко темно-синего цвета, а на ногах — теплые носки и калоши. У него не было даже сапог. Он эти калоши подвязывал, кажется, но держал себя в таком одеянии очень достойно. На внешний вид, на свою бомжеватость некоторую, не обращал внимания».

К деталям коломенского быта Ерофеева следует добавить подработку грузчиком в продовольственном магазине, которую он позднее упомянул в краткой биографии, написанной для издания «Москвы — Петушков» (1989 г.)[1]. В отличие от Орехова-Зуева и Владимира полугодовое пребывание Ерофеева в местном пединституте прошло без особых скандалов. «Здесь он не выделялся как лидер, этого не было, — говорит Нина Ильина. — Но он был сам по себе. И не обращал особого внимания на то, что о нем будут говорить, — лохматый он или не лохматый, в тапках он или без тапок... Один раз мы с ним разговаривали. У него было своеобразное мышление и свой взгляд на вещи. Я пришла в институт после окончания школы, и мне он казался взрослым, что ли, а взгляды его — очень необычными».

---

[1] См.: *Ерофеев В.* Мой очень жизненный путь. С. 7.

«Интересный был собеседник, — вторит Михаил Комаров. — В нашей среде он был неожиданным студентом. Наши-то все были попроще. По начитанности и эрудиции он был выше нас всех, и другие взгляды на мир... Он не был высокомерным, и все к нему как-то льнули, прислушивались к нему. Он был нацелен на западную литературу и богословов. Ницше, Фихте, Кант... Кто-то еще, я уже сейчас не помню, мне они вообще не были известны, но он их хорошо знал. Мы далеки от этого были, и он в этом деле нас пытался просвещать. Он был проповедником этой западноевропейской религиозной мысли, если так можно выразиться».

В общежитии Венедикт продержался до начала апреля 1963 года, после чего был отчислен из пединститута «за пропуск занятий без уважительных причин, академическую задолженность и нарушение правил порядка и гигиены в общежитии студентов II курса»[1]. «Посещал он занятия не каждый день, как ребята говорили, — комментирует Анатолий Кузовкин. — Они уходили, допустим, говорили: "Пойдешь, Веньк?" "Да нет..." — и просил кого-нибудь из ребят помоложе: "Слушай, сбегай..." Там магазин был, "Водник" назывался. Там за 90 копеек бормотуху продавали — самые дешевые вина красные. И вот — принесут ему бутылочку, он лежит и... Его сосед по комнате был 43-го или 44-го года <рождения>, потом известным человеком в Коломенском районе стал. Я его расспрашивал, но ему не очень хотелось вспоминать о том, как он бегал за бутылкой для Веньки... А тот мог в одежде на кровати лежать, спать. Я как-то заходил к Мише, видел. У нас были такие санпосты — студенты приходили и если какие нарушения по распорядку дня были... Мол, почему спит в рабочей одежде, бутылка рядом стояла недопитая...»

---

[1] Приказ № 42 по Коломенскому педагогическому институту от 6 апреля 1963 года. Копия из архива Музея-резиденции «Арткоммуналка. Ерофеев и Другие» (г. Коломна), документ найден Татьяной Фоминой в архиве института.

В этот период Ерофеев часто виделся с Валентиной Зимаковой. Возобновил Венедикт и общение с Юлией Руновой, проявив изрядное упорство при ее поисках — ведь нового адреса своей орехово-зуевской возлюбленной он не знал (к этому времени Рунова закончила институт и покинула общежитие и город).

Про жизнь Ерофеева с апреля 1963 года по январь 1966 года (рождение сына) увлекательно рассказать будет трудно. Елена Игнатова тонко подмечает: в поздних ерофеевских интервью весьма много «места занимают рассказы, как его исключили из МГУ, а потом из Владимирского пединститута <...> О том, как он жил несколько десятилетий после этого, он говорил куда меньше»[1]. После исключения из Коломенского педагогического института долгое время никаких особенно значительных событий во внешнем существовании Ерофеева не происходило, если, конечно, не считать бесконечных разъездов Венедикта и Вадима Тихонова по Советскому Союзу в качестве кабельщиков-симметрировщиков и кабельщиков-спайщиков. «Когда его выгнали из очередного пединститута, я его устроил к себе на кабельные работы, — вспоминал Тихонов. — Мы объездили полстраны, тянули кабель в течение десяти лет примерно. Читали да пили, больше мы ничего не делали»[2]. Как мы очень скоро увидим, только к питью и чтению дела и обязанности Ерофеева-кабельщика не сводились, но «полстраны» он действительно за эти годы объездил. Вот для примера сводка мест пребывания Венедикта только за лето — осень 1965 года, занесенная им в записную книжку: «Июнь 1965 г. Караваево <.> Июль 1965 г. Мичуринск <.> Август 1965 г. Липецк <.> Сентябрь 1965 г. Липецкая обл<асть> <;> осень 1965 г. Орел»[3]. И так все крутилось без конца, из месяца в месяц.

---

[1] *Игнатова Е.* Венедикт. С. 193–194.
[2] Документальный фильм «Москва — Петушки».
[3] *Ерофеев В.* Записные книжки 1960-х годов. С. 278.

«Десять лет работы в СУСе — Специализированном управлении связи № 5, контора которого находилась в Люберцах, а вагончики с рабочими были разбросаны по всему СэСэСээРу, — это не скитание, а скрывание себя, — рассказывал в мемуарах о Ерофееве Игорь Авдиев. — Коллеги по работе — почти все с тюремно-лагерным стажем. На этой работе не требовали документов, не нужна была строгая постоянная прописка. Тула... Брянск... Белоруссия... года три вокруг Москвы... Однажды выдвинули кандидатуру Венедикта, как опытного уже, дипломированного специалиста, спайщика-симметрировщика, на работу в Афганистан. Предложили вступить в коммунистическую партию. Венедикт размечтался в тот вечер всерьез: "может, поехать" — вот до чего человек может забыться, но выпил и все вспомнил. Какая тебе партия, если у тебя прописка последняя у тети Нюры — временная, еще павлово-посадская, "на срок учебы", а приписное свидетельство...»

«Замечаю по себе, как дезорганизует физический труд, как губителен для здоровья свежий воздух», — 23 сентября 1965 года отметил парадоксалист Ерофеев в записной книжке[1]. Именно тогда он вник в специфику работы кабельщика, со знанием дела описанную позднее в главе «Кусково — Новогиреево» «Москвы — Петушков»: «...мы <...> вставали, разматывали барабан с кабелем, и кабель укладывали под землю <...> А наутро так: сначала садились и пили вермут. Потом вставали и вчерашний кабель вытаскивали из-под земли и выбрасывали, потому что он уже весь мокрый был, конечно <...> А потом — ни свет, ни заря <...> хватали барабан с кабелем и начинали его разматывать, чтоб он до завтра отмок и пришел в негодность» (137). Но это все-таки в поэме, с ее ироническими гиперболами, а в жизни Ерофеев, по-видимому, трудился весьма старательно. «Он рассказывал про работу, — вспомина-

---

[1] *Ерофеев В.* Записные книжки 1960-х годов. С. 312.

163

ет Ирина Дмитренко. — Он говорил, что физически очень тяжело работал, что он очень уставал и что было очень трудно. Но он чувствовал, что должен это суметь». По воспоминаниям Вадима Тихонова, зафиксированным Лидией Любчиковой, Венедикт выполнял свои обязанности «всегда очень прилежно»[1]. Ерофеев «и сам говорил: "Я копаю, а все на меня смотрят, как на дурака". Деньги им платили приличные, но дома не было, семья за тридевять земель, кругом пьют зверски», — прибавляет мемуаристка[2].

Пьянство в годы скитаний окончательно превратилось для Ерофеева из пусть основного и предпочтительного, но все-таки лишь варианта времяпрепровождения в неизменный образ жизни, в повседневную рутину. «Выпивка была для него работой», — вспоминал Игорь Авдиев[3]. Как это ни парадоксально звучит, не последнюю роль тут сыграло могучее здоровье Ерофеева. «Изумительная способность Бенедикта не пьянеть длилась довольно долго. Очень он был крепко сделан», — свидетельствовала Лидия Любчикова[4].

Так бывает: человек послабее знает о скорых и тяжких последствиях своих возлияний и пьет осторожно, в меру. Человек посильнее, да еще и склонный к постоянным экспериментам над собой[5], меры не знает и не хочет знать. До поры до времени это ему сходит с рук. Алкоголь в жизни таких людей играет роль эффективного средства для усиления и концентрации куража и обаяния. Тот роковой переход, когда уже не человек начинает тянуть жизнен-

---

[1] *Ерофеев В.* Мой очень жизненный путь. С. 538.

[2] Там же.

[3] *Аверкин С.* Как Веничка, справляя нужду, горкому ВЛКСМ репутацию подмочил.

[4] *Ерофеев В.* Мой очень жизненный путь. С. 538.

[5] Из воспоминаний Вадима Тихонова: «Он погиб из-за того, по существу, что он все время экспериментировал над самим собой: при какой степени опьянения какое у него душевное состояние. Он четко все фиксировал. Он ведь себя любил, а чтобы полюбить, надо себя узнать» (Вадим Тихонов: «Я — отблеск Венедикта Ерофеева»).

ные силы из бутылки, а бутылка из человека, обычно наступает незаметно и для самого́ человека, и для окружающих его людей. «Всякий пьющий, особенно вот так лихо, не замечает, как постепенно сдает», — говорит о Венедикте Борис Сорокин.

В эти же годы в жизни Ерофеева рядом с литературой очень большое место заняла музыка. «1964 г. — интерес к музыке делается совершенно пристальным», — ретроспективно отметил он в записной книжке 1966 года[1]. А через несколько страниц в этом блокноте появилась такая страшноватая запись: «Если бы я вдруг откуда-нибудь узнал с достоверностью, что во всю жизнь больше не услышу ничего Шуберта или Малера, это было бы труднее пережить, чем, скажем, смерть матери. Очень серьезно. (К вопросу о "пустяках" и "психически сравнимых величинах".)»[2]

«Веня по-настоящему любил музыку — уж я-то это понимаю, — вспоминал Александр Леонтович. — Прежде всего любитель музыки должен знать ее и чувствовать. Когда я разговариваю с человеком, я сразу могу это определить. А Веня меня поразил тем, что, происходя из простых людей, к музыке относится по-настоящему интеллигентно. <...> ...обычно он скрывал непосредственность своих чувств, выражая их только иносказаниями или мимикой. Он был очень сдержан. Но я же видел, как он реагировал на хорошую музыку. Если человек по-настоящему слушает музыку, то она его прошибает. Веня очень волновался. Сжимался весь и сидел в напряжении. Настоящее слушание ведь требует нервов»[3]. «Он без показухи любил классическую музыку, — вторит Леонтовичу Виктор Куллэ. — С ней у Венечки были свои, абсолютно интимные отношения. Скажем, если я слышал у него Сибелиуса, это значило, что Веня в депрессухе. Музыка на него оказыва-

[1] *Ерофеев В.* Записные книжки 1960-х годов. С. 448.
[2] Там же. С. 452.
[3] *Ерофеев В.* Мой очень жизненный путь. С. 586–587.

ла прямо-таки наркотическое воздействие. Он получал от нее гораздо больше кайфа, чем от водки. *Людей, которые так слушали музыку, я больше не припомню. Пожалуй, сходно чувствовала музыку Наталья Трауберг».*

«Как-то он меня спрашивает: "А какие у вас есть пластинки?" — рассказывает Алексей Муравьев. — Я ему притащил пластинки. Он стал их перебирать, и меня поразило, насколько он хорошо все это знал. Особенно подробно он знал русскую симфоническую музыку, на слух отличал разные исполнения». «Шостакович, Сибелиус, Малер» — так Ерофеев определил тройку любимых композиторов в интервью Олегу Осетинскому[1].

Впрочем, Ерофееву нравилась разная музыка, а не только «великая». Например, он привечал сентиментальную песню из кинофильма «Мой ласковый и нежный зверь», музыку и слова которой написал Евгений Дога. «Вчера вспомнила песенку, которую трогательно любил Ерофеев и немного стеснялся этого, — пишет Валерия Черных[2]. — Любимого Сибелиуса ему заводили, а также "Кукушечку" Е. Доги. Как-то он сказал: надо было вам дога своего назвать Евгений». «Мы с ним любили игру "Чья музыка? Чьи слова?", — вспоминает Наталья Архипова. — Я как-то купила советский песенник. Открывала его в случайном месте, читала строчку куплета или припева и спрашивала: "Чья музыка? Чьи слова?", и Веничка тут же выдавал, например: "Музыка А. Пахмутовой, слова Н. Добронравова"». Любил Ерофеев и русские народные песни. «"По Муромской дорожке" — это его любимая вещь. Он такой был человек, достаточно сентиментальный», — свидетельствует Вячеслав Улитин[3].

---

[1] «Веня. Последнее интервью». 1993. Автор и режиссер Олег Осетинский. URL: https://www.youtube.com/watch?v=_J24nH7aaRI. Далее: Веня. Последнее интервью.

[2] С 1980 года изменила фамилию на Черняк (по мужу). – *О. Л., М. С., И. С.*

[3] Интервью В. Улитина А. Агапову.

Забавную историю, демонстрирующую степень страстной увлеченности Венедикта Ерофеева музыкой, рассказывает Елена Романова: «В конце 1970-х на Пасху нас приглашала Ольга Седакова. Гостей было немного — художники Саша Лазаревич, Саша Корноухов с женой Викой, замечательный пианист Владимир Хвостин, В. Е. и мы с мужем. Застолье начиналось после службы глухой ночью, поэтому все были тихими и пассивными, кроме Хвостина. Он садился за фортепиано. Тихонько брал первые ноты, как будто от этого сам просыпался, и все остальные тоже. Шопен. В квартире был котенок, который пытался помешать Владимиру нажимать на педаль. В. Е., который сидел ближе всех к инструменту, схватил котенка и засунул его куда-то внутрь одежды — то ли за пазуху, то ли в карман. Я сидела рядом и видела, как он мечется между высокими переживаниями и низменно-физическими, прекрасной музыкой и царапаньем-пищанием почти внутри себя. В какой-то момент он не выдержал и ушел на кухню. Я испугалась, что он выбросит кота из окна, такой решительный у него был вид. Пошла следом спасать зверушку. Обошлось, котенка он засунул в какой-то кухонный ящик. "В моем детстве котов не баловали". Говорит о детстве, а лицо у этого немолодого мужчины абсолютно детское, только раньше времени состарившееся, как будто испугался мальчик, и вмиг постарел и вырос. Какая-то шутка природы. Я ему сказала об этом, еще не зная, кто этот человек. В. Е. засмеялся, сказал, что законсервировался на морозе еще в детстве. На Кольском полуострове».

«Однажды мы были у него в квартире на Флотской улице, — вспоминает Нина Черкес-Гжелоньска последний период жизни Ерофеева, — и мой муж, пианист Януш Гжелёнзка, по его просьбе играл полонез Шопена. Венедикт лежал в голубой рубашке на диване, облокотившись о спинку. В какой-то момент он отвел свою падавшую на глаза челку, и я увидела, что он плачет». В домашнем архиве Ерофеева сохранилась адресованная Гжелёнзке шуточная записка-просьба сыграть этот полонез: «Чтоб соблюсти 4-х-годовалую традицию, ты должен сыграть на самом паршивом из всех фортеп<ьяно> большой блестящий шопеновский полонез. Очень прошу»[1].

Но вернемся в начало 1960-х годов. В круговороте жизненного вращения Ерофеева 1963–1966 годов две точки на карте можно назвать осевыми.

Первая точка — это Москва. Здесь Венедикт более или менее регулярно встречался с друзьями и приятелями, а когда у него выкраивалось свободное время, ходил в публичную историческую библиотеку и даже в кино. «Я слишком жил: кино, бабьё и эт цетера», — так в интервью Л. Прудовскому Ерофеев мотивировал причины своего творческого молчания в 1963–1969 годах (после написания «Благой вести» и до создания «Москвы — Петушков»)[2].

«Однажды в кинотеатре "Иллюзион" я синхронно переводил "Белые ночи" Висконти с итальянского на русский и взял Ерофеева с собой, — вспоминает Николай Котрелев. — Он был с бутылкой водки. Сеанс кончился, я выглядываю из кинобудки, вижу — все уже ушли, лишь в одном кресле мирно спит Ерофеев. К нему, как лебедь, подплыла немолодая администраторша со следами былой красоты и разбудила репликой: "Молодой человек, приехали!"» Некоторое время спустя Котрелев и Ерофеев вместе пошли на какой-то итальянский фильм, с собой взяли много пива, которое тихонько распивали прямо в зале, соответственно, фильм в памяти не сохранился.

«Переночуешь где-нибудь, а утром под подушкой или на столе найдешь пятьдесят копеек, для тебя оставленных», — делился Ерофеев мелкими радостями своей бродяжьей жизни с Борисом Успенским.

---

[1] Личный архив В. Ерофеева (материалы предоставлены Г. А. Ерофеевой).
[2] *Ерофеев В.* Мой очень жизненный путь. С. 499.

«Мы в те годы жили на Пушкинской площади, и вот как-то раздался звонок в дверь, я открываю и вижу Веню с Тихоновым, — рассказывала о московских досугах Ерофеева и его "пажа" переводчица и дочь известного кинорежиссера Наталья Трауберг. — "Ты, мать, вот что, — говорят они мне, — поищи нам в квартире пустых бутылок. Наверняка у вас полно. И вынеси нам. А мы в подъезде подождем". Так и повелось. Я, воровато оглядываясь, рыскала по квартире в поисках бутылок, потом выносила их и отдавала, а ребята тут же сносили их в Елисеевский, на вырученные деньги покупали водку и возвращались распивать ее в наш подъезд. Мой папа, сталкиваясь с ними на лестничной клетке и, естественно, даже не подозревая о том, что это могут быть знакомые его дочери, раздраженно называл их хулиганами.

Я, опасаясь родителей и бабушки, делала все, чтобы противостоять Вениным попыткам проникнуть в нашу квартиру: не только папа, но и мама с бабушкой, настоящей гранд-дамой, с их представлениями о жизни испытали бы настоящий шок при любом соприкосновении с этими моими приятелями, а меня бы просто должны были убить. Боялась я не напрасно, потому что, когда Ерофееву все-таки удалось войти в дверь, несмотря на мое героическое сопротивление, к счастью, родителей дома не было, он тут же, не нарочно, конечно, свалился на бабушку.

А однажды случилась катастрофа. Наша соседка по лестничной площадке куда-то надолго уехала и оставила моей маме ключи от квартиры. Я со страху, что папа опять наткнется на "хулиганов" в подъезде, не придумала ничего лучшего, чем впустить в соседскую квартиру всю гоп-компанию. Они провели там весь день, выпили все, и принесенное с собой, и найденное в квартире: от ликеров до одеколона, — и категорически отказались оттуда выходить, решив там заночевать. Я их умоляла уйти, но тщетно.

Тогда я пообещала Вене раздобыть три рубля "отступных", но с условием, что, пока я не вернусь, они не будут ничего предпринимать для знакомства с моей мамой. Веня мне это твердо обещал. Я очертя голову помчалась занимать трешник, но когда вернулась — о ужас! — застала Веню восседающим за столом нашей кухни и распивающим чай с моей мамой. Не успела я переступить через порог, как он сказал: "Что же ты меня все мамой пугала? Мы с ней прекрасно вот чай пьем!"

Это был смертельный номер, потому что моя мама не переносила, чтобы о ней говорили, что ее кто-то боится. Я ждала страшной сцены, но... обошлось: Веня маме понравился»[1].

Однажды в подъезде Траубергов с Ерофеевым случайно столкнулся старый университетский приятель Пранас Яцкявичус (Моркус): «На ступеньке сидел Веничка. Молчание длилось секунду или две, потом, объяснив вкратце, что, как и почему, я боком обошел его и продолжил свою дорогу»[2]. В другой раз на Венедикта и его компанию наткнулся молодой тогда литовский поэт Томас Венцлова, шедший в гости к Наталье Трауберг. «Это было на Пушкинской, и я был относительно трезв, — рассказывал позднее Венцлова в интервью Глебу Шульпякову. — И вот вижу: на лестнице сидит кодла мрачнейших личностей, их много и они пьют. Тут я, как Воробьянинов, понимаю, что меня будут бить, и, возможно, даже ногами. Но делать нечего, я обреченно иду вперед, как вдруг навстречу мне поднимается их атаман, красивый, но мрачный человек, и спрашивает: "Ты кто?" — "Я Томас Венцлова, а ты кто?" — "Я Венедикт Ерофеев. Давай выпьем" <...> Оказывается, они тоже шли к этой даме, но кодлу дама справедливо не пустила к себе, они сели на лестнице и стали распивать по ходу дела. Я, естественно, с ними упился до полусмерти и к даме уже не пошел. Таков единственный случай моего общения с великим Ерофеевым»[3].

---

[1] Про Веничку. С. 79–81.
[2] Там же. С. 65.
[3] *Венцлова Т.* Metelinga. Стихотворения и не только. М., 2017. С. 205.

Когда Вадим Тихонов в 1964 году женился на Лидии Любчиковой[1], которая «была хозяйкой в маленькой семиметровой комнате на Пятницкой» улице в Москве[2], Венедикт, утомляясь от своих странствий по столице, часто забредал и к ней. Игорь Авдиев вспоминал: «Лида Любчикова радостно встречала: "Приветик! Голодные? Есть будете?" Венедикт от приветливого сопрано начинал сам говорить ласковым баритоном: "Любчикова, знаешь таджикскую поговорку? Спросили шакала: будет ли он есть курицу? — шакал рассмеялся". Любчикова смеялась — вокализ в третьей октаве. И приносила нам на блюдечках творожку с вареньем. Миниатюрнейшая женщина кормила двухметровых бродяг. Однажды она угостила Венедикта клюквой в сахарной пудре. Венедикт, краснея от стыда и счастья, слопал весь пакет и, воздев руки, возопил гла-

---

[1] Приведем выжимку из воспоминаний о ней дочери Владимира Муравьева — Надежды: «Я бы сказала, что тот, кто ее не знал, очень много потерял. Что именно? Главным образом — смех и яркую волну жизни, которая шла через нее всегда <...> Этот живой человек с детства был искривлен и приплюснут тяжелой болезнью <...> Больше всего на свете Лида любила петь и хохотать. Хохотала она до слез — теряя голову от смеха. Рассмешить ее было очень легко. Пела Лида всю жизнь, пока не пропал голос: она была настоящей певицей, и на собраниях у Венички Ерофеева, с которым познакомилась еще на заре туманной (и не очень-то пуританской) общей юности, исполняла романсы несказанной красоты. По словам тех, кто ее слышал, это всякий раз было событием» (*Муравьева Н.* Лида Любчикова: жена «первенца» Венички Ерофеева // Литературно. 2017. 11 сентября. URL: http://literaturno.com/overview/zhena-perventsa-venichki-erofeeva/). А вот как вспоминает о Любчиковой Марк Гринберг: «Лида была совершенно прелестным существом и воспринималась всеми именно так, хоть и была искалечена болезнью, перенесенной в детстве. Очень умная, очень талантливая, очаровательная женщина с прекрасным лицом и потрясающим голосом. Помню, Лида как-то пела, а Марк Фрейдкин был за инструментом, и совершенно меня это растрогало, и Веня как раз тогда увидел, что у меня слезы навернулись на глаза и — отчасти иронически, отчасти одобрительно — что-то такое хмыкнул».

[2] *Ерофеев В.* Мой очень жизненный путь. С. 534. «Тихонов с Любчиковой жили около домика Льва Толстого на Пятницкой, 10 (а Толстой в доме 12)», — вспоминает Анна Петяева.

сом велиим: "Господи, пронеси!" Любчикова была вне себя на третьей октаве»[1].

Смешные и трогательные подробности о тогдашних наездах Венедикта в Москву приводит в своих воспоминаниях и Римма Выговская, жена близкого ерофеевского друга университетских времен, Льва Кобякова: «Однажды пришел и говорит:

— Знаешь, у меня страшно болит голова.

А у меня самой бывали сильные мигрени, и я предложила сделать то же, что делал мой муж, когда я мучилась головной болью: он наливал горячую воду в тазик и мыл мне ноги. Веня согласился. Я посадила его на стул, принесла горячей воды и вымыла ему ноги.

Не понимаю сейчас, каким образом — тогда ведь не только мобильников, но и обычного телефона у нас не было — мы договаривались о встречах, но мы с Веней очень часто встречались у станции метро "Добрынинская" и ехали к нам. Вот однажды мы так встретились и поехали на Варшавку. По дороге я говорю: Веня, давай зайдем в магазин, надо чего-нибудь купить. Он согласился, мы вошли в магазин, и он купил бутылку водки, потом еще одну, потом еще и еще. Я говорю:

— Дай мне денег, закуску купить.

Он мне отвечает:

— Не дам. Закуска — это забота баб.

— Ну так дай мне взаймы.

— А взаймы я не даю никогда.

Теперь и не помню, как это все обошлось.

А однажды, встретившись таким же образом, мы ехали опять к нам, и Веня говорит:

— Ты знаешь, Выговская, я вчера зарплату получил. Имею право что-нибудь себе купить. У вас тут есть магазин, где продаются пластинки?

---

[1] *Авдиев И.* Клюква в сахаре // Новое литературное обозрение. № 21. 1996. С. 282–283.

— Есть, только тогда придется проехать мимо дома.

— Так что ж, мы ведь потом вернемся.

Поехали, входим в магазин "Культтовары". А Веня был в черном пальто, — хорошее пальто, но очень мятое, и рукава были Вене коротковаты <...> — идем в отдел пластинок. За прилавком стоит молодой продавец, ухоженный, завитой, прекрасно одетый, и с таким презрением он на Веню посмотрел. Веня спросил пластинку Малера — и в одну секунду все изменилось: продавец преобразился, позвал Веню за прилавок, они там с полчаса копались, разговаривали. Веня себе что-то выбрал, был очень доволен. Продавец, провожая нас, сказал:

— У меня редко бывают такие покупатели»[1].

Сам Лев Кобяков вспоминает, как «году в 63-м» они с Муравьевым уговорили «Веню опять поступать на филфак МГУ»[2]: «И я пошел сопровождать его на вступительные экзамены. Про письменный экзамен ничего не помню, а вот на устный я довел его до двери в аудиторию. По дороге мы купили две бутылки вермута, и я остался ждать Веню в коридоре. Жду полчаса, час, второй пошел. Я сначала стоял, потом присел на подоконник — дело было еще в старом здании университета, на Моховой, — недоумеваю. Я же знал, что для Вени этот экзамен легче легкого. Заглядываю в аудиторию и вижу: на полпути к дверям стоят экзаменаторы, поддерживая Веню под локотки, и почтительно дослушивают его лекцию о малых русских поэтах 19 века. Ну а потом мы пошли пить наш вермут. Экзамены Веня тогда сдал, но учиться не стал, разумеется»[3].

Про тогдашний ерофеевский письменный экзамен — сочинение со слов Венедикта рассказал Борис Успенский: «Однажды он проходил мимо здания МГУ и видит: там — прием. Он подал документы и сходу, не готовясь, написал

---

[1] Про Веничку. С. 46–48.
[2] Там же. С. 39.
[3] Там же.

сочинение. И написал его на пять! Это вообще совершенно невероятная вещь, потому что пятерки за сочинение при поступлении в университет не ставят никогда. Нельзя было ни одной запятой неправильно поставить, ни одной стилистической погрешности допустить. А он походя легко смог это сделать. Это, конечно, был недостижимый совершенно уровень».

Второй точкой притяжения на карте не слишком далеких от Москвы мест для Ерофеева начиная с июля 1964 года стала деревня Мышлино, располагавшаяся неподалеку от Петушков. Сюда после окончания пединститута вернулась Валентина Зимакова. «Мне она запомнилась очень привлекательной, складненькой, миловидной женщиной, — описывает внешность Зимаковой той поры племянница Ерофеева Елена Даутова. — У нее были длинные волосы, она закалывала их по моде тех времен шпильками на затылке, и ей это очень шло»[1]. Работать Валентина устроилась учительницей немецкого языка в караваевскую среднюю школу Петушинского района Владимирской области. В промежутках между командировками по стране и ночевками у друзей в столице приспособился жить в Мышлино и Венедикт.

«Изба была какая-то темная, мрачная, холодная, — вспоминала Лидия Любчикова. — Новую избу Валя нечаянно сожгла. А в этой, старой, и печка русская была уже нехороша, приходилось топить еще и другой печкой. Труба от нее тянулась через избу в окно. Уюта не было никакого. И лада в семье тоже было мало, потому что теща не очень любила Веню, как водится у тещ. Про нее "владимирцы" сочинили, что она была ведьмой, как, впрочем, и Валя. Бен рассказывал: "Смотрю, стоит теща, а козы нет, потом тут же стоит коза, а тещи нет". В те поры мне казалось, что Бен любил Валю. А Валя любила его. Он непременно что-то вез в Мышлино, когда ездил туда, и, захо-

---

[1] Про Веничку. С. 31.

дя к нам, обычно показывал, что везет: ему нравилось изображать хозяйственность и что я его хвалю, хотя в его клади преобладала выпивка»[1]. А вот какой парный портрет Ерофеева и Зимаковой набросала Любчикова в своих мемуарах: «Оба высокие, крепкие, очень привлекательные. У Вали — роскошные длинные волосы гривой. Но оба какие-то неприкаянные, неустроенные, в поношенной бедной одежде. Меня поразило, как много они выпили, причем Валя мужчинам практически не уступала»[2]. В итоге получилось так, что Ерофеев, пусть и невольно, сыграл в жизни Валентины Зимаковой трагическую и отчасти разрушительную роль.

В июле 1964 года Венедикт и Валентина приехали в Кировск, и там Зимакову сначала чуть не перепутали с Юлией Руновой. «Маме Вена писал: "Мама, я очень хочу тебя познакомить с Юлей. Я как-нибудь привезу ее к тебе, и надеюсь, что она тебе понравится. По-моему, она будет в твоем вкусе", — рассказывает Тамара Гущина. — И вдруг через какое-то время он приезжает с очень красивой девушкой и знакомит маму: "Это Валя". А я только Юлей ее хотела назвать. Мама вечером, когда стали ложиться спать (у нас две комнатки маленькие были), спрашивает: "Постель-то тебе как стелить, отдельно ведь?" — "Мама, ну что за предрассудки!" Мама потом мне все это рассказывала с огорчением: она не ожидала, что ее сыночек окажется в этом деле таким прытким. Ведь уезжал совсем безусенький»[3].

3 января 1966 года у Венедикта и Валентины Ерофеевых родился сын Венедикт. К этому моменту Ерофеев официально оформил свои отношения с Валентиной — в свидетельстве рождения сына, выданном 1 февраля, она уже обозначена не как «Зимакова», а как «Ерофеева»[4].

---

[1] *Ерофеев В.* Мой очень жизненный путь. С. 535.

[2] Там же. С. 534.

[3] *Ерофеев В.* Письма к сестре. С. 124.

[4] Личный архив В. Ерофеева (материалы предоставлены Г. А. Ерофеевой).

«Валя была очень хороша во время беременности: кожа нежная, чистая, лицо как будто нарисовано акварелью, глаза большие — прелесть. Она казалась счастливой тогда. И сына назвала по отцу (наверное, он один в стране Венедикт Венедиктович — "дважды благословленный")», — рассказывала Лидия Любчикова[1]. Еще за несколько месяцев до его рождения Венедикт-старший отметил в записной книжке: «Скверный сын, скверный брат, скверный племянник, я захотел быть хорошим отцом»[2]. «Ближайшая больница была в двенадцати километрах, дороги занесены, — рассказывает семейную историю сам Венедикт Венедиктович. — Матушку увезли на лошади, на санях, под жуткой метелью»[3]. «Ребенок был действительно "пухлый" и "кроткий", — цитируя «Москву — Петушки», писала Лидия Любчикова, — по-моему, ни разу не заплакал, хотя жил в очень трудных условиях. В этой старой избе воздух от пола на полметра никогда не нагревался, и мальчик жил при минусовой температуре, вечно простуженный ("весь в соплях", сказал Бен)»[4].

Некоторые мемуаристы удивляются той почти нескрываемой нежности, которую обычно не слишком сентиментальный Ерофеев проявлял по отношению к маленьким детям. «Веня <...> подержал на руках моего сына, обласкав его своим "отличным карапузом"», — вспоминает художник Александр Лазаревич[5]. «Он любил с детками играть. Например, дети все время его почему-то выбирали играть в "ручеек", — говорит Вячеслав Улитин. — Он с ними такой большой, высокий, а играл в "ручеек"»[6].

---

[1] *Ерофеев В.* Мой очень жизненный путь. С. 535.
[2] *Ерофеев В.* Записные книжки 1960-х годов. С. 287.
[3] Телепрограмма «Письма из провинции. Город Петушки (Владимирская область)». URL: http://tvkultura.ru/video/show/brand_id/20920/episode_id/1460999/.
[4] *Ерофеев В.* Мой очень жизненный путь. С. 535.
[5] Про Веничку. С. 117.
[6] Интервью В. Улитина А. Агапову.

«К младенцам Веня был неравнодушен, — свидетельствует Марк Гринберг. — Помню, сын нашей близкой подруги Тяпы — Марины Белькевич Арсений (ему было года два-три) сидел на полу с молотком, а Веня ему подкладывал орехи. Арсений пытался по этим орехам шарахать, и они оба смеялись. По-моему, Вене очень эта забава нравилась. А как-то — но он тогда был еще совершенно, можно сказать, здоров — мы выпивали в центре, просто сидя на каком-то штакетнике на улице Жолтовского. Мимо прошествовал зареванный младенец лет полутора, совсем еще бессловесный, мать у него, скорее всего, отобрала нечто существенно важное: лопатку или ведерко. И я что-то такое сказал средне-глубокомысленное: вот, он абсолютно верит в то, что несчастен, абсолютно совпадает с собственным горем, без всяких рефлексий. И Веня, хорошо помню, сказал: "Гринбергу — лишние пятьдесят грамм"».

«С детьми он говорил очень серьезно, без тени снисходительности и этим располагал к себе. Он мог прийти к нам домой и два часа со мной проговорить на самые разные темы, — вспоминает свое детство Алексей Муравьев. — Рассказывал про поэзию, читал стихи. Но никогда не говорил о себе, вообще эта тема отсутствовала». А его сестра Надежда вспоминает о своих и брата детских встречах с Ерофеевым так: «Сначала он меня очень пугал, потому что мы каким-то образом вычислили с братом, что Ерофеев выпивал. И когда он приходил, кричали: "Пьяница пришел! Пьяница пришел!" — и прятались за шкаф, хотя Веня вел себя необычайно скромно, сдержанно и никогда не позволял себе пьяных выходок — ничего этого просто не было».

Однако любовь Ерофеева к маленьким детям не помешала ему по-хармсовски эпатировать Наталью Шмелькову, записавшую в дневнике в 1988 году: «Прошла мимо нас женщина с колясочкой. Веня: "Как я не люблю детей!" — "А как же твой?" — спросила его. "Когда он был маленьким, я почти все время находился в отъездах и он меня не отягощал", — ответил он»[1]. За два месяца до этого разговора та же Шмелькова записала в дневнике: «Приезд на Флотскую Леры и Коли Мельниковых[2] с двумя детьми <...> Стоит страшный шум. Галя, не любящая детей, нервничает. А Веничка с ними очень нежен. Особенно с девочкой»[3].

Многочисленные свидетельства любви к маленькому сыну и постоянного беспокойства о нем рассыпаны по записным книжкам Ерофеева: «5.VI. Мой малыш, с букетом полевых цветов в петлице, верхом на козе, возраст 153 дня»[4], — отмечает он в своем блокноте 5 июня 1966 года (похоже, коза была для Ерофеева одним из главных «тотемов» деревни Мышлино). «Если сын смотрит на меня две минуты подряд, то что это — хорошо или плохо? Говорят, что неприязненные взгляды всегда короче обожающих; спросить у знатоков», — беспокоится Ерофеев в записной книжке 1967 года[5]. «Придумал для младенца новую игру, 22/XII, "мудозвончики" называется», — хвалится он в записной книжке на исходе того же года[6].

«У нас был фотоаппарат "Смена", мы делали им снимки старшего сына Мити, — рассказывала Римма Выговская. — Когда у Вени появился Венедикт-младший, он выменял у нас этот фотоаппарат на какую-то книгу, чтобы фотографировать своего малыша»[7]. «В нашей квартире Вена обычно останавливался, чтобы переночевать <...>, — вспоминала Елена Даутова. — Бывало так, что привезти что-то в качестве гостинца домой не представлялось возможным, и мы собирали посылку. Один раз это была шапка из кролика для маленького сына, в другой раз мы отдали ро-

---

[1] *Шмелькова Н.* Последние дни Венедикта Ерофеева. Дневники. С. 131.

[2] Имеются в виду Николай Болдырев и Валерия Черных. — *О. Л., М. С., И. С.*

[3] Там же. С. 109.

[4] *Ерофеев В.* Записные книжки 1960-х годов. С. 443.

[5] Там же. С. 496.

[6] Там же. С. 503.

[7] Про Веничку. С. 49–50.

зового пушистого медвежонка»[1]. «Веня приезжал ко мне
с зарплатой и говорил: "Ты знаешь, что я все потрачу, пойдем, пока есть деньги, купим сыну подарки". Мы покупали
конфеты, орехи, игрушки», — пишет Нина Фролова[2].

Свидетельства племянницы и сестры Ерофеева невольно вызывают ассоциации с историей о другом замечательном писателе, тоже сильно пьющем и наделенном
неотразимой харизмой, — Сергее Есенине. «В магазине
он любовно выбирал дочери и сыну разные игрушки, делал замечания и шутил, — свидетельствовал Иван Старцев. — Сияющий вынес на извозчика большой сверток.
По дороге в квартиру, где жили его дети, он вдруг стал за-
думчив и, проезжая обратно мимо "Стойла", с горькой
улыбкой предложил на минутку заехать в кафе — выпить
бутылку вина»[3]. Минуя середину, сразу же перейдем к фи-
налу этого эпизода: «...он посмотрел на меня осоловелы-
ми глазами, покачал головой и сказал:

— Я очень устал... И никуда не поеду.

Игрушки были забыты в кафе»[4].

Рассказ Старцева мы привели лишь для того, чтобы
подчеркнуть разницу между поведением Ерофеева и Есенина, — очень хотелось бы думать и верить, что Венедикт
о сыне и игрушках для него не забыл бы и в самой сильной
степени опьянения. Недаром Николай Котрелев подчер-
кивает, что «в есенинском кураже» он Ерофеева не видел
ни разу. «...Чем больше читаю Есенина, тем больше ценю
Кольцова», — иронически отметил Ерофеев в записной
книжке 1967 года[5].

«Отец навещал младенца, привозя из скитаний конфеты "Василек" и орехи. Это было для Венедикта, пожалуй,

[1] Про Веничку. С. 31.
[2] *Ерофеев В.* Мой очень жизненный путь. С. 532.
[3] *Старцев И.* Мои встречи с Есениным // Сергей Александрович
Есенин. Воспоминания. Л., 1926. С. 81–82.
[4] Там же.
[5] *Ерофеев В.* Записные книжки 1960-х годов. С. 504.

самое счастливое время в жизни. Он свозил в хоромы книги и пластинки. У него был угол за печкой. Вокруг леса́ с грибами. В Поломах — два километра от Мышлино — приветливая тетя Шура в магазине, в Караваево — три километра — всегда принимают пустую посуду...» — так рассказывал о кособокой мышлинской идиллии Игорь Авдиев[1].

Сам Ерофеев изобразил свою жизнь в Мышлино в двух письмах к сестре, Тамаре Гущиной, тщательно купируя при этом все, что было связано с алкоголем, а также их с женой и сыном бытовой неустроенностью. «Вдруг я получаю одно письмо, потом второе письмо... Нашелся Венедикт! Вот, оказывается, он где!», — рассказывала Тамара Гущина о своей тогдашней реакции на неожиданно пришедшие письма брата[2].

Первое письмо датировано 18 января 1966 года. Приведем здесь большой отрывок из него: «Поздравьте меня, Тамара Васильевна, ровно 15 дней тому назад у вас стало больше племянников, чем их было 16 дней тому назад. Его назвали Венедикт (Ерофеев), назвали впопыхах (и многие считают, что неудачно, — история, впрочем, рассудит), экспромтом, поскольку ждали Анну, Венедикта не ждали. Все остальные новости — совершенно телеграфично (не "все остальные", а несколько самых устойчивых, *exense*[3]): я постоянно в разъездах по долгу службы, в Караваево бываю ежемесячно или еженедельно, в зависимости от обстоятельств или от чего-нибудь еще, Валентина преподает немецкий в старших классах здешней школы и находит в этом вкус; наш семейный бюджет, с точки зрения постороннего, велик, и все это расходуется наилучшим образом (т. е. бездарно, с точки зрения постороннего); от скопленной нами фонотеки (первоклассной, конечно, — заезжай) прогибаются полки; сейчас насмотрюсь

---

[1] *Авдиев И.* Клюква в сахаре. С. 283.
[2] Острова.
[3] Так в письме. По-видимому, подразумевается английское *essence* — сущность. — *О. Л., М. С., И. С.*

на сына, дочитаю Сарояна, допишу о Малере, дослушаю Стравинского и чуть свет уезжаю в Брянск»[1].

Второе письмо датировано 15 марта 1966 года. В нем реальные обстоятельства жизни Венедикта и Валентины Ерофеевых приукрашены еще больше — бытовые неурядицы превращены здесь в романтические подробности: «Добрый вам день, Тамара Васильевна, вы хотели подробностей, я их сейчас перечислю, конечно, не все, а ровно столько, сколько втиснется в мой лист. Все спят, кроме меня: кропаю тебе при свете керосиновой лампы (я привык включать ее по ночам, когда занят писаниной и умозрениями, — это не тревожит младенца и, сверх того, создает уездный колорит). Утром, как только Валентина проверит тетрадки, заставлю ее написать что-нибудь *von sich*[2]. Ну, так вот: я уже больше месяца как в Караваеве, изведал уже все мыслимые семейные наслаждения и начинаю томиться. В феврале месяце я хоть имел возможность еженедельно делать партизанские налеты на Владимир, Москву и Орехово-Зуево, но с начала марта вспыхнула здесь эпидемия ящура и прервала с миром все транспортные связи. (Здесь теперь ни о чем не говорят, кроме как об этом; зараженным животным делают прививки и затем уничтожают; незараженных без прививок закапывают живьем; то же самое и относительно людей, с той только разницей, что зараженных людей, закапывая, предварительно удавливают.) О самом Караваеве говорить нечего, поскольку (в основном все) расписал о нем в своих "Владимирских проселках" Солоухин. О караваев-

---

[1] *Ерофеев В.* Письма к сестре. С. 124. «Когда я должен был появиться на свет, Венедикт Васильевич был уверен, что родится девочка, и хотел назвать ее в честь своей матери Аней», — свидетельствует Ерофеев-младший (*Кравченко И.* Возвращение блудного отца. С. 136). «А почему мы сына не назвали Кузьма, какое красивое имя, правда?» — запоздало сожалела Валентина Ерофеева в одном из писем к мужу. (Личный архив В. Ерофеева. Материалы предоставлены Г. А. Ерофеевой.)

[2] Про себя (*нем.*). — *О. Л., М. С., И. С.*

ской школе тоже нечего: моя Валентина каждое утро бежит туда за три километра, с неизменными тетрадками под мышкой и в сопровождении целой своры сопливых извергов. Младенец растет, ему уже 1344-й час, он толстый и глазастый, как все малыши, но ни на одного из них я еще не глядел с таким обожанием, как на этого, включая сюда и те минуты, когда рев достигает труднопереносимого *fortissimo*. Надо отдать ему справедливость, недели две тому назад он понял, что улыбки больше ему к лицу, и он расходует теперь на них большую часть своего досуга. Самое располагающее в нем — его дешевизна. За 73 дня своей жизни он обошелся мне дешевле, чем обходится порознь каждый "музыкальный четверг" во Владимире или "литературная пятница" в Москве. Да, и вот еще что в нем хорошего: его бабушка. Ее зовут Наталья Кузьминична Зимакова. Ее возраст — 72 года. Вероисповедание — православное, с налетом очень бодрого скептицизма. Любимое муз<ыкальное>. сочинение — "Пиковая дама". Любимый собеседник — я. Не пробуй искать по свету старушки веселее и покладистее ее. Если когда-нибудь заглянешь сюда, впрочем, — убедишься сама. Вот те трое, с которыми меня связывают теперь самые прочные узы. Служба моя такова, что я бываю здесь ежемесячно; то есть, например, так: три июньских недели — в Тамбове, четвертая — в Караваеве; три августовских недели — в Орле, четвертая — в Караваеве; три и так далее. Вплоть до февраля, месяца повальных отпусков. Это не коммивояжерство, это "служба в специализированном управлении связи по измерению и приему междугородних кабельных линий связи" (Управление — в Москве), и это уже давно и надолго. Валентина, чуть только подвернутся каникулы, сбегает ко мне, где бы я ни был: суди сама, ее туфли куплены в Мичуринске, платок — в Брянске, плащ — в Коврове и т. д., в Ельце мы грабили районную библиотеку, во Мценске, в прокуренной чайной, пили тульскую водку, спали в стогах на берегу Дона, и куча еще разных разностей

<...> Поскольку я от рождения энциклопедичен, я занимаюсь одновременно историей современной музыки, воспитанием определенного круга владимирских и московских юнцов, теорией кабельного симметрирования и католической философией. Первое мне лучше всего удается, поскольку музыка единственная область, где стопроцентная серьезность не отдает жидовством. И потом, говаривал Демокрит, "быть восприимчивым к музыке — свойство стыдливых" (Celsus X, 249), а я стыдлив. Еще 2–3 месяца пусть мои мальчики и девочки потерпят, и я отдам им для размножения переписанную набело рукой жены "Историю новой музыки" (очень весело, но и со знанием дела). Вот и все, что я сумел поместить в лист. Венедикт проснулся, распеленался и в темноте сосет кулак. Придется всех будить. Кланяйся всем нашим. Не переставай читать и слушать, заклинаю»[1].

Это длинное письмо, как и некоторые другие сохранившиеся ранние письма Ерофеева[2], представляет собой не столько чистый образчик эпистолярного жанра, сколько писательское упражнение, попытку в очередной раз нащупать свой собственный, неповторимый стиль. Вот и макаберное его место (про ящур в Мышлино) — это не импровизация, а шутка из записной ерофеевской книжки 1965 года: «Осень <19>65 г. Ящур в Орловской губернии. Заболевших людей закапывают живьем. Не заболевших тоже закапывают, предварительно удавливая»[3].

Однако сейчас нам важнее обратить внимание на неожиданное признание Ерофеева, отчетливо диссонирующее с той общей гармонической картиной, которую он набрасывает в письме к сестре: «...я уже больше месяца

---

[1] *Ерофеев В.* Письма к сестре. С. 124–125.

[2] «Я письма писать разучился и отвык, — в августе 1987 года признавался Ерофеев Наталье Шмельковой, — в 60-х годах я писал в среднем 300–400 писем в год» (*Шмелькова Н.* Последние дни Венедикта Ерофеева. Дневники. С. 52).

[3] *Ерофеев В.* Записные книжки 1960-х годов. С. 312.

как в Караваеве, изведал уже все мыслимые семейные наслаждения и начинаю томиться»[1]. По-видимому, ни привязанность к Валентине Ерофеевой, ни задушевные разговоры с ее матерью, ни даже любовь к маленькому сыну не могли перевесить стремления Ерофеева к свободе и одиночеству, к тому, о чем в финале одного из своих стихотворений написал Пастернак:

> Сильней на свете тяга прочь
> И манит страсть к разрывам[2].

«Все беднее и желчнее с каждым часом. "Давно, усталый раб, замыслил я <побег>..." и т. д.», — отметил Ерофеев в записной книжке 16 января 1967 года[3]. «...Никогда так легко не перенос<ились> нищета и одиночество <...> "Никогда так легко", п<отому> что аб<солютная> свобода от всякой эротики, светлой и темной», — запишет он в своем блокноте в конце 1960-х годов[4].

9 февраля 1968 года Ерофеев по собственному желанию уволился из Специализированного управления связи № 5 треста «Союзгазсвязьстрой» города Люберцы. В течение почти полугода он с ватагой «владимирцев» мотался по Москве и Подмосковью, ночуя по квартирам и дачам своих близких и дальних знакомых. Лишь 30 мая 1968 года Ерофеев вновь устроился на работу — кабельщиком-спайщиком в СМУ ПТУС Московской области. Приятель, у ко-

---

[1] Ср. с воспоминанием однокурсника Ерофеева еще по Орехово-Зуевскому пединституту Виктора Евсеева: «Он сразу спросил: "Послушай, Виктор, неужели тебе не скучно с женой?" Я улыбнулся на его вопрос и ничего не ответил — у меня был медовый месяц» (*Евсеев В.* Он был белой вороной // Орехово-Зуевский литературный альманах. С. 467).

[2] Из стихотворения «Не плачь, не морщь опухших губ...». См.: *Пастернак Б.* Полное собрание сочинений с приложениями: в 11 т. Т. 4. С. 522.

[3] *Ерофеев В.* Записные книжки 1960-х годов. С. 522.

[4] Там же. С. 620.

торого он тогда временно жил, Юрий Гудков, рассказывает трагическую историю, якобы приключившуюся с ерофеевской бригадой осенью этого же года. Проверить ее подлинность, увы, возможным не представляется, однако Лев Кобяков и Наталья Шмелькова в разговоре с нами вспомнили: Венедикт рассказывал эту историю и им тоже. «Почти ежедневно на служебном грузовике Венедикт ездит на свои кабельные работы в Шереметьево. Однажды мы засиделись допоздна, и Ерофеев просыпает и опаздывает на работу. Трудно описать потрясение Венедикта, когда он узнает, что машина с его товарищами по бригаде перевернулась на пути к Шереметьеву и почти все люди погибли. Венедикт сильно запил и целый месяц "паркет казался ему морем". А жена моя часто вспоминала, что Венедикту после потрясения долгое время снился один и тот же сон. Будто бы он идет по покатой крыше, поскальзывается, падает и повисает на руках на карнизе, потом срывается и... повисает в воздухе. Гибель бригады, в которой Венедикт несколько недель был бригадиром, и послужила толчком для создания поэмы "Москва — Петушки"»[1].

Ну, вот мы и добрались до самой важной точки нашего повествования, в которой Венедикт Ерофеев садится за «трагические листы» своей главной книги.

---

[1] Летопись жизни и творчества Венедикта Ерофеева. С. 55.

Веничка:
Между Есино и Орехово-Зуево

По многим признакам тот этап Веничкиной биографии, что разворачивается в восьми главках от Есино до Орехово-Зуева, является ключевым и переломным. Именно за этот примерно час пути ерофеевский герой достигает срединного рубежа между Москвой и Петушками, после которого совершенно изменятся повествовательный вектор поэмы, порождаемый ею мир, ее приемы и стиль. Все после Орехово-Зуева пойдет по-другому: линейное движение — будь то «травелог», «одиссея», «паломничество» или «квест» — пресечется и завернется круговым; пространство яви превратится в сон, наваждение, бред; привычное течение времени запутается и сорвется в провал. Но зато до Орехово-Зуева Веничка достигает кульминационной точки своего духовного развития и обретает всю полноту бытия. Мало того, что на этих перегонах он выпивает значительно больше, чем на других, — он еще и вступает в единый круг пьющих, а значит, поднимается до высшей формы возлияния — общего застолья, пира, «симпосия». Тот, кому герой поэмы себя противопоставлял («умный-умный в коверкотовом пальто», 162), те, кто казались ему странными («в коричневом берете и при усах», 162) или подозрительными («дедушка и внучек», 162), — все присоединяются к пиру, и так искупается былое отторжение Венички соседями-собутыльниками. Более того, он становится председателем пирушки, «симпосиархом», — и так искупается неудачливое Веничкино бригадирство.

Итак, в центре «Москвы — Петушков», композиционном и идейном, разворачивается «литературный, "мифический" пир»[1], о котором особенно ярко и убедительно написала свидетельница многих ерофеевских пиров Ольга Седакова[2]. Согласно ее концепции, «"миф", который просвечивает в железнодорожной пирушке, <...> не что иное, как платоновский "Пир" с его темой прославления Эрота...»[3] В подтверждение этому подтексту приводятся остроумные соответствия: Сократ приходит к пирующим после «уединения в сенях соседнего дома»[4], а Веничка — после уединения в тамбуре; оба, прежде чем присоединиться к обществу, медитируют; рассуждения об икоте, предшествующие «симпосию», напоминают об икоте Аристофана, а черноусый и черноусая в беретах отсылают к речи того же Аристофана об андрогинах[5]. Но, по Седаковой, игра внешних совпадений с платоновским «Пиром» только для того и затеяна Ерофеевым, чтобы тем сильнее противопоставить «любви-восхождению ко все более всеобщему и вечному <...> евангельский кенозис[6],

---

[1] *Седакова О.* Пир любви на «Шестьдесят пятом километре», или Иерусалим без Афин // Канун. Альманах. Вып. 3. Русские пиры. СПб., 1998. С. 356. Далее: Седакова.

[2] Ольга Седакова отмечает, что сам Ерофеев подчеркнул неслучайность этих ассоциаций, когда на упоминание сюжета симпосия или сатурналий «с некоторой обидой ответил: "Разве вы не заметили, что это уже есть в Петушках?"» (Книжное обозрение. Ex libris НГ. 1998. 22 октября).

[3] Седакова. С. 358.

[4] Седакова. С. 359.

[5] См.: Седакова. С. 360.

[6] Самоуничижение Христа через вочеловечивание.

еще и вызывающе заостренный: жалость к чирьям, к праху, к самому низкому, глупому, смертному, безобразному»[1]. В седаковской интерпретации платоновский Эрот, от матери-нищеты (Пении) стремящийся к богатству отца (Пороса), «встречает в Веничкином случае альтернативу: его Эрот-жалость стремится к матери Пении, нищете»[2].

Можно подобрать и множество других значимых деталей, подтверждающих взгляд на Веничкин пир как на полемический ответ христианской любви-жалости — надмирному платоновскому Эросу. Еще с предпиршественных перегонов началось у Венички последовательное умаление любви, ее спуск в область унижаемого и отталкивающего. На 43-м километре ему приходится отказаться от коктейля «Первый поцелуй» в пользу «Поцелуя тети Клавы» (161). Такой коктейль и названием своим, и составом («вшивота») учит смирению, любовно-благодарному принятию того, что есть; его урок заключается в преображающем навыке сливать «дерьмо в "Поцелуй"»[3] (161). Приязнь ко всему, что находится по ту сторону красоты, после созерцания бездн и удесятерения дозы дорастает до «восторга <...> чувства»: «Теперь, после пятисот "кубанской", я был влюблен в эти глаза, влюблен, как безумец» (161). Всякое низкое, отторгаемое вкусом явление в экстатическом восприятии Венички тут же притягивается к сфере Эроса; так, «тупого-тупого», вылетающего из рук «умного-умного», рассказчик, не брезгуя немудрящим каламбуром, уподобляет «тупой стреле Амура» (162). В свою очередь, по закону бурлескно-травестийной сим-

---

[1] Седакова. С. 362–363.
[2] Седакова. С. 364.
[3] «Согласен с вами: он невзрачен по вкусовым качествам, он в высшей степени тошнотворен, им уместнее поливать фикус, чем пить его из горлышка, — согласен, но что же делать, если нет сухого вина, если нет даже фикуса? Приходится пить "Поцелуй тети Клавы"...» (161).

метрии, герой поэмы и сферу духа всегда готов перевести в низко-эротический план — теми же средствами метафорического каламбура: «У меня не голова, а дом терпимости» (164).

Когда же, на 61-м километре, дело наконец доходит до «застольных» выступлений, автор ставит на уже заданную логику «высокого — низкого», при этом резко усиливая амплитуду стилистических и смысловых перепадов — от взлета к Афродите Урании к падению в грязь венерологических «клиник и бардаков» (181). Если в тамбуре одинокий Веничка «грезил» о «Первом поцелуе» (161), а довольствовался лишь «Поцелуем тети Клавы», то теперь пирующие жаждут романтического подъема, как от тургеневской «Первой любви» («Давайте, как у Тургенева!», 173), а получается — опрокидывание в «безобразный» смех (176) и «чудовищный» стиль (177), к чему-то за пределами «На дне» и «Ямы». Так, в рассказе «декабриста» любовь-мечта и любовь-страданье подменяются любовью за «рупь», женщина-идеал, недостижимая арфистка Ольга Эрдели, — «пьяной-пьяной» «мандавошечкой», арфа — балалайкой (174). Из истории Митрича, после 65-го километра, Эрос вообще выпадает, угадываемый лишь в тошнотворных метонимических намеках: ясно, что моторная лодка председателя — субститут ладьи вагнеровского Лоэнгрина; можно предположить, что председательские чирьи — травестия мотива телесной порчи, угрожающей рыцарю Грааля во втором действии оперы; любовная же линия оперного сюжета так и остается в бормотании Митрича неразрешимым «иксом», ключ к которому приходится ловить в самой гуще гробианистского гротеска («...Стоит и плачет, и пысает на пол, как маленький», 176). Третья часть «литературного разговора» (177), речь «женщины трудной судьбы» после Павлово-Посада, воспринимается как абсурдный итог воспоминаний о «первой любви», низвергающих Афродиту с ценностного верха в обесценивающий низ (от Пушкина — автора «Евгения

189

Онегина» к Пушкину вульгарного присловья; от Жанны д'Арк к приключениям «на свою попу», 179; от «поисков своего "я"» к перепою, 178; от схимы к блядству[1]; от «Господа Бога» к выбитым зубам, 178).

Нельзя не согласиться с Седаковой — замещение прекрасного лика Эроса все более и более безобразными обличьями ведет к радикальной переоценке избранной темы: вместо поиска «первой любви» — поиск ее «последних» оснований, вместо восходящего пути к «транс-цен-ден-тальному» — нисходящий путь к пониманию всякой «дряни» (175). Веничка становится на этот путь сразу, как обнаружил пропажу четвертинки, — между 43-м километром и Храпуново. Приступая к розыску, он подгоняет себя: «пора искать человеков!» (162) и так смешивает евангельскую формулу[2] с детективом[3]. Но что же следует из такого парадоксального совмещения? Прежде всего — превращение расследования в акт любви «ко всякой перстни» (176): поимка злоумышленников чревата не обвинением и наказанием, даже не восстановлением порядка, а приглашением на пир, угощением и хвалой («ты хорошо рассказал про любовь!», 176); детективное дознание — уже не сличением улик, а спасительным постижением «потемок чужой души» (175). Так в какой-то момент, на подходе к Павлову-Посаду, — в ту минуту, которую Седакова справедливо считает кульминацией всего пира, Веничка как бы сменяет роль Сократа на роль св. Франциска Ассизского, прислуживающего прокаженным, утешающего разбойников и убийц. Пародийно отталкиваясь от заданной на пиру «тургеневской» темы, да еще с каламбуром («последняя жалость», выраженная в одном из последних произведений автора

---

[1] «Поблядую месяцок и под поезд брошусь» (178).

[2] В Евангелии от Луки Иисус Христос говорит, обращаясь к рыбаку Симону, будущему апостолу Петру: «И сказал Симону Иисус: не бойся, отныне будешь ловить человеков» (Лука 5:10). См.: Власов. С. 327.

[3] «Теперь начинается детективная повесть» (162).

«Первой любви» — стихотворении в прозе «Мне жаль...»[1]), герой делится одной из самых задушевных ерофеевских идей. Низшая точка пира, погружение в стихию слизи и мочи, оборачивается высшей — откровением и проповедью евангельской любви-жалости: «Первая любовь или последняя жалость — какая разница? <...> Жалость и любовь к миру — едины. Любовь ко всякой перси, ко всякому чреву. И ко плоду всякого чрева — жалость» (176).

И все же с трактовкой железнодорожного пира между Храпуновым и Орехово-Зуевым как «собрания посвященных, совершающих жертвенное возлияние божеству», вряд ли можно согласиться, как и со сведением всех его голосов к «гимну "последней жалости", который приобретает ту же тотальность космического принципа, что и сократов Эрот»[2]. Острые и эвристически ценные, эти выводы слишком сужают и упрощают рубежный этап Веничкиной биографии; недаром они достигнуты ценой умолчания о четырех пятых соответствующего текста. В результате столь важное для автора и героя «гуманное место» оказывается вырванным из сложного контекста всех восьми главок «симпосия», отрывка с особенной установкой на жанровую энциклопедичность[3] и «принцип противоречия». Попойка в вагоне элек-

---

[1] Ср.: «А я сидел и понимал старого Митрича, понимал его слезы: ему просто все и всех было жалко: жалко председателя за то, что ему дали такую позорную кличку, и стенку, которую он обмочил, и лодку, и чирьи — все жалко» (176) — «Мне жаль самого себя, других, всех людей, зверей, птиц... всего живущего.
Мне жаль детей и стариков, несчастных и счастливых... счастливых более, чем несчастных.
Мне жаль победоносных, торжествующих вождей, великих художников, мыслителей, поэтов...
Мне жаль убийцы и его жертвы, безобразия и красоты, притесненных и притеснителей...» (*Тургенев И.* Стихотворения в прозе. М., 1931. С. 99). См.: Власов. С. 377.

[2] Седакова. С. 364.

[3] См. тезис из статьи И. Сухих «Заблудившаяся электричка»: «...Внутри исходной жанровой рамки возникают многочисленные иронические стилизации, отсылки к другим жанровым традициям.

трички, затеянная Веничкой, — это все же не только подобие платоновского «Пира», это скорее — пир пиров.

«Симпосий» Венички и его соседей по вагону устроен так, что, даже помимо каких-либо аллюзий и цитат, заставляет читателя припоминать и сопоставлять. В кажущихся хаотическими речах собутыльников один архетип пира следует за другим. Сначала затевается ученое винопитие — по образцу «Пира мудрецов» Афинея и «Застольных бесед» Плутарха; в такого рода субжанрах прежде всего принято обсуждать темы, смежные с пиршественным действием: за едой — еду, за возлияниями — возлияния. Вот и в своей вступительной речи черноусый пьет и обсуждает, когда, кто и как пил, вставляя соответствующие анекдоты. Разумеется, весь наверченный ком учености тут же скатывается в вызывающую пародийную нелепость, но тоже не без оглядки на классику мировой литературы — скажем, на главу «Беседа во хмелю» из «Гаргантюа и Пантагрюэля» Ф. Рабле:

— Богач Жак Кёр пивал не раз.
— Вот так поили бы и нас.
— Вакх под хмельком дошел до Инда.
— В подпитии взята Мелинда[1].

Далее философский пир тоже осложняется сниженными литературными аналогиями — например, с застольями новеллистических собраний, такими как формулы «Общего пролога» «Кентерберийских рассказов» Дж. Чосера:

Парадигма внутренних микрожанров поэмы оказывается довольно длинной, с явной претензией на энциклопедичность» (*Сухих И.* Заблудившаяся электричка // Звезда. 2002. № 12. URL: http://magazines.russ.ru/zvezda/2002/12/suhih.html).

[1] *Рабле Ф.* Гаргантюа и Пантагрюэль. М., 1966. С. 53 (пер. Н. Любимова). Прямое цитирование из этой главы «Гаргантюа и Пантагрюэля» встречаем в реплике «декабриста» (ср.: "Аппетит приходит во время еды", сказал Анже Манский; жажда проходит во время пития" — Рабле. С. 54; «Аппетитная приходит во время еды» (176)).

Кто лучше всех полезное с приятным
Соединит — того мы угостим,
Когда, воздав хвалу мощам святым,
Ко мне воротимся. На общий счет
Устроим пир мы...[1]

Отдельные реплики и экспрессивное поведение между речами собутыльников перекликаются с другим типом литературного пира — оргией. Так, в «Сатириконе» Петрония рассказанные истории сопровождаются взрывами «необузданной веселости», «неприличного хохота»[2]; в «Москве — Петушках» смеются «безобразно и радостно» (176), давятся «от смеха» (178). В нестройном хоре голосов слышатся сетования: «...Почему никто не побеспокоится, что ныне хлеб кусаться стал? Честное слово, я сегодня хлеба найти не мог. А засуха-то все по-прежнему! Целый год голодаем. Эдилы — чтоб им пусто было! — с пекарями стакнулись. Да, "ты — мне, я — тебе". А бедный народ страдает, а этим обжорам всякий день сатурналии» (Ганимед в «Сатириконе»)[3] — «...Они там кушают, а мы уже и не кушаем... весь рис увозим в Китай, весь сахар увозим на Кубу... а сами что будем кушать?» (Митрич в «Москве — Петушках», 180). Одни жалуются, другие — увещевают жалующихся: «Ничего лучше нашей родины нельзя было бы найти, если бы люди поумней были. Но не она одна страдает в нынешнее время. Нечего привередничать: все под одним небом живем» (Эхион в «Сатириконе»)[4] — «...Если будешь в Штатах — помни главное: не забывай старушку-Родину и доброту ее не забывай» (Веничка в «Москве — Петушках», 180).

[1] *Чосер Дж.* Кентерберийские рассказы. М., 1946. С. 49 (пер. И. Кашкина). См. также зачин: «Случилось мне в ту пору завернуть // В харчевню "Табард"» (Чосер. С. 30).

[2] *Петроний Арбитр.* Сатирикон / Пер. под ред. *Б. И. Ярхо.* М., 1990. С. 109–110.

[3] Там же. С. 93.

[4] Там же. С. 95.

Наконец, ближе к концу пиршественной части поэмы, между Павлово-Посадом и 85-м километром, реализуется архетип «застольный рассказ о странствиях», восходящий к девятой — двенадцатым песням «Одиссеи» Гомера (пир феаков). Отталкиваясь от этой основы, Веничка громоздит пародические отсылки и доведенные до абсурда аллюзии, как Оссу на Пелион: чего здесь только нет — от издевательски-пьяной игры в «русского путешественника» (скрещивающей Карамзина и Эренбурга) до мюнхгаузеновского вранья за бутылкой — о дальних странах («У нас, государи мои, еще хватит времени, чтобы распить новую бутылочку. Поэтому я расскажу вам о весьма странном случае...»[1]).

Но такой энциклопедический пробег по пиршественным мотивам — это только первый слой ерофеевской игры. Если в главках между Карачаровым и Никольским Веничка, одержимый «всемирной отзывчивостью», инициировал веселый калейдоскоп форм и стилей мировой литературы, то теперь, после Есина, он устраивает еще

---

[1] *Бюргер А. Г., Распе Р. Э.* Удивительные путешествия на суше и на море, военные походы и веселые приключения Барона фон Мюнхгаузена, о которых он обычно рассказывает за бутылкой в кругу друзей. М., 1985. С. 68. Еще одна аналогия — Джингль из «Посмертных записок Пиквикского клуба» с его пиршественным зачином: «Сюда — сюда — превосходная затея — море пива — огромные бочки; горы мяса — целые туши; горчица — возами» — и последующим разгулом «колониального» вранья: «Участвовал однажды в матче — бессменно у ворот — с другом полковником — сэр Томас Блезо — кто сделает больше перебежек — бросили жребий — мне начинать — семь часов утра — шесть туземцев караульщиками — начал — держусь — жара убийственная — туземцы падают в обморок — пришлось унести — вызвали полдюжины новых — и эти в обмороке — Блезо боулирует — его поддерживают два туземца — не может выбить меня — тоже в обморок — снял полковника — не хотел сдаваться — верный слуга Квенко Самба — остается последний — солнце припекает — бита в пузырях — мяч почернел — пятьсот семьдесят перебежек — начинаю изнемогать — Квенко напрягает последние силы — выбивает меня -- принимаю ванну и иду обедать» (*Диккенс Ч.* Посмертные записки Пиквикского клуба. М., 2000. С. 70, 72).

более веселый парад историко-литературных концепций. Сначала со своей формулой истории русской культуры выступает черноусый. От простейшего тезиса: «все писатели и композиторы пили запоем» («Ну, и Николай Гоголь...»; «А Модест-то Мусоргский!», 166) — оратор в берете переходит к следующему, более сложному: пьянство — знак принадлежности кругу лучших людей и великому делу, воздержание — знак отторжения от русской истории и, соответственно, знак бессмысленности существования. «Лафит и клико» возвышают декабристов до героической миссии, обреченность всего лишь на брусничную воду отбрасывает Онегина к «лишним людям». Но отсюда следует трагическая закономерность: если страдания народные становятся все страшнее и он пьет все горше, значит лучшие люди, страдая за народ, с неизбежностью должны перейти на более крепкие напитки («сивуха началась вместо клико!», 167) и увеличить дозу («Отчаянно пили!»; «с отчаянья пили!», 167). Так линейная история русского освободительного движения и прогрессивной мысли завихряется в «порочный круг бытия» (168): чем больше в народе отчаянья, тем отчаяннее пьют лучшие люди; чем отчаяннее пьют лучшие люди, тем больше в народе отчаянья. Итог — абсурдная зацикленность и спутанность ориентиров: «все в блевотине и всем тяжело»; «никак не могу разобрать, кто отчего пьет: низы, глядя вверх, или верхи, глядя вниз» (168).

Поддерживая черноусого, сам Веничка, в свою очередь, предлагает «алкогольную» теорию творчества. Люди искусства, согласно концептуальному наитию ерофеевского героя, делятся на два типа — пьющих непосредственно, в быту (Шиллер), и «как бы» (*als ob*) пьющих, вытесняющих пьянство в область воображаемого (Гёте). Из этой оппозиции Веничкина эстетическая мысль выводит сногсшибательный парадокс: поэты типа Шиллера пьют, чтобы творить («Пропустит один бокал — готов целый акт трагедии», 166); поэты типа Гёте творят, чтобы мысленно пить («Мефистофель выпьет — а ему хорошо, старому псу. Фауст добавит — а он, старый хрен, уже лыка не вяжет»; «...алкаш он был, ваш тайный советник Иоганн фон Гёте!», 169).

Главная же концепция «симпосионного» отрывка так и остается не высказанной ни одним из выступающих и рассказывающих, но пунктир ее угадывается в подтексте. Это, собственно, поиск ответа на имплицитный вопрос о форме и содержании русского пира. Чего больше всего хотят пьющие? Чтобы трапеза протекала по тургеневскому чину — то есть возвышала душу, сближала людей, приобщала разных к единому. Получается ли это? Нет — потому что русскому пиру всякий раз суждено сложиться по Достоевскому. Вместо благородной исповеди, взыскующей лучшего в душе рассказчика и пробуждающей лучшее в душах слушателей, собутыльников ждет тот экстремальный сценарий, которому следуют все большие застольные сцены в «Преступлении и наказании» (поминки Мармеладова), «Идиоте» (сборище у Настасьи Филипповны) и «Братьях Карамазовых» (обед у игумена). Начинается все с попыток установить гармонию между присутствующими; продолжается — воплем оскорбленной человеческой души или наитием тайны в бормотанье, в каком-то сокровенном слове; заканчивается — роковым срывом в хаос, скандал, безобразие.

В этом сценарии по Достоевскому особенно трагическая роль выпадает председателю пира — а именно самому Веничке. Отчасти это роль мудреца (Сократа с его цикутой), отчасти — святого (Франциска с его стигматами[1]), но главным образом — совсем другого, вымышленного персонажа — Вальсингама из пушкинского «Пира во время чумы». Веничкина задача ведь — поддержание гармо-

---

[1] Сам Веничка говорит о стигматах святой Терезы: «А для чего нужны стигматы святой Терезе? Они ведь ей тоже не нужны. Но они ей желанны» (131).

нии и веселья перед лицом некой угрозы, которая по мере приближения к Орехово-Зуеву все более и более ощущается. Почти до Назарьева герой чудом справляется с «шевелящимся» и бурлящим в вагоне дионисийским хаосом. Только споткнулся черноусый со своей «стройной системой, сотканной из пылких и блестящих натяжек» (168), как Веничка уже спешит на подмогу падающему идеологу со своими еще более пылкими и блестящими парадоксами. Промямлит что-то несусветное Митрич — председатель пира и тут спасает ситуацию сократической майевтикой, душеспасительной герменевтикой и проникновенной проповедью. Подняли на смех усатую в берете — он заступается: «Читали Тургенева, читали Максима Горького, а толку с вас!..» (177). И это неудивительно — ведь его не только ангелы сопровождают, но и свой «демон», подобный сократовскому, — все тот же Максим Горький, удерживающий от нежелательных поступков: «Не бери сдачи! Не бери сдачи!» (172).

Веничка до поры до времени разрешает все противоречия. С одной стороны, его спрашивают, стоит ли хорошая баба тридцати плохих «с научной точки зрения», — он отвечает утвердительно: «С научной, конечно, стоит. В Петушках, например, тридцать посудин меняют на полную бутылку "Зверобоя"» (171); с другой стороны, его спрашивают, «разве не нужна бывает и плохая баба», — и он снова отвечает утвердительно: «Хорошему человеку плохая баба иногда прямо необходима бывает» (172). Так он умудряется двум противоположным тезисам сказать «да», примирить спорящих и возвысить женщину. Именно Веничкина привилегия — провозглашать тосты «за здоровье прекрасного и высокого»: «За орловского дворянина Ивана Тургенева, гражданина прекрасной Франции!» (176); «Итак, за здоровье тайного советника Иоганна фон Гёте» (170). И вот — на какой-то миг ему удается объединить всех общим пиршественным настроением («восстановилось веселье», 169), общей творческой формулой —

столь действенной, что все как один начинают пить, «запрокинув головы, как пианисты», сливаясь с «этюдом Ференца Листа "Шум леса", до-диез минор» (165).

Кажется даже, что Веничке удается подняться выше строгой симметрии природных законов, опровергнуть выведенную черноусым ее геометрическую закономерность — «заветную лемму», утверждающую: «Если с вечера, спьяна природа нам "передала", то наутро она столько же и недодаст, с математической точностью» (171). Преследование героя наваждением симметрии продолжается в течение всех перегонов от Храпунова до Орехово-Зуева. Логические конструкции то и дело закручиваются хиастическими параллелизмами: «Нет, эти двое украсть не могли. Один из них, правда, в телогрейке, а другой не спит, — значит, оба, в принципе, могли украсть. Но ведь один-то спит, а другой в коверкотовом пальто» (162). Фразы отражаются друг в друге крест-накрест: «Я все могу понять, если захочу простить <...> Я все прощу, если захочу понять» (164). Образы двоятся бредовой, косой зеркальностью: «...он в жакетке, и она — в жакетке; он в коричневом берете и при усах, и она — при усах и в коричневом берете» (162). Явления сливаются в мерцающем подобии: «никак не могу разобрать, кто отчего пьет: низы, глядя вверх, или верхи, глядя вниз»; все втягивается в симметрические ряды — «баба — лемма», «усы — баба» (171). Но Веничка сопротивляется этому навязчивому мотиву двоения, «голой зеркальности» (171); это-то и замечает черноусый, глядя в «замутненность» глаз своего сотрапезника, познавшего бездны. Подобно былым собутыльникам, укорявшим героя избранничеством (следованием Каину и Манфреду), идеолог в берете тоже исключает его из ряда обычных людей: «А у вас — все не как у людей, все, как у Гёте!..» (171). От навязанной природой человеку леммы Веничку хранит его тайна, скрывающаяся в «замутненности» глаз.

И все же, начиная с Павлово-Посада, «лемма» начинает брать свое: восходящая линия неуклонно переходит в нисходящую. Подъем нового Вальсингама над бездной сменяется все большей тоской, затягивающей его в бездну; единство со всеми и вся — отчуждением. Подъезжая к Назарьеву, он сам, по своей воле ныряет в бред, закругляя вниз свою «лемму». Слом начинается с воображаемого, мюнхгаузеновского травелога Венички, с обретенья им «легкости в мыслях необыкновенной», позволяющей, как в сказке, пересекать любые границы и преодолевать любые расстояния. Но эта сказочная легкость оборачивается нарастающим сплином, путешествие в стиле Мюнхгаузена — путешествием в духе разочарованного Чайльд-Гарольда. Так, к Веничке возвращается то же чувство отторгающего его пространства, что доставляло ему страшную муку в районе Курского вокзала. Тогда он уговаривал себя (используя симметрическую конструкцию): «Если хочешь идти налево <...> иди налево <...> Если хочешь идти направо — иди направо» (124); теперь переводит эту формулу во всемирно-исторический масштаб: «Хочешь идти в Каноссу — никто тебе не мешает, иди в Каноссу. Хочешь перейти Рубикон — переходи» (183). Каносса здесь — символ унизительной сдачи[1], а Рубикон — героической решимости; в своем завиральном путешествии Веничка, впадая в одержимость симметрией, начинает равнодушно приравнивать противоположности. Он не насладился ни достопримечательностями, ни знакомством со знаменитыми людьми; для него что Геркуланум, что Помпеи[2], что Луи Арагон с Эльзой Триоле, что Жан-Поль Сартр с Симоной де Бовуар — все равно. Зеркально повторяя былую ситуацию в ресторане на Курском вокзале, Веничка-изгой и в Сорбонне представляется сиротой из Сибири — и это после того, как «женщина трудной судьбы» предположи-

---

[1] В 1077 император Генрих IV вымаливал в Каноссе прощения у папы Григория VII (см.: Власов. С. 431).

[2] «...В Геркулануме мне сказали: "Ну зачем тебе, дураку, Геркуланум? Иди-ка ты лучше в Помпею". Прихожу в Помпею, а мне говорят: "Далась тебе эта Помпея! Ступай в Геркуланум!.."» (181).

ла о судьбе своего Евтюшкина: «А если до Ростова не доехал и умер, значит в Сибири» (178), причем сам сибирский сирота легко с ней согласился: «А в Сибири — нет, в Сибири не проживешь» (179). Так, подспудно, в Веничкиной речи нарастает чувство обреченности.

После Павлово-Посада и главная тема пира — Эрос — теряет всякую связь с любовью-жалостью и сбивается в медицинскую конкретику: «триппер», «шанкр», «онанизм», «блядовитость». Симметрия в видении Венички становится болезненной: «...Во всех четырех сторонах одни бардаки»; «Все снуют — из бардака в клинику, из клиники опять в бардак» (181). Так назревает скандально-катастрофический финал пира, доведенного до полного абсурда раблезианской гиперболой Семеныча. В этой точке, на подходе к Орехово-Зуеву, встречаются несовместимые жанры — сказки «Тысяча и одной ночи» и «Откровение Иоанна Богослова», рядом оказываются взаимоисключающие модусы сакрального и профанного, эротическая тема достигает обсценного предела, выпитое катастрофически извергается, смещая, путая время и пространство. Здесь амплитуда раскачки «высокого — низкого» доходит до того максимума, после которого Веничкину логику с неизбежностью выбрасывает в алогизм, в параноидальный «самовозрастающий логос» (181). Отныне путешествие и биография Венички продолжатся уже в совершенно других координатах.

ГЛАВА ПЯТАЯ

ВЕНЕДИКТ:
Петушки — Москва

Основной текст поэмы «Москва — Петушки», по-видимому, сложился быстро, за несколько месяцев. Впрочем, уже после написания произведения Ерофеев в течение некоторого времени еще шлифовал его и дополнял разнообразными вставками. В автобиографии 1988 года он рассказывал: «Осенью 1969 года добрался, наконец, до собственной манеры письма и зимой 1970 года нахрапом создал "Москва — Петушки" (с 19 января до 6 марта 1970)» года[1]. Ольга Седакова, однако, вспоминает, что уже на праздновании тридцатилетия Ерофеева в октябре 1968 года она видела «в тетрадке на столе» «первые главы» «Москвы — Петушков»[2]. А «после этого, — продолжает Седакова, — он закончил очень быстро, уже к концу года»[3]. Такую датировку ерофеевского произведения (осень — декабрь 1968 года)

---

[1] *Ерофеев В.* Мой очень жизненный путь. С. 8. То есть почти семь недель. В интервью Н. Черкес-Гжелоньской Ерофеев определяет срок написания «Москвы — Петушков» в пять недель, а в разговоре с В. Ломазовым — всего в две недели. — *О. Л., М. С., И. С.*

[2] Между наукой и поэзией. Беседа с Ольгой Седаковой. Ч. 1. // Polit.ru. 2010. 24 марта. URL: http://www.polit.ru/article/2010/03/24/sedakova/.

[3] Там же.

принять, конечно, невозможно, поскольку блокноты Ерофеева следующего, 1969 года полны подготовительных записей к поэме. Но и позднейшая ерофеевская датировка (19 января — 6 марта 1970 года) выглядит подозрительно по той простой причине, что сразу после окончания «Москвы — Петушков» автор выставил под текстом поэмы другие время года и год: «На кабельных работах в Шереметьево — Лобня, осень <19>69 года» (218). Приведем еще один аргумент в пользу этой ранней датировки — совсем мелкий. Как раз, сообщая в «Москве — Петушках» о праздновании своего тридцатилетия (24 октября 1968 года) Ерофеев указывает, что оно состоялось «минувшей осенью» (152). Так можно было написать, например, в сентябре 1969 года, но не в январе — марте 1970-го, когда в «минувшую» с неизбежностью превратилась осень 1969 года. «Это на самом деле было в 1969 году — абсолютно точно». Так определяет время создания поэмы Борис Сорокин.

«Я работал тогда на кабельных работах, и именно по моей вине вся Россия покрылась телефонными кабелями. И связал Вильнюс с Витебском, а Полоцк с Москвой, но это не минуло литературу, поскольку ей всегда необходим новый язык, со старым языком ничего не будет, а на кабельных работах я получил отличную фольклорную практику», — рассказывал Ерофеев В. Ломазову[1]. Нахождение Ерофеевым «нового языка» («собственной манеры письма») трудно не назвать чудом: пусть сверходаренный, но все же дилетант стремительно преобразился в одного из лучших прозаиков современной ему России. «До "Петушков" я знал: замечательный друг, умный, прелестный, но не писатель. А как прочел "Петушки", <...> тут понял — писатель», — признавался Владимир Муравьев[2]. «"Москва — Петушки" поразили изяществом стиля и неожиданными,

---

[1] *Ломазов В.* Нечто вроде беседы с Венедиктом Ерофеевым // Театр. 1989. № 4. С. 34.

[2] *Ерофеев В.* Мой очень жизненный путь. С. 577.

очень остроумными поворотами мысли, — рассказывает Борис Успенский. — Этим поэма напомнила мне "Сентиментальное путешествие" Стерна»[1].

Что́ тут сыграло главную роль? Многолетние поиски стиля, отразившиеся в прежних сочинениях Ерофеева, а также в его письмах и записных книжках? Ерофеевское постоянное, но выборочное чтение («У него был очень сильный избирательный импульс, массу простых вещей он не читал <...> Он, как собака, искал "свое"», — вспоминал тот же Муравьев)?[2] Случайное и счастливое попадание в нужный тон? Ответа мы не знаем и теперь уже, наверное, никогда не узнаем. Сам автор в интервью 1988 года подчеркивал, что поэма писалась им не как программная и эпохальная вещь, а как забавная безделка для друзей, густо насыщенная сугубо домашними шутками и намеками. «Это был 1969 год. Ребята, которые накануне были изгнаны из Владимирского педагогического института за чтение запретных стихов, допустим, Марины Ивановны Цветаевой, ну, и так далее, они меня попросили написать что-нибудь такое, что бы их, ну, немного распотешило, и я им обещал, — привычно смешивая коктейль из разновременных обстоятельств, рассказывал Ерофеев. — Я рассчитывал всего на круг, ну, примерно двенадцать, ну, двадцать людей, но я не предполагал, что это будет переведено на двенадцать — двадцать языков»[3].

«Я <...> очень долго не могла воспринять это как художественное произведение, я читала как дневник, где все имена знакомые», — вспоминала Лидия Любчикова, вхо-

---

[1] «Духовных учителей у меня не было, а литературные — Стерн, Рабле. А Гоголь — он везде, куда ни сунься», — говорил Ерофеев В. Ломазову (*Ломазов В.* Нечто вроде беседы с Венедиктом Ерофеевым. С. 34).

[2] *Ерофеев В.* Мой очень жизненный путь. С. 577.

[3] Венедикт Ерофеев. Редкие кадры. URL: https://www.youtube.com/watch?v=uJdGxF9yW3g.

дившая в число тех «двенадцати — двадцати людей», для которых была написана поэма[1]. «Он <...> читал нам "Москва — Петушки", но мы не знали, что это книга, думали, что это просто его своеобразный личный дневник», — рассказывает и Вячеслав Улитин[2]. «Когда первый раз, еще в рукописи, я читала "Москва — Петушки", приняла их просто за дневник Венедикта», — вторит им Ольга Седакова, незадолго до этого познакомившаяся с Ерофеевым через Бориса Сорокина. Знакомство состоялось на том самом праздновании тридцатилетия Венедикта, которое описывается в поэме: «...Пришел ко мне Боря с какой-то полоумной поэтессою, пришли Вадя с Лидой, Ледик с Володей. И принесли мне — что принесли? — две бутылки столичной и две банки фаршированных томатов» (152). «Через много лет я его спросила: почему ты меня назвал "полоумной"? — а он сказал: "Я ошибся наполовину"», — рассказывает Ольга Седакова[3]. В другом интервью она сообщает, что при знакомстве с Венедиктом «каждому новичку нужно было пройти экзамен. В моем случае это было требование прочитать Горация на латыни и узнать дирижера, который на пластинке дирижировал симфонией Малера. Не то что я так уж разбиралась в дирижерах и знала всего Малера — просто точно такая пластинка была у меня. Так что я узнала, и меня приняли»[4]. И она же так передает свое первое впечатление от автора поэмы: «Меня (а мне было 19 лет, когда мы познакомились) его свобода от мира (не только от советского) ошеломила. Я думала, что такого не бывает». «Не Толстой, не Платон, не Флоренский, — вспоминает Седакова, — Веничка в это время был для меня Учителем Жизни, и его лозунг "все должно идти медленно и неправильно" или, иначе говоря, "мы будем гибнуть откро-

---

[1] *Ерофеев В.* Мой очень жизненный путь. С. 544.
[2] Интервью В. Улитина А. Агапову.
[3] Между наукой и поэзией. Беседа с Ольгой Седаковой.
[4] *Седакова О.* Венедикт Ерофеев — человек страстей.

венно" я считала единственно честной программой на будущее в окружающих нас обстоятельствах. Будем плевать снизу на общественную лестницу, на каждую ее ступеньку — отдельно. И ничего нам вашего не надо. Мой учитель фортепиано Владимир Иванович с печалью наблюдал за происходящим. И однажды, когда я пришла на занятие в слишком очевидном подпитии, сказал: "Как мне хотелось бы, чтобы рядом с вами оказался взрослый человек!"»[1]

О том, как возник знаменитый жанровый подзаголовок «Москвы — Петушков» Ерофеев в 1988 году сообщил вот что: «Меня попросили назвать это. Ну, хоть как-нибудь. Опять же, знакомая — ведь не может быть, чтобы сочинение не имело бы никакого жанра. Ну, я пожал плечами, и первое, что мне взбрело в голову, было — "поэма". И я сказал: "Если вы хотите, то пусть будет поэма". Они сказали: "Нам один хрен, пусть будет поэма или повесть", но я тогда подумал: поэма»[2]. Про конкретные обстоятельства создания «Петушков» Венедикт тоже рассказывал безо всякого пафоса. «...Зимой 1970-го, когда мы мерзли в вагончике[3], у меня появилась мысль о поездке в Петушки, потому что ездить туда было запрещено начальством, а мне страсть как хотелось уехать. Вот я... "Москва — Петушки" так начал» (из интервью Л. Прудовскому)[4]. Нине Черкес-Гжелоньской Ерофеев поведал о возникновении замысла «Москвы — Петушков» так: «Первым толчком было, что я ехал как-то зимой, рано утром из Москвы в Петушки и стоял в тамбуре. Разумеется, ехал без билета. Ведь я до сих пор не покупаю билет, хотя мне уже пошел

[1] Дар и крест. Памяти Натальи Трауберг / Сост. *Е. Рабинович, М. Чепайтите*. СПб., 2010. С. 77.

[2] Венедикт Ерофеев. Редкие кадры.

[3] «<В> общежитии-вагончике с системой трехъярусных нар» — уточняет Ерофеев в письме Светлане Гайсер-Шнитман (*Гайсер-Шнитман С.* Венедикт Ерофеев «Москва — Петушки», или «The Rest Is Silence». С. 20).

[4] *Ерофеев В.* Мой очень жизненный путь. С. 498–499.

шестой десяток. И вот я стоял в морозном тамбуре. И курил. И курил <...> "Беломор". И в это время дверь распахивается и контролеры являются. И один сразу прошел в тот конец вагона, а другой остановился: "Билетик ваш!" Я говорю: "Нет билетика". — "Так-так-так. А что это у вас из кармана торчит пальто?" А у меня была початая уже, я выпил примерно глотков десять, бронебойная бутылка вермута такая восемьсотграммовая. Но она в карман-то не умещается, и я потерял бдительность и горлышко торчало. "Что это у тебя там?" Я говорю: "Ну, вермут<нрзб>". "А ну-ка вынь, дай-ка посмотреть!" Посмотрел, покрутил... Бульк-бульк-бульк-бульк-бульк-бульк-бульк... <...> "Дальше — беспрепятственно!" И вот после этого началось. Это <было> в декабре 69-го года. Я решил написать маленький рассказик на эту тему, а потом думаю: зачем же маленький рассказик, когда это можно... И потом... из этого началось путешествие»[1]. «Тогда на меня нахлынуло, — объяснял Ерофеев Ирине Тосунян. — Я их писал пять недель и пять недель не пил ни грамма. И когда ко мне приехали друзья и сказали: "Выпьем?", я ответил: "Стоп, ребята, мне до этого нужно закончить одну гениальную вещь". Они расхохотались: "Брось дурака валять! Знаем мы твои гениальные вещи!"»[2]

А вот как история написания «Москвы — Петушков» отразилась в кривом зеркале Вадима Тихонова: поэму «он писал на станции "Железнодорожная"[3] в вагончике. Когда все уехали в отпуск, он там остался сторожить и сидел писал. Я к нему когда приехал, услышал только смех. Захожу, смотрю, сидит Ерофеев и пишет. И смеется. Я ему сказал:

---

[1] Документальный фильм «Моя Москва», режиссер Ежи Залевски, съемка 1989 года. Из домашнего архива Нины Черкес-Гжелоньской.

[2] *Ерофеев В.* Мой очень жизненный путь. С. 515.

[3] Станция по Горьковской железной дороге между Москвой и Петушками. См. главы поэмы «Кучино — Железнодорожная» и «Железнодорожная — Черное». — *О. Л., М. С., И. С.*

— Ну, хватит хохотать, Ерофейчик, уже, пора и серьезным делом заниматься...

— А у тебя что, Вадимчик? — он меня спрашивает.

— А у меня идея есть.

— Какая идея?

— Надо выпить!»[1]

Нужно, тем не менее, отметить, что в разговоре с друзьями Ерофеев назвал «Москву — Петушки» «гениальной вещью» вполне ответственно и осознанно. Просто гениальность в представлении Ерофеева вырастала не из звериной насупленной серьезности, а из дуракаваляния и домашней шутливости. Именно с учетом этого обстоятельства нужно воспринимать следующее свидетельство Елизаветы Горжевской: «Он никогда не изображал из себя гения, у Венички этого никогда не было». В ерофеевской поэме были сознательно подхвачены традиции анекдота и легковесной застольной болтовни, хотя сводить «Москву — Петушки» только к этой традиции, разумеется, было бы глупостью.

И тут самое время обратить внимание на как бы мимоходом и неуверенно оброненное Ерофеевым в интервью число близких друзей, для которых писалась поэма, — двенадцать. Комментарием к этому числу может послужить следующий фрагмент из ерофеевской записной книжки 1973 года: «Христа (как следует) знали 12 человек, при 3 с половиной миллионах жителей земли, сейчас Его знают 12 тысяч при 3,5 миллиардах. То же самое»[2]. «Такая своеобразная апостольская группа. Христос и апостолы. Такой вот кружок своеобразный», — описывает взаимоотношения Ерофеева и его владимирского окружения Вячеслав Улитин[3]. «Эта компания вокруг него — это как бы его ученики, его апостолы были», —

---

[1] Документальный фильм «Москва — Петушки».
[2] *Ерофеев В.* Записные книжки. Книга вторая. С. 70.
[3] Интервью В. Улитина А. Агапову.

определяет взаимоотношения Ерофеева с «владимирцами» и Евгений Попов. Отчетливо евангельские мотивы звучат и в описании Игорем Авдиевым последствий встречи с Ерофеевым: «Я оставил дом, я оставил институт, я просто пошел за ним и потом не расставался до сáмой буквально смерти его»[1]. Осторожное и ненавязчивое, почти игровое самоотождествление с Христом, которое легко выявляется в «Москве — Петушках», как представляется, многое объясняет в особенностях поведения Ерофеева конца 1960-х — начала 1970-х годов. «Я с каждым днем все больше нахожу аргументов и все больше верю в Христа. Это всесильнее остальных эволюций», — записал он в блокноте того же 1973 года[2]. «“Москва — Петушки” — глубоко религиозная книга, — утверждал Владимир Муравьев и вслед за этим спешил прибавить: — ...но там он едет, во-первых, к любовнице, а во-вторых, к жене с ребенком. И что, он раскаивается? Да ему это в голову не приходит»[3].

Теперь вернемся к истории написания и распространения текста поэмы. «Помню, принес он как-то тетрадку. (Мы встречались у Кобяковых — это наш однокурсник), — вспоминал Муравьев. — И вот Веничка пришел и объявил мне, что он написал забавную штуку. “Вот, если хочешь, посмотри, пока пошел покурить”. Это была “Москва — Петушки”. Я ему сказал тогда: “Сейчас ты ее обратно не получишь”. — “Как не получу? А я обещал ее во Владимире, Орехово-Зуеве, Павлове-Посаде”. — “А я ничего не обещал, у меня совесть чиста перед всем Владимиром. Я на чужую собственность не покушаюсь. Когда это будет перепечатано, получишь обратно”. Я тогда посмотрел несколько мест и увидел, что это не исповедальная проза, не любительская, а уже работа. Тогда, конечно, о ксероко-

[1] Радиопрограмма «Говорит Владимир».

[2] *Ерофеев В.* Записные книжки. Книга вторая. С. 64.

[3] *Ерофеев В.* Мой очень жизненный путь. С. 574.

пии и речи не было. И я договорился с женой Левы Кобякова перепечатать — лучше всего к завтрему. Хотя тогда и речи не было о том, чтобы заплатить. И она напечатала. А Венька исчез. Когда приехал, злобно меня спросил: "Где тетрадка?" — на что я с торжествующим видом сказал: "Вот она"»[1].

Жена Льва Кобякова Римма Выговская рассказывала про обстоятельства первой перепечатки «Москвы — Петушков» чуть-чуть по-другому, чем Муравьев: «Венька говорит: "Я сяду и буду сидеть рядом!", я говорю: "Фиг-то! Если ты будешь сидеть рядом, я ничего не напечатаю". Всю ночь печатала, и в восемь утра раздался звонок в дверь. Этот гад Ерофеев пришел, отобрал у меня рукопись и все мое напечатанное. Но перед этим мы со Львом Андреевичем шестой экземпляр притырили»[2]. Еще один вариант воспоминаний Выговской помещен в книге мемуаров о Ерофееве: «Я тогда работала машинисткой в издательстве "Физматгиз", вот Володя и приехал ко мне с просьбой перепечатать поэму. Причем вредный Венька соглашался оставить рукопись (а это была большая тетрадь, типа конторской, в коричневом переплете) только до утра. Уложив детей (двух и пяти лет) спать, я села за машинку. Гостей выставила вон, чтобы не мешали, а дети привыкли спать под стук моей машинки <...> ...я села "немного поработать" и печатала всю ночь. Венедикт словно под дверью стоял: явился через полчаса, как я перестала стучать на машинке. Володя попросил меня сделать 5 экземпляров, я, конечно же, сделала для себя шестой, на папиросной бумаге. Венька потом долго ругал меня за большое количество опечаток. Но ведь я напечатала поэму за 8, причем ночных, часов, после целого дня работы на этой же машинке.

---

[1] *Ерофеев В.* Мой очень жизненный путь. С. 575–576.
[2] Телепрограмма «Путешествие из Москвы в Петушки. К 75-летию Венедикта Ерофеева». URL: https://www.youtube.com/watch?v=ZMyRKO7f10s&t=95s.

А норма тогда у машинисток была 32 страницы в день. Позже Володя сказал мне, что именно мой экземпляр рукописи был отправлен за границу»[1].

Однако прежде чем попасть за границу, копии, перепечатанные Риммой Выговской, а также коричневая тетрадка с текстом поэмы с легкой руки Владимира Муравьева и самого́ Ерофеева пошли гулять в самиздате. Еще до первой публикации «Москву — Петушки» многократно перепечатали, переписали от руки, а многое из поэмы успело войти в пословицы. «Он привез отпечатанные на машинке листы — "Москву — Петушки", — вспоминала Тамара Гущина. — Сначала я все смеялась, потом уже плакала в конце. По-моему, там даже тогда еще не было названия "Москва — Петушки", а просто листы отпечатанные. Я говорю сестре: "Нина, какой талант все-таки у Венедикта! И как жалко, что опубликовать-то это все нельзя"»[2]. «В 1969 году Муравьевы дали мне почитать "Москву — Петушки", — писала Наталья Трауберг. — Конечно, это было не только общественно-идеологическое, но и литературное событие. На Западе "братьями" Ерофеева могли <п>оказаться писатели из числа "рассерженного поколения", но, конечно, только "младшими братьями", потому что рядом с Веней они просто мальчишки со скверными характерами»[3]. «Я Шукшину дала, я ему перед самой его смертью дала, он успел прочитать, и мне потом передали, что он сказал, что это очень талантливо», — сообщает Светлана Мельни-

---

[1] Про Веничку. С. 51–52. На всякий случай напомним, что самиздат в СССР часто изготовлялся при помощи закладывания в печатную машинку пяти листов бумаги, переложенных копиркой (шестая копия получалась уже неотчетливой). Однако использование папиросной бумаги увеличивало количество закладок до семи или восьми.

[2] Острова.

[3] Про Веничку. С. 82–83. Сравните в блокноте Ерофеева 1973 года ироническую запись о британских писателях «рассерженного поколения»: «"Сердитые молодые люди", в том числе старички уже Джон Уэйн ("Спеши вниз") и Джон Осборн ("Оглянись во гневе")» (*Ерофеев В.* Записные книжки. Книга вторая. С. 64).

кова[1]. Филолог Андрей Зорин со слов поэта Олега Чухон-
цева рассказывает, что создатель концепции карнаваль-
ной культуры, литературовед и мыслитель Михаил Бахтин «с восхищением принял ерофеевскую поэму и даже
сравнивал ее с "Мертвыми душами". Бахтина, однако, решительно не устраивал финал "Москва — Петушки", в котором он видел "энтропию"»[2].

«Этот единственный экземпляр, который приносили
его друзья — он был всегда окружен их компанией, — мы
зачитывали вслух в курилке (филологического факультета МГУ. — *О. Л., М. С., И. С.*), — рассказывает Ольга Седакова. — Все это началось с одного экземпляра, написан-
ного от руки в общей тетради в 48 листов <...> Все стали
сразу читать, списывать; мы с Ниной Брагинской, наверное, два раза делали копии на машинке. Хотелось не
только читать, хотелось другим раздавать, хотелось всем
этим делиться. Это был шаг свободы немыслимой — между тем настроением, в котором было общество, и совершенно свободной позицией повествователя в "Петушках". Кроме того, это было блестяще написано, с тем бле-
ском, который к тому времени был забыт в русской
литературе»[3].

---

[1] *Ерофеев В.* «Я бы Кагановичу въехал в морду...»

[2] *Зорин А.* Опознавательный знак // Театр. 1991. № 9. С. 121.

[3] Между наукой и поэзией. Беседа с Ольгой Седаковой. Ч. 1. О судьбе рукописи «Москвы — Петушков» Седакова рассказала нам следующее: «Как-то Веня забыл у меня эту тетрадку (она все время исчезала
и появлялась): он нес ее, чтобы кому-то загнать — за бутылку-другую.
Текст уже был и опубликован за рубежом, и многократно переведен
(кстати, вступительные статьи к переводам мне часто случалось ему
переводить). И я решила приберечь ее для Венички-младшего. Я его
увидела мальчиком лет 10–12, робким, деревенским, боящимся выйти на балкон. И подумала: вот, будет ему наследство. А на всякий случай передала тетрадку моей подруге О. Скударь, чтобы при случае,
если спросит, сказать не моргнув: "Клянусь, в моем доме ее нет!" Через довольно много лет, когда я узнала, что младший Веничка тоже
спивается, я решила тетрадку вернуть: сами пусть разбираются.
И отдала. Это был конец 80-х».

Приведем здесь и несколько ответов на заданный нами тогдашним читателям вопрос: «Когда и при каких обстоятельствах вы впервые познакомились с "Москвой — Петушками"?»

Нина Брагинская: «Одну из копий тетрадки с поэмой "Москва — Петушки" перетюкивала на машинке я и отдала Вене, Оле Седаковой, себе оставила, Аверинцеву дала почитать»; Анна Шмаина-Великанова: «Нам принес домой на Зубовский бульвар Володя Муравьев собственноручную машинопись. Июнь 1970»; Габриэль Суперфин: «"Москва — Петушки" — меня это потрясло, они читались одновременно и Котрелевыми, и в доме Якиров»; Александр Шайкин: «У Жени Костюхина был экземпляр (4-я копия из машинописной закладки), напечатанный самим Веней. Женя гордился, что у него "авторский" экземпляр. Веня целый год учился вместе с Женей и Володей Муравьевым в МГУ, потом его выперли, то ли из-за курса "Истории КПСС", то ли военная кафедра постаралась. Но дружбу они сохранили. Женя нам вслух читал Веню (он отлично читал, и вслух Веня еще интереснее, как, например, Гоголь вслух намного лучше чтения глазами), ну а потом уже были машинописные копии, потом и какие-то издания появились...»; Георгий Елин: «В 1970-м, когда работал художником на военной киностудии. Мы тогда на работе читали вслух разные "подпольные" книжки — от "Некрополя" Ходасевича до "Лолиты", — и когда мне в руки попала слепая машинописная копия Ерофеева, я не смог не поделиться с коллегами»; Маша Слоним: «Начало 1970-х, 1971? Читали вслух со слепой рукописи в квартире Грибанова — Одаховской, валялись от смеха, потом составляли коктейли, в доме был французский лосьон, но не от потливости ног, мерзкий на вкус, но самые преданные почитатели таланта (я в том числе) пили!»; Галина Ельшевская: «Прочитала сразу после того, как она была написана. Год примерно 1971–72, переплетенная машинопись с рукописными пометками автора, дал Марк Фрейдкин. Ее немедленно сперли, дом был не дом, а проходной двор. Я бы себя убила за такое, а Марк простил и даже не ругался»; Валентина Голубовская: «В 1972. Машинописные странички. Сразу вошло в нашем кругу "Слеза комсомолки" и многое другое»; Юлий Ким: «Про Москву с Петушками я прочел году в 1972-м, в самиздате еще, и сразу подумал: "Гоголь!" Потому что "Мертвые души" — поэма и "Петушки" — поэма. От восторга я даже сочинил стихи, которые заканчивались так:

Ах, Веня! Где же наш журнал?

Да вот он: ручка и бумажка,

Да сам-третей поэт-бедняжка.

Не-член. Не-профессионал.

Журнал назвали так уныло

Жестяным словом "самиздат".

Тут ход историьи виноват.

Пиздец. Начальство утвердило.

Зато корысти никакой,

Окроме гордости и чести.

Плетнева просьбами не ести

И к Бенкендорфу ни ногой.

И Бенкендорфу полный рай

Без суеты хватать за жопу

Нетитулованную шоблу

И отправлять в далекий край:

Кого — в Сибирь, кого — в Европу.

А деньги...

Деньги — денюжки-и...

Ах, Веня! Кто оценит слово

Поэта? Деньги — пустяки:

Хоть десять тыщ за "Годунова",

Хоть с маслом шиш за "Петушки"».

Лев Рубинштейн: «Я прочитал "Петушки" то ли в 1972-м, то ли в 1973 году, в Москве, в самиздате, разумеется. Помню, что однажды листочки из основательно потрепанной папки рассыпались в вагоне метро. Поздно вечером. И какой-то не очень трезвый, но дружелюбный дядька помог мне их собрать, совершенно не поинтересовавшись, что же на этих листках такого было. А ему-то зачем? Бумажки и бумажки...»; Сергей Иванов: «В 1973-м на филфаке МГУ самиздатную рукопись дал почитать однокурсник Андрей Зорин. В обмен на "Николая Николаевича" Алешковского. Помню, в момент обмена (на "Большом Сачке")[1] подошла Наташа Нусинова и полюбопытствовала: "Что это у вас?" На что Зорин одними губами произнес: *Forbidden!*"[2]»; Виктор Матизен: «Году в 1973-м или 1974-м в новосибирском академгородке, знакомый привез из Москвы подслеповатую машинописную копию. Читали вслух и взахлеб»; Софья Богатырева: «Поэму "Москва — Петушки" в моем поколении и моем кругу знали чуть ли не наизусть, растащили на цитаты, которыми щеголяли к месту и не к месту. "И немедленно выпил" заметно повысило потребление алкоголя в нашей компании, "коса до попы" почиталось завидным комплиментом женской красоте, даже если вместо косы имела место короткая стрижка, "иду-иду, а Петушков все нет и нет" бормотали себе под нос по дороге к метро и т. д. и т. п.».

Соответственно, и воспринимался теперь Венедикт теми, кто его впервые встречал, уже не просто как «умный, прелестный» человек, а как автор прославившейся в самиздате поэмы. «Я познакомился с Ерофеевым в Пасху 1970 года на квартире Андрея Петяева во Владимире, — вспоминает Андрей Архипов. — Мы (несколько друзей) в тот же день прочитали вслух "Москву — Петушки" по рукописи (тетрадка в клетку в 96 страниц, исписанная от первой до последней клеточки), а Ерофеев дремал

---

[1] От «сачковать», место на первом этаже Первого Гуманитарного корпуса МГУ, где встречались и проводили свободное время студенты этого заведения. — *О. Л., М. С., И. С.*

[2] Запрещенное (*англ.*). — *О. Л., М. С., И. С.*

в другой комнате. Понятно, что первое впечатление было скорее от книги, чем от человека»[1]. «В пору создания "Петушков" личного знакомства не было, но были общие знакомые, общая среда зачинавшегося самиздата и диссидентства, и юноши-отроки из близких семейств были первыми размножителями на машинке "Петушков", "Моих показаний" Толи Марченко и т. п., — а я был среди первых читателей, — пишет философ Сергей Хоружий. — Единственная личная встреча. Имеет точную дату числа и месяца, но без года (около 1970-го?). Я — в гостях у малознакомых молодых людей из диссидентской среды. Хозяин Павел занимается переправкою в Израиль русейших людей, членов старинной секты иудейского толка в глуши Воронежской губернии, снимает полуподвальную комнатку где-то на Первой Мещанской, которая еще не Проспект Мира. Окно — в большой двор, время, как мне кажется, — ближе уже к утру, рассвет брезжит, — и в неверном его свете мы видим, как по пустынному двору с другого конца в нашу сторону мерно шагает высокая фигура, близится, пригибается и вступает в наше окно. То был он — высокий, красивый, с хорошими манерами. В компании, помнится, говорил в основном со мной, но я тем разговора, увы, не припоминаю вовсе. Думаю — о литературе, политики оба мы не любили, а тут общность вкусов явно была. Вероятно, и о философии, о чем говорит плод встречи. Вот его инскрипт на книге О. Шпенглер. "Причинность и судьба" (Пб., 1923): "Сергею Хорунжему дарю за полтора червонца этого гнусного апологета неметчины вече-

___

[1] Об одном из этапов судьбы этой тетрадки вспоминает Валентина Филипповская: «...ко мне пришел Владик Цедринский с самиздатовским томом Мандельштама и с коричневой общей тетрадкой, в которой на каждой строчке мелким почерком был написан текст. Это и была рукопись "Москвы — Петушков". Владик попросил похранить этот том и рукопись Венечки у меня дома. Так что какое-то время рукопись "Москвы — Петушков" хранилась в нашем доме, тогда-то я ее и прочитала впервые. А потом я отдала ее Владику и Боре Сорокину».

ром 27/VII, в надежде утром 28/VII опохмелиться на полтора червонца. В. Ерофеев”».

До абсурда ситуацию знакомства со «знаменитым автором “Москвы — Петушков”», по обыкновению, довел гаер Тихонов. Ерофеев рассказывал Л. Прудовскому: «Я, допустим, сижу во Владимире в окружении своих ребятишек и бабенок, и вдруг мне докладывает Вадя Тихонов: “Я познакомился в Москве с одним таким паразитом, с такой сволотою”. Я говорю: “С каким паразитом, с какой такой сволотою?” Он говорит: “Этот паразит, эта сволота сказала мне, — то есть Ваде Тихонову, — что даст... уплатит 73 рубля (почему 73 — непонятно) за знакомство с тобою”. То есть со мною. Ей богу»[1]. Речь Тихонов вел о литераторе и известном богемном человеке Славе Лёне[2]. «То есть Лён прочел “Петушки”», — уточняет далее Прудовский. «Ну да, — отвечает Ерофеев. — Я удивился, а Лёну поэт Леонид Губанов[3] сказал: “Вот если Вадя Тихонов, который хорошо с ним знаком...” — вот тогда он и залепился со своими 73 рублями»[4]. Игорь Авдиев вспоминал, что подобные знакомства предприимчивый ерофеевский оруженосец поставил на поток: «После успеха поэмы Тихонов стал “продавать Ерофейчика” направо и налево. Стоило Венедикту появиться у Тихонова на Пятницкой улице, как “продавец” начинал раззванивать по Москве: “Хотите Ерофеева — тащите семь бутылок, познаком-

---

[1] *Ерофеев В.* Мой очень жизненный путь. С. 499.

[2] «Слава Лён нежно любил Венедикта Ерофеева и всячески помогал ему в жизни. Устраивал его к врачам, деньги ему давал», — свидетельствует Евгений Попов. Попову вторит Елизавета Горжевская: «Слава Лён очень ему помогал и делал всё, чтобы Венедикта узнали. Нам нужно быть за это Славе благодарными».

[3] О биографических пересечениях Ерофеева с Губановым (при специфических обстоятельствах) рассказывает психиатр Андрей Бильжо: «Однажды Ерофеев лежал в Кащенко одновременно с Леней Губановым, но интересно, что они держались в стороне друг от друга. Мне это было как-то странно: мне казалось, что они должны были быть близки друг к другу». — *О. Л., М. С., И. С.*

[4] *Ерофеев В.* Мой очень жизненный путь. С. 499.

лю...» <...> Таковы были самые первые и, пожалуй, самые весомые гонорары в небогатой издательской практике Венедикта»[1].

Рассказывая о хождении поэмы в самиздате, многие упоминают такой способ ее распространения, как чтение вслух. Настоящим подвижником выступил друживший с Венедиктом поэт Александр Величанский, который, по свидетельству его вдовы, Елизаветы Горжевской, читал «Москву — Петушки» «в разных гостях более восемнадцати раз. Целиком». Именно так с «Петушками» впервые познакомился поэт Юрий Кублановский: «Где-то на рубеже 60–70-х Саша Величанский — славный, неосвоенный по сегодня поэт — вдруг за бутылкой-другой начал читать вслух никому еще тогда не известные "Москва — Петушки". Начал засветло, а закончил уже ближе к ночи. А мы завороженно слушали и дослушали, "не наблюдая часов". В самиздате много уже чего ходило тогда. Но такого жанра, такого головокружительного бурлеска — не встречалось. Так "Москва — Петушки" впечатались у меня в сознание с жуткой кафкианской концовкой — в устном Сашином исполнении. Многие в Москве сочли эту вещь гениальной, я бы назвал ее — *несравненной*. Об авторе ходили самые разные слухи. А с годами его имя стало казаться мне чуть ли не псевдонимом».

Многие из тех, кому довелось познакомиться с Ерофеевым близко, говорят и пишут, что его главное произведение все же не дает репрезентативного представления о масштабе личности автора. «Конечно, Ерофеев был больше своих произведений», — свидетельствовал Владимир Муравьев[2]. «...Все мы, друзья молодости, любили его не как знаменитого писателя, а как прелестного (именно!), обаятельнейшего, необычайно притягательного че-

---

[1] *Авдиев И.* Одна страничка из «Книги судьбы» // Новое литературное обозрение. 1998. № 29. С. 279.

[2] *Ерофеев В.* Мой очень жизненный путь. С. 585.

ловека, — вспоминала Лидия Любчикова. — Мы очень чувствовали его значительность, он был для нас значителен сам по себе, без своих писаний»[1]. «Конечно, мне эта вещь понравилась, но честно скажу: я как-то мысленно не очень соединял автора и его произведение, — говорит о "Москве — Петушках" Марк Гринберг. — Впечатление, которое производил сам Венедикт, и влияние, которое он оказывал на окружающих, были — в моем случае, — более сильными, чем влияние "Петушков"». «Для меня образ Вени, каким я его помню, совершенно заслоняет его книги или, вернее, книги неотделимы от этого образа (хотя речь там идет о том времени, когда мы не были знакомы)», — рассказывает Людмила Евдокимова. «Я бы сказал так, что сам по себе Веня был гораздо интереснее, чем его лирический герой», — говорит Сергей Шаров-Делоне.

Однако в сознании большинства читателей фамилия «Ерофеев» прочно связалась именно с «Москвой — Петушками», и эти читатели с нетерпением ждали повторения и закрепления успеха в других произведениях автора поэмы. Подобные ожидания сильно фрустрировали Ерофеева. Ведь «Москва — Петушки» создавалась легко и безо всякого внешнего нажима, «нахрапом», почти по наитию. В 1989 году Александр Кроник спросил Ерофеева: «Веничка, а ты имел какой-либо план "Москвы — Петушков", как-то обдумывал заранее сюжет, персонажей, последнюю сцену?»[2] «Ерофеев подумал, поднес к скуле свой аппаратик, — продолжает Кроник. — Сквозь шипенье раздался монотонный металлический "голос": "Я выехал из Москвы и двигался от станции к станции, не представляя, что меня ждет на следующей. Вся поэма написана хоть и не за один день, но на одном дыхании, никакого плана и сюжета у меня не было"»[3].

---

[1] *Ерофеев В.* Мой очень жизненный путь. С. 544.

[2] Свой круг. Художники-нонконформисты в собрании Александра Кроника. М., 2010. С. 43.

[3] Там же.

А теперь Ерофееву пытались внушить, что он обязан «творить» и «оправдывать надежды». «Ему захотелось это написать, и он написал. И сразу прославился, — говорит Борис Успенский о феномене ерофеевского главного произведения. — "Петушки" стали все читать, цитировать... И дальше он писал, может быть, уже не по внутренней потребности, а по внешней». «Возможно, ему недоставало самоуверенности, уверенности в своей гениальности, а значит, в праве на ошибку, неудачу, повтор», — осторожно предполагает Елена Игнатова[1]. «Рукописи "Петушков" разошлись мгновенно, и я стал известен, правда, в очень узких кругах, <...> — рассказывал сам Ерофеев В. Ломазову. — <П>исать после "Петушков" было психологически трудно, я боялся повтора»[2].

«Насколько я мог наблюдать Ерофеева, его "характер", манера говорить, позы, "ухватки" казались неизменными, — вспоминает Андрей Архипов. — Другое дело — "исторические перемены", может быть, и не менявшие характера, а скорее наслаивавшиеся на него. Важнейшая такая перемена произошла, как мне кажется, когда он стал "знаменитостью". У него существенно расширился и изменился круг друзей (или знакомых). Он стал — я думаю, поддаваясь пожеланиям новой среды, — больше думать о себе как о писателе, то есть как о том, кто может и должен писать на регулярной основе, а не оставаться создателем единственного произведения, по сути дела и не литературного. Может быть, это только мне трудно представить себе место "Москвы — Петушков" в "поле литературного производства"? А вот дальнейшая ерофеевская продукция уже вполне литературная. Я думаю, что превращение в писателя несколько упрощало Ерофеева (в смысле леонтьевской "вторичной простоты", "вторичного смешения", нивелировки), делало его

---

[1] *Игнатова Е.* Венедикт. С. 192.
[2] *Ломазов В.* Нечто вроде беседы с Венедиктом Ерофеевым. С. 34.

"одним из", а не просто "одним". Когда я говорю о нелитературности "Москвы — Петушков", я не имею в виду каких-либо поэтических несовершенств, а только то, что эта поэма была создана вне литературы, стояла вне литературы и вольно или невольно бросала на литературу тень сомнения. А вот позднейшие его вещи — это литература, продукция».

По-видимому, из страха перед писательской немотой склубился рассказ Ерофеева о якобы почти законченном им, но утерянном в нетрезвом состоянии романе под названием «Шостакович». «Димитрий Шостакович» <...> это <...> тоже что-то вроде поэмы в прозе. И даже манера повествования примерно смахивала на "петушинскую"», — так Ерофеев определил стиль и жанр произведения в разговоре с Ниной Черкес-Гжелоньской[1]. Л. Прудовскому Венедикт рассказывал о содержании «Шостаковича» и обстоятельствах его пропажи следующим образом: «...как только герои начали вести себя, ну... как сказать... Вот, у меня этот прием уже украден — как только герои начали вести себя не так, как должно, то тут начинаются сведения о Дмитрии Дмитриевиче Шостаковиче. Когда родился, кандидат такой-то, член такой-то и член еще такой-то Академии наук, почетный член, почетный командор легиона. И когда у героев кончается этот процесс, то тут кончается Шостакович и продолжается тихая и сентиментальная, более или менее, беседа. Но вот опять у них вспыхивает то, что вспыхивает, и снова продолжается: почетный член... Итальянской академии Санта-Чечилия и то, то, то, то... И пока у них все это не кончается, продолжается ломиться вот это. Так что Шостакович не имеет к этому ни малейшего отношения <...> Все это было в сетке. Я могу назвать точно — вот это знойное самое лето. 72-й год. Знойное лето под Москвой.

---

[1] Документальный фильм «Моя Москва», режиссер Ежи Залевски, съемка 1989 года. Из домашнего архива Нины Черкес-Гжелоньской.

Я когда увидел пропажу, я весь бросился в траву, и спал в траве превосходно»[1].

«Надо знать, чем для Ерофеева был Шостакович, чтобы понять важность утраченной "книги" о нем, — пишет Андрей Архипов. — Надо было видеть заигранную до дыр пластинку 8-й симфонии. Я слышал, не помню от кого, как Ерофеев обучал Любчикову любви к Шостаковичу: он сажал ее в Мышлине на печку, с которой слезть она не могла (инвалидность лишала ее нужного тут проворства), и сто раз заставлял ее прослушать одно и то же место из 8-й. Для Ерофеева Шостакович был тем, кто сам знал "неутешное горе". 8-я симфония — это и тревога, и ожидание беды, и страх, и умирание, и оплакивание и других, и себя».

Рукописи «Шостаковича» до сих пор не найдены, что, вместе с отсутствием у автора видимых попыток его восстановить, заставляет заподозрить очередную ерофеевскую мистификацию. После смерти Ерофеева Владимир Муравьев, которому писатель доверял и с которым почти всегда советовался, отрезал: «Всё это ерофеевские фантазии. Не было никакого романа "Шостакович", никогда не было! А вам он мог что угодно наплести»[2]. «Никакой руко-

---

[1] *Ерофеев В.* Мой очень жизненный путь. С. 502–503. А вот как Ерофеев рассказывал об обстоятельствах пропажи рукописи Нине Черкес: «Она <была> черновая, мне надо было ее переписать набело. Все это было завернуто в газету, а вне газеты лежали три бутылки вина. <...> Я уснул. <...> Мне надо было выходить в Электроуглях или в Купавне — не помню. Но я проснулся в Москве. Стоит поезд уже, загнанный в тупик, свет погас. А у меня на пальце висела эта сетка. И я просыпаюсь, у меня палец на месте — как он был в таком положении и есть (*показывает загнутый палец*), а на пальце ничего нет. <Э>то был вечер поздний, вечер воскресенья, когда все магазины были уже закрыты и народ соблазнился вином, конечно же. А все остальное просто выкинули как ненужное». (Документальный фильм «Моя Москва», режиссер Ежи Залевски, съемка 1989 года. Из домашнего архива Нины Черкес-Гжелоньской.)
[2] *Тосунян И.* Загадки Венедикта Ерофеева // Литературная газета. 2002. 9 октября — 15 октября.

писи романа "Шостакович" не существовало, только несколько наметок», — уточнила эти слова Муравьева в разговоре с нами Ирина Тосунян. С Муравьевым, однако, согласились не все. Рассказывает Сергей Шаров-Делоне: «Насколько я знаю от Вени, "Шостакович" был. И я ему говорил: "Веня, а написать еще раз?" А он мне: "Невозможно. Я его неделю писал и ржал. И я даже боялся, что соседи на меня пожалуются". А жил он в какой-то коммуналке в этот момент — это было еще до переезда их на Флотскую. Он говорил, что забил на работу, ходил, ржал и писал. Он написан был за неделю. И такое нельзя повторить».

Сам Ерофеев в автобиографии писал, что «Шостакович» создавался «с 3 февр<аля> 72 г<ода> по нач<ало> апреля 72 г<ода>», а несколько «почти клятвенных заверений восстановить оказались неисполнимо вздорными: т. е. сюжет и буффонада еще по силам, а все остальное — нет»[1]. «Он его все-таки писал, — полагает и Борис Сорокин. — И рассказывал мне некоторые вещи. Он мне говорил: "Я, Сорокин, задумал одну вещь. Я прочитал Муравьеву два листа, он захохотал и бросился к машинке печатать". И еще он мне сказал: "Сорокин, ты меня прости, я хотел посвятить «Шостаковича» тебе, но Муравьев сказал, что надо продолжать традицию и посвятить «любимому первенцу»"». "Шостакович", во всяком случае, писался Ерофеевым, это ясно. Вряд ли он стал бы все это выдумывать». А Игорь Авдиев даже утверждал, что «в электричке и во Владимире, в доме Андрея Петяева» Ерофеев читал ему «гладкий, законченный текст» произведения, «потерянный на обратном пути» в Москву, — «общую тетрадь, исписанную каллиграфическим почерком»[2].

Мы, тем не менее, вслед за Муравьевым склонны считать, что «Шостаковича» в виде законченного текста ни-

[1] *Гайсер-Шнитман С.* Венедикт Ерофеев «Москва — Петушки», или «The Rest Is Silence». С. 21.

[2] *Авдиев И.* Одна страничка из «Книги судьбы». С. 279.

когда не существовало, а легенда о нем была придумана Ерофеевым для гипотетического пополнения своей не слишком обширной библиографии[1]. Бесспорно, впрочем, и то, что замысел такого произведения у Венедикта был — в его дневниковых записях, сделанных за четыре года до смерти, находим аккуратно выписанные в столбик награды, звания и прочие отмеченные достижения композитора[2].

В тот период, когда вызревали и писались «Москва — Петушки», Ерофеев был, что называется, на подъеме. 31 июля 1969 года он подвел промежуточный итог еще одного своего творческого проекта — занес в записную книжку вариант списка русских модернистов для антологии отечественной поэзии начала XX века, составлявшейся им в течение многих лет. Этот список знаменательно включал в себя 100 фамилий. Наряду с широко известными авторами в него входили стихотворцы второго и третьего ряда, которых знали тогда лишь знатоки: Иван Рукавишников, Юрий Верховский, Юрий Сидоров, Александр Измайлов и многие другие[3]. «...Я влюблен во всех этих славных серебряновековых ребятишек, — в 1982 году напишет Ерофеев в эссе "Саша Черный и другие", — от позднего Фета до раннего Маяковского, решительно во всех, даже в какую-нибудь трухлявую Марию Моравскую, даже в суконно-камвольного Оцупа. А в Гиппиус — без памяти и по уши»[4]. По-видимому, упоминание фамилий полузабытых и забытых поэтов было для Ерофеева не только родом эстетического и фонетического наслаждения

---

[1] Согласен с Муравьевым и Пранас Яцкявичус (Моркус): «Запомнились макферсоновские "Песни Оссиана", из которых Ерофеев, любитель всяческих мистификаций, создал прелестную легенду о потерянной рукописи романа "Шостакович". Он ничего не терял» (Про Веничку. С. 63).

[2] Личный архив В. Ерофеева (материалы предоставлены Г. А. Ерофеевой).

[3] См.: *Ерофеев В.* Записные книжки 1960-х годов. С. 612–615.

[4] *Ерофеев В.* Мой очень жизненный путь. С. 322.

и своеобразного ребяческого хвастовства, но и вполне серьезным делом — он всегда испытывал острый и жалостливый интерес к незаслуженно и заслуженно обойденным. Был в этом и вызов по отношению к тогдашней интеллигентской моде на «большую четверку» Серебряного века — Ахматову, Мандельштама, Пастернака и Цветаеву. «Прекрасно знал поэзию, мог цитировать наизусть очень много; здесь тоже происходило соревнование, — вспоминает Людмила Евдокимова. — Игорь Северянин — всего наизусть. Козьма Прутков. Но не цитировал, сколько помню, поэзию интеллектуальную, так сказать, "заумную", типа Мандельштама (хотя все мы тогда уже постоянно читали его стихи в сам- и тамиздате)». Но приведем здесь и свидетельство Ольги Седаковой, показывающее, что по крайней мере одного поэта из «большой четверки» Ерофеев ценил чрезвычайно высоко: «Русскую поэзию он мог читать наизусть часами. И выбор его бывал для меня удивительным. По-моему, он помнил километры стихов Северянина. И Саши Черного. Кажется, его действительно любимым поэтом была Цветаева. Однажды на вопрос о любимом писателе он ответил: "Данте и Хармс"[1]. Впрочем, в другой раз он мог ответить и по-другому»[1]. «Олей-

---

[1] Занятную историю о Ерофееве и Хармсе рассказывает видный специалист по творчеству поэтов ОБЭРИУ Михаил Мейлах: «В конце 1970-х годов мы вместе с Володей Эрлем готовили первые полные издания Введенского и Хармса по их рукописям из архива Я. С. Друскина. В тот самый момент, когда мы решали, следует ли писать, как у Хармса в рукописи, "дней котыбр" или, учитывая его аграфию, "дней катыбр", раздался телефонный звонок, и девичий голос произнес: "С вами будет говорить Веничка Ерофеев". Я немного удивился — чем бы я мог привлечь внимание автора "поэмы" "Москва — Петушки", которой зачитывалась в то время вся страна и которая по всенародной популярности могла соперничать только с песнями Высоцкого. Потом была долгая пауза, затем в трубке обозначился некоторый шум, соответствующий, очевидно, не совсем гладко прошедшей передаче ее знаменитому писателю, каковой, не тратя времени на такие условности, как приветствия, голосом, исключающим какие-либо возражения и свидетельствующим о присутствии

ников — это его просто любимый был поэт, — свидетельствует Сергей Филиппов о симпатиях Ерофеева к поэтам
обэриутского круга. — И Александр Введенский: "Елка
у Ивановых", мы там с ним вдвоем всегда покатывались.
<...> Он просто обожал этих ребят, и вот этот тип юмора
и вообще тип отношения к жизни»[1].

Со студенческих лет почитаемого им, а многими несправедливо заушаемого Игоря Северянина, Ерофеев
почти демонстративно продолжал числить в ряду своих
самых любимых поэтов. «При мне, когда его спросили
о его любимом поэте, он ответил: "Два. Данте Алигьери
и Игорь Северянин", — рассказывает Ольга Седакова[2].
«Веничка Ерофеев бывал у нас в доме в 1968–1969 годах, —
вспоминала Наталья Логинова. — <...> Иногда случалось
так, что дома были только я и моя маленькая дочь, поэтому Веничка, чтоб не мешать мне заниматься домашними
делами, садился за пишущую машинку и, судя по звукам,
одним пальцем печатал по памяти стихи Игоря Северянина. За несколько раз во время своих визитов Веня написал стихотворений двадцать. С собой он их не брал, и мне
очень понравились эти поэтические кружева. Однажды,
после очередного занятия машинописью, я спросила

в его крови повышенной дозы воспетого в его великой поэме "Хана-
анского бальзама" или "Слезы комсомолки", безапелляционно изрек: "Ты должен дать мне всего Введенского и всего Хармса. Я буду
их издавать". Но общение с великим писателем вызвало некий при-
лив вдохновения и у меня, и я явственно услышал чистый и ясный
голос Клио (что указывало на полное отсутствие в ее крови "Хана-
анского бальзама", не говоря о "Слезе комсомолки"), подсказывав-
шей мне фразу, которая вполне могла бы занять достойное место
в упомянутой поэме (если бы та не была уже написана и не пользова-
лась всенародным успехом, соперничая только с песнями Высоцкого), — фразу, которую, прежде чем повесить трубку, я тут же ему и передал от имени музы, ничуть не пытаясь ее присвоить: "Поди и сдай
бутылки".
[1] Интервью Игоря Сорокина с Сергеем Филипповым 9 октября
2015 года.
[2] *Седакова О.* Венедикт Ерофеев — человек страстей.

Веню, сколько стихотворений Северянина он знает наизусть. В тот раз он не ответил мне, но обещал подсчитать к следующему визиту. И слово свое сдержал. Оказалось, что он знал наизусть двести тридцать семь стихотворений Северянина. Хорошо помню, как это просто поразило меня»[1].

Оставаясь ночевать у своего старинного приятеля Николая Котрелева, Венедикт перед тем, как отправиться спать, торжественно объявлял его жене, Татьяне Чудотворцевой: «Чудотворцева, я сейчас тебе Северянина читать буду». Игорь Авдиев вспоминал, как строкой из любимого поэта Ерофеев мгновенно отреагировал на мелкую, но трагическую неприятность в их общем алкогольном быту: «Как-то ехали мы в электричке <...> Взяли с собой токайского вина... на последние деньги... одну бутылку... помните, бутылку с таким длинным горлышком <...> Пробка — ни с места... сломали авторучку и карандаш, указательные пальцы были бесполезны... Два беспомощных, дрожащих с похмелья верзилы минут двадцать не могут справиться с плюгавой бутылкой, в которой и градусов-то всего 16... Уже Реутово проехали. Веня зажал бутылку в лядвиях и с последним отчаянием примерился в пробку обломком авторучки и налег всем телом... Мгновение ужаса — у бутылки донышко отвалилось. Я вскрикнул. Венедикт в доли секунды успел бутылку перевернуть... Огорчение на лице, испуг в глазах, мокрые штаны, перевернутая бутылка с остатками вина, и Венедикт медленно, приходя в сознание, произносит: "Весь я в чем-то венгерском!"»[2]

Еще одним любимым русским модернистом Ерофеева

---

[1] Про Веничку. С. 86.

[2] *Авдиев И.* Клюква в сахаре. С. 280. Ерофеев переиначил к случаю строку из первой строфы программного северянинского стихотворения «Увертюра»: «Ананасы в шампанском! Ананасы в шампанском! // Удивительно вкусно, искристо и остро! // Весь я в чем-то норвежском! Весь я в чем-то испанском! // Вдохновляюсь порывно и берусь за перо!» (*Северянин И.* Стихотворения. С. 248).

был далеко не так широко известный, как сейчас, Владислав Ходасевич. «Он мог целыми днями сидеть и перепечатывать двумя пальцами на машинке, например, Ходасевича, что совершенно понятно, — или, скажем, Северянина, которого тоже очень любил. По-настоящему любил, ему нравились эти стихи», — рассказывает Марк Гринберг. О том, как уже в начале 1980-х годов Венедикт давал ему почитать книгу мемуарных очерков Ходасевича «Некрополь», вспоминает польский пианист Януш Гжелёнзка.

Яркими внешними событиями жизнь Ерофеева в самом начале 1970-х годов была не очень богата. Он по-прежнему подвизался на кабельных работах в Подмосковье, по-прежнему со свитой «владимирцев» совершал набеги на столицу. «Когда они ко мне приходили, я от книжного шкафа ни на шаг, так и смотрю, какая книжка у Авдиева в руках, и чуть он с нею шаг в сторону делает, говорю: Игорь, книгу положи на место, — рассказывает художник Феликс Бух. — У моего друга они Ахматову увели, он им говорит: "Ребят, что ж вы Ахматову стянули?" Они даже и не отпирались, все в открытую: нам нужнее. «Владимирские» иногда разъезжали по Подмосковью, в каждом пункте, где могла быть читальня, выходили из электрички и записывались в библиотеку, брали книги хорошие, а потом в Москве загоняли на черном рынке. Тоже считали — нормально»[1]. Отчасти сходной историей поделилась в своих воспоминаниях Римма Выговская: «Лев Андреевич однажды сумел раздобыть томик Фета — с книгами тогда плохо было, – к нам пришел Веня. Когда он уехал, я книги не обнаружила. В следующее появление Вени у нас я спросила:

— Это ты Фета увел?

— Конечно. Зачем он тебе? Что ты в поэзии понимаешь?

— Верни.

— У меня его уже нет, кто-то стащил.

---

[1] Про Веничку. С. 102.

С тех пор каждый раз, когда в моем доме появлялся Веня с кем-нибудь из своих приятелей, перед их уходом я их обыскивала, чтобы они не утащили какой-нибудь книги»[1].

«— "Владимирские" приехали! — этот клич собирал нас не только на подмосковной даче, но и на какой-нибудь московской кухне, созывал на тусовку всевозможных талантов, состоявшихся или невостребованных — неважно. Поэты, художники, философствующие снобы — все эти звери бежали на ловца. Каждый из нас был и швец, и жнец, и на дуде игрец, и каждый пел своим голосом в общем хоре. <...> На даче у молодой романтичной художницы при свете настольной лампы мы читали блаженного Августина. Или шли в лес по грибы, напрочь о них забывая в пылу богословской полемики. Для меня и других новичков открывалась иная жизнь, новое самоощущение. Я восхищалась бездомными "владимирскими" и знала: они уникальны. Мне были милы их человеческие слабости, их бесприютность и недостатки как продолжение достоинств. Мы знали вкус веселью и чудачествам, приправленным политической сатирой. На ура исполнялась доморощенная опера "Ленин и Дзержинский" — всякий раз экспромт, начинавшийся ариозо картавого вождя: "Феликс — Эдмундович! — Когда — на — четвертом — съезде — РСДРП — вы — говорили — о — социал-демократах, — то — сильно — уклонились — в правый — оппортунизм!" Спесивый Дзержинский по-петушиному вступал с Лениным в политическую дискуссию, а из зала неслись реплики "революционных масс", — создавая фон, мы зловеще пели "Вихри враждебные", "Замучен тяжелой неволей" и прочее. Действие, где участвовали и Надюша Крупская, и меньшевики, и матросики, заканчивалось опереточным канканом со вскидыванием ног: "К эсеркам, к эсеркам поедем мы сейчас!" И вся большевистская элита дружно на-

[1] Про Веничку. С. 50.

правлялась в воображаемый бордель <...> Мы дискутировали и развлекались с озорным упоением — воистину, "блажен, кто смолоду был молод"! Занимались подобием спиритизма, декадентствовали. В темной комнате, за круглым столом с таинственными знаками, соединив пальцы рук, мы вызывали дух великого пролетарского писателя и Буревестника, вопрошая его: "В котором часу откроется магазин?" Отдавая дань фольклору, пели частушки: "На портрете Карл Маркс грозно брови хмурит, не со мной сегодня дроля папиросы курит". Бродили по ночным московским улицам, по Красной площади, мимо мавзолея, громко общаясь на своем сленге. А похожий на дервиша "владимирский" в метро садился на пол в позу медитирующего индуса или в храме шептал на ухо прихожанке: "Передайте свечку сатане!" Прохожие шарахались от нас, а мы были довольны собой и беспечны. Мы любили наш молодой безудержный эпатаж и, как Божьи скоморохи, были беззаконно свободны. Но женатый Ерофеев нечасто появлялся в компании "владимирских" — у него была самодостаточная жизнь», — так описывает Наталья Четверикова веселую жизнь «владимирцев» в 1970-е годы[1].

Совсем с иными чувствами вспоминает образ жизни «владимирцев» Наталья Архипова, которая познакомилась с Ерофеевым и его окружением в 1972 году через мужа, Андрея: «Мы жили под Москвой — в Ильинке по Казанской железной дороге снимали часть дома летом. И я очень хорошо помню первую встречу с Веничкой. Летний вечер, идет Ерофеев, рядом с ним Авдиев, оба под два метра. У Венички авоська, а в ней бутылочки с белой жидкостью. Как оказалось, это было средство от перхоти, резоль[2]. Вот приехал чувак познакомиться. И мы,

---

[1] Про Веничку. С. 145–148.
[2] Напомним, что резоль входит в состав коктейля «Сучий потрох» из «Москвы — Петушков» (160). — *О. Л., М. С., И. С.*

совсем юные 20-летние идиоты, стали, конечно же, пить эту отраву. Потом всю ночь меня рвало страшно. Я с трудом помню после резоли, что там было дальше, но что-то явно "экстатическое". У нас стоял проигрыватель, так что совершалось радение под обязательных Бетховена, Малера, Брукнера или Шостаковича. Чем трагичнее, тем лучше...

Веничкин тогдашний облик стоит перед глазами, как будто это было вчера. Еще довольно молодое лицо с ямочками на щеках и характерный жест — он все время прихватывал себя за рубашку, у ворота[1]. Длинные ноги — как журавль идет. И бледная кожа. Совсем никаких волос на руке не было — какая-то женская, довольно изящная рука. Меня в юности тогда поразило, что он был... не то что застенчивый, нет, Веничка особой застенчивостью не отличался, но что-то такое... именно магнетическое поначалу от него исходило. Да еще ореол славы после "Петушков". Книжка уже тогда разлетелась на цитаты. Он сразу становился центром любой компании. Бросал некое *mot*[2], его тут же подхватывали, и тема развивалась, превращалась в словесную интеллектуальную игру. Впрочем, довольно поверхностную. Это было отчасти похоже на игру в бисер у Гессе. Веничка был как *Google* — куда ни ткнешь, обнаруживается масса информации по любому поводу. И народ ждал его одобрения — скажет Веничка что-то эдакое или не скажет. Ему все подыгрывали, старались изо всех сил, чтобы он обратил на них внимание. А Веничке это явно было в кайф. Он уже не мыслил себя без этого обожания.

А когда начинал уже напиваться, то очень любил обижать всех подряд. Сказать что-нибудь гадкое в твоем же доме. Я тогда, совсем еще молоденькая, не понимала все-

---

[1] Этот жест Ерофеева описан многими мемуаристами. Отметим, что его все время повторяет и исполнитель роли князя Мышкина актер Сэцуко Хара в великой экранизации романа «Идиот» 1951 года, предпринятой Акирой Куросавой. — *О. Л., М. С., И. С.*

[2] Изречение (*фр.*). — *О. Л., М. С., И. С.*

го этого дешевого эпатажа, пыталась подавать им тарелки, рюмки... Но я "дура-девка", конечно... И это еще самое безобидное... Зависали "владимирцы" у нас на несколько дней. Бесцеремонные, выпендривались все страшно. Выпить хозяйские духи считалось доблестью, что один из них и сделал с моими. Все это бесконечное пьянство жило, клубилось и драматично похмелялось под Брукнера с Малером. Однажды летом мы пили в каких-то полях, а потом все потерялись. На следующий день Ерофеев позвонил моим родителям в дверь квартиры в семь утра и спросил: "А ребятишки не у вас случайно?" Как-то их адрес запомнил, гад. Весь в соломе и помятый, с сильного похмелья и что-то даже попросил на опохмелку. То есть ему было до лампочки, как отреагируют мои родители.

А как-то раз — это уже в другом доме в Ильинке, часть которого мы снимали на зиму, — я в сумерках шла с работы. Вдруг вижу — терраска наша взломана. У меня сердце екнуло. Хотя, конечно, красть там, кроме проигрывателя, было нечего, но все равно было очень страшно. Я вошла — на полу валяются Ерофеев и Тихонов в бессознательном состоянии. Там еще собака была хозяйская, на полу стояла ее миска с едой, между прочим, со страшно вонючим китовым мясом. И такие полуржавые вилки, которыми накладывалась собачья еда. Они ее и сожрали именно вот этими вилками. Я их еле растолкала, конечно, им пришлось у нас переночевать. Утром со страшного похмелья они еще дико хамили, требовали пива. Я уже не выдержала, откуда только силы взялись, и просто вытолкала их по очереди с крыльца в снег...

Это только кажется, что все время происходило что-то совершенно магнетическое, прекрасное и поэтическое рядом с Веничкой. На самом деле это была просто фантасмагория убийства себя и всего живого вокруг. Он упорно, сам, разрушал себя алкоголем».

Мы привели здесь такой большой фрагмент из горьких воспоминаний Натальи Архиповой еще и для того, чтобы читатель не забывал: абсолютная свобода Ерофеева от окружающего мира и его условностей могла, особенно в своем алкогольном изводе, обернуться абсолютным же эгоизмом и очень больно ранить людей из близкого ерофеевского окружения.

Зимой 1971 года в жизнь Венедикта вернулась Юлия Рунова, которая исчезла было с горизонта после его женитьбы на Валентине Зимаковой. За это время она сама успела побывать замужем, родить дочку, развестись с мужем, и вот теперь через Валентину Еселеву Юлия сообщила Ерофееву, что хотела бы с ним встретиться. Известие о том, что у Руновой тоже есть ребенок, стало для Венедикта настоящим потрясением.

Собственная семейная жизнь Венедикта в описываемый период дала глубокую трещину. «Есть такая юридич<еская> формула: "В здравом уме и твердой памяти". Т<о> е<сть> как раз то, чего у меня нет в дни выездов в Мышлино», — отметил Ерофеев в блокноте 1969 года[1]. «Лучшая пародия на скульптуру Мухиной "Рабочий и колхозница" — мы с Зим<аковой>», — записал он там же[2]. Напомним, что «двое этих верзил со скульптуры Мухиной — рабочий с молотом и крестьянка с серпом» (211) участвуют в расправе над героем ерофеевской поэмы, которая, вероятно, писалась как раз в 1969 году.

Возобновившиеся трагикомические метания Ерофеева между Валентиной Ерофеевой и Руновой выразительно описаны в воспоминаниях Лидии Любчиковой: «Бен потом снова сошелся с Юлией, и на какое-то время семью у него как отрезало, он о них даже не вспоминал, не говорил. У Юлии была трехкомнатная квартира в Пущине, она постаралась его обиходить, потому что он в переездах среди своих пьяных мужиков, житья на квартирах и в гостиницах оборвался весь, даже, наверное, и мыться

---

[1] *Ерофеев В.* Записные книжки 1960-х годов. С. 597.
[2] Там же. С. 610.

там было негде. И она взялась его одевать, обувать, отмывать, всячески холить и нежить. Приезжает он как-то раз к нам и портфель несет. То у него были какие-то замызганные чемоданчики, а тут — роскошный министерский портфель, и оттуда он вынимает замечательные тапочки — мягкие, коричневые. Он нам тапочки показывает, усмехаясь над собой, и говорит: "Что тапочки! У меня теперь холодильник даже есть, представляете! Первый раз в жизни у меня есть холодильник, и чего там только в этом холодильнике нет!" И весь сияет и рад по-детски. Тихонов говорит: "Как же так, ведь Юлия ..." — "А я не пью, — отвечает, — совершенно". — "Быть этого не может", — говорит Тихонов. — "Как же я могу пить, если она меня по методу Макаренко воспитывает? Она мне дает деньги и посылает в магазин. Ну как же я могу истратить их?" Он пожил у Юлии, а потом страшно чем-то отравился. Кажется, у нее где-то спирт стоял, как у биолога. И по-моему, она стала ультиматумы ставить, чтобы он не пил. И Бенедикт снова появляется, вынимает эти тапочки и говорит: "Я в Мышлино еду". Обмолвился о том, что в Пущине у него стала коса на камень находить. Не в силах с тапочками расстаться, он их с собой взял. Потом через некоторое время появляется и снова тапочки достает: "Я, — говорит, — в Пущино еду". И так и ездил некоторое время. Если он доставал тапочки, мы знали, что у него эксцесс в Пущине. Если эксцесса нет, то тапочки не появлялись. Когда в Мышлине какой-нибудь эксцесс (очевидно, Валя ревновала), он уже из Мышлина уезжал с тапочками»[1].

Именно от Руновой в середине августа 1972 года Ерофеев узнал о смерти матери — Юлии отправила телеграмму старшая сестра Венедикта, Тамара Гущина. На похороны Анны Андреевны в Кировск Ерофеев не поехал (впрочем, скорее всего, и ехать-то было уже поздно), однако смерть матери он, без сомнения, пережил тяжело. «...По-

---

[1] *Ерофеев В.* Мой очень жизненный путь. С. 537.

началу Веня был типичным бродягой: отрицал родственные чувства. Даже когда жил у нас, говорил, что это оттого, что больше негде, — вспоминает Нина Фролова. — А когда мама умерла, он вдруг сказал: "Раз мамы нет, мы все должны теперь держаться друг друга", — я была приятно удивлена такой переменой»[1].

12 января 1973 года кабельщик-спайщик 3-го разряда Венедикт Ерофеев был уволен с работы по статье 33, пункт 4 КЗоТ РСФСР (прогулы без уважительной причины). Не вполне ясно, стало ли это скрытой местью государства за распространение «Москвы — Петушков» в самиздате, но последствия у этого увольнения могли оказаться весьма печальными. «Увольнение со службы по данной статье для любого советского человека являлось натуральной катастрофой, поскольку автоматически превращало его трудовую книжку в "волчий билет", а самого ее обладателя — в изгоя, — разъясняет в статье "Венедикт Ерофеев и КГБ" Павел Матвеев. — Отныне он не мог рассчитывать ни на какую сколько-нибудь хорошо оплачиваемую работу, за исключением неквалифицированной или тяжелого физического труда — например, чернорабочим на стройке. И то — если удастся на нее устроиться»[2]. «Моя хлопотливая и суматошная должность тунеядца», — отметил Ерофеев в записной книжке 1973 года[3].

Может быть, именно с этими неприятностями была в первую очередь связана попытка Ерофеева с помощью давнего приятеля Владимира Катаева восстановиться на втором курсе филологического факультета МГУ. «Странно: к тому времени он уже помотался по стране, — недоумевает Катаев в мемуарах, — сменил с десяток профессий, побывал в двух провинциальных институтах, написал свою главную книгу, — а старая университетская зачетка,

[1] *Ерофеев В.* Мой очень жизненный путь. С. 531.
[2] *Матвеев П.* Венедикт Ерофеев и КГБ.
[3] *Ерофеев В.* Записные книжки. Книга вторая. С. 63.

которую он унес с собой, не приступая к сессии на втором курсе, оказывается, оставалась с ним — и о возвращении в университет все эти годы он думал. Зачем? Вот еще одна загадка. Замысел был таков: я к тому времени стал преподавателем кафедры истории русской литературы и имел право расписываться за прием нескольких экзаменов. Что я и сделал с легким сердцем, да еще договорился о том же с приятелем с соседней кафедры. Номер не прошел: на пути стал наш старый заместитель декана. Он, конечно же, вхожий на Лубянку, знал про "Москву — Петушки" и сказал веско:

— Ерофеева на факультете ни-ког-да не будет»[1].

Именно с января 1973 года в жизни Венедикта начался тяжелый период, о котором Игорь Авдиев рассказывал так: «Два года безработицы, каждодневный поиск ночлега, "трехразовое — по его выражению — питание (вторник, четверг, воскресенье)" вырвали признанье: "Отвык. Я не думал, что бездомность отнимает столько сил". Он ночевал то у Тихонова на Пятницкой, то у меня в Толмачевском»[2]. В этом же месяце Венедикта, забредшего в московскую мастерскую приятеля-художника в поисках ночлега, впервые увидела Елена Игнатова. «С Ерофеевым я познакомилась в доме художника Бориса Козлова. Он появился в компании с Юрием Мамлеевым, Славой Лёном и какой-то барышней, отрекомендованной как "девушка русской литературы"», — рассказывает она. В своих воспоминаниях Игнатова оставила концентрированное описание жизни Ерофеева той тревожной поры: «Он был беззащитен и постоянно виноват перед властью: принадлежал к категории, близкой к "тунеядцам", почти не зарабатывал, часто терял документы, а с военным билетом дело принимало угрожающий оборот. У него были про-

---

[1] *Катаев В.* Как доехать до Петушков? С. 169–170.

[2] *Авдиев И.* Предисловие // *Ерофеев В.* Последний дневник (сентябрь 1989 г. — март 1990 г.). С. 164.

блемы с пропиской, а тут и влиятельные друзья не могли помочь»[1].

Пасху, которая в 1973 году пришлась на 29 апреля, Ерофеев встретил вместе с такими вот влиятельными друзьями во Владимире. Познакомившаяся с Венедиктом незадолго до этого дня Валентина Филипповская вспоминает: «Пасху в том году мы отмечали в доме Татьяны и Славы Сидоровых. И это было довольно странным для меня, так как они оба работали в системе МВД. За столом было много интересных разговоров, но запомнился мне один, спор о природе творчества. Борис Сорокин утверждал, что творчество — это грех, и на него имеет право только Бог, а Венечка очень аргументированно говорил о том, что человек, как венец Божьего создания, имеет право творить. Позднее пришла Оля Седакова с мужем Сашей, Ольга в другой комнате села за рояль, она играла Шопена, и я ушла ее слушать. Потом, как единственный трезвый человек, я пошла мыть посуду и выливала в раковину из бутылок оставшуюся водку, чтобы они поменьше выпили. За этим занятием застал меня Боря Сорокин и был так расстроен, как будто я кого-то убивала».

С середины мая 1973 года трудность внешнего положения Ерофеева еще усилилась. Павел Матвеев справедливо напоминает, что с этого времени он подпадал «под действие Указа Президиума Верховного Совета РСФСР от 4 мая 1961 года "Об усилении борьбы с лицами, уклоняющимися от общественно полезного труда и ведущими антиобщественный паразитический образ жизни". Согласно этому указу, любой советский человек, не занимавшийся "общественно полезным трудом" на протяжении более четырех месяцев, должен был быть трудоустроен в обязательном порядке на любую работу по определению органов внутренних дел. В случае же отказа от подобного предложения он должен был быть в принудительном по-

---

рядке отправлен на так называемые стройки народного хозяйства — с запретом на проживание во всех крупных городах СССР, не говоря уже о столице»[1]. В противном случае тунеядец мог быть привлечен к уголовной ответственности. «Меня, прежде чем посадить, надо выкопать», — грустно пошутил Ерофеев в записной книжке 1973 года[2].

Одним из постоянных мест приюта, начиная с весны, для Ерофеева в этом году сделался садовый домик Светланы Мельниковой в московском Царицынском парке. «...На первом троллейбусе — в Царицыно, забираюсь в окошко; под двумя матрасами и сплю. Холод», — фиксирует в блокноте Ерофеев один из своих визитов в этот домик[3]. Мельникова была активной участницей кружка православных националистов, основанного Владимиром Осиповым, успевшим к этому времени отсидеть семь лет в Дубравлаге. Но это Осипова не сломило, и с января 1971 года он стал выпускать первый в СССР периодический самиздатовский журнал «Вече», причем фамилия Осипова как главного редактора и его домашний адрес открыто указывались на обложке каждого номера.

В начале 1970-х годов идеологическая программа шестидесятников (построение социализма с человеческим лицом, возвращение к «ленинским нормам») уже воспринималась как стремительно обветшавшая и наивная. Интеллигенция лихорадочно искала новые нравственные опоры и ориентиры. Неудивительно, что нашелся спрос и на национал-патриотические идеи.

В 8-м номере журнала «Вече», вышедшем в июле 1973 года, было помещено эссе Венедикта Ерофеева о Василии Розанове, написанное им, как полагал Игорь Авдиев, «в уплату за гостеприимство»[4], оказанное Светланой Мельнико-

---

[1] *Матвеев П.* Венедикт Ерофеев и КГБ.
[2] *Ерофеев В.* Записные книжки. Книга вторая. С. 65.
[3] Там же. С. 89.
[4] *Авдиев И.* Одна страничка из «Книги судьбы». С. 282.

вой. Сам Ерофеев в автобиографии конца 1980-х годов тоже подчеркнул, что текст о Розанове появился «под давлением журнала "Вече"»[1]. «Ты меня вынудила написать... впопыхах...» — обвинил Ерофеев Мельникову в интервью 1990 года[2], а Мельникова, полуоправдываясь, ответила ему так: «Веничка, ты говорил, что у тебя за полгода было девять трезвых дней. Ты недоговорил, что за три дня из этих девяти ты написал "Розанова"...»[3] «Он очень смешно и обстоятельно рассказывал, как ему предложили: мы тебе дадим на два летних месяца дачу, а ты пиши, — вспоминал Владимир Муравьев. — Потом он приезжал и говорил: "Мне в окошечко давали бутылку кефиру и два куска хлеба на блюдечке"»[4].

Как видим, над своей прозой о Розанове Ерофеев работал в условиях, прямо противоположных обстоятельствам создания «Москвы — Петушков». Тогда он чувствовал себя вольной птицей, теперь оказался чуть ли не в тюремном заключении. Однако получившимся результатом Ерофеев был скорее доволен. Интересные подробности о том, как он вместе с Владимиром Бибихиным на время обрел ерофеевское эссе о Розанове, приводит Сергей Хоружий: «Мои очень близкие друзья жили в старом желтом 2–3-этажном домике на углу ул. Чехова и Садового кольца, и соседкою по площадке была у них красивая и симпатичная Маринка Юркевич, девушка Венички, направляясь к которой он и переходил Кольцо, будь то выпимши или нет. Однажды я был у них вместе со своим другом Бибихиным, кто ныне известен миру как великий русский философ; и в это время хозяйка, пообщавшись с соседкой, приходит с пачкой листков А4 пополам и говорит: тут Веничка был, и вот он только что написал. Перед нами машинопись, "Василий Розанов глазами эксцентрика". Мы уже

[1] *Ерофеев В.* Мой очень жизненный путь. С. 8.
[2] День литературы. 2000. 15 февраля.
[3] Там же.
[4] *Ерофеев В.* Мой очень жизненный путь. С. 578.

уходили, но мой друг, увидев листки, крайне разволновался — сегодня читатели Бибихина знают, что с Розановым у него особые отношенья, — и немедля выпросил, чтоб ему дали их прочесть хоть на день. Пройдя квартал по Кольцу, мы входим в метро "Маяковская" и уж на платформе я, оглянувшись, замечаю на полу листок. Поднимаю — это последний из пачечки. Володя, побледнев, сует руку за пазуху — пачечки нету! Мы медленно идем назад, через несколько метров — еще листок... выходим из метро, обратно следуем по Кольцу... — и на пути от Горького до Чехова обретаем листки все до одного! Хотя и с заметными загрязнениями — на дворе был ноябрь и слякоть». Иногда Ерофеев даже читал свое «развязное эссе» (автохарактеристика)[1] на домашних, полуподпольных вечерах. «Интерес к текстам Ерофеева у меня появился после того, как я услышал, как Венедикт Васильевич читает свое эссе о Розанове на какой-то частной квартире, — рассказывает лингвист Александр Барулин. — В те времена у него еще был прекрасный бархатный баритон. Перед ним поставили бутылку портвейна, которым он время от времени смачивал горло. Читал он прекрасно, с неподражаемым обаянием. Текст был необычным, ни на что не похожим, глубоким и умным».

Тем не менее появление прозы Ерофеева именно в националистическом журнале придало новую подсветку его образу в глазах значительной части оппозиционно настроенной интеллигенции. Позднейший итог был подведен безапелляционной формулировкой из «Записей и выписок» Михаила Гаспарова: «Вен. Ерофеев был антисемит. Об этом сказали Лотману, который им восхищался. Лотман ответил: "Интимной жизнью писателей я не интересуюсь"»[2].

---

[1] *Ерофеев В.* Мой очень жизненный путь. С. 8.

[2] *Гаспаров М.* Записи и выписки. М., 2000. С. 136. О личном знакомстве Ерофеева с великим филологом Юрием Михайловичем Лотманом речь в нашей книге пойдет далее.

Жесткую констатацию Гаспарова как минимум дважды прямо оспорили те, кто во второй половине 1970-х годов вошли в близкое окружение Ерофеева. «По-моему, это определение как таковое здесь точно не годится, — говорит Марк Гринберг. — Не был он какой-то уж юдофил особый, у него не стерильно-интеллигентское отношение было в этом смысле, но, конечно, никаким антисемитом не был. Я не помню, чтобы он не то что на меня, а на кого бы то ни было — в нашем кругу полно было евреев — проецировал всю эту хрень, нет, такого не было. Даже помню, что когда я был еще совсем молодой и что-то сказал за столом, абсолютно не могу вспомнить что, а Тихонов-козел ответил: "А ты, еврей, помолчи!" — Веня, как будто у него зубы заболели, сморщился и проныл, почти провыл: "Ой-ой... Ну Тихонов..." Веня, конечно, мог употребить выражение "жидовская морда", но в применении к кому угодно — и к еврею, и к нееврею (да и я, кстати, могу точно так же)». «Не могу согласиться с глубоко мною чтимым М. Л. Гаспаровым, в своих блестящих "Записях и выписках" однозначно назвавшим Веню антисемитом, — писал и Марк Фрейдкин. — Хотя, конечно, его отношение к евреям во многом обуславливалось вдумчивым чтением Розанова и, соответственно, было по меньшей мере амбивалентным. Кроме того, сюда примешивался и фрондёрский протест против традиционной юдофилии российской либеральной интеллигенции, тогда как и о первой, и о второй Веня обычно отзывался с неприкрытой неприязнью. Но в бытовом и чисто человеческом плане ни о чем подобном не могло идти даже речи, и здесь никого не должны вводить в заблуждение некоторые Венины бонмо из посмертно опубликованных записных книжек или то, что словечко "жидяра" было одним из самых употребительных в его лексиконе. Это, на мой взгляд, носило во многом игровой характер, да и вообще Веня, как мне кажется, был гораздо более "театральным" человеком и гораздо чаще работал на публику, чем о нем сейчас принято говорить»[1].

Чтение записных книжек Ерофеева 1960-х годов позволяет с абсолютной уверенностью утверждать, что тогда в нем не было ни малейшей наклонности к антисемитизму. В частности, Венедикт с омерзением заносил в свои блокноты сведения об уничтоженных нацистами евреях. А противопоставляя в 1966 году Антону Макаренко Януша Корчака, Ерофеев даже позволил себе те самые «хорошие» пафосные слова, которых обычно чурался: «Сторонники жестких методов и их ссылки на Макаренко: он-де "убеждал" табуреткой по голове и тем завоевывал авторитет. Всем Макаренкам противостоит Януш Корчак, самая светлая личность из всех классиков педагогики. См. его путь с сотнями детей из Варшавы в газовые камеры Треблинки»[2].

Однако многие страницы записных книжек Ерофеева 1970-х годов заполнены сомнительного свойства и качества шутками про евреев, а также длиннейшими списками советских евреев-композиторов и евреев-киноре-

---

[1] *Фрейдкин М.* Каша из топора. С. 301–302. Приведем здесь также слова друзей и знакомых Ерофеева, которых мы специально опросили на эту тему. Людмила Евдокимова: «Веня был не чужд почвенничества. Не то чтоб он был однозначным антисемитом, — однозначности он вообще не любил. Но слово "жидяра" (конечно, не в виде ругательства, но...) вполне из его словаря. Он относился к национальному вопросу не вполне равнодушно». Валерия Черных: «Я никогда от него не слышала ничего антисемитского. Я знаю, и это чувствовалось, — в нем совсем не было национализма и ксенофобии. Немного мизантропии, это да, да и то когда выпьет много». Борис Сорокин: «Нет, он антисемитом не был, как раз наоборот. Веня этого очень не любил». Евгений Попов: «Мне кажется, что он бравировал тем, что он как бы возвращался к дореволюционному понятию еврейства — когда было ощущение того, что есть евреи и есть русские, но без всякой пошлости и без "Протоколов сионских мудрецов". Антисемит — более примитивное существо, чем он был». Алексей Нейман: «Антисемитом? Это неправда. Почитайте ту же "Вальпургиеву ночь". Какой, к черту, антисемитизм?»

[2] *Ерофеев В.* Записные книжки 1960-х годов. С. 365.

жиссеров, так что у читателя почти неизбежно возникает впечатление определенной зацикленности Ерофеева на «еврейской теме»[1]. На наш взгляд, в своем диагнозе был точен Марк Фрейдкин: стремившийся к абсолютной личной свободе Ерофеев на рубеже 1960–1970-х годов решил не идти на поводу у либералов-интеллигентов в том, что касалось отношения к евреям, а выработать собственную, независимую точку зрения, как обычно, занять позицию над схваткой. «Споры русских и евреев теперь, кто повинен в коммунистической революции, Бобчинский и Добчинский. Сравнить», — иронически, как посторонний, отметил он в записной книжке 1973 года[2]. Уже в 1990-м, последнем году своей жизни на возмущенный вопрос Натальи Шмельковой, зачем же он дружит со Светланой Мельниковой, Ерофеев ответил: «А я сижу и тихонько наблюдаю... и потом, в свое время она сделала для меня что-то хорошее»[3].

Весьма характерно, что свое эссе о Василии Розанове Ерофеев, почти буквалистски следуя логике поведения героя этого эссе[4], предполагал напечатать не только в националистическом «Вече», но и в сионистском журнале, из-

---

[1] Учтем, конечно, и то, что все это собиралось Ерофеевым как материал для прозы. Многие такие шутки и выдержки из списков еврейских фамилий вошли в речь склонного к антисемитизму Прохорова из пьесы «Вальпургиева ночь, или Шаги Командора»: «И не умоляй, Гуревич... Мы с Алехой на руках оттащим тебя к цветному телевизору. Евгений Иосифович Габрилович, Алексей Яковлевич Каплер, Хейфиц и Ромм, Эрмлер, Столпер и Файнциммер. Суламифь Моисеевна Цыбульник» (*Ерофеев В.* Мой очень жизненный путь. С. 249).

[2] *Ерофеев В.* Записные книжки. Книга вторая. С. 50.

[3] *Шмелькова Н.* Последние дни Венедикта Ерофеева. Дневники. С. 281.

[4] Печатая свои статьи одновременно в консервативном «Новом времени» и в либеральном «Русском слове», Розанов тем самым заслужил обвинения в беспринципности и двуличности. Сам он рассуждал об этом так: «Мне ровно наплевать, какие писать статьи, "направо" или "налево". Все это ерунда и не имеет никакого значения» (*Розанов В.* Уединенное. М., 1990. С. 316).

дававшемся Виктором Яхотом и Александром Воронелем (если, конечно, поверить не всегда достоверным воспоминаниям Нины Воронель[1]). «Эссе это Ерофеев подарил нашему журналу "Евреи в СССР" 28 декабря 1973 года, — пишет мемуаристка, — сам его принес нам домой и положил на стол, где уже была приготовлена выпивка. А выпив соответствующее количество спиртного, стал нам это эссе читать вслух красивым бархатным голосом, который всегда появлялся у него после принятия соответствующего количества спиртного. Мы с восторгом слушали и твердо решили в журнале напечатать, но вскоре во время обыска наши личные ангелы-хранители из КГБ, Володя и Вадя, конфисковали его вместе с другими материалами журнала. И оно кануло в небытие, так как Веня утверждал, что отдал нам единственный экземпляр»[2]. «Вот, не знаю вот сейчас, в какую сторону поклониться. Воронелям, по-моему, все-таки зюйд-зюйд-зюйд-вест»[3], — записывает Венедикт в дневнике второй половины 1970-х годов. Используя заданный Ерофеевым «морской» образный ряд, осторожно предположим, что речь идет о лавировании нейтрального ерофеевского корабля, на тот момент взявшего курс на «сионистов», то есть эмигрировавших к тому моменту в Израиль супругов Воронель[4].

В кругу и вне круга, свой и чужой — вот какую «ставрогинскую», но и «мышкинскую» позицию он сознательно и (не)последовательно старался занять в любой компании, в любом коллективе. «Один раз кто-то у него за сто-

---

[1] Как минимум частичную правдивость истории с Ерофеевым косвенно подтверждают его дневники 1973 года. «К "сионистам". Супруги Воронель. Пью безбрежно. Валюсь спать у Воронелей» (28 декабря), «Первая половина дня — с Воронелями. О журнале и пр.» (29 декабря).

[2] *Воронель Н.* Без прикрас. URL: http://berkovich-zametki.com/AStarina/Nomer23/Voronel1.htm.

[3] *Ерофеев В.* Записные книжки. Книга вторая. С. 276.

[4] Примерно по курсу зюйд-зюйд-зюйд-вест (то есть на юго-юго-юго-запад) относительно Москвы находится государство Израиль.

лом вякнул что-то неприемлемое, и я возмутился, а он рукой махнул: "Знаешь, кому мне только не приходилось наливать?.." — вспоминает Марк Гринберг. — Не то что уж Веня был всеядный и всетерпимый, но у меня не осталось ощущения, что он зорко следил за чистотой идейных риз. И на таком, застольном уровне это для меня было какой-то наукой поведения: не слишком кипятиться».

Однако русская ситуация XX века в так называемом «еврейском вопросе» — это, к сожалению, ситуация полюсная. И даже такого внутренне свободного человека, как Венедикт Ерофеев, постоянно прибивало то к одному, то к другому полюсу. Собственно, вместо всех наших рассуждений можно было бы привести здесь амбивалентную ерофеевскую шутку, запомнившуюся Феликсу Буху: «Если будут бить жидов, то я первым... пойду их защищать»[1].

По обычной иронии судьбы, первая публикация «Москвы — Петушков» состоялась в Израиле, в начале лета 1973 года. В игровом интервью Л. Прудовскому Ерофеев вспоминал: «Мне как-то сказал Муравьев году в 74-м: "А ты знаешь, что, Ерофеев, тебя издали в Израиле". Я решил, что это очередная его шуточка, и ничего в ответ не сказал. А потом действительно узнал спустя еще несколько месяцев, что действительно в Израиле издали, мать твою, жидяры, мать их!»[2]

История первой публикации «Петушков» взяла тихий старт еще в феврале 1971 года, когда физик и правозащитник Борис Цукерман получил разрешение на выезд в Израиль. С собой ему удалось вывезти микропленку, переснятую с одной из копий машинописи ерофеевской поэмы, по-видимому, восходящей к перепечатке Риммы Выговской. В 1973 году Владимиру Фромеру и Михаилу Левину, которые готовили к изданию третий (и, как потом ока-

---

[1] Про Веничку. С. 104.
[2] *Ерофеев В.* Мой очень жизненный путь. С. 500.

залось, последний) номер журнала «Ами» в Иерусалиме и искали ударный материал, посоветовал обратиться к Цукерману Юлиус Телисие. «И вот мы у Бориса Исааковича, — вспоминал Владимир Фромер. — Хозяин, сгорбившись, восседает в кресле, немногословен и неразговорчив. Мы сбивчиво объясняем цель нашего визита, но даже не ведаем, прорываются ли наши слова сквозь вакуум, надежно ограждающий его от внешнего мира. Лицо грустное, непроницаемое и словно навсегда обиженное. Становится ясно, что он, понимая все несовершенство человеческой природы, давно не ждет от общения с людьми ничего хорошего. Мы кончили. Борис Исаакович долго молчит. Потом тихо спрашивает: "Какова программа вашего журнала?" Мы забормотали что-то о взаимодействии культур. "Да", — сказал Борис Исаакович и надолго умолк. Минут через пять хозяин нарушил гнетущую уже тишину: "Знаете, я вот приобрел проигрыватель с особым адаптером. Сам кое-что сконструировал. Чистота звука изумительная". Он подходит к полкам и медленно, словно священнодействуя, ставит пластинку. Звучит музыка, вздымаясь и нарастая, как в исполнении соборного органа. Действительно здóрово. И мы даже не замечаем исчезновения хозяина. А он уже возвращается с пачкой глянцевой бумаги. Сфотографированные страницы уменьшенного объема. Строчки сбились в кучу, как овцы. "Ну и будет же работка у машинистки", — мелькает мысль. Это он, Веничка. Сказочная удача, как миллионный выигрыш в лотерею. А музыка продолжает звучать... Дальнейшее — дело техники. Две машинистки перепечатали Веничку. Перед самым выходом третьего номера меня забрали на сборы, а Левин сдавал экзамен. Наши тогдашние жены Илана и Наташа заклеили последние ошибки и отнесли готовый макет журнала в типографию»[1].

---

[1] *Фромер В.* Иерусалим — «Москва — Петушки» // Иерусалимский журнал. 1999. № 1. URL: http://www.antho.net/jr/01/index.htm.

Хотя Ерофеев и заявил в интервью Л. Прудовскому, что о публикации «Москвы — Петушков» он узнал от Муравьева примерно в 1974 году, Валентина Филипповская вспоминает новоселье Вадима Тихонова и Лидии Любчиковой, состоявшееся годом ранее, на котором уже шел разговор о готовящейся или только что состоявшейся публикации поэмы в Израиле: «Я была приглашена на новоселье к любимцу Венечки, Вадиму Тихонову. Он вместе с женой переезжал из коммуналки на Пятницкой в отдельную однокомнатную квартиру в районе Чертаново. В квартире еще совсем не было мебели, и единственное место, где можно было посидеть не на полу, была кухня. Там до прихода всех гостей мы и расположились: Венечка, Борис Сорокин, Владик Цедринский, я, и был еще Радзиховский (кажется, такая у него была фамилия). Он через несколько дней уезжал в Израиль. Он пришел, чтобы получить разрешение Венечки опубликовать "Москва — Петушки" за рубежом. Венечка и не отказывался, и не соглашался, он был в раздумье, но Боря кричал, что соглашаться нельзя ни в коем случае, так как здесь, в СССР, Венечку посадят. Но поэма все-таки вышла за рубежом. На следующий день после новоселья в доме в Ильинке, в котором жили Наташа и Андрей Архиповы, Венечка и Борис выпрашивали у Натальи денег на водку, а она, конечно, не давала и со свойственным Наташке юмором приставала к Венечке: "Венечка, напиши про меня роман". А Венечка отвечал: "Нет, Наташка, роман из тебя не получится, только рассказ"».

Кто передал Борису Цукерману микропленку для вывоза на Запад, сегодня установить вряд ли возможно. На вопрос Л. Прудовского о том, кого сам Ерофеев считает виновником своей мировой известности, Венедикт ответил так: «Люди, которым я обязан, живут теперь в Тель-Авиве... и так далее. <...> Во-первых, это Виталий Стесин, потом <...> Михаил Генделев и Майя Каганская»[1]. По словам

---

[1] *Ерофеев В.* Мой очень жизненный путь. С. 500.

Игоря Авдиева, Ерофеев говорил ему, что сам был инициатором отправки рукописи в Израиль: «Сначала даже имена были полностью указаны, но потом, отправляя тетрадку на очень ближний восток, я имена убрал или сократил»[1].

Как бы то ни было, Венедикт «был рад, что его книга вышла в Израиле, — пишет первый издатель «Петушков» Владимир Фромер. — Известному нашему поэту, посетившему его, уже неизлечимо больного, подарил Ерофеев свою фотографию с надписью: "Михаилу Генделеву, гражданину благороднейшего государства"»[2].

---

[1] *Ерофеев В.* Мой очень жизненный путь. С. 571.
[2] *Фромер В.* Иерусалим — «Москва — Петушки». «В многолетнем арабо-израильском конфликте он неизменно был на стороне евреев, — свидетельствует Тамара Гущина. (*Ерофеев В.* Письма к сестре. С. 143).

Веничка:
Вне реального времени
и пространства

После Орехово-Зуева с героем-рассказчиком, его миром и сюжетом поэмы начинает происходить что-то странное. Неслучайно новый этап Веничкиной биографии начинается с главки, названной именем станции, а не перегона, — это знак остановки, перебоя, смены повествовательного модуса. Названиям последующих главок уже не приходится верить. Читаем: «Орехово-Зуево — Крутое» — но действительно ли спящий герой проезжает Крутое? «Крутое — Воиново» — правда ли Воиново? Вскоре и сам Веничка будет спрашивать: «Мы подъезжаем к Усаду, да?» (196); «Это Усад, да?» (197) — и ответы на эти отчаянные вопросы будут один нелепее и страшнее другого. Также неслучайна и перекличка эпизодов первой дозы («Серп и Молот — Карачарово») и четвертой («Орехово-Зуево»). Перед первой герой молился («Раздели со мной трапезу, Господи!», 132); о четвертой — исповедуется: «Я лгу опять! я снова лгу перед Лицом Твоим, Господь! Это лгу не я, это лжет моя ослабевшая память!» (189). После первой дозы герой вбирает в себя стихию, как Гулливер у лилипутов («...выпитый стакан то клубился где-то между чревом и пищеводом, то взметался вверх, то снова опадал», 132);

перед четвертой — стихия вбирает его, как Гулливера у ве-
ликанов: «...Лавина публики запуталась во мне и вбирала
меня, чтобы накопить меня в себе, как паршивую слюну, —
и выплюнуть на ореховский перрон. Но плевок все не по-
лучался, потому что входящая в вагон публика затыкала
рот выходящей. Я мотался, как говно в проруби» (188).
Эти сюжетные рифмы указывают на поворотные момен-
ты Веничкиной судьбы: после первой дозы началось его
возрождение, после четвертой — путь к гибели.

В части между пятью или шестью глотками́ кубанской
в Орехово-Зуеве и шестью, а потом тремя глотками́ перед
условным 105-м километром вдруг пропадет все то, что так
эффектно воздействовало на читателей, — дивертисмент-
ные пародические номера, трюки с формулами и афориз-
мами, жонглирование каламбурами. Текст словно пойдет
петлять вывихнутыми приемами, покажется, что в мутном
сказе начинает вязнуть и буксовать интрига. Но это не авторский просчет: так насильственно меняются настройки,
параметры и координаты Веничкиного мира.

В пяти поворотных главках, выбитых из привычных
мер времени и пространства, прежде всего расслаивается
сюжет — чтобы затем завязаться новым узлом.

Во-первых, в этой части обостряется алкогольная
тема, ведь после начальных, похмельных главок вновь сю-
жетообразующим моментом становится меняющееся состояние героя. Уже где-то в районе от Фрязево до Назарьева всю пирующую в электричке группу настигает опьянение средней степени[1]. В Веничкином случае среднее
опьянение уже в Орехово-Зуеве перерастает в тяжелое
(с соответствующими симптомами — амнезией, наруше-
нием ориентации в пространстве, нарастающим аффек-
тивным расстройством), а затем, возле условного Усада, —
в патологическое (в сумеречное помрачение сознания
и галлюцинаторно-бредовый синдром).

---

[1] «Пьянею сверх всякой меры» (170); «одурели», «забылись» (179).

Так снова напоминает о себе «заветная лемма» (170) черноусого: восходящая линия опьянения после Орехово-Зуева непременно, согласно мировому закону, должна смениться нисходящей. Веничка, конечно, знал, что от природной «голой зеркальности» (171) ему нет спасения, но только ли этим знанием объясняется его гётеанская «замутненность», подмеченная черноусым, его преждевременная грусть в глазах (170)? Нет, в них воплощается большее — готовность к беде, решимость принять муку и испытать бездну до дна.

В какой-то мере ситуация Венички подобна «качели», описанной «опиоманом» Томасом де Квинси, родоначальником той традиции, достойным восприемником которой можно считать автора русской алкогольной поэмы. «Вообрази себя на качели, — рассуждает де Квинси, — досягающей до облаков и раскачиваемой руками безумца <...> Сидя в этой качели, ты с головокружительной быстротой устремишься вниз, к безнадежной подавленности, дабы затем силой того же размаха мгновенно вознестись к звездным высотам»[1]. Сначала ерофеевский герой, как и «опиоман», празднует «взлет души из самых глубин»[2], после чего с неизбежностью должен впасть в невообразимый ужас: «На тысячу лет я был погребен в каменных саркофагах, вместе с мумиями и сфинксами, в узких коридорах, в сердце вековечных пирамид. Крокодилы дарили мне смертельные поцелуи; я лежал в мерзкой слизи, среди тростника и нильской тины»[3]. Но, в отличие от романтического героя Де Квинси, Веничка и не пытается соскочить с гибельного маршрута; он готов и в страданиях алкогольной интоксикации идти до конца, «до последних столпов», крайних пределов ужаса и боли. То, что было с отчаянной

---

[1] *Де Квинси Т.* Исповедь англичанина, любителя опиума. М., 2000. С. 141.
[2] Там же. С. 60.
[3] Там же. С. 112.

решимостью заявлено ангелам еще до Кучино: «...Во всей земле, от самой Москвы до самих Петушков, — нет ничего такого, что было бы для меня слишком многим...» (145) — теперь, с каждым новым перегоном, герою предстоит доказывать перед лицом все новых и новых пыток.

Во-вторых, такой сюжет, как «Веничка и мир», на «теневых» перегонах от Крутого до 105-го километра начинает резко закручиваться в роковое кольцо. Сюжет этот еще с первой главки развивался в диалектическом противоречии тем отчуждения и встречи[1]. До опохмелки герой пребывал в ситуации полного отчуждения; после дозы в Карачарово он был готов любовно открыться миру, но чувствовал, что мир не принимает его; после дозы в Никольском — пустился в прорыв к встрече через откровение бездны; после Храпуново, во время вагонного пира, — вроде бы достиг полного согласия с «другими в их другости»[2] («Я если захочу понять, то все вмещу», 164), но на этом пике единения не удержался и снова соскользнул в отчуждение, в свой безотрадный мюнхгаузеновский травелог. Вымышленный рассказ Венички сплошь состоит из «невстреч»[3] с мировой культурой, с «осколками святых чудес»[4]. Так, он лучше постигает Везувий, Геркуланум и Помпею чревом и пищеводом в приступе карачаров-

---

[1] «Встреча» понимается в терминологии Мартина Бубера (*Begegnung*) — как единение сознаний на личностном и метафизическом уровнях.

[2] «Диалогу принадлежат не только два собеседника, но и готовность познавать и признавать другого в его другости» (*Яусс Х. Р.* К проблеме диалогического понимания. URL: http://www.bim-bad. ru/biblioteka/article_full.php?aid=1228). «Другой в его другости» — важнейшая формула в философии диалога (М. Бубера, Ф. Розенцвейга и М. Бахтина); Ерофеев в пиршественных главках подходит к сходной проблематике.

[3] Понятие того же М. Бубера (*Vergegnung*).

[4] Формула из романа Ф. М. Достоевского «Подросток» (*Достоевский Ф.* Полное собрание сочинений: в 30 т. Т. 13. Л., 1975. С. 377); восходит к стихотворению А. С. Хомякова «Мечта».

ской тошноты[1], чем при воображаемом посещении этих мест[2]. В бредовой Сорбонне он так же представляется сиротой из Сибири, как и в ресторане на Курском вокзале, и его так же подвергают насильственным действиям («Все трое» в ресторане «подхватили меня под руки и через весь зал — о, боль такого позора! — через весь зал провели меня и вытолкнули на воздух», 128; «А ректор Сорбонны, пока я думал про умное, тихо подкрался ко мне сзади, да как хряснет меня по шее...», 181). В Венеции, про которую врет Веничка, у него так же «немотствуют уста» (180), как и на страшной площади Курского вокзала («Что было потом <...> человеческий язык не повернется выразить», 128). Более того, отчуждение еще гиперболизируется в Веничкиных бреднях: если во враждебной герою Москве его уныло встречали просто закрытые аптеки и магазины, то в Париже — повсюду преследуют бардаки и клиники, «во всех четырех сторонах» от Эйфелевой башни — «одни бардаки» (181); если на подходе к Курскому вокзалу у него ноги за коленки задевают просто с похмелья, то в Париже — ходить мешает разлитый в воздухе триппер («...Кругом столько трипперу, что ноги передвигаешь с трудом», 181).

И вот — на переходе от пьяного вранья к пьяному сну, как на новом витке, — Веничку опять выносит от отчуждения к общности. Кажется при этом, что «кривая смысла» устремляется вверх: если на перегонах от Есина до 85-го километра герой был причастен к общему разговору, то теперь, в своем круто-воиновском сне, — вливается в об-

---

[1] «...Выпитый стакан то клубился где-то между чревом и пищеводом, то взметался вверх, то снова опадал. Это было как Везувий, Геркуланум и Помпея...» (132).

[2] «Да мне в Италии, собственно, ничего и не надо было. Мне только три вещи хотелось там посмотреть: Везувий, Геркуланум и Помпею. Но мне сказали, что Везувия давно уже нет, и послали в Геркуланум. А в Геркулануме мне сказали: "Ну зачем тебе, дураку, Геркуланум? Иди-ка ты лучше в Помпею". Прихожу в Помпею, а мне говорят: "Далась тебе эта Помпея! Ступай в Геркуланум!.."» (181).

щее дело; если раньше он с собеседниками пытался объяснить мир, то теперь с соратниками — берется изменить его. Все выше и Веничкин статус в мире: сначала его положение ниже низкого («дохлая птичка», «грязненький лютик», 126), затем он открывается как изгнанный лидер (не просто бригадир, а в некотором смысле «принц», 138), в следующей фазе его уже сами окружающие принимают как председателя «симпосия», и, наконец, сон возносит былого изгоя до самой вершины — до полномочий «личности, стоящей над законом и пророками» (194). Все ближе к Веничке его окружение: в первых сценах он был окружен врагами; на ранних перегонах — равнодушными и непонимающими; дальше, по мере опьянения, — слушателями; в высшей же точке этого сюжета, в «петушинском» сновидении, — друзьями.

Тема дружбы нарастала все более настойчивым пунктиром от того момента после Черного, когда герой-рассказчик вспомнил о праздновании своего тридцатилетия с «двумя бутылками столичной и двумя банками фаршированных томатов» (152). Уже тогда Ерофеев прямо называет своих друзей по именам — Боря (Борис Сорокин), Вадя (Вадим Тихонов), Лида (Лидия Любчикова), Ледик (Леонид Муравьев-Моисеенко), Володя (Владимир Муравьев) плюс «полоумная поэтесса» (Ольга Седакова); так Веничка вписывается, помимо вселенского (Бог, ангелы и Сатана), всемирно-исторического (Манфред, Каин, Гёте и король Улаф), всероссийского и повседневно-социального, еще и в малый круг ближайших друзей, а автор заодно втягивает приятелей и собутыльников в непредсказуемое «действо» (по уже приводившемуся нами определению из мемуаров Владимира Муравьева), лукаво манипулируя ими как персонажами-статистами. С каждой точкой пунктира это действо все больше напоминает фантасмагорический карнавал: для разминки автор заставил Вадима Тихонова питаться в Средней Азии «акынами и саксаулом» (179), чтобы затем, в сновидческих главках, назначить его, «блестящего теоретика» (192), канцлером, а заодно Борю С. (Сорокина) возвести в премьеры революционного Петушинского правительства, а Владика Ц-ского (Цедринского) заставить с ларионовского почтамта рассылать ноты и заявления главам государств[1]. Роль же Венички в этой игре Венедикта *с* друзьями и *посредством* друзей — последовательно спародировать все формы личной общинности и высокого коллективизма: здесь и самопожертвование несогласного («...Раз начали без меня — я не мог быть в стороне от тех, кто начал», 190), и ответственность за общее дело (президент унимает шум[2], мыслит[3], тревожится[4]), и забота о товарищах («До свидания, товарищ. Постарайся уснуть в эту ночь...», 190), и воспитательное воздействие на массы («Я мог бы, во всяком случае, предотвратить излишнее ожесточение сердец...», 190). А в ответ глава восставших встречает одобрение, овации и полное доверие.

И что же? Именно в высшей точке сюжетной траектории «Веничка — мир», когда встреча и узнавание другого уже вроде бы должны были перейти в слияние, — все вдруг обрушивается отрицанием, отменой, уходом. Революционный Христос неожиданно оборачивается ренегатом в образе Пилата; тот, кто раньше угощал и делился, единолично опорожняет всю круговую чашу: «Я, как Понтий Пилат: умываю руки и допиваю перед вами весь наш остаток российской. Да. Я топчу ногами свои полномочия — и ухожу от вас» (195). Все прежние плевки — снизу: «Я остаюсь внизу, и снизу плюю на вашу общественную лестни-

---

[1] «Он считал, что я религиозный фанатик», — так в разговоре с нами Борис Сорокин объяснил свою «смерть» в поэме, последовавшую после слова «пророки». Другую шутку, понятную только друзьям, раскрывает Игорь Авдиев: «Владик едва передвигался на больных ногах при помощи клюшечки <...> не дошел бы Владик, не добежал бы до Ларионовского почтамта!» (*Авдиев И.* Последний шанкр И. // Статья из архива Анны Авдиевой).

[2] «...Унимал я шум...» (191).

[3] «Мысли роились...» (192).

[4] «...Я ходил меж огней с одной тревожной мыслью» (194).

цу» (141) и сверху: «Я встаю с президентского кресла <...>
я плюю в президентское кресло» (193) — сливаются в этом
окончательном и бесповоротном плевке. Веничка не просто порывает с друзьями, встречными, ближними-даль-
ними — он отторгает себя от всего человечества и про-
валивается в абсолютное одиночество, в пустыню по ту
сторону человечества. Герой, снова в роли Манфреда
и Каина, должен ответить не зову друзей, а «молчанию
в мире» (194). Символично, что граница, отделяющая эту
пустыню от мира людей, проходит где-то на подходе
к мнимым, призрачным Петушкам — именно через веран-
ду, или террасу, или флигель, или мезонин (196) как точку
пересечения личного[1] и общего в традиционной, усадебной русской культуре; отсюда смена одних «говорящих»
станций — Крутое и Воиново — на другую — Усад. Но для
Венички этот пункт в пространстве сна становится точкой разрыва: уничтожающий все культурные связи и человеческие отношения хохот («расхохотались», «ржание» на веранде, ржание «за спиной», 196) страшно ини-
циирует героя к дальнейшему путешествию — без
спутников и встречных, без опоры и оглядки на других.

В-третьих, в эпизоде Веничкиного сна подходит к своему пределу всемирно-исторический сюжет поэмы. На
протяжении всей сюжетной «ветки» автор методично
подвергал идеологические, политические и исторические концепты пародийно-травестийной обработке; выражаясь языком ерофеевского друга В. Муравьева, изде-
вательскому «вытряхиванию или даже выпряданию», вот
так — один концепт за другим.

Так к смеховому нулю сводится всякая геополитика —
что по ту, что по эту сторону границы. Взять советскую

---

[1] См. рифмующийся с этим пассаж из главки «Назарьево — Дрезна»: «Мансарда, мезонин, флигель, антресоли, чердак — я все это пу-
таю и разницы никакой не вижу» (182). Здесь, в контексте «Парижского текста», мансарда, как и чердак, символизирует благотворное
творческое уединение.

экономику — она обернется дурной бесконечностью закапывания, выкапывания и выбрасывания кабеля, вермутом и сикой, сикой и вермутом («Кусково — Новогиреево»). Взять западную экономику — и нет спасения от градаций: «коррупция, девальвация, безработица, пауперизм» («Карачарово — Чухлинка», 133). Далее — политическая география обеих систем в «Москве — Петушках» неуклонно стремится к абсурду, к его хармсовскому пределу: негры в Сибири, вешающиеся на полотенцах («Павлово-Посад — Назарьево»), бардаки и клиники, мягкие и твердые шанкры в Париже («Назарьево — Дрезна»).

Современная политика и так и эдак растягивается-сжимается в лихом преломлении ерофеевского гротеска. Кремль как заколдованное место («Москва. На пути к Курскому вокзалу»); «контроль», который сгоняет в «резервации» и от которого смываются «панические стада» («Дрезна — 85-й километр», 184), — таковы комические образы советской системы, перебивающие гоголевские и щедринские гиперболы. За образами западной системы и вовсе все время у Ерофеева маячит обсценная тень. Неслучайна троекратная авторская игра с именами израильских деятелей — Моше Даяна и Аббы Эбана: их имена парной бранной формулой («даян эбан», 138) словно клеймят всю мировую политику, концентрируют весь ее смысл в двух «лапидарных словах» (не тех ли, что Вадик Тихонов написал на заборе елисейковского сельсовета? — 190).

Так автор подводит читателя к глобальным историософским итогам. «Алкогольный» обзор российского освободительного движения черноусым («Есино — Фрязево») завершается абсурдистской картиной тупика истории: «Бей во все колокола, по всему Лондону — никто в России головы не поднимет, все в блевотине и всем тяжело!.. И так — до наших времен! вплоть до наших времен! Этот круг, порочный круг бытия, — он душит меня за горло!» (168).

Мировую же историю Веничка резко отчеркивает «катастрофической» сентенцией: «...Всякая история имеет конец, и мировая история — тоже...» (186). После Индиры Ганди, Моше Даяна и Александра Дубчека, как заключает рассказчик, «дальше <...> идти было некуда» (186). Действительно, если воспользоваться «амурным» кодом, который он применил к историческому процессу, приспособившись к эротоману Семенычу, — что дальше? Героической летописи прошлого с его великими конфликтами (похоти и чести, любви и нетерпимости, Лукреции и Гипатии) противостоит ближайшее будущее, спрогнозированное «Ревю де Пари» в Веничкином завиральном травелоге: «...У вас, у русских, ваша б...витость, достигнув предела стервозности, будет насильственно упразднена и заменена онанизмом по обязательной программе; у нас же, у французов, хотя и не исключено в будущем органическое врастание некоторых элементов русского онанизма, с программой более произвольной, в нашу отечественную содомию, в которую — через кровосмесительство — трансформируется наша стервозность, но врастание это будет протекать в русле нашей традиционной б...витости и совершенно перманентно!..» (182–183).

Таков конец истории, ее апокалипсический порог, за которым Веничка-Шехерезада в своей последней главе для Семеныча может только провидеть время Страшного суда — «пятого царства, седьмого неба и второго пришествия» (187).

Итак, до Орехово-Зуева рассказчик прямо объявил о совершившемся конце истории, после Орехово-Зуева оставалось его разыграть — что и происходит в Веничкином революционном сне, «самоходной инсценировке российской фантасмагории» (вновь цитируем Владимира Муравьева). Тезисы и декреты, заявления и ноты, пленумы и постановления собутыльников, лицедейски пародирующие основные вехи русской революции, от апрельских тезисов до интервенции и гражданской войны, приводят лишь к бессмысленному хождению кругами в «молчащем» мире, между двумя магазинами с российской. «Вот как кончится мир // Не взрыв, но всхлип», — вещал Т. С. Элиот[1]; по Ерофееву же — мир кончится с последней допитой бутылкой российской.

Но, в-четвертых, конец истории означает и конец нарратива: отныне, после Усада, больше не будет рассказанных анекдотов, случаев, жизненных эпизодов; ужас парализует воспоминания; повествование сверзится в бред. «Уже за шеломянем еси!» — Веничка на своем пути перешел ту черту, за которой невозможно сообщение, рассказ, высказывание, за которой открывается область несказуемого. За Усадом начнется оборотная речь — бормотанье «немотствующих уст», кривой шифр, указывающий на действие в другом измерении.

Вот в какой воронке четыре сюжета схлопываются в одно — в «антисюжет», в сюжет об аннигиляции сюжета.

---

[1] Поэма «Полые люди» (1925): «*This is the way the worlds ends // Not with a bang but a whimper*». Перевод А. Сергеева.

ГЛАВА ШЕСТАЯ

ВЕНЕДИКТ:
Москва. Царицыно — проезд Художественного театра

В то время, о котором мы сейчас начинаем рассказывать, стало очевидно, что пьянство Ерофеева превратилось в тяжелую болезнь, которая временами серьезно деформировала его личность. Неслучайно Елена Игнатова, в отличие от тех мемуаристов, которые познакомились с Ерофеевым до 1973 года, отмечает, что «пьянел Венедикт быстро»[1]. Впрочем, она сразу же прибавляет: «...но, не зная его, это трудно было заметить: разве что движения его, вообще неторопливые, становились еще более замедленными и осторожными да реплики более отрывистыми и ядовитыми»[2].

Несколько забегая вперед, приведем здесь чрезвычайно точные, на наш взгляд, размышления об алкогольной зависимости Ерофеева, которыми поделился в своих воспоминаниях Марк Фрейдкин, впервые увидевший его в 1975 году: «Хотелось бы сказать несколько слов о пресловутом Венином пьянстве. В отличие от самого Вени и многих писавших о нем, я совершенно не склонен романтизи-

---

[1] *Игнатова Е.* Венедикт. С. 183.
[2] Там же.

ровать и сакрализовать эту пагубную привычку. Все красивые рассуждения о "пьянстве как служении" и тем более о "пьяном Евангелии от Ерофеева" или даже о "сверхзаконном подвиге юродства" мне по меньшей мере не близки и попросту кажутся не очень умными, чтобы не сказать сильней. Собственно говоря, в Венином клиническом случае это была не привычка и уж тем более никакое не служение, а тяжелая и практически неизлечимая болезнь, весьма, увы, распространенная как среди талантливых и неординарных людей, так и среди людей вполне заурядных, причем чаще всего низводящая первых на уровень вторых. Как бы то ни было, ее проявления в обоих вариантах очень мало различаются. Веня в этом смысле не представлял собой исключения и в пьяном виде если и не становился безобразным, как большинство из нас, то и особенно привлекательным его тоже не назовешь. И даже его легендарная толерантность к спиртному имела границы и не выглядела, сколько я помню, чем-то феноменальным — знавал я людей, которые по этой части могли дать ему много очков вперед. Впрочем, я познакомился с Веней, когда его "лучшие годы" остались уже позади — ведь, как я могу судить по немалому собственному опыту, с возрастом и стажем эта способность значительно ослабевает»[1]. «Страх перед смертью, перед взрослением, перед переменами. Без этого наркоза, который он имеет, ему трудно жить. Мне не кажется, что он получает от этого какой-то там кайф, приподнято-радостное настроение. Просто без этого трудно ему» — так объяснял причины пьянства Ерофеева наблюдавший его врач-психиатр Михаил Мазурский[2].

Поскольку в главе, рассказывавшей про недолгий университетский период Ерофеева, мы сами писали о тогдашнем алкогольном радикализме Венедикта как об од-

---

[1] *Фрейдкин М.* Каша из топора. С. 313.
[2] Документальный фильм «Москва — Петушки».

ном из способов достижения им абсолютной свободы, отметим, что идеологическое и бытовое пьянство в ерофеевском случае на первых порах вполне мирно уживались. Однако с середины 1960-х годов бытовое пьянство исподволь началó отвоевывать себе все больше и больше места. Ерофеев по-прежнему почти никогда не терял контроля над собой, но его индивидуализм порою стал принимать отталкивающие, неприятные формы. «Сидим у Ольги Седаковой, дело было летом, — вспоминает Людмила Евдокимова. — Веня говорит, что надо на бутылку (или бутылки) скинуться. Все вытряхивают из карманов копейки, денег ни кого не было: кто 30 копеек даст, кто сорок. Веня все это собирает и уходит; разумеется, не возвращается». «У Люси Евдокимовой, которая тогда еще не рассталась с Марком Гринбергом, в их доме была какая-то вечеринка, — пишет Вера Мильчина. — И там был Ерофеев, о котором я много слышала от Марка — о его, Вени, тонком понимании музыки и литературы и вообще о его чрезвычайной деликатности и прочее. И тут надо еще понимать, что я была — и остаюсь — огромной поклонницей книги "Москва — Петушки", перечитывала ее бессчетное число раз, и даже, смешным образом, собираясь на защиту собственной кандидатской диссертации, чтобы успокоиться, тоже открыла "Москву — Петушки", хотя к "Шатобриану в русской литературе" она, как нетрудно догадаться, большого отношения не имеет. Ну вот, и на этом фоне я увидела пьяного хама, который, посылая за чем-то в кухню то ли свою спутницу, то ли саму хозяйку дома (вот тут не поручусь, кого именно) говорил: "Ну ты, девка..." Марк потом уверял меня, что это просто фигура речи, у него такой стиль и пр. Я и сама об этом догадалась[1]. Но тем не менее слишком силен был контраст между, так ска-

---

[1] «Самое нежное, что он мог женщине сказать, — "глупая девка", — вспоминает Валерия Черных, — у него даже это получалось очень ласково». — *О. Л., М. С., И. С.*

261

зать, литературой и жизнью. Тот самый алкоголизм, который в книге художественно остранен, иронически оформлен и пр., тут предстал во всем своем неприкрытом физиологизме — и очень мне не понравился». «Помню историю из юности, — рассказывал Борис Глухов, — сидела студенческая компания, пили — курили — шутили — спорили (все как обычно у студентов)... Пришел Венечка, с девицей какой-то. Тогда уже знаменитый. У него была с собой бутылка водки. Он ее пил один, вынимая стакан из кармана (внутреннего, нагрудного, где носят кошельки и документы)... Нальет — выпьет — и убирает бутылку и стакан». «На определенной стадии опьянения он становился агрессивным, — говорит Валерия Черных. — Как-то ему не понравился мой приятель Женя М. Он очень много говорил и пытался доминировать в разговоре. А Ерофеев был уже в той стадии, когда этого не нужно делать, и попытался уронить на Женю шкаф».

«Он остался такой же веселый и хороший, как и в молодости, но только когда был трезв, а это случалось все реже, — итожит Лидия Любчикова. — Очень жаль, что Бенедикт потерял способность не пьянеть. Потому что пьяным он становился совершенно другим — резким, неприязненным. Его трудно стало любить — ценить, все прочее, а любовь он мог оттолкнуть очень резко. И слава богу, что многие все-таки его видели настоящего и любили»[1].

При этом «настоящий», трезвый Ерофеев продолжал удивлять и восхищать окружавших его людей изысканностью манер и душевной чуткостью. «Пьяный он был очень агрессивным, злобным. Неприятным он был пьяный, — рассказывает одна из хороших знакомых Ерофеева. — А так он был очаровательный человек. Умный, красивый, тонкий, деликатный. В общем, все эпитеты положительные к нему относились». «Очень открытый, очень теплый, очень деликатный. Очень внимательный к окружа-

---

[1] *Ерофеев В.* Мой очень жизненный путь. С. 545.

ющим, — таким вспоминает Ерофеева Сергей Шаров-Делоне. — Причем внимательный к окружающим по самому большому гамбургскому счету. Когда человек прекрасно видит болевые точки — у каждого человека они есть — и их если и касается, то чтобы чуть-чуть помочь человеку раскачать ее. Чтобы человек сам отрефлексировал, почувствовал. Но очень деликатно. Если видит, что человек не пускает туда, — ни в коем случае не залезет. Это высшая степень деликатности — не в том, чтобы тихо закрыть дверь и тихо выйти, а в отношениях между людьми».

«Когда он был долго трезв, рядом с ним нельзя было не почувствовать собственной грубости: контраст был впечатляющим», — пишет Ольга Седакова[1]. И она же вспоминает историю о сверхделикатности Ерофеева: «Однажды Веничка остался ночевать, в кухне, на раскладушке. Среди ночи мы проснулись от невероятной стужи. Оказывается: балконная дверь на кухне настежь открыта (а мороз под 30 градусов), задувает ветер, вьется снег, а Веня лежит не шевелясь.

— Почему ты не закрыл дверь?

— Я думал, у вас так принято. Проветривать ночью»[2].

В качестве инварианта этой истории приведем здесь фрагмент из воспоминаний Елизаветы Епифановой о своем детстве и пребывании в квартире Ерофеевых на Флотской улице (речь о ней у нас еще впереди): «От этой квартиры у меня было такое впечатление, что там никто не живет. Потому что она была огромная, она была полупустая, и в ней все было разбросано. У него там стояло огромное пианино. Зачем оно там стояло? На нем никто не играл. Но, тем не менее... И вот я решила на этом пианино поиграть. А я не умею. Было так: Венедикт Васильич работает, Галя куда-то ушла, я играю на пианино. Я играла часа три, наверное. Я просто била по всем клавишам —

---

[1] *Ерофеев В.* Мой очень жизненный путь. С. 593.
[2] Там же. С. 592.

била и била, била и била. Он ни разу мне ничего не сказал. Прошло очень много времени, и я просто выдохлась. И тут он наконец вышел из своей комнаты и спросил меня: "Слушай, а ты вообще гамму знаешь?" И я говорю: "Не-а, я в первый раз вижу пианино, и вообще мне медведь на ухо наступил". И он сказал: "А... Ладно. Ну, продолжай". И все! То есть — потрясающе вежливый был человек».

Приведем еще несколько отрывков из воспоминаний о Ерофееве, каким он бывал в 1970–1980-е годы, то есть — трезвым, вежливым и обаятельным: «Когда меня представили Вене, он протянул руку и вдруг густо покраснел, — пишет Валерия Черных. — Мне исполнился к тому времени 21 год. Нежный был человек и застенчивый. Чопорность даже присутствовала, почти академическая». «Это был дом Ольги Иофе и ее мужа Валеры Шатуновского, — рассказывает о своей единственной встрече с Ерофеевым Марина Серебряная. — И вот у них в гостях был Венедикт, и Валера мне на ухо строго внушал, чтобы я, значит, оценила момент. Высокий мрачный человек, молчаливый, очень вежливый, так не демонстративно, но запоминающимся образом. Трезвый совершенно, между прочим». «Я видела Ерофеева один раз на даче у Петра Старчика в 1981 году, и он был настоящий принц, — вспоминает Татьяна Хейн. — Я помню в раннем детстве подруг бабушки, для которых она вынимала шестнадцать столовых приборов, и как это все было безумно красиво. А тут человек действовал только вилкой и ножом, а впечатление складывалось сходное. Это было потрясающе! При этом он мог спокойно и ложкой из общей тарелки брать. Все это было от свободы очень хорошо воспитанного человека. Кстати, Ерофеев был абсолютно трезв. Говорил мало и точно. У него был прекрасный русский язык, и он показал себя мастером застольной беседы». «Может быть, мне повезло, но я никогда не видела его в невменяемом состоянии, — рассказывает Елизавета Горжевская. — Веня запомнился мне как добрый человек. Я ни разу не видела, чтобы он сорвался. Говорить с ним было приятно и очень интересно».

Сто́ит, вероятно, обратить внимание на то обстоятельство, что Марк Фрейдкин, описывая медицинский случай Венедикта Ерофеева, все же не был прав стопроцентно. Ерофеев и здесь проявил себя наособицу. «Я не был его лечащим врачом <...>, просто работал в отделении, — вспоминает Андрей Бильжо о тех пребываниях автора «Москвы — Петушков» в клиниках для душевнобольных, о которых нам еще предстоит рассказывать далее. — <...> Венедикт Ерофеев лежал у нас много раз, и в Кащенко, и потом, когда мы переехали на Каширку. Удивительно, что при его махровом алкоголизме, описанном в "Москва — Петушки", при множестве "белых горячек", с которыми он поступал, в нем совершенно не было алкогольной деградации личности. В этом смысле он был уникальным пациентом, достойным описания в специальных психиатрических трудах на тему алкоголизма. Он абсолютно выпадал из типичного течения болезни. Вне запоев это был совершенно рафинированный интеллигентный человек»[1]. «Сильно пьющие люди становятся похожи друг на друга, — пояснил в разговоре с нами Андрей Бильжо. — Есть понятие, так называемый "хабитус потатора"[2] — лицо алкоголика. Они опускаются, перестают следить за собой, у них ухудшается память, исчезает, нивелируется сама личность. Теряется некоторая тонкость, становится примитивным юмор и так далее. А у него ничего этого не было. Он был тончайший интеллигент, эрудит. Образ такого князя Мышкина: худой, с тонкими аристократическими пальцами. Таким он остался у меня в памяти».

С другой точки зрения, но о том же са́мом пишет поэтесса Татьяна Щербина: «Веничку я представляла себе

---

[1] *Шевелев И.* Петрович сегодня это Леонардо вчера // Время МН. 2000. 10 июня.

[2] От лат. *habitus* — внешний вид и *potator* — пьяница, алкоголик. — *О. Л., М. С., И. С.*

(уже прочитав "Москва — Петушки") в образе алкоголика со стажем, каким он и был, а эта практика делает всех отчасти похожими друг на друга. По крайней мере, живущих в одно время в одном месте. Это "культурное явление" (на самом деле, без кавычек — в том поколении пили практически все) было доминирующим, так что опыт различения с порога выпивающих и сильно пьющих у меня был. Ерофеев полностью выпадал из этого клише. Оказался прямо противоположен ему: короткая стрижка, военная выправка — идеально прямая спина, и глаза цвета ярко-синего неба. Высокий, стройный, красивое лицо, завораживающий голос, который он вскоре потерял. Хотя пил Ерофеев как разве что художник Анатолий Зверев — беспробудно. Сохраняя при этом ясность ума и спортивный вид». «Помесь русского аристократа с алкашом советского производства, — так характеризует внешний облик Ерофеева его лечащий врач-психиатр Ирина Дмитренко и добавляет. — Я считаю, что алкоголь не деформировал его, и это нетипично. Он был гений, не больной, а такой особенный человек. Поработав в различных больницах, я видела алкашей и знала, что такое алкоголики. Они совершенно безнадежные люди, которые ни за что не отвечают. У которых нет слова. Они теряют свое *я*, свой стержень. А Веня — нет. Он был величественный. Вот что интересно. Я поняла, что это человек, который сам знает, как ему нужно жить. Ему. И сам может найти какую-то меру взаимодействия с алкоголем».

В записях блокнота Венедикта Ерофеева 1973 года зафиксированы его многочисленные перемещения из подмосковного Пущина (где тогда жила Юлия Рунова) в Мышлино, из Мышлина в Царицыно, из Царицына во Владимир и так далее, а также его частые возлияния с друзьями и приятелями. «Во второй раз я Венечку увидела, когда к нам в дом привела его чета Улитиных, — вспоминает Валентина Филипповская осень этого года. — Венечка был тихим, отстраненным и в глубоком похмелье.

Что его тогда занесло во Владимир, не знаю». И она же рассказывает о встрече нового, 1974 года в принадлежавшей Андрею Архипову части дома в Ильинке вместе с большой компанией, в которую входил Ерофеев: «Люди были самые разные — и музыканты из оркестра Большого театра, и студенты-расстриги, жена Венечки Валентина, которая приехала из Мышлино. Вот на этот раз мы с Венечкой сидели отдельно и много и интересно разговаривали. О чем? Я сейчас не помню... А потом Венечка встал и громогласно всей компании заявил: "Из всех из вас мне больше всего понравилась Моспан" (это моя девичья фамилия)». «31 <декабря> — утром в Мышлино. Бужу всех и ложусь спать. Прос<ыпаюсь> — в Марково — вино и вод<ка.> На авт<обусе> назад в Ильинку. Застаем всех пирующими от Павлова до Улитиных. Моспан и все такое. Остальные — традиц<ионно>», — отметил тогда Ерофеев в записной книжке[1].

К этому времени ему удалось обзавестись очередным временным пристанищем. С 20 декабря 1973 года Ерофеев жил в подмосковном дачном поселке Болшево, в домике, в который Венедикту помог бесплатно вселиться филолог, специалист по творчеству В. В. Розанова Виктор Сукач. Но уже 6 апреля 1974 года Ерофеев отмечает в записной книжке: «Опохмельность и подведение черты под "болшевский период" – заканчивается крахом 24 марта и сомнит<ельной> среднеазиат<ской> перспективой»[2]. Днем позже в блокноте появляется еще одна запись: «Зим<акову> покину легко. Все дело в Р<уновой>»[3]. 8 апреля Ерофеев уезжает из Мышлино, где он гостил у жены, сына и тещи с 4 апреля. В записной книжке приведены его и Валентины Ерофеевой прощальные реплики: «Утро

---

[1] *Ерофеев В.* Записные книжки. Книга вторая. С. 92.

[2] *Ерофеев В.* Записная книжка / Публ. *И. Авдиева* // Анализ одного произведения: «Москва – Петушки» Вен. Ерофеева: сборник научных трудов. Тверь, 2001. С. 195.

[3] Там же.

отъезда из Мыш<лино>. Вернусь ли сюда, бог весть. Утром — прощ<ание> на мосту. Ей кричу с останов<ки>: "Поплакала?" – "Потом поплачу!"»[1] «Его приезд всегда сопровождался грандиозной пьянкой, — вспоминает тогдашние визиты отца в Мышлино Венедикт Ерофеев-младший. — Один он не приезжал, он приезжал, как моя бабушка это называла, со "сворой". И моя матушка выпивала вместе с ними. И она менялась кардинально»[2].

Вся эта ситуация может послужить весьма выразительной иллюстрацией к той общей и печальной картине неравноправия между мужчиной и женщиной, которая складывалась в России веками и не слишком поменялась и сегодня. Муж с компанией хмельных друзей время от времени приезжает к жене в деревню, чтобы весело провести время, а потом «легко покидает» ее, стремясь к новым приключениям. Жене вести себя так же свободно и устраивать жизнь по своему усмотрению почти невозможно, особенно если ее крепко привязывают к земле старая мать и малолетний ребенок. А ведь Валентина была во владимирском пединституте отличницей и перспективы перед ней тогда открывались куда более заманчивые.

Тем не менее уже после смерти Венедикта Ерофеева первая жена говорила о нем так: «То, что он гениален, то что он необыкновенен — это я знала очень давно, еще до "Москва — Петушки". С ним связано все самое приятное в моей жизни. И любовь. И нежность. И вино, которое мы пили...»[3] Забегая вперед, отметим и то обстоятельство, что, разведясь с Ерофеевым, Валентина великодушно отказалась получать с него алименты.

«Крах 24 марта», о котором Ерофеев сообщает в записной книжке, — это очередная тяжелая ссора с Юлией Ру-

---

[1] *Ерофеев В.* Записная книжка / Публ. *И. Авдиева.* С. 195.
[2] Телепрограмма «Письма из провинции. Город Петушки (Владимирская область)».
[3] Москва — Петушки, персонажи/прототипы поэмы. URL: https://www.youtube.com/watch?v=U05N65X-XQg.

новой, пришедшаяся на день ее рождения. Казалось бы, ничего этой ссоры не предвещало. Вечером 15 марта они встретились в квартире Валентины Еселевой. День 16 марта провели вместе, а вечером пошли на церковную службу. «День еще милее. Ю<лия> Р<унова> ради этого никуда не уезж<ает>, — отметил Ерофеев в записной книжке. — Для нее бегу за пугов<ицами> в центр. С вином — к Авд<иеву> и обратно. Настроенность супер-отлич<ная>. С Ю<лией> Р<уновой> бесконечно. Вечером – в церкви Нечаянной радости»[1]. «17 марта – оказ<ывается>, могут быть дни еще милее вчераш<него>, — записал Ерофеев далее. — Убеждаю Ю<лию> Р<унову> еще на день остаться. Пиво у Свирид<ова>. Зовем по телеф<ону> на предстоящ<ий> день рожд<енья> Ю<лии> Р<уновой>. На кушет<ке> трогательно, Ес<елева> на нас не может налюбоваться. В кух<не> поем: "Я тоже — не могу без тебя". Снова, как в прош<лый> май, — подношу ей флакон духов «Белая сирень»[2]. Однако Ерофеев не был бы Ерофеевым, если бы не разрушил наметившуюся идиллию самым вызывающим образом. 22 марта справлялся день рождения Игоря Авдиева. На следующий день в поисках опохмелки Ерофеев и Авдиев посетили квартиру Еселевой. Венедикт нашел тот самый флакон «Белой сирени» и на двоих с Авдиевым распил его. 24 марта взбешенная Рунова приехала в Болшево и продемонстрировала Ерофееву пустой флакон. «Гадко. Прощаюсь. "А ну тебя в......." Р<унова> уезж<ает> в Серп<ухов>. Всё вчерашнее обречено, все расчеты на сентим<енты> и благой исход», — отметил Ерофеев в записной книжке 25 марта[3].

Сто́ит ли удивляться подозрительности Ольги Седаковой, которая в мемуарах о Ерофееве рассказывает такую историю, связанную с духами, только не с советской «Бе-

---

[1] *Ерофеев В.* Записная книжка / Публ. *И. Авдиева*. С. 194.
[2] Там же.
[3] Там же. С. 195.

лой сиренью», а с дефицитными французскими: «Однажды мы долго и дружелюбно болтали, втроем или вчетвером: дело дошло даже до чтения стихов. И вдруг, под конец, мне зачем-то понадобилось похвалиться подаренными духами.

— Ну, покажи, — благодушно сказал Веня.

Но духов на месте не было.

— Ты выпил их, — сказала я, глядя на Веню, как с красноармейских плакатов. — И еще издеваешься: покажи. Это низость и коварство. И зачем нужно было пить французские, когда рядом советские?

— Не пил я, — уверял Веня. — Не пил. Хочешь, побожусь?

Не разубедив меня, Веня, уходя, сказал:

— Отличная кода поэтического вечера. Ты извинишься, когда узнаешь, что все не так.

Вернулся мой муж и сообщил, что, зная о Венином приходе, он загодя спрятал духи, опасаясь, что тот их выпьет. Я позвонила Вене извиняться.

— Да полно, — засмеялся он, — я, как вышел, подумал: до чего же я довел Ольгу, что она такое предполагает. Так что это ты прости»[1].

«Сомнительная среднеазиатская перспектива», о которой Ерофеев упомянул в записной книжке 6 апреля 1974 года, в итоге превратилась в реальность. В мае он подписал договор о том, что зачисляется в экспедицию, организованную Всесоюзным НИИ дезинфекции и стерилизации. Одной из целей участия Венедикта в экспедиции было получение нового паспорта, в очередной раз утраченного еще в 1971 году. В итоге это предприятие Ерофееву не удалось — «в трех паспортных столах, куда он обращался, требовались непомерные деньги»[2].

---

[1] *Ерофеев В.* Мой очень жизненный путь. С. 593.

[2] *Берлин В.* Венедикт Ерофеев и «Вопросы ленинизма» // Новая газета. 2010. 20 октября.

Именно о своей краткосрочной халтурке в среднеазиатской экспедиции, на время спасавшей его от обвинений в тунеядстве, Ерофеев написал в автобиографии 1988 года: «...единственной работой, которая пришлась по сердцу, была в 1974 году в Голодной степи (Узбекистан, Янгиер) работа в качестве "лаборанта паразитологической экспедиции" и в Таджикистане в должности "лаборанта ВНИИДиС по борьбе с окрыленным кровососущим гнусом"»[1]. В интервью С. Куняеву и С. Мельниковой 1990 года Ерофеев объяснил, в чем состояла суть его работы: «...целый день ты свободен. А вечером, с наступлением сумерек, ты должен выходить и подставлять ладонь и считать, сколько за 10 минут тебе село комаров на руку»[2]. По письмам жены Валентины, отправленным Ерофееву в экспедицию, можно легко понять, какими были их отношения в год, предшествующий разводу: «Очень бы хотелось к тебе приехать, но ты даже не пригласил. Письмо твое переполнено холодом (от жары, наверное). Да, а как ты, северный по душе и телу, переносишь эдакие градусы?[3] Наверное, и вина невозможно выпить, спирт испарится, пока ко рту поднесешь. По телевизору каждый день слушаем сводки по Узбекистану. Сын окончил с похвальным листом за отличные успехи и примерное поведение (последнее — самое смешное). Спрашиваю, что передать тебе, говорит: передай, чего ему (т. е. тебе) хочется <...> 16-го получу деньги, пришлю тебе десятку, в письме не вытащат? Пожалуй, пошлю телеграфом, выпей за то, что я все-таки часто вспоминаю тебя, или за то, что ты ни разу не вспомнишь меня. Все равно. Я привыкла к твоим долгим отсутствиям, но это слишком длительное. Если мои письма тебе чуточку нужны — напиши об этом, я буду

---

[1] *Ерофеев В.* Мой очень жизненный путь. С. 7.
[2] День литературы. 2000. 23 мая.
[3] Опять вспоминается Есенин, который согласно мемуарам Надежды Вольпин «нередко замечал» о себе — «я с холодком» (Есенин глазами женщин: антология. СПб., 2006. С. 126).

писать через день, два, три. По твоему письму это было незаметно. Ну, да ладно»[1]. «Жду <...> в любое время, с вином и без вина, с виноградом и <без>. Целую руки твои и тебя <...> Очень хочу увидеть. Привет от сына, в постели и читает сказки Андерсена»[2].

В Москву из Узбекистана Ерофеев вернулся в конце августа. 10 октября 1974 года одна из подруг нашла для него новое временное жилье — в престижном проезде Художественного театра, где в доме № 5 в квартире № 36 была прописана Галина Носова. В блокнот Венедикта 1974 года вложена записка этой подруги Ерофееву: «Веничка, Веничка... Жду тебя сегодня в одном замечательном доме, вместе с его замечательной хозяйкой. Позвони нам: 292-24-43 (спросить Галю Носову), мы тебя встретим. Это проезд Художественного театра; дом напротив букинистического магазина; подъезд, в котором некогда жил композитор Прокофьев (о чем свидетельствует доска на доме у подъезда)»[3].

«Он же счастья не знал до тех пор, пока он не познакомился с моей Галиной, — рассказывала мать Носовой, Клавдия Грабова. — Квартиры не было, никто о нем не думал, никому он не был нужен. Короче говоря, его жизнь не укрывала своим теплом и своей ласки не давала... Они с первого взгляда полюбили друг друга»[4]. Повествование само́й Носовой о знакомстве с Ерофеевым выдержано совсем в другой тональности. «Я Ерофеева буквально на помойке нашла, — вспоминала она. — Жила у меня тогда в Камергерском подруга, Нина Козлова (у меня там были две хорошие комнаты на четвертом этаже, а на третьем Прокофьев жил). Нинка тогда ждала Ерофеева из экспедиции

---

[1] Личный архив В. Ерофеева (материалы предоставлены Г. А. Ерофеевой).

[2] Там же.

[3] *Ерофеев В.* Записные книжки. Книга вторая. С. 99–100.

[4] ТВ фильм «Венедикт Ерофеев». URL: https://www.youtube.com/watch?v=HW20vl-CJxo.

в Среднюю Азию, оставила ему мой адрес и расписала: "Прекрасная хозяйка прекрасного дома". Она сама его пихнула в эту экспедицию, продала свои туфли, чтобы купить туда билет на поезд. Он был тогда без документов, скитался — нигде не жил, вернее, жил повсюду. Когда-то, в 16 лет, он получил паспорт, но что такое паспорт для Ерофеева — так, бумажка. Он теперь оказался в очень трудной ситуации, и все пытались ему помочь, отправляли в экспедиции, надеясь, что, может быть, в какой-то из них удастся выписать паспорт <...> В общем, что такое в 1974 году в СССР человек без документов? И не просто без документов, он никогда не состоял на военном учете, у него никогда не было прописки... Короче говоря, он приехал ко мне с Игорем Авдиевым и со Свиридовым, к тому моменту уже месяц промотавшись по Москве. И Нинка сказала: "Пусть писатель поживет". Я тогда знала, кто такой Ерофеев, хотя "Петушки" еще не читала <...> У нас была коридорная система, и когда он появился, я осталась у двери, а он шел по коридору. И пока он прошел, мне стало ясно, какая у меня будет фамилия. Глаза голубые, волосы темные. Он, конечно, ниже Авдяшки, но если учесть, что в Игоре метр девяносто семь, а в Вене было метр восемьдесят семь (он обычно говорил: метр восемьдесят восемь) <...> В общем, сначала все выглядело так, что я сдала свои комнаты писателю»[1].

Обратим внимание на одно парадоксальное и вместе с тем характерное обстоятельство: почти все мемуаристы признавали, что Галина Носова облагодетельствовала Венедикта[2], но при этом по крайней мере трое из них посчи-

---

[1] *Ерофеев В.* Мой очень жизненный путь. С. 602–603.
[2] Жанна Герасимова: «Галя — это единственный человек, который отдал ему все. Она заботилась о нем так, как никто в жизни никогда о нем не заботился. Он жил у Гальки не как муж, а как ребенок. Галина много лет буквально держала его на себе. Веньке нужна была эта мама. Кто бы еще за ним так следил? кто бы за ним ухаживал во время болезни?»; Борис Шевелев: «Она была очень хороший человек

тали своим долгом защитить Галину от недоброжелателей. «Современники время от времени ее поругивали, вряд ли справедливо, жена есть жена, ее полагается оставить, как жену цезаря, вне оценок, а, кроме того, с ее появлением вокруг Ерофеева стал возникать быт: книжный шкаф, полка для пластинок, мягкие поверхности для отдыха, стол для работы — настоящий дом» (Пранас Яцкявичус (Моркус));[1] «Многие из мемуаристов, писавших о Вене, отзывались о Гале не слишком доброжелательно. По-моему, это как минимум несправедливо. Во всяком случае, на первых порах их совместной жизни она была для него натуральной *fée bienfaisante*[2]. А уж сколько ей пришлось на этом поприще перетерпеть и перестрадать, знает только она сама. Хотя она, как мне кажется, с самого начала хорошо себе представляла, на что и ради чего идет» (Марк Фрейдкин)[3]; «Она в нем совершенно растворилась. Она была чудесный, самоотверженный человек, к сожалению, посмертно в каких-то мемуарах ее представили сумасшедшей. Я голову могу дать на отсечение, что если бы не она, он помер бы раньше лет на десять. Она с ним носилась, пылинки с него сдувала. Жизнь ему в пря-

---

<...> Галя ему очень помогла. Она его "легализовала"» (Про Веничку. С. 121); Валерия Черных: «Благодаря Галине он прожил лет на 10 больше, чем мог бы. Она ему закуску возила с собой в лукошке! Печенку, потому что ему нужен гемоглобин, ягоды... Только для него. Она действительно его очень любила. Говорила "мальчик голубоглазый"»; Нина Фролова: «Сколько у него было друзей, сколько женщин его окружало, но никто, кроме Гали, не смог ему помочь. Ни один человек не сделал для Вены столько, как она. И за это мы всегда будем ей благодарны» (Коктейль Ерофеева. Сестра культового писателя Нина Фролова: «От него всего можно было ожидать!»). Приведем еще одно суждение Нины Фроловой о Галине Носовой: «Она о нем заботилась, когда он был и больной, и несносный, и компания эта все время около него, она все это терпела. Раз Венедикту это помогает преодолеть свои беды и несчастья, то она все это разрешала» (Острова).

[1] Про Веничку. С. 66.

[2] Фея-благодетельница (*фр.*). — *О. Л., М. С., И. С.*

[3] *Фрейдкин М.* Каша из топора. С. 296.

мом смысле сберегла. Он ведь не ел ничего никогда, только то, что она приготовит» (Сергей Толстов)[1].

Но ведь за считаными исключениями никто из мемуаристов Носову особенно не ругал. И даже Игорь Авдиев, действительно недолюбливавший Галину, в одной из многочисленных заметок о Ерофееве воздал ей должное: «Справедливости ради надо сказать: прожить рядом с Венедиктом полтора десятка лет было трудно — до безумия <...> Галина Носова, добрая до бессребреничества, но практичная до скаредности, жертвенная до всепрощения, но страстная до мстительности — простая "девка" с крохотным чувством самосохранения, прожила с Венедиктом рядом самые страшные годы»[2].

Может быть, защищая Носову от несправедливых нападок современников, и Яцкявичус, и Фрейдкин, и Толстов в действительности осознанно или неосознанно подразумевали потребительское отношение к ней самого́ Ерофеева? «Его жизнь с Галиной Носовой почти вся прошла при нас с Марком, — вспоминает Людмила Евдокимова. — Иначе, чем Галина Носова (а может, и просто Носова порой), он ее не называл; никогда — Галя[3]. Не в том дело, конечно, что он ее не любил; это само собой. Но много чего с этой нелюбовью влеклось (притом что она носилась с ним как с писаной торбой). Даже и жалости не было». «Честно говоря, вот по отношению к Гале это был ужасный человек. Я не знаю, какая женщина могла выдержать то, что он с ней делал. Но она выдерживала», — сви-

---

[1] Поселок академиков Абрамцево. Сборник воспоминаний жителей поселка / Автор-составитель Н. Абрикосова. М., 2014. С. 235–236.

[2] *Авдиев И.* Предисловие // *Ерофеев В.* Последний дневник (сентябрь 1989 г. — март 1990 г.). С. 167.

[3] Отметим, впрочем, что стиль Ерофеева называть собеседника по фамилии разделяла и Галина. «Здравствуй умный, умный Ерофеев!» — начинается ее письмо Венедикту, отправленное летом 1976 года. (Личный архив В. Ерофеева. Материалы предоставлены Г. А. Ерофеевой.) — *О. Л., М. С., И. С.* Однако, скорее всего, этот стиль Галина вынужденно переняла от Ерофеева.

детельствует Жанна Герасимова. Впрочем, Валерия Черных говорит об отношении Ерофеева к Галине чуть-чуть по-другому: «Конечно, не было сильного чувства, это было заметно. Но он был ей благодарен».

Обретение Ерофеевым более или менее стабильного места обитания, да еще в са́мом центре Москвы, дало ему возможность принима́ть у себя друзей и приятелей. В частности, сюда к Ерофееву наведался его однокурсник по МГУ, один из основателей тартуско-московской филологической школы Борис Успенский. «В какой-то момент в 70-х годах я привел Успенского к Ерофееву, так как они хотели возобновить знакомство, — вспоминает Андрей Архипов. — Они встретились как друзья». Успенский, в свою очередь, представил Ерофеева великому тартускому семиотику и историку литературы Юрию Лотману. «Юрия Михайловича Веня знал, он был у меня дома специально, чтобы познакомиться с Лотманом, — рассказывает Успенский. — Мы даже вместе его встретили, вместе шли домой и, естественно, заходили в магазин, чтобы купить водку и закуску. Но, конечно, Юрий Михайлович узнал о Вене гораздо раньше. Он, как и все мы, читал "Москву — Петушки" в самиздате». «Веничка <...> хорошо запомнил Лотмана, — пишет Ольга Седакова. — Однажды, когда кто-то из его шутовской свиты попытался сказать в его адрес что-то непочтительное, Веничка сурово оборвал его: "Молчи! В одном его усе больше ума и печали, чем во всем, что ты сказал и подумал за всю твою жизнь"»[1]. «Он с почтением разночинца говорил о структуралистах, которые были тогда в зените славы», — пишет в воспоминаниях о Ерофееве Елена Игнатова[2].

В первых числах января 1975 года Ерофеев внезапно получил повестку из отделения милиции и от греха подальше уехал из Москвы в Ленинград. Там при помощи

---

[1] Дар и крест. Памяти Натальи Трауберг. С. 90.
[2] *Игнатова Е.* Венедикт. С. 193.

все той же Носовой он обрел место для ночлегов и, пользуясь подвернувшимся случаем, завел знакомство со множеством ленинградских поэтов и прозаиков[1]. Один из этих поэтов, Константин Кузьминский, вспоминал: «Приезжает Веничка. Сел. Высокий, седой, с невероятной синевы глазами. Сидит так мрачно и рассказывает: "Просыпаюсь я как-то с дикого бодуна, с похмелюги. А вокруг меня сидят какие-то девочки из Тартуского университета. И эти девочки спрашивают меня: а вот концовка «Москва — Петушки» у вас не Кафкой навеяна? А я этого е...го Кафку и в глаза не читал!"»[2] Приведем также словесный портрет Ерофеева из воспоминаний еще одного тогдашнего неофициального ленинградского поэта Дмитрия Бобышева: «Это был красивый ладный парень с голубыми глазами и светлой челкой, очень русского, но простонародного типа, каким я бы представил себе московского приказчика, сбитенщика, полового»[3]. Поэтический портрет Ерофеева набросан в стихотворении Александра Кушнера «По одному поводу» 1992 года, снабженном посвящением «Памяти Венедикта Ерофеева»:

> Году в семьдесят пятом в Ленинграде
> ко мне зашел не выпить, бога ради
> не думайте, что выпить, — поболтать
> москвич-прозаик с гамсуновской челкой,
> высокий, если сравнивать, то с елкой
> его, снежком покрытой, рюмок пять
> мы выпили, а начал со стакана
> он, — лучшего про выпивку романа
> и в Штатах никому не написать!
> Не помню я, о чем мы говорили,

---

[1] Подробнее см.: *Берлин В.* Венедикт Ерофеев и «Вопросы ленинизма».

[2] Там же.

[3] *Бобышев Д.* Автопортрет в лицах. Человекотекст. Кн. 2. М., 2008. С. 193.

наверное, стихи мои хвалили,
и Розанов, конечно, мракобес
превозносился нами до небес
в его невероятной обработке.
Мой тенорок, смешок его короткий
порхали за столом, — страна чудес
стояла за окном: дворцы, театры,
обкомы, школы, — с нами психиатры
не справятся, уж если кто-то пить
рожден, — зачем страну свою винить?[1]

«Впервые я услышал о нем от нашего общего друга — переводчика с английского Владимира Муравьева, — вспоминает Кушнер, — он и дал мне прочесть рукопись "Москва — Петушки", которая меня восхитила. А Венедикту Муравьев показывал мои стихи — и они понравились ему. Однажды, приехав в Ленинград, Ерофеев позвонил мне — и пришел в гости. И мы проговорили несколько часов, при этом крепко выпив. О чем говорили, уже не помню. Наверное, о стихах и прозе, он прекрасно разбирался в литературе, в искусстве, нам было о чем говорить». «Кушнера люблю, — рассказывал Ерофеев в позднейшем интервью И. Тосунян, — мне понравился он тем, что когда в 1975 году звонил из Ленинграда, то признался: "Я единственный раз в жизни напился, когда вы, Ерофеев, были у меня в гостях". Он иногда бывает слишком антологичен. Я его тогда обвинил в отсутствии дерзости. Для писателя это, по-моему, необходимое качество. Он согласился»[2].

По-видимому, именно об этом же визите Ерофеева в северную столицу с «достоевскими» подробностями рассказывает в воспоминаниях Елена Игнатова: «Занесло его в наши края случайно, непонятно зачем. Он позвонил, но я не могла понять, где он остановился и что собирается

---

[1] *Кушнер А.* Кустарник. СПб., 2002. С. 76.
[2] *Ерофеев В.* Мой очень жизненный путь. С. 513.

делать. На следующий вечер отыскала у полузнакомых людей, где его, бесчувственно пьяного, оставили какие-то приятели. Все это было похоже на дурной сон. Венедикт лежал на грязной постели. Кроме кровати, никакой мебели в комнате не было. На полу сидели хозяин-литератор и его друзья, собравшиеся по случаю прибытия гостя. Этих людей я знала: они объявляли себя авангардистами, модернистами, авангардом модернизма и т. д., проявляя больше предприимчивости, чем таланта. Для них Венедикт был притягателен: ведь он, по общему признанию, был "модернистом" и, безусловно, знаменитостью. И сейчас он лежал здесь, на грязном тряпье, и поносил их сочинения последними словами. В комнате было темно, топилась печь-голландка, на полу на газете расставлены бутылки и еда. Гости с каждым стаканом переходили от приниженности к наглости. В пьяной речи Венедикта, которую он произносил, спотыкаясь и уставясь в потолок, было много справедливого, и это, вместе со сбивчивой бранью, звучало особенно оскорбительно. Сначала писатели пытались объясниться, потом стали отругиваться. Хозяин приподымался с грязного пола, восклицая, что "он не позволит в своем доме..." Венедикт распалялся еще больше — казалось, тяжелому безобразию этой сцены не будет конца. Я не решалась уйти, оставить Венедикта. <...> Глубокой ночью собрались к художнику, живущему по соседству. Венедикт уезжал в Москву ранним поездом, надо было скоротать несколько часов. Гости стали разбирать свои пальто <...>. Венедикт поднялся с трудом, его как бы не замечали. Мы с ним спускались по лестницы, из квартиры слышались возмущенные голоса. После прокуренной комнаты замечательно дышалось на морозе. Венедикт был несколько смущен, шел неуверенно, опираясь на мою руку. Не хотелось ни утешать, ни упрекать его. <...> Через несколько минут мы оказались в комнате, узкой, как щель. Большую часть ее занимал печатный станок для печатания гравюр, а вокруг сидели люди, поджи-

давшие Венедикта. Они были такие важные и благост-
ные, а Венедикт с таким оживлением поглядывал на них
и на батарею бутылок на станке, что я поняла — начинается второй раунд. Писатели, втиснувшиеся в комнату, ожидали того же с явным злорадством. Но скандала не вышло — после первого стакана Венедикт положил голову на
печатный станок и заснул.<...> Мы до рассвета просидели
в этой комнате, гости вяло шелестели о преимуществах
ленинградской школы литературы перед московской.
Слабость московской школы в образе поверженного Венедикта была налицо. Утром его доставили на вокзал.
Больше таких приключений на мою долю, к счастью, не
выпадало. И насчет этого Венедикт потом уверял, что половина мне примерещилась. "Да ничего такого там не
было, ты, девка, придумываешь. Я их ругал? Да я их и не
читал никогда... А вообще-то, так им и надо..." — добавлял
он с усмешкой»[1].

Вернулся в Москву из Ленинграда Ерофеев примерно
через месяц после опасной повестки из милиции. В мае
1975 года они с Авдиевым зашли в гости к приятелю в студенческое общежитие МГУ. Об этом визите рассказала
в своем фейсбуке филолог, специалистка по творчеству
Александра Блока Дина Магомедова, причем ее мемуарный набросок, как представляется, вносит существенные
коррективы в легендарные сведения об изумительной
ерофеевской памяти на стихи поэтов Серебряного века:
«Ерофеев пришел в общежитие к приятелю и однокурс-
нику моего первого мужа, Юрия Шичалина, Саше Корчи-
ку. С ним был его тогдашний постоянный спутник (как
мне пояснили) Игорь Авдиев. Все засуетились, срочно
раздобыли бутылку вина и соорудили какую-то немудря-
щую закуску. Меня с надеждой спросили: "Ты ведь не будешь пить?" — и так было ясно, что не буду, но Саша обрадовался: больше достанется гостям. Поразило в первую

---

[1] *Игнатова Е.* Венедикт. С. 201.

минуту, какие оба высокие, красивые и... театральные. Почему-то Веничка заговорил вольным стихом, как в драматических переводах, и старался не сбиваться с ритма, хотя иногда все же переходил на презренную прозу. Игорь Авдиев, когда я что-то сказала, кажется, о вилках и тарелках (собираясь принести парочку из нашей комнаты), отреагировал так: "Как вы необычно говорите! Вы говорите орфоэпично! Веня, правда же, она говорит орфоэпично?" Веня в ответ хмуро буркнул: "Авдяшка — какашка", после чего его спутник надолго замолчал.

Помню, что Веничка, узнав, что моя родня по материнской линии из Камешково Владимирской области, сказал, что он там некоторое время жил, у пьющего учителя. И похвалил его учеников: "Мировые ребята, ни разу не донесли, что он на уроки пьяным приходил". Помню, как рассказал, что живет сейчас в Проезде Художественного театра (т. е. в Камергерском) прямо над Пушкинской лавкой: "Из окна очень удобно плевать на головы прохожим". Помню, что почему-то заговорили про Карла Орфа. Я сказала, что видела в магазине у Консерватории пластинку с *Carmina Burana* и *Catulli carmina*. И что пластинка стоила 5 рублей, слишком для меня много. Веничка укоризненно покачал головой: "Да я, если бы мне сказали, что за эту пластинку я должен не пить неделю, сказал бы: «Ну что ж, несите пластинку»". Еще он добавил: "Карл Орф — один из самых ответственных сейчас людей". И запальчиво закончил, хотя ему никто не возражал: "А что, Луис Корвалан, что ли, ответственный?"

В комнате на столе лежал томик Блока. Веничка взялся его перелистывать, потом отдал своему спутнику и объявил, что знает его наизусть и берется закончить любое стихотворение, и не хочет ли кто с ним посоревноваться? Все дружно стали указывать на меня, мне ничего не оставалось, как согласиться. Игорь прочел из "Снежного вина": "И вновь, сверкнув из чаши винной, ты поселила в сердце страх, своей улыбкою невинной..." — Веничка закончил: "На тонких девичьих губах". — Я закончила: "В тяжелозмейных волосах". Еще два-три таких же эксперимента убедили меня, что на самом деле он мгновенно сочиняет свое (конкретные строчки из памяти ушли), но подходящее по ритму и стилю. Несколько раз проиграв, Веничка обиделся: "Я так не играю. Вы блоковедку притащили!" Все завопили, что он угадал, и бросили играть, но Веничка через некоторое время тихо спросил меня: "А вы правда блоковедка?" Я ответила: "Пока нет".

В то время по общежитию гуляло несколько тамиздатовских романов Набокова. Заговорили и о них, и тут одна из присутствующих (не я! но имя не назову) сказала, что ей не нравится "Лолита". Веничка взвился: "Кто ты такая, чтобы тебе не нравился Набоков?" Девушка ледяным голосом ответила, что она имеет право на собственную оценку любого писателя. И повторила: "И роман неудачный".

Видимо, это послужило поводом для того, чтобы Веничка скомандовал своему приятелю: "Едем в Кунцево". Попытки его задержать успеха не имели: вино кончилось, а денег, чтобы добавить, ни у кого не было. Корчик спрашивал: "Что тебе в Кунцево?" Веничка ответил вольными ямбами: "Там, в Кунцево, бутылка есть вина. Туда я еду"».

О манере Ерофеева торжественно окрашивать бытовые реплики с помощью интонации пишет и Андрей Архипов: «Смеховой прием: говорить пустяшный текст с величественной риторической, напевно-инвективной интонацией: "И сколько же / я / налью / этому дурачку / этому мудиле? / — Да ни капельки, / ни граммулечки". Я думаю, что эта интонация восходила к Заратустре; она сохранилась и даже утрировалась, когда Ерофеев стал пользоваться ларингофоном. Возможно, что большинство его текстов надо читать именно с такой интонацией».

Часть лета 1975 года Ерофеев и Носова прожили на даче в подмосковном Абрамцеве, которую в течение десятилетий арендовал выдающийся математик, член-корреспондент АН СССР, в прошлом — известный альпинист Борис Николаевич Делоне. Ему в это время уже исполнилось 85 лет. «Казалось, он вообще-то смотрит на весь род человеческий, за исключением математиков, с некоторой дистанции, — вспоминает Марк Гринберг. — Но Веню (которого называл Ерофеем) он явно выделял. "Ерофей — это человек"». В свою очередь, и Ерофеев почитал Бориса Николаевича. «Венедикт очень гордился таким знакомством, восхищался, как весной Делоне из Москвы на такси приезжал в Абрамцево на ландышевую поляну, чтобы полюбоваться этой красотой», — вспоминает Нина Фролова[1]. «Дед был очень яркий, открытый и очень интересный по устройству головы человек, — свидетельствует Сергей Шаров-Делоне. — Независимый, открытый новым вещам, новым идеям, нестандартным взглядам. И Веня такой же. Очень откровенный. И, увидев откровенного и открытого такого Ерофеева... их законтачило просто мгновенно. Они очень любили между собой поговорить. Друг над другом посмеивались, подшучивали. Как два очень умных человека, они видели слабые места друг друга и над ними тихонько подшучивали».

Людмила Евдокимова пишет о даче Бориса Делоне и времяпрепровождении там Ерофеева и его компании так: «Это была стандартная двухэтажная академическая дача в поселке Абрамцево, дом запущенный и пустой, пыльный, с минимумом мебели. Участок был огромный, заросший высоким лесом, совершенно не ухоженный, однако Веня через несколько лет там устроил показательно образцовый мини-огород: несколько страшно высоких грядок, на которых он выращивал "редис красный богатырь", и страшно этим гордился. В этом доме сидели на террасе, выходившей в лес, а зимой (бывало, приезжали туда среди зимы, в нетопленный дом) — в примыкающей к ней гостиной, где печь топилась день и ночь, отчего все

[1] Про Веничку. С. 1.

слегка угорали. Бывало, летом там и ночевали, разбредаясь по пустым комнатам, валясь на какие-то пустые топчаны, а то и просто на кучи дачного хлама. Сам Веня дислоцировался в лучшей комнате этого дома — на втором этаже, в так называемой комнате с балконом. На одной из открытых веранд, глядевшей на калитку, сиживал порой сам дед в кресле-качалке, читая Расина по-французски. А то, напротив, когда вся Венина компания уже вовсю гудела на даче, он появлялся со станции пешком, с рюкзаком и в шортах, на дореволюционно-спортивный лад. Ходили в лес — через другую калитку в него можно было попасть непосредственно: Веня же был страстным грибником».

Упоминаемый Людмилой Евдокимовой Вадим Делоне был поэтом и диссидентом, в частности, он участвовал в исторической демонстрации семи человек на Красной площади в Москве 25 августа 1968 года, устроенной в знак протеста против введения советских войск в Чехословакию. Собственно, Вадим Делоне вместе с женой Ириной Делоне (Белогородской) и стал инициатором первого приезда Ерофеева с Носовой в Абрамцево. «С Веничкой Ерофеевым познакомились мы (Вадим и я) в 1974 году, — рассказывает Ирина Делоне. — В это время мы обитали у Надежды Яковлевны Шатуновской, известной московской правозащитницы, и Венедикт часто нас навещал, а иногда и жил по нескольку дней. А летом все мы обитали на просторной даче у Деда (академик Б. Н. Делоне). Венедикт очень любил Абрамцево, особенно прогулки с Дедом в лесу по 20 километров и походы за грибами. С величайшего позволения Бориса Николаевича, который запрещал любые огородно-цветочные мероприятия на дачной территории леса, для Ерофеева было сделано исключение, и он сажал там укроп, петрушку и еще какие-то загадочные цветы»[1].

---

[1] Цитируемое здесь и далее интервью у Ирины Делоне (Белогородской) было взято В. Берлиным.

Также Ирина Делоне вспоминает, что именно она добилась получения Ерофеевым паспорта и военного билета: «Паспорта у Венички не было и получить он его не мог, поскольку давно потерял, так же, как и военный билет. А еще он говорил, что во времена Робеспьера паспорт мог заменяться просто свидетельством о гражданской благонадежности, а у него и ее нет. И все же отрадно жить в стране, где имущественный ценз не имеет ни политического, ни психологического значения. Но вот какое чудо, в которое трудно сегодня поверить, однажды произошло в августе 75-го[1]. Я достала в "Березке" огромную бутылку какого-то сверхдефицитного заграничного джина или коньяка и, главное, невиданный тогда складной японский зонтик, и по наводке Вениных друзей мы с ним поехали в Павлово-Посадское отделение милиции. Мои подарки буквально сразили начальника паспортного стола, и он в течение одного (!) дня (фотокарточки мы предусмотрительно захватили с собой) выписал Ерофееву настоящий паспорт гражданина Советского Союза! Мы не верили своим глазам, но факт был налицо. И этот факт был чудом!» По другой, более распространенной версии, паспорт и военный билет Ерофееву выправила сама Носова. «Как я ему потом добыла паспорт — это отдельная история. Я тогда способна была пробивать всякие стены»[2].

Так или иначе, но в октябре 1975 года Венедикт Васильевич Ерофеев формально превратился в полноценного советского гражданина. Нужно сказать, что его отношение к советской власти не отличалось особой последовательностью. В молодости Ерофеев был настроен вполне антисоветски. «Меня особенно поразило его негативное, нигилистическое отношение к Ленину», — вспоминает

---

[1] На самом деле, по-видимому, в июле. См. чуть ниже в нашей книге. — *О. Л., М. С., И. С.*

[2] *Ерофеев В.* Мой очень жизненный путь. С. 603.

ерофеевский товарищ по Орехово-Зуевскому пединститу-ту Виктор Евсеев[1]. «Он никогда не был диссидентом и никогда не занимался этим скрупулезно, но он ненавидел советскую власть, — рассказывает о владимирской юности Ерофеева Борис Сорокин. — И скрыть этого не мог, да и не старался особенно. И что-нибудь да прорывалось. Он считал, что это идиоты, которые если попадут в такие условия, которые они ставят другим, на них смотреть будет страшно. Он меня очень заразил этой ненавистью к большевикам. Это я от него воспринял — говорить о большевиках все, что о них думаю»[2]. «В доме вообще часто велись разговоры о политике. Вена, показывая на меня, говорил: "А она большевичка!", — вспоминает Тамара Гущина. — Как-то раз, еще задолго до перестройки, мы сидели вдвоем, и он неожиданно сказал: "Фанатиков надо душить в колыбели!" — "Кого ты имеешь в виду?" — "Ленина и Гитлера". Я была шокирована: "Ты, наверное, хотел сказать «Сталина и Гитлера»?" — "Ну, как ты не можешь понять, что Сталин целиком вышел из Ленина?"»[3]

«Летом 1968 года я собиралась поступать в Московский университет на юридический факультет, — вспоминает Галина Новская. — Ерофеев увидел у меня на столе контрольные работы с подготовительных курсов и сказал буквально следующее: "девочка, — он так ко мне обращался, — подумай, куда ты лезешь. Сейчас такие же, как ты, студенты проводят демонстрацию на Красной площади против ввода войск в Чехословакию, а ты собираешься поступить против своей совести". — Я тогда не очень хорошо понимала подлинный смысл всех политических событий — официальная пропаганда обязывала придерживаться опреде-

[1] *Евсеев В.* Он был белой вороной. С. 466.

[2] А еще один участник компании, Вадим Тихонов, писал Ерофееву уже в перестроечные годы: «Прочитал Архипелаг, Шаламова, Марченко и прихуел, как это мы не сыграли туда же, что нас оберегло?» (Личный архив В. Ерофеев. (Материалы предоставлены Г. А. Ерофеевой.)

[3] *Ерофеев В.* Письма к сестре. С. 143.

ленной точки зрения, но в университет так и не поступила, хотя, конечно, по обстоятельствам совсем иным»[1].

«Раз начав, уже трудно остановиться. 50 лет установления сов<етской> власти в Актюбинске, 25 лет львовско-сандомирской операции *etc., etc.* Все ширится мутный поток унылых, обалбесивающих юбилеев», — записал Ерофеев, например, в своем блокноте 1969 года[2]. Но чем дольше он жил, тем бо́льшую гражданскую индифферентность он проявлял. «Если говорить о позднесоветской эпохе, то разговоров, в которых мы между собой хаяли эту самую власть, было не так уж и много. И Веня тоже не очень их любил, потому что это была интеллектуальная рента, что ли... Все с этой властью было понятно, на что она похожа», — вспоминает Марк Гринберг конец 1970-х годов.

А вот Жанне Герасимовой Ерофеев в 1980-е годы говорил: «Меня считают диссидентом, но я никакой не диссидент. Я писатель. Мне наплевать. Мне наплевать»[3]. «Его принцип был не такой, что он кого-то любит или не любит во власти, — добавляет Герасимова от себя. — Его принцип был: на-пле-вать. То есть ему было все равно». «Меня отпугивала полная антимузыкальность их. Это важная примета, чтобы выделять не совсем хороших людей, не сто́ящих внимания. Причем с обеих сторон. Голоса их не создают гармонии» — так Ерофеев высказался о диссидентах в интервью 1989 года[4]. «Один голландский то ли журналист, то ли профессор спросил Ерофеева:

---

[1] «Москва — Петушки». Конечная остановка Караваево: В. В. Ерофеев в Караваеве и его окрестностях: страницы воспоминаний // Караваевское сельское краеведческое общество / Текст, комментарий, подготовка воспоминаний, примечания *А. В. Буторова*. Караваево, 1998. С. 14.

[2] *Ерофеев В.* Записные книжки 1960-х годов. С. 577.

[3] «Он был просто писатель. Не антисоветский, не советский, но просто писатель, который жил в советское время. Вот и все», — говорит Евгений Попов.

[4] Жизнь вне цензуры: интервью // Человек и природа. 1989. № 10. С. 57.

"Почему вы здесь, в СССР, не занимаетесь политикой?" — рассказывает Андрей Архипов об одном из ерофеевских интервью конца 1980-х годов. — А Ерофеев ему ответил: "А почему вы в Голландии не занимаетесь альпинизмом? Потому что у вас самая большая высота — 27 метров"».

В позднем интервью Л. Прудовскому Ерофеев, не выносивший никакого коллективизма, в том числе и оппозиционного, даже издевательски заявил, что любит советскую власть: «Я все в ней люблю. Это вам вольно рассуждать о моей власти, ебена мать. Это вам вольно валять дурака, а я дурака не валяю, я очень люблю свою власть, и никто так не любит свою власть, ни один гаденыш не любит так мою власть»[1]. Процитированное высказывание, конечно же, представляет собой выразительный пример очередного дразнения гусей. Ведь на вопрос О. Осетинского «Что делать с большевиками?», заданный в интервью 1989 года, Ерофеев ответил: «Я бы устроил маленький Нюрнберг», имея в виду показательный судебный процесс[2]. «У него был всегда такой чуть-чуть ироничный взгляд на политику, но по взглядам он был, конечно же, свой для диссидентов. Абсолютно, — рассказывает Сергей Шаров-Делоне. — Он был знаком сам с довольно большим кругом людей диссидентским». В феврале — апреле 1977 года Ерофеев даже оказался в числе 325 подписантов, требующих освободить арестованного Александра Гинзбурга — одного из самых видных диссидентов[3].

Однако прав, вероятно, был и Владимир Муравьев, полагавший, что Ерофеев существовал «в советской дей-

---

[1] *Ерофеев В.* Мой очень жизненный путь. С. 505.
[2] Веня. Последнее интервью.
[3] Архив общества «Мемориал». Ф. 101. Оп. 288. Л. 5–7. Упомянем, что второй известный нам случай «подписантства» Ерофеева случился уже в перестроечные годы. По просьбе Натальи Шмельковой Ерофеев поддержал подписью поэта Теодора (Анатолия) Гланца, которому грозили неприятности за письмо главному врачу 13-го психоневрологического диспансера (*Шмелькова Н.* Последние дни Венедикта Ерофеева. Дневники. С. 114).

ствительности как рыба в воде»[1]. Автор «Москвы — Петушков» знал и хорошо понимал именно и только эту действительность, ему, перефразируя знаменитое сравнение из Льва Толстого, лишь в советской действительности было «покойно, тепло, привычно и грязно, как в старом халате»[2]. Это константное ощущение, впрочем, совершенно не мешало Ерофееву безо всякой приязни относиться ко многим сторонам советской реальности[3].

И разумеется, как мы уже видели, это не мешало Ерофееву близко дружить со многими инакомыслящими интеллигентами, например с теми же супругами Делоне. Ирина Делоне (Белогородская) вспоминает, как в благодарность за обретенный паспорт «Веничка решил по-своему отблагодарить» ее «и отвел в самое свое грибное место в абрамцевском лесу»: «И произошло еще одно чудесное чудо: я грибы собирать не умею и ничего в них не понимаю, кроме того, что вкус в них нахожу. А тогда, заблудившись в молодом ельничке, я нашла гигантский белый гриб без единой червоточинки. Будучи отнюдь не уверена, что такой шедевр природы может быть съедобным, я стала кликать Веничку, чтобы показать ему находку. Реакция Ерофеева меня поразила. Он был страшно возмущен, обижен и тут же попытался сбить с меня

---

[1] *Ерофеев В.* Мой очень жизненный путь. С. 582.

[2] *Толстой Л. Н.* Война и мир // Полное собрание сочинений: в 90 т. Т. 10. М., 1938. С. 296.

[3] Нужно еще отметить, что сама поэма «Москва — Петушки» (сначала распространявшаяся в самиздате, а потом изданная за границей) вызывала законное подозрение у властей. Приведем здесь воспоминания Татьяны Лоскутовой о ее беседе со следователем по поводу «Москвы — Петушков», состоявшейся в начале 1980-х годов на Лубянке: «Он оживился в четвертый или пятый раз (за шестичасовой допрос, который мне было предложено называть беседой) и спросил почти человеческим голосом: "Ну, и как это вам?" Через минут десять моего восторженного монолога он меня остановил: "Я, конечно, не читал, но знаю, что писал какой-то алкаш..." — "Хотите перескажу? — спросила я. — Вам самому после этого захочется прочитать". Но он замахал на меня руками и не без юмора сказал: "Нет, нет, пожалуйста, не надо, *в другой раз!*"».

спесь: "Только в результате невежественного приседания ты могла найти этот гриб". И потом дулся на меня всю дорогу. Тогда я предложила Веничке переложить гриб в его, почти пустое, лукошко. Он согласился и сразу же подобрел. И тут же решил возвращаться не короткой дорогой через лес, а окольным путем, по которому гуляют дачники. Все встречные ахали да охали, а Веня этим молчаливо гордился». Рядом с Вадимом Делоне запомнил Ерофеева в 1975 году Юрий Романеев, впервые встретившийся со своим однокурсником по МГУ после 1957 года: «И это Веня Ерофеев? Этот столь потрепанный жизнью человек и стройный юноша Черемушек и Стромынки — одно лицо? Но ухватки все Венины. Вот Вадим Делоне беседует с Б. А. Успенским, а проходящий мимо Ерофеев обращается к Вадиму: "Делоне, ну что ты, Делоне?" — с явным удовольствием произнося мягкие согласные [д'] и [н'] в этой фамилии. После собрания Веня познакомил меня со своей женой (второй) Галей, пригласив в их пустую квартирку (комнату?) в центре Москвы. Жаловался на безденежье, тогда как издания его поэмы стали появляться за границей. Запомнилось, что Веня и Галя нежно обращались друг к другу: "девочка моя, мальчик мой"...»[1]

В ноябре 1975 года Вадим и Ирина Делоне эмигрировали в Париж. «Веня мне много рассказывал про Вадика, как он рыдал, прощаясь с Абрамцевым, с "родной землей": припал к земле, начал плакать, прощался навсегда, — со слов Ерофеева сообщает Елена Энгельгардт. — Вадим вообще не хотел уезжать. Да и человек он был эмоциональный»[2]. Супругов Делоне Ерофеев попросил представлять его авторские права за границей и уже в следующем году начал получать гонорары за издания и переиздания «Москвы — Петушков». «По

---

[1] *Романеев Ю.* Мой Радциг, мои Дератани. С. 216.
[2] Поселок академиков Абрамцево. Сборник воспоминаний жителей поселка. С. 227–228.

приезде в Париж в начале 1976 года я заключила договор с французским издательством *Albin Michel.* По контракту издательство должно было передавать мне часть доходов от продажи ерофеевской книги. Я регулярно получала подробные отчеты, а деньги передавала Ерофееву с оказиями. Доллары посылать было опасно, поэтому мы ездили в Швейцарию, где можно было поменять валюту на рубли. Переводчица при правительстве Франции (милейшая Ирина Зайончек) часто приезжала к Ерофееву с деньгами, вещами и книгами (хотя по советским законам дело это было незаконное), и он нам об этом сообщал», — вспоминает Ирина Делоне (Белогородская). «Они пересылали горы роскошных альбомов по музеям мира, — рассказывает Сергей Шаров-Делоне. — Их потом спокойно сдавали в комиссионных, которые принимали, потому что к ним нельзя прицепиться — это не политика. Альбом "Музей Прадо" или "Лувр". Это была возможность перевести деньги».

В сентябре 1978 года Ерофеев писал мужу и жене Делоне: «Милые ребятишки-делонята <...> Я почти не вылезаю из Абрамцева. Прочел ваши 24 страницы, 20 Вадимовых и 4 Ирининых. Я и раньше-то догадывался, что у вас там <...> все не так элементарно, но чтоб до такой степени — не приходило в голову. И втройне благодарен, что еще выкраиваете время на меня и на все издательские чепуховины, выкраиваете из ирининой сказочной занятости и из мытарств Вадимчика»[1]. В одном из ответных писем Вадим Делоне поздравлял Ерофеева с юбилеем: «В день твоего сорокалетия обещаюсь исправно опрокинуть чего-нибудь сорокоградусного. Ирка целует тебя и Галину. Привет и поклон тебе от Вик<тора> Нек<расова> и проч<их> людей с "понятием"»[2]. Между прочим, в том же 1978 году именно от Вадима Делоне получил

---

[1] Личный архив В. Ерофеева (материалы предоставлены Г. А. Ерофеевой).

[2] Там же.

эмигрантское издание «Москвы — Петушков» Сергей Довлатов, который в одной из своих радиопередач 1989 года высказался о ерофеевской поэме так: «...я прочел "Москву — Петушки" уже на Западе, уже не как запретный
плод, без этого крамольного привкуса. И, должен сказать,
навсегда полюбил эту ясную, лаконичную и остроумную
книгу. Я помню, как в Корнельском университете беседо-
вал я с одним американским молодым славистом, и он
меня спросил: "Могу я отметить, что одним из лучших современных прозаиков вы считаете Венедикта Ерофеева?" Я сказал: "Нет, ни в коем случае. Не одним из лучших,
а лучшим, самым ярким и талантливым". Конечно, это
очень трудно и даже не умно пытаться установить, кто
лучше всех в России пишет прозу, это все-таки не сто-
метровка и не штанга. Но, с другой стороны, помимо шкалы
плохой — хороший — замечательный и самый лучший,
есть шкала чуждый — приемлемый — близкий — родной,
и вот по этой субъективной шкале Ерофеев и кажется
мне лучшим современным писателем, то есть самым близким, родным. И делают его таковым три параметра его
прозы: юмор, простота и лаконизм»[1].

23 декабря 1975 года Венедикт и Валентина Ерофеевы
официально развелись[2]. Оформлен этот развод был для
того, чтобы он получил возможность жениться во второй
раз — на Галине Носовой. 11 февраля 1976 года он писал
сестре Тамаре Гущиной: «Так вот, я тебе, покороче и по-
дельнее, о том, что у меня свежего за эти минувшие полгода. Уместнее, конечно, начать вот с чего: через 12 дней,
21/II, состоится мое второе по счету бракосочетание
(Носова, Галина Павловна, сотрудник ЦСУ, кандидат эко-

---

[1] Сергей Довлатов о поэме «Москва — Петушки», 1989. URL:
https://www.youtube.com/watch?v=n2X6GdJNXsQ.

[2] Датируем по их «Свидетельству о расторжении брака». (Личный
архив В. Ерофеева. Материалы предоставлены Г. А. Ерофеевой.)
В письме к Тамаре Гущиной Ерофеев называет другую, более раннюю дату.

номических наук, моложе меня тютелька в тютельку на два с половиной года, т. е. 24/IV — 41 г.). За десять дней до нового года я уже получил на это санкцию от ЗАГСа Фрунзенского р<айо>на Москвы, ровно два месяца эти убогие мозгляки дают на размышление (на их элегантном наречии никакого другого термина не находится, кроме оскóму набившего "на размышления"). Нину Фролову я решил (по зрелому "размышлению" опять же) не очень приглашать, поскольку она злейший враг всякой богемности и всякого покушения на "строгую обыденность" (цитирую Аракчеева), а если учесть, что у меня на банкете 21/II будут Евг. Евтушенко (натура, мягко говоря, импульсивная и без единого царя в голове) и Вл. Высоцкий (его присутствие, правда, проблематичней, в связи с субботними спектаклями и пр.), не считая многих других, — участие Нины Фр<оловой> будет вносить диссонанс и что-нибудь еще. <...> Мне сейчас приходится (и придется, если Бог милостив) жить вот где: самый центр Москвы, через дом от Колонного зала Дома союзов, в тридцати секундах ходьбы от театра оперетты, в тридцати пяти от Центрального телеграфа, в сорока от МХАТа <...> С Запада обнадеживающие новости. В начале октября мы провожали в Вену отъезжающих в Тель-Авив супругов Белогородских. Они застряли в Вене по случаю беременности и два раза в месяц названивают. Так вот: мои издания на Западе вовсе уж не так химеричны, как мне прежде казалось. Вот только те издания, которые они знают: Тель-Авив (на рус<ском> языке), перепечатка на русском же языке в альманахе "Мосты" (Мюнхен), на французском языке в обезображенном и урезанном виде (звонил по этому поводу и жаловался Иоффе из Франкфурта-на-Майне, и Делоне из Вены, и Белогородская из Вены, и Виктор Некрасов из Лондона[1]. Последнего ты знаешь, это автор "В окопах Сталинграда" и пр., два с половиной года как эмигрант)

---

[1] На самом деле — из Парижа. — *О. Л., М. С., И. С.*

и еще одна публикация — по главам, растянуто, на итальянском языке в журнале "Эспрессо". Виктор Некрасов, кстати, умолял целых две минуты перестать пить и заняться литературным делом. Смешнее всего то, что два дня спустя позвонил участковый 108-го отделения милиции Фрунзен<ского> р<айон>на и требовал того же самого, с той только разницей, что он, как Тамара Гущина, избегал разговоров на темы литературных дел»[1].

Как и многие другие послания Ерофеева Тамаре Гущиной, это письмо выдержано в хвастливо-хлестаковском духе отчета об успехах и достижениях: квартира в центре Москвы, невеста — кандидат наук, суперзвезды — гости на свадьбе, публикации на Западе, телефонный разговор с автором повести «В окопах Сталинграда»[2]. Возможно, именно об этом разговоре пишет в своих мемуарах Феликс Бух: «Как-то, будучи у меня в гостях, Веня стал звонить по телефону Виктору Некрасову. Говорили они с полчаса — я слушал затаив дыхание, так было интересно. Потом пришлось задохнуться вторично, но уже от пришедшего на этот разговор счета. Я ведь и не подозревал, что Некрасов находится в Париже, а Веня мне про это обстоятельство ни словом не обмолвился»[3].

И только проговорка о звонке участкового и его профилактической беседе с Ерофеевым о вреде пьянства, вставленная в письмо ради шутливого сопоставления со звонком Некрасова, слегка корректирует эту картину жизни преуспевающего литератора.

---

[1] *Ерофеев В.* Письма к сестре. С. 125–126.
[2] На самом деле с Евтушенко Ерофеев был тогда не знаком, а с Высоцким, к своему сожалению, так и не познакомился. Ср. в мемуарах В. Баженова: «Из современников Венедикт любил Высоцкого. Высоцкий грел ему душу, он не раз говорил об этом. Галя мне сказала, он хочет встретиться, но не решается сделать первый шаг. Были у нас какие-то мосты, общие друзья, но мы не успели устроить им встречу» (*Баженов В.* Фотоувеличение. С. 140).
[3] Про Веничку. С. 103.

ВЕНИЧКА:
В электричке
«сквозь дождь и черноту»

После мнимого Усада с шестью и тремя глотками кубанской главный вопрос, который мучит Веничку, возвращается все время к одному: где проезжает электричка и куда она идет? «Сначала разреши свою мысль: куда ты едешь?» — мечется он и, продолжая форсировать цитату из Достоевского, добавляет: «Мысль разрешить или миллион? Конечно, сначала мысль, а потом миллион»[1] (204). О том же, по сути, задает герою свои с третьей по пятую загадки Сфинкс. В третьей загадке говорится, что Водопьянов идет навстречу Папанину «из пункта Б1 в сторону пункта Б2», а Папанин — «из пункта Б2 в пункт Б1» (202), и при этом оба они оказываются в пункте Б3; речь здесь, следовательно, идет пока еще только об отклонении от маршрута. Согласно условию четвертой загадки, лорд Чемберлен опрокинул столик в «ресторане станции Петушки», а расплачиваться ему за это пришлось в «ресторане Курского вокзала» (202); здесь уже читается намек на переворачивание «петушинской ветки» и подмену мест.

---

[1] См. «Братья Карамазовы»; Алеша об Иване: «Он из тех, которым не надобно миллионов, а надобно мысль разрешить». См. также: Власов. С. 516.

Наконец, по сюжету пятой загадки, и Минину, и Пожарскому, какое бы направление они ни выбрали на пути к Петушкам, в любом случае суждено попасть на Курский вокзал (203); здесь окончательно и бесповоротно возвещается судьба Венички — в роковой предопределенности его пути, недостижимости для него Петушков и обреченности на Курский вокзал.

Интерпретаторы поэмы к вопросам героя добавляют свои, по сути тоже разгадывая пространственные загадки Сфинкса: почему герой, направлявшийся в Петушки, едет в обратную сторону от Петушков — и что это значит?

Одни отвечают на эти вопросы, исходя из житейской логики: «...Героя выносит на платформу и вносит, по-видимому, в другую электричку»[1]; «Заснув, он, видимо, пропускает Петушки, после чего (если объяснять сюжет поэмы рационально) поезд отправляется вместе со спящим героем обратно в Москву»[2]; проспал «спьяну нужную станцию», «не зная того, возвращается в Москву»[3].

---

[1] Седакова. С. 357. Той же версии придерживается Д. Быков: «...В Орехове-Зуеве, сколько можно судить по тексту, Веничку выносит из электрички, идущей в Петушки, и вносит в другую электричку, идущую опять на Курский вокзал» (*Быков Д.* Портретная галерея Дмитрия Быкова. Венедикт Ерофеев // Дилетант. 2015. № 11. Ноябрь. URL: https://ru-bykov.livejournal.com/2243845.html).

[2] *Липовецкий М.* Паралогии. Трансформации (пост)модернистского дискурса в русской культуре 1920–2000-х годов. М., 2008. С. 294. Весьма характерен для этой житейской логики комментарий читателя на быковской страничке *Livejournal*: «Да нет же! Ни из какой электрички Веничку не выносили и ни в какую другую не вносили! Из текста очевидно, что он на станции Орехово-Зуево прорвался обратно в свой вагон, сел и уснул, доехал до Петушков, проспал там целый день в тупике и вечером той же электричкой поехал обратно в Москву. И проснулся на станции Покров, отъехав от Петушков три остановки, в полной уверенности, что все еще едет в Петушки. Если бы он со станции Орехово-Зуево поехал обратно, то не добрался бы до Покрова, ибо он ближе к Петушкам, чем Орехово-Зуево. И тем более не удивлялся бы, почему за окном темно» (https://ru-bykov.livejournal.com/2243845.html).

[3] *Зорин А.* Пригородный поезд дальнего следования // Новый мир. 1989. № 5.

Другие доводят до предела алкогольно-бредовую мотивировку. Так, по мнению И. Паперно и Б. Гаспарова, Веничка впал в невменяемое состояние задолго до Орехово-Зуева, и уже вагонный пир только видится ему в хмельных грезах: «...Все происходящее в вагоне — галлюцинация пьяного героя...»[1]; соответственно, все последующее может быть легко объяснено просто усилением галлюцинаторного состояния.

Но есть и те, кто предостерегают, как И. Сухих, от излишней ставки на достоверность: «Не стоит <...> рационально предполагать, что в Орехово-Зуево толпа вынесла героя на перрон и забросила в другой вагон, идущий обратно в Москву <...> Гротесковый сюжет <...> не подчиняется житейским мотивировкам, а, напротив, на каждом шагу демонстративно посрамляет их»[2]. Согласно их логике, авторская воля, смещающая сюжет в фантастическое, не нуждается в посюстороннем опосредовании; сдвиг осуществляется «творческой волей воображения, играющего роль естественной необходимости»[3]. По версии Сухих, после Орехово-Зуева начинается «странное странствие электрички, становящейся похожей на гумилевский "Заблудившийся трамвай"»[4]; по версии А. Муравьева — «эсхатологическое путешествие».

Спор этот, вне сомнения, спровоцирован самим автором. С одной стороны, так естественно для интерпретатора гадать вместе с героем, как мог он сбиться с маршрута; стоит убрать этот первый план — и сойдет на нет читательский порыв «страха и сострадания». С другой стороны, после Орехово-Зуева и особенно после Усада в поэме происходит сюжетный скачок, подобный тому, который Веничка предлагал совершить Семенычу, и читатель должен

---

[1] Гаспаров, Паперно. С. 397.
[2] *Сухих И.* Заблудившаяся электричка.
[3] *Голосовкер Я.* Избранное: логика мифа. СПб., 2010. С. 109.
[4] *Сухих И.* Заблудившаяся электричка.

быть готов к предстоящей повествовательной турбулентности. Как вдохновенный рассказчик-Шехерезада звал оргиастического контроллера: «От третьего рейха, четвертого позвонка, пятой республики и семнадцатого съезда — можешь ли шагнуть, вместе со мной, в мир вожделенного всем иудеям пятого царства, седьмого неба и второго пришествия?..» (187) — так и автор в какой-то момент выталкивает читателя сразу в «третий» план и «пятое» измерение. Авторский умысел явно состоит в том, чтобы заставить читателя метаться между первым и «третьим» планом — переживать, как же пьяный Веничка мог пересесть в другую электричку, и в то же самое время разделять с героем его «странное», «эсхатологическое путешествие». Одно другого не исключает, как почти всегда в «Москве — Петушках»; именно об этом всех спорящих примирительно предупреждает И. Фоменко: «Загадка поэмы в том, что всякое ее понимание убедительно и не противоречит другим <...> Ее можно читать так и эдак, и все будет "правильно", убедительно, доказательно и не будет противоречить другим толкованиям...»[1] Самые разнообразные разгадки и предложенные интерпретаторами мотивировки оказываются релевантными той «кривой, по которой движется автор-повествователь», — подобию «ленты Мёбиуса»[2].

Но при этом, несмотря на все увещевания Фоменко, трудно согласиться с такими, например, суждениями Сухих о главках, направленных от Петушков: «...Это <...> обэриутская галиматья, кажется, более талантливая, чем у самих обэриутов»; «Ответ на вопрос, почему в подмосковной электричке появляются Сатана, Сфинкс, эриннии вместе с материализовавшимся из новеллы женщины с трудной судьбой трактористом Евтюшкиным, может

---

[1] *Фоменко И.* О феномене «Москвы — Петушков»: вместо предисловия // Анализ одного произведения: «Москва — Петушки» Вен. Ерофеева. Сборник научных трудов. Тверь, 2001. С. 4.
[2] *Муравьев В.* Предисловие.

быть только один: а потому!»[1] Более чем спорным представляется и утверждение самого Фоменко, что в поэме «нет (или пока невозможно найти) доминанты»[2]. По нашему убеждению, последние главки «Москвы — Петушков» — ни в коем случае не «галиматья» (пусть сколь угодно обэриутская и талантливая), доминанту в них можно и нужно искать, а на любые самые каверзные «почему» можно и нужно давать более развернутые ответы, чем прекращающее разговор «потому».

Действительно, почему? Прежде всего, выпав в «область чистого делириума»[3], Веничка тем самым попадает в другое («пятое») измерение, в оборотный мир, где все совершается по каким-то другим законам. Это законы бездны. Если на этапе от Никольского до Есино бездна еще была метафорой, смысл которой раскрывался в медитациях и поучениях, то теперь всякая самая страшная метафора должна реализоваться и герой должен оказаться не в мысленной и воображаемой, а в претерпеваемой им бездне, не у края ее, а в самом жерле, в падении на самое ее дно. «Поезд все мчался сквозь дождь и черноту» (208); «Я бежал и бежал, сквозь вихорь и мрак, срывая двери с петель, я знал, что поезд "Москва — Петушки" летит под откос. Вздымались вагоны — и снова проваливались, как одержимые одурью...» (210); между последними станциями Веничкина поездка в Петушки становится путешествием в бездну.

Путь в «глубину бреда» и встречи с «фигурами бреда»[4] только внешне напоминают «галиматью». В этой «галиматье» (говоря словами шекспировского Полония) «есть метод»[5]: последние главы поэмы четко выстроены

---

[1] *Сухих И.* Заблудившаяся электричка.

[2] *Фоменко И.* О феномене «Москвы — Петушков»: вместо предисловия. С. 4.

[3] Седакова. С. 357.

[4] Там же.

[5] *«There's a method in the madness»* («Гамлет», II, 2); в пер. М. Лозинского: «Хоть это и безумие, но в нем есть последовательность».

в «единую, весьма сложную структуру»[1], с кодами и «доминантой».

Ключевые коды поэмы вовсе не теряются в бреде — напротив, актуализируются. Первые два таких переплетенных кода — это мотивы судного дня и страстей Христовых. Если перед Орехово-Зуево Веничка объявил канун «избраннейшего из всех дней» (187), то теперь, после призрачного Усада, ему суждено испытать «личный апокалипсис»[2]: как народам в Откровении Иоанна Богослова и ветхозаветных пророчествах, так и ему угрожает тьма («Почему за окном чернота?..»[3], 197), град (его подобия: «...Что там в этой черноте — дождь или снег?[4]», 197) и язва («Там, в Петушках — чего? моровая язва?»[5], 201). Э. Власов замечает по поводу «четырех тяжких казней, обещанных Иеремией», что все они «в трансформированном виде присутствуют в поэме: и моровая язва, и лютые звери <...> и голод <...> и меч...»[6]; в финале Веничке все эти напасти предстоит испытать на себе.

Темой страстей Христовых композиция поэмы замыкается в круг[7]. Здесь, на трех перегонах от обманного Усада до 113-го километра, нарастают «страстные» мотивы — «пятница», опять-таки «тьма» («От шестого же часа тьма была по всей земле до часа девятого», Матфей 27:45)[8] и связанный с ними мотив «искушения». Снова выводя эту тему на первый план, автор подступает к сáмому для себя завет-

---

[1] Гаспаров, Паперно. С. 400.

[2] *Сухих И.* Заблудившаяся электричка.

[3] «...Вот горе и мрак, густая тьма, и будут повержены во тьму» (Исаия 8:22). См.: Власов. С. 499.

[4] «...Сделались град и огонь...» (Откровение 8:7).

[5] «Они имеют власть <...> поражать землю всякою язвою» (Откровение 11:6).

[6] Власов. С. 506.

[7] «Между началом и концом повести имеется <...> ряд прямых текстуальных совпадений. Этот параллелизм <...> придает композиции форму замкнутого круга» (Гаспаров, Паперно. С. 387).

[8] См.: Власов. С. 502.

ному в поэме. «Земная судьба Христа, распятие, — вспоминает О. Седакова, — то, чем он был занят постоянно. Он говорил об этом так, как если бы это случилось вчера <...> анонимных старых мастеров часто называли по сюжетам: "Мастер Страстей", например <...> Веня и был художником Страстей <...> В рембрандтовском исполнении»[1]. Но если в начале «Москвы — Петушков» эта тема имела скорее характер травестии и своего рода *parodia sacra*, то в финале путешествия приходит время «полной гибели всерьез». Как в пастернаковском «Гамлете», для Венички «неотвратим конец пути»: такому, какой он есть, со своими грехами и своей виной, ему все же предстоит сыграть роль мучимого и казнимого Христа, сыграть до конца.

Третий и четвертый коды тоже неразрывно переплетены — это нисхождение Венички в ад, подобное Дантову странствию по девяти кругам преисподней, и сошествие героя вглубь, к дионисийским истокам трагедии. Девяти кругам *Inferno* в «Москве — Петушках» соответствуют девять последних Веничкиных встреч. Между темными Усадом и 113-м километром происходят первые встречи в преддверии ада — с искушающим Сатаной и загадывающим загадки Сфинксом. Оба как бы испытывают героя — готов ли он претерпеть страшные муки, дойти до предела боли? Сатана лукаво уговаривает Веничку: «Смири свой духовный порыв — легче будет», призывает его выпрыгнуть на ходу из электрички, намекая, что так тоже — легче будет. Но Веничка отвечает готовностью, еще неясной для него самого, — пройти весь свой адский и крестный путь, выпить чашу до дна.

Вместе с тем, с точки зрения трагедийного сюжета, Сатана играет здесь роль Силена из ницшеанского *exempla*, явно перекликаясь с призрачными старичками, путающими и пугающими героя перед потусторонним Усадом: «Дома бы лучше сидел и уроки готовил»; «Да и вообще: куда тебе ехать?» (197). И Сатана, и те старички, что при-

---

[1] *Седакова О.* Венедикт Ерофеев — человек страстей.

нимают Веничку за ребенка и «милую странницу» (196), не только предупреждают путника, что его, в соответствии с собственным невольным предсказанием, «удавят, как мальчика», «или зарежут, как девочку» (143), что он подохнет «по воле рока» (145), но и внушают ему Силенов урок бессмысленности человеческой жизни. Они не просто говорят: «ты умрешь», они отвращают героя от трагедийного «патоса»: «лучшее для тебя — скоро умереть», «отвернуться от ужаса, не искать в нем смысла». Но неслучайно Веничка обороняется от тех, кто пугает его Силеновой бездной, парафразом из «Гамлета»: «Какая-то гниль во всем королевстве и у всех мозги набекрень» (197) — так, несмотря на наплывающий на него мрак, он побуждает себя к смыслоутверждающей трагической борьбе.

Испытание дионисийской бездной продолжает пришедший из Софоклова «Эдипа-царя» Сфинкс. В тех мифологических загадках Эдипу был загадан сам Эдип. Кто ходит утром на четырех ногах? Младенец; Эдип же — в особенности, из-за своих израненных ног. Кто ходит днем на двух ногах? Зрелый мужчина; Эдип же — в особенности «крепко» стоит «на двух ногах», как уверенный в себе властитель. Кто вечером ходит на трех ногах? Старец с посохом; Эдип же — в особенности, из-за своей слепоты. Значит, в загадке Сфинкса — насмешка дочеловеческого мира над «двуногой» зрелостью человека: доля этой зрелости столь же жалка и ничтожна, как и доля предшествующего ей «четырехногого» младенчества и сменяющей ее «трехногой» старости. Чем крепче Эдип стоит на своих «двух ногах» сейчас, тем страшнее его «четырехногое» младенчество (здесь завязка его судьбы) и его «трехногая» старость (здесь развязка его судьбы). В каждом слове Сфинксовой загадки — зловещий и иронический намек, обращенный к самому разгадывающему Эдипу.

Вагонный Сфинкс тоже загадывает герою его собственную судьбу — тоже в страшном, Силеновом преломлении. Разгадка первой загадки — в обесценивании Венички;

именно поэтому тот видит в ней «поросячий подтекст» (201; с чертями и смертью, как в его «поросячьей фарандоле»). Разгадка второй — в обесценивании (изнасиловании) «белесой», и этот намек тоже слишком ясен герою. Разгадки остальных, с третьей по пятую, как уже говорилось, указывают на заколдованность, роковую оборачиваемость Веничкиного пути, а пятая к тому же предрекает насилие — метонимическим, через Минина и Пожарского, указанием на Кремль и подъезд вместо лобного места.

Сходен и «последний» урок Сфинксовых загадок. То, что открылось Эдипу в его ослепляющем прозрении, — это первоначальный хаос, бездна «ничто», зияние бессмысленности: «Что есть человек, кроме того, что он ходит утром на четырех ногах, днем на двух, вечером на трех? Ничто». Веничкой в пяти испытующих задачках разгадан тот же «поросячий подтекст». Что скрывается за количеством ходок по малой и большой нужде в первой загадке? Ничто. За количеством изнасилованных и нетронутых во второй? Ничто. В чем смысл третьей загадки о спасении Водопьянова Папаниным, а Папанина — Водопьяновым? Спасения нет. В чем смысл четвертой и пятой? Эдемских Петушков нет, есть Курский вокзал — как бездна, как ничто. Итогом Сфинксовых загадок становится формула бессмысленного бытия из трех букв — и на одной, и на другой двери тамбура, и справа, и слева.

Но Веничка после этих двух предварительных кругов ада, после абсурдных испытаний Сатаны и Сфинкса — все же не сдается. За «личным апокалипсисом» он силится постичь «книгу жизни» (187), претерпевая «страсти», — совершает «духовное дерзание», проходя круги ада, — пытается спасти человеческие ценности, заглядывая в дионисийский провал, — взыскует просветления.

Так путешествие в бездну превращается в квест — поход за последней ценностью, последним смыслом. Постичь искомое можно только на самом дне этой бездны, в средоточии ужаса и боли.

Глава седьмая

ВЕНЕДИКТ:
Москва — Абрамцево —
Москва

В уже многократно процитированном нами диалоге с Л. Прудовским, который Елена Игнатова справедливо характеризует как «предсмертное интервью, когда уже нет сил и желания что-то растолковывать, умалчивать, объяснять»[1], в ответ на вполне мирный вопрос собеседника: «Между "Розановым" и "Вальпургиевой ночью" 13 лет. Что-то было в этом промежутке?»[2] — Ерофеев взрывается: «Какое кому собачье дело?! Кому какое идиотское собачье дело, было чего-нибудь или не было? Это — как вторгаться в интимные отношения»[3].

Столь болезненная реакция легко объяснима, поскольку вопрос Прудовского прозвучал полуконстатацией: время с лета 1973 года, когда было написано эссе о Василии Розанове, до апреля 1985 года, когда была завершена работа над пьесой «Вальпургиева ночь, или Шаги Командора», обернулось в итоге периодом длительного творческого молчания Ерофеева. «Почему молчишь целых пять лет? — спрашивают. Отвечаю, как прежде графа отвеча-

---

[1] *Игнатова Е.* Венедикт. С. 191.
[2] *Ерофеев В.* Мой очень жизненный путь. С. 505.
[3] Там же.

ли: "Не могу не молчать!"» — иронически переиначивая
Льва Толстого, отметил Ерофеев в блокноте 1978 года[1].
Точнее будет сказать, что это время стало промежутком,
в течение которого многочисленные заготовки Ерофеева
из записных книжек ни разу не отлились в законченную
форму[2]. «В нем чувствовался непрерывный творческий
процесс, — вспоминал Андрей Охоцимский. — Он как бы
присутствовал и отсутствовал одновременно и говорил
отчасти для собеседника, а отчасти продолжая какой-то
бесконечный внутренний диалог с самим собой. В нем как
будто все время варился и проговаривался материал его
прозы, из которого выходила на бумагу только небольшая
часть»[3]. «Веня постоянно ощущал себя действующим писателем, и, несмотря на то что он "молчал" десятилетия-
ми, это вполне соответствовало действительности, — несколько растягивая период ерофеевской "немоты", свидетельствовал Марк Фрейдкин. — Причем он оставался до
такой степени погруженным в литературу и словесность,
что собственно писать ему было уже не обязательно.
В нем и подсознательно, и вполне осознанно шла непре-
рывная, напряженная и изощренная словесная работа,
заключавшаяся в сочинении и вышелушивании из языко-
вой и житейской реальности анекдотов, каламбуров, аллюзий, парафраз, инверсий, синекдох, литот, оксюморо-

---

[1] *Ерофеев В.* Записные книжки. Книга вторая. С. 423.

[2] «У Венедикта был замечательный проект, "как перемешать нрав-
ственное с другими компонентами": составить "Календарь алкаша", — вспоминал об одном из ерофеевских замыслов Игорь Авдиев. — Эти заметки и должны были стать календарем для народа. Нужно было на каждый день найти нравственный повод — веселый или
грустный — шлепнуть небеспричинную рюмаху — другую — седьмую.
Вот такое детище вынашивал Венедикт после "Москвы — Петушков".
Мы сидели в Исторической библиотеке, что между Солянкой и Ма-
росейкой, и я, по мере сил, помогал детопроизводству. Венедикт потерял ее, эту пухлую уже книжечку — "Календарь алкаша"».

[3] Поселок академиков Абрамцево. Сборник воспоминаний жителей поселка. С. 326.

нов, плеоназмов — словом, всех приемов и разновидностей литературной игры, и зачастую он воспринимал окружающее только как повод для нее или даже как ее отражение»[1].

Одним из таких поводов стало свадебное торжество Ерофеева и Галины Носовой, состоявшееся 21 февраля 1976 года в Москве. «Для создания шутовского фона свидетелем был приглашен Владислав Лён-Епишкин[2] с фотовспышкой», — вспоминал Игорь Авдиев[3]. «Вся свадьба получилась какая-то смехотворная...» — прибавлял он в другом варианте своих воспоминаний. «Это было весьма многолюдное, шумное и сумбурное мероприятие — "разночинство, дебош и хованщина", — очень похожее на многие подобные сборища, в которых я впоследствии неоднократно участвовал у них дома, — писал Марк Фрейдкин. — Невесты в фате и прочего свадебного антуража, сколько я помню, не наблюдалось. В начале вечера кто-то сдуру попытался было крикнуть "горько!", но сразу же осекся под тяжелым взглядом Вени»[4].

По свежим следам о свадьбе Ерофеева рассказала Лидия Любчикова, отправившая шутливый отчет о ней давнему владимирскому приятелю Венедикта Андрею Петяеву и его семье[5]. Приведем здесь несколько ярких отрывков из этого никогда не публиковавшегося письма: «Была я, братцы, на историческом событии — свадьбе великого русского не сказать бы писателя, но пьяницы Ерофеева. Это был дорогой покойник. Глаза, как черный колодец (не цветом, а в тоске), лицо разнесчастное настолько, что я на него только глянула, а он мне говорит: "Чего это ты,

---

[1] *Фрейдкин М.* Каша из топора. С. 315.

[2] Правильно не «Епишкин», а «Епишин». — *О. Л., М. С., И. С.*

[3] *Авдиев И.* Предисловие // *Ерофеев В.* Последний дневник (сентябрь 1989 г. — март 1990 г.). С. 165.

[4] *Фрейдкин М.* Каша из топора. С. 305–306.

[5] Письмо любезно предоставлено нам Анной Петяевой. Орфография автора сохранена.

Л., такая грустная?" А я не была грустная, а просто степень его мрачности была такова, что мрачность эта зеркально отразилась на моей роже. Там был стол с довольно богатой едой, с хорошими винами, цветы были (и я приволокла розовых гвоздик и шампанского — до сих пор денег жаль). Там были родственницы Гали — мама, тетя, чрезвычайно милые, стремящиеся сделать свадьбу такой, какой она и должна быть. Даже тетя очень хотела петь баркароллу Шуберта. Еще пытались гальванизировать этот труп (это теперь я уже о всей свадьбе) я, Седакова, Боря Сорокин и один актер по прозвищу Прошка, который спел про несчастного калеку, побирающегося по поездам, а пострадал он на сборе грибов в Колизее, куда ему не советовал ходить римский папа, советовавший, наоборот, не ходить — пожалеть "свою рымскую мать". Я спела "Гори-гори, моя звезда", Седакова самоотверженно играла на жутком их пианино, плясала, ходила колесом, Боря пел и активничал, но очень мило. <...> Вадя-то Тихонов сперва изводил Пинского, но как — я не знаю, т. к. приехала, когда он его уже извел и тот сидел с патриархальной грустью. А потом он изводил Успенского. На мой взгляд, довольно безобидно — тыкал, "Боря, давай выпьем, брось" и т. п. <...> Короче, я уж уехала, а Вадя все же извел и Успенского, тот его вызвал на дуэль на лестницу <...>».

Но главной точкой напряжения свадьбы, видимо, стали не попытки гаера-Тихонова устроить скандал, а присутствие Юлии Руновой, которую Лидия Любчикова в своем письме называет «вечной возлюбленной» Венедикта и отмечает, что та была наряжена «как невеста, в белое платье». «Бен <...> и мрачен-то, очевидно, был особенно из-за Юлии и из-за того, что пытался не напиться», — пишет Любчикова.

Откровенная мрачность Ерофеева, не слишком скрывавшаяся им от невесты, отчасти проясняется при чтении следующего фрагмента из воспоминаний Игоря Авдиева: «С са́мого начала было условлено, что брак будет фиктивным. Однако стоило Веничке расписаться с Галиной, как она почти сразу предъявила на него свои права. Вскоре после свадьбы к Веничке приехала Валентина Зимакова, и Галина устроила один из первых скандалов. Ерофеев тогда напомнил ей одно из условий их неписаного договора: Галина не должна препятствовать ему встречаться с другими женщинами»[1]. Неудивительно, однако, что, по воспоминаниям Сергея Филиппова, «Галина очень переживала на эту тему. Она очень ревновала Ерофеева»[2].

Состав участников свадьбы, на которой наряду с «владимирцами» присутствовали выдающийся филолог-западник Леонид Пинский[3], Борис Успенский, Юлий Ким и еще нескольких знаковых представителей неофициальной и полуофициальной московской культурной среды, все же не позволяет назвать праздничное торжество Венедикта Ерофеева и Галины Носовой апофеозом «дебоша и хованщины» (как, цитируя «Москву — Петушки», определил происходившее Фрейдкин). Очевидно, что какие-то приличия на ерофеевской свадьбе все же соблюдались. Однако «в обычные дни» в Камергерском переулке регулярно собирались личности совсем иного пошиба. «В смысле общения Ерофеев был всеядным, — рассказывает Жанна Герасимова. — К нему приходили самые разные люди; с одними он поддерживал более близкие отношения, а других держал на расстоянии, но никому не отказывал». «В коммуналке шлялись, как в отдельной квартире. Никаких соседей не боялись, — вспоминает Ирина Нагишкина. — Венька не был снобом: с удовольствием пил и трепался со своими "владимирскими", с черной московской богемой. Любил Пятницкого, Костю Белозерского, ему только и да-

---

[1] По материалам из домашнего архива Анны Авдиевой.

[2] Интервью Игоря Сорокина с Сергеем Филипповым 9 октября 2015 года.

[3] «Леонид Пинский, к которому впервые попали "Москва — Петушки", когда прочел, то сказал: "Это очень густо написано даже для меня"», — рассказывает Елизавета Горжевская.

вал себя снимать, Петю Белякова — фарцовщика, гуляку, распиздяя, щедрого и вороватого»[1]. А Ольга Седакова, казалось бы, закаленная многолетним общением с «владимирскими», тем не менее пишет о московских посиделках Ерофеева почти с ужасом: «С годами я все реже заходила к нему, чтобы не встретить каких-нибудь гостей. Эти вальпургиевы гости, их застолья, напоминающие сон Татьяны, отвадили и от самого Венички, который с невыразимым страданием на лице, корчась, как на сковородке, иногда — после особо вредных для окружающей среды реплик, — издавая тихие стоны, слушал все, что несут его сомнительные поклонники, — и не обрывал»[2].

Почему — «не обрывал»? Потому что воспринимал реплики на этих сборищах как материал для будущих книг? Ведь позднее некоторые из этих реплик Ерофееву действительно пригодились для пьесы. Или потому, что на самом деле он вовсе не так уж мучился из-за материализации за своим столом сна пушкинской Татьяны? Напомним, между прочим, что у Пушкина в роли молчаливого организатора всего действа выступает Онегин, на роль которого в московских декорациях естественно было бы подставить именно Ерофеева:

> Он знак подаст — и все хлопочут;
> Он пьет — все пьют и все кричат;
> Он засмеется — все хохочут;
> Нахмурит брови — все молчат;
> Так, он хозяин, это ясно...[3]

Интересно, что последней из процитированных нами пушкинских строк, характеризуя Ерофеева, воспользовалась Римма Выговская, когда рассказывала о праздновании

[1] Про Веничку. С. 191.
[2] *Ерофеев В.* Мой очень жизненный путь. С. 593.
[3] *Пушкин А.* Евгений Онегин // Собрание сочинений: в 10 т. Т. 4. М., 1960. С. 101.

одного из его дней рождения еще в давнюю, орехово-зуевскую пору: «За столом сидело много народу, в основном мужчин. Они много пили и громко разговаривали. Веничка сидел, как король, очень сильно выделяясь на разношерстном фоне этой компании. Он тоже много пил, но почти все время молчал, не вмешивался ни в разговоры, ни в споры. Но было видно: "Он здесь хозяин, это ясно". Спорящие и галдящие говорили ему и для него, а он величаво помалкивал»[1]. «Он был бог для них. Они все перед ним преклонялись. Это производило очень большое впечатление, и мы тоже тихонько себя вели», — вспоминает Ерофеева и его гостей Ирина Дмитренко. «Он невероятно был избалован обожанием. Его все время подхватывали, помогали, спасали, приглашали на дачи. Народ просто сходил с ума рядом с ним, — рассказывает о ерофеевских застольях Наталья Архипова. — Компании собирались громадные, а в центре всегда лежащий на диване Веничка как некий патриций. Все начинали подыгрывать ему, ерничать. Такие шуты, которые пытались угодить королю. И он полупрезрительно смотрел на всех… Вначале, еще трезвый, шутил довольно безобидно. Потом злобно, очень злобно»[2].

С абсолютной ответственностью, вслед за многими мемуаристами, можно утверждать только одно. В рамках ерофеевских представлений о том, что такое хорошо

---

[1] *Выговская Р.* История одной семьи. М., 2014. С. 137.

[2] Приведем здесь и такой фрагмент из мемуаров Владимира Муравьева: «Всеобщее признание очень ему было нужно. Я очень рад, что оно пришло, хотя ему все время не хватало. Нет, никогда вокруг него не танцевали, наоборот, ему страшно любили говорить гадости, грубости. И часто воспринимали его как шута горохового. Это задним числом кажется: ах, Ерофеев! Вот когда он, всемирно известный писатель, лежал на одре болезни — тут действительно вокруг него ходили — "друзья последнего набора" — смотрели ему в рот и выясняли, какой он был гениальный. Это было смешно. А все, что смешно, ему нравилось» (*Ерофеев В.* Мой очень жизненный путь. С. 584–585). Учтем, впрочем, что муравьевская компания была и по составу и по давности знакомства с Ерофеевым совсем другая, чем «владимирская». — *О. Л., М. С., И. С.*

и что такое плохо, несовершенство оказывалось куда более привлекательным, чем совершенство. «Во всем совершенном и стремящемся к совершенству он подозревал бесчеловечность, — пишет Ольга Седакова. — Человеческое значило для него несовершенное, и к несовершенному он требовал относиться "с первой любовью и последней нежностью", чем несовершеннее — тем сильнее так относиться»[1]. «Веня сильно не любил героизма и жертвенности. В частности, пламенно ненавидел несчастную Зою Космодемьянскую, — рассказывает Виктор Куллэ. — Ему все время нужно было, чтобы на самом безупречном белоснежном одеянии нашлось бы грязное пятно. Тогда он начинал верить в то, что перед ним человек. И касалось это не только исторических персонажей, но и современников. Если ты что-то доказывал с железной логикой, он видел в этом бесчеловечность. По своей природе он был антиперфекционистом. Перфекционизм для него был синонимом бесчеловечного. Однако "Москва — Петушки" текст перфекционистский. В этом для меня едва ли не главная Веничкина загадка».

Метафора пятна́ у Куллэ восходит к истории, которую любил рассказывать друзьям и приятелям сам Ерофеев. Андрею Архипову в изложении Венедикта она запомнилась так: «Еду в метро. Напротив меня сидит противный мордоворот. В костюме, в белой рубашке, с галстуком, в руках газета. Мерзость. И вдруг я вижу у него на рубашке крохотное пятнышко от портвейна, всего одна капелька. И сразу же я замечаю, как он внимательно, интеллигентно читает газету. Хорошими умными глазами». Процитируем также близкий к этому рассказу фрагмент из главы «Москва. Ресторан Курского вокзала» ерофеевской поэмы: «Я вслед этой женщине посмотрел с отвращением. В особенности на белые чулки безо всякого шва; шов бы меня смирил, может быть, разгрузил бы душу и совесть...» (128).

---

[1] *Ерофеев В.* Мой очень жизненный путь. С. 596.

В конце 1975 — первой половине 1976 года Венедикт служил в издательстве МГУ, куда его пристроили старые университетские друзья. «Ст<арший> корректор, т. е. обязанность приводить в божеский лит<ературный> вид все рефераты, кот<орые> поступают от старшекурсников геологич<еского> и географич<еского> факультетов МГУ. С первого жалованья купил себе для свадьбы чернейшие брюки и светлый костюм», — хвастался Ерофеев в письме к сестре Тамаре от 11 февраля 1976 года[1]. К этому отрезку его жизни можно приурочить байку, которую учившийся некоторое время в МГУ Игорь Авдиев позднее рассказал Алексею Чернявскому: «Авдиеву в университетской библиотеке никаких книг не дают, кроме учебников. Попросил какого-то древнего грека — и то не положено! А Ерофеев тащит из библиотеки книги охапками. "Я спросил: как же так, Веня? Я же здесь учусь, — а он мне: Дурачок! У тебя в номере читательского билета первое число какое? 12. А у меня 4. Я не знаю, что это значит, но с числом 12 ничего не дают. А когда 4 — все дают. Я долго выяснял. Наконец узнал: 12 — это первокурсник, ему только учебники. А 4 — это рабочий, ему все можно. Все равно никогда он в библиотеку не придет"».

С 21 мая по 25 сентября 1976 года Ерофеев завербовался сезонным рабочим в аэрологическую экспедицию[2], которая исследовала Кольский полуостров. Оттуда он, по обыкновению, посылал множество объемистых писем, в том числе и жене Галине. Судя по ним, по крайней мере на первом этапе семейной жизни (и находясь вдали от Галины) Ерофеев относился к ней вполне благожелательно: «Непонятно, отчего это у меня внутрях нет никаких подъемов и ликований (и причин-то для ликования как будто бы бездна: полоса наших мелких административных триумфов с мая прошлого до нынешнего мая, обретенная на

---

[1] *Ерофеев В.* Письма к сестре. С. 126.
[2] Аэрология — наука о свойствах воздуха.

4 месяца родина и пр.). Состояние ровное и плоское ("как кизлярские пастбища", сказал бы мой друг Тихонов) <...> Не горюй, девка, раздавай долги, выкупай штаны, нашим о себе напоминай, обо всех столичных новостях пописывай. Оревуар и до радостного свидания» (из письма от 8 июня); «Ни о чем не тревожься. Очень помню. До веселого свидания» (из письма от 5 июля)[1].

Подробнее о своих экспедиционных обязанностях Ерофеев рассказывал сестре Тамаре в письме от 5 августа 1976 года: «У меня так: раз в неделю вылеты на север, восток и северо-восток от реки Вороньей и раз в неделю возвращение на базу. Экипировка такая: рюкзак за спиной, накомарник на морде, радиометр на грудях, болотные сапоги снизу, сверху компас и бинокль. Всеми мыслимыми благами снабжены, от танкетки-вездехода до резиновых надувных лодок, в первый раз за всю мою жизнь стал одержим рыбной ловлей (кумжа, хариус, форель, сиг и пр.). С териберским и ловозерским рыбнадзорами отношения панибратские ("фамильярность, граничащая с закадычностью", как говорил Томас Манн). Путного, по существу, ничего не делаем, если не считать обнаруженных двух аномалий с повышенной радиоактивностью, остальное вздор; из тысячи телодвижений, которые мы за день совершаем, только два десятка продиктованы подотчетностью (управление на Крас<ной> площади, рядом с ГУМом). <...> Дал согласие американцам на печатание своих "Петушков" в нью-йоркском издательстве и в изд<ательстве> университета штата Массачусетс (переговоры вела Галина, и авторские амбиции тут важнее обещанных 25 тысяч долларов)»[2].

Никаких 25 000 долларов Ерофеев из США не получил, однако в 1976 году его поэма действительно несколько

---

[1] Личный архив В. Ерофеева (материалы предоставлены Г. А. Ерофеевой).

[2] *Ерофеев В.* Письма к сестре. С. 126–127.

раз была издана за рубежом — в Великобритании, в Польше и во Франции. В 1977 году «Москва — Петушки» вышли книгой на русском языке в престижном парижском эмигрантском издательстве «ИМКА-Пресс». По этому изданию и ксероксам с него долго теперь будет знакомиться с поэмой большинство читателей. «Мои родители, бывшие сотрудники радио "Голос Америки" в Вашингтоне, в 1977 г. получили книгу "Москва — Петушки", изд. *YMCA-PRESS*, наверно, из одного из русских книжных магазинов Нью-Йорка (например, "Четыре Континента"), у которого они заказывали книги по почте, — вспоминает, например, американская славистка и переводчица Татьяна Ретивов. — Мы всей семьей прочли эту книгу несколько раз и вслух, за столом, и про себя». По-видимому, как раз об этом издании рассказывает в одном из интервью Венедикт Ерофеев-младший: «Из детства очень запомнился один эпизод. Мы еще в Мышлине жили[1]. Отец приехал неожиданно, и я, наверное, больше никогда не видел его таким счастливым. Весь он как бы излучал счастье. С порога крикнул: издáли!.. И стал разворачивать что-то, завернутое в старые газеты. Это была книга "Москва — Петушки", изданная во Франции»[2].

В феврале 1977 года Ерофеев на пять месяцев устроился стрелком в 101-й отряд ВОХР команды № 1. В этой же команде и тоже стрелком служила тогда Ольга Савенкова (Азарх), которая рассказывает о специфике этой службы так: «Было 4 поста, на двух выдавали и забирали пропуска, следили, чтобы не проносили спиртное (а работяги все равно проносили в рукавах телогреек), кнопкой открывали ворота. За смену можно было несколько раз отдохнуть на клеенчатом топчане, накрывшись тулупом. На

---

[1] Через некоторое время Валентина Ерофеева вместе с сыном переехала в Караваево. — *О. Л., М. С., И. С.*

[2] *Фурсов А.* Снятие с креста. Тернии и звезды русского писателя Венедикта Ерофеева. С. 5.

третьем посту просто тупо сидели, а на четвертом, который был в отдалении, — спали. Это была будочка метр на полтора с топчаном, печкой и телефоном. А вокруг гудели и искрились генераторы. Короче, Веня выдавал пропуска, открывал ворота, следил, чтобы работяги не проносили портвейн в рукавах телогреек. Хорошее было время. Помню, как брала с живота спящего Ерофеева роман "В круге первом" на папиросной бумаге и читала его за ночь». «Про Солженицына он сразу сказал: "Что интересно, я и так знаю, а что не знаю, мне не интересно". Но когда году в 1977-м Веничка прочел "ГУЛАГ", был просто убит: закрыл дверь, задвинул шторы и долго так сидел», — писал Владимир Муравьев[1]. Позднее на вопрос И. Тосунян в интервью: «Что может дать сейчас публикация "ГУЛАГа"?» — Ерофеев ответил: «Ребятам вроде моего 23-летнего сына она необходима до зарезу. А те, кто поглупее, может, поумнеют»[2].

Тут нужно отметить, что к большинству русских писателей-современников Ерофеев относился, мягко говоря, прохладно (притом что многих отечественных предшественников автор «Москвы — Петушков» искренне почитал)[3]. «О своих коллегах по перу — почти о всех поголовно — отзывался едко и унижающе», — сообщает Анатолий Иванов[4]. К концу 1970-х годов в Еро-

---

[1] *Ерофеев В.* Мой очень жизненный путь. С. 581.

[2] Там же. С. 514.

[3] Однако и здесь были исключения, в частности, проза Михаила Булгакова. «...Он как-то сказал, что, сколько раз ни брался за "Мастера и Маргариту", всегда доходил только до сцены, где они "грянули, и хорошо грянули", а дальше не мог читать, — вспоминает Марк Гринберг. — Ему претило. Он вообще был чужд позе, но тут мне почему-то казалось, что он немножко прикалывается. А может, и правда не мог». Многими мемуаристами отмечаемая неприязнь Ерофеева к «Мастеру и Маргарите», вероятно, была формой и следствием его обычного протеста против устоявшихся интеллигентских мнений и репутаций.

[4] *Иванов А.* Как стеклышко: Венедикт Ерофеев вблизи и издалече. С. 174.

фееве уже в полной мере сформировалось то качество, о котором пишет неплохо знавший писателя Александр Леонтович: «Он был человеком вежливым. Но он считал, что должен быть везде первым. И все действительно ему всегда смотрели в рот»[1]. «"Записки психопата". Мне студенты об этой вещи говорили, что это невозможно, что так писать нельзя. "Ерофеев, ты хочешь прославиться на весь институт?" Я отвечал: "У меня намерение намного крупнее"», — так Ерофеев рассказывал Ирине Тосунян о своих амбициях времен учебы в МГУ[2]. «У него был умный и ясный, слегка высокомерный взгляд, в котором было нетрудно прочитать осознание своей особенности и какого-то связанного с этим груза», — вспоминал Андрей Охоцимский[3]. В позднем интервью Л. Прудовскому на вопрос об отношении к своей всемирной известности Венедикт ответил: «То ли еще будет», а когда интервьюер далее поинтересовался: «Ощущаешь ли ты себя великим писателем?» — Ерофеев, малость ерничая, признался: «Очень даже ощущаю. Я ощущаю себя литератором, который должен сесть за стол. А все, что было сделано до этого, это — более или менее мудозвонство»[4].

В кругу знакомых и друзей Ерофеев долгие годы развлекался им самим придуманной игрой, в которой себе он отвел роль верховного литературного арбитра. Автор «Москвы — Петушков» определял, какое количество водки он налил бы тому или иному писателю. «Если бы вот он вошел в мой дом, сколько бы я ему налил? — излагает Ерофеев "правила" этой игры в интервью с О. Осетинским 1989 года. — Ну, например, Астафьеву или Бело-

---

[1] Поселок академиков Абрамцево. Сборник воспоминаний жителей поселка. С. 88.

[2] *Ерофеев В.* Мой очень жизненный путь. С. 510.

[3] Поселок академиков Абрамцево. Сборник воспоминаний жителей поселка. С. 326.

[4] *Ерофеев В.* Мой очень жизненный путь. С. 501.

ву. Ни грамма бы не налил. А Распутину — грамм 150 <...> А если бы пришел Василь Быков и Алесь Адамович, я бы им налил по полному стакану <...> Юлиану Семенову я бы воды из унитаза немножко выделил, может быть»[1]. «Говорили мы о писателях, которым Веничка "налил бы рюмку", — вспоминает дочь Владимира Муравьева Анна. — Вот Войновичу налил бы даже две или... четыре, он того стоит»[2]. Еще об одном «туре» этой игры рассказывает муж Беллы Ахмадулиной, художник Борис Мессерер: «Каждое новое имя несли на суд Венедикта, и Веничка вершил этот суд, вынося торжественный приговор:

— Нет! Этому я ничего не налью!

Желая обострить разговор, я спросил:

— А как ты относишься к тому, что пишет Битов?

Веничка невозмутимо ответил:

— Ну, Битову я полстакана налью!

Андрей отреагировал благороднейшим образом:

— Веничка, что бы ты ни сказал, я никогда не обижусь на тебя!

Разговор зашел и о Белле. Ее самой не было в мастерской, она жила и работала тогда в Доме творчества композиторов в Репине под Ленинградом. Веничка задумчиво проговорил:

— Ахатовну я бы посмотрел[3]...

А дальше на вопрос, как он оценивает ее стихи, Веничка произнес:

---

[1] *Веня. Последнее интервью.* В интервью И. Тосунян Ерофеев выделяет Астафьеву 15 граммов, а Белову по-прежнему «ни капли» (*Ерофеев В.* Мой очень жизненный путь. С. 512).

[2] *Про Веничку.* С. 254—255. «Войновича Ерофеев любил», — свидетельствует и Борис Сорокин.

[3] Речь идет о знакомстве Мессерера и Ерофеева, которого в мастерскую к Мессереру привел Слава Лён. Ерофеев рассчитывал в этот день познакомиться с Беллой Ахмадулиной (см., например, документальный фильм «Борис Мессерер. Монолог», 2013).

— Ахатовне я бы налил полный стакан!»[1]

Беседа эта состоялась все в том же 1977 году, вскоре после того, как Ахмадулина и Мессерер в Париже взахлеб прочитали корректуру упомянутого нами выше русского издания «Москвы — Петушков». «Всю ночь я читала, — вспоминала позднее Ахмадулина. — За окном и в окне был Париж. Не тогда ли я утвердилась в своей поговорке: Париж не стоит обедни? То есть (для непосвященных): нельзя поступиться даже малым своеволием души — в интересах души. Автор "Москва — Петушки" знает это лучше других. Может быть, только он и знает <...> Так — не живут, не говорят, не пишут. Так может только один: Венедикт Ерофеев, это лишь его жизнь, равная стилю, его речь, всегда собственная, — его талант <...> "Свободный человек!" — вот первая мысль об авторе повести, смело сделавшем ее героя своим соименником, но отнюдь не двойником»[2].

Впрочем, познакомятся Ахмадулина и Ерофеев еще через целых девять лет — в 1986 году. «Водиться с писателями он стал только в последние годы, когда стал знаменитым. Наши действующие литераторы искали с ним встречи. А до этого он жил в том кругу, который описан в "Петушках". Там писателей не было, — рассказывает Ольга Седакова. — В последние годы у него часто бывала Ахмадулина, которую он почитал. Но весьма своеобраз-

---

[1] *Мессерер Б.* Промельк Беллы. Романтическая хроника. М., 2017. С. 410. При этом Ерофеев отнюдь не был склонен делить писателей на «почвенников» и «либералов» и по интеллигентской привычке всегда отдавать предпочтение «либералам». Не слишком высоко, например, оценивал Ерофеев прозу Фазиля Искандера. Продолжая все же ту ту игру (кому сколько налить?) об авторе «Сандро из Чегема» в интервью И. Тосунян он выразился так: «Фазиль Искандер пусть сам бегает за выпивкой в своих тренировочных штанах. Я его не люблю за его невлюбленность ни во что и любование самим собой» (см.: *Ерофеев В.* Мой очень жизненный путь. С. 512).

[2] *Ахмадулина Б.* Миг бытия. М., 1997. С. 140.

но: "Это новый Северянин". Надо заметить, что это не осуждение: Северянина он очень любил»[1].

Еще одно имя, которое нужно прибавить к небольшому списку почитавшихся Ерофеевым писателей-современников, — это Борис Вахтин. «Совершенно он был восхищен, просто восхищен его повестью "Одна абсолютно счастливая деревня", — вспоминает Сергей Шаров-Делоне. — Она как раз тогда вышла в эмигрантском журнале "Эхо". У нас в Абрамцеве эти журналы лежали стопками[2]. Только обыск устраивай — на десять лет хватало всем. Но в академический поселок боялись. Эта повесть его поразила, я помню».

Если большинство современных ему русских прозаиков Ерофеев откровенно недолюбливал, а из поэтов выделял Ахмадулину и Бродского[3] (о ерофеевском отношении к которому речь у нас еще впереди), то ко многим филологам он относился с почтением, если не с пиететом. «В прозе мне нравятся наши культуртрегеры типа Михаила Гаспарова, Сергея Аверинцева. А среди прозаиков я не нахожу никого», — говорил Ерофеев в позднем

---

[1] *Седакова О.* Венедикт Ерофеев — человек страстей.

Вспоминает Юрий Кублановский: «Во вторую нашу встречу Ерофеев позвал меня к себе: мол, хочет дать что-то послушать. Дух дышит, где хочет, — придя к нему, выпили, но говорили мало, хозяин все ставил и ставил пластинку Ахмадулиной, было видно, что он совершенно ею заворожен. На такую его чрезмерную, на мой вкус, горячность ответить мне было, честно сказать, нечего, и, когда он завел ее в третий раз, я откланялся».

[2] «То, что к нам приходило, первым брал Ерофеев — все отдавали ему право первой ночи — и уже дальше все читали», — добавляет Сергей Шаров-Делоне. — *О. Л., М. С., И. С.*

[3] Впрочем, вполне благосклонно Ерофеев относился и ко многим другим поэтам-современникам, например к Генриху Сапгиру, Евгению Рейну, Игорю Иртеньеву, Дмитрию Александровичу Пригову. Льву Кобякову запомнился стишок Игоря Губермана, нравившийся Ерофееву: «Сломал березу иль осину, // Подумай: что оставишь сыну? // Что будет сын тогда ломать? // Остановись, мать-перемать!» (Про Веничку. С. 43).

интервью И. Болычеву[1]. «Мне позвонил Аверинцев и сказал: "Миша, а вы знаете, что Веничке Ерофееву нравится наша с вами проза?" — "Вот до чего, оказывается, можно дочитаться спьяну", — ответил я ему», — иронически рассказывал одному из авторов этой книги Михаил Гаспаров в 1998 году. Ерофеев «чтил Аверинцева чрезвычайно и говорил, что Аверинцев — единственный умный человек в России, "за некоторыми вычетами"», — свидетельствует Ольга Седакова[2]. «Он приходил на доклад Аверинцева в ИМЛИ, а я поняла, что он скоро умрет, и он понял, что я поняла», — вспоминает Нина Брагинская свою последнюю встречу с Ерофеевым.

Весной 1977 года Венедикт и Галина Ерофеевы переехали в квартиру в ведомственном доме, принадлежавшем МВД и располагавшемся на самом севере Москвы по адресу: улица Флотская, дом № 17, корпус 1. Это одноподъездная семнадцатиэтажная башня. «Там жили милицейские чины не выше полковников», — свидетельствует Борис Шевелев[3]. Атмосферу, царившую в ведомственном доме, где поселились Венедикт и Галина Ерофеевы, колоритно описывает Елена Игнатова: «После многолетних мытарств Венедикт был счастлив. Он уверял, что устроит на балконе грядку и станет разводить огурцы, хорошо бы — сразу соленые. Приехав к ним на Флотскую в первый раз, я подивилась — куда занесло Венедикта? В вестибюле под портретом Ленина сидел дежурный, отставник по виду. Он спросил, к кому я, и велел подождать, пока он подымется со мной на лифте и проследит, в ту ли квартиру я пойду. Тут кто-то вошел, и вахтер доверил ему сопровождать меня. Человек рассмеялся и сказал: "Ладно, поехали". Его лицо было словно знакомым, но я не могла вспомнить, откуда. Он вышел со мной из лифта, по-

---

[1] *Ерофеев В.* Мой очень жизненный путь. С. 520.
[2] Дар и крест. Памяти Натальи Трауберг. С. 77.
[3] Про Веничку. С. 122.

звонил в дверь и спросил у Венедикта: "Гостей ждете?" Оказалось, он из соседней квартиры, а похож был на телегероев из сериалов о следователях и разведчиках. По утрам такие подтянутые супермены выбегали на разминку, потом садились в машины и уезжали на службу. Вахтер встречал их сладкой собачьей улыбкой, при виде же Венедикта и его гостей — суровел. Мы несколько раз сталкивались в подъезде — супермены после пробежки и Венедикт с бидоном пива. Они взбегали по лестнице, а мы ждали лифта, и я чувствовала холодок в затылке от взгляда вахтера. Венедикт относился ко всему этому безмятежно, был доволен чистотой и чинностью дома, а на консьержа обращал внимания не больше, чем на сторожевого пса»[1].

«Квартира была двухкомнатная, с большой кухней и довольно просторным коридором и прихожей, по тем временам очень хорошая, — вспоминает Людмила Евдокимова. — Комната поменьше была Вениной и предназначалась для его там нахождения, а по временам и занятий (Галина Веню боготворила); комната побольше предназначалась для многолюдных собраний, дней рождений и т. п. Там стояло разбитое пианино, стол, который раздвигали в дни пиршеств. Обстановка была умеренно буржуазная, Галя в общем-то была обычная женщина, работала, даже кандидатскую степень имела (все это, разумеется, пошло под откос). Сиживали, бывало, в той же квартире и на кухне при малолюдных визитах, когда Галина всех кормила супом, а то и обедом». «Ерофеев был трогательный хозяин и добрый человек, — рассказывает Валерия Черных. — Он всякий раз волновался и хотел накормить всех, кто к нему приходил, — "небось голодные"». «Однажды я несколько дней прожила в гостях на Флотской. По утрам Венедикт будил меня сообщением, что каша готова. Варил он ее помногу, все подкладывал в тарелку и деспотически требовал доесть до конца. В каче-

---

[1] *Игнатова Е.* Венедикт. С. 197–198.

стве стимула на стол выставлялся бидончик пива», — вспоминает Елена Игнатова[1]. «Я звонил, говорил: "Давно не виделись", — рассказывает Марк Гринберг. — Он говорил: "А вот возьми да и приезжай сегодня или завтра. Давай, индюшкин кот, девка грибной суп сварила". Или сам звонил и звал».

«Человеком Веня был сложным, много в нем всего было намешано (это уже сегодняшний взгляд), — вспоминает тогдашняя жена Марка Гринберга Людмила Евдокимова. — Он был, я бы сказала, целомудренным, и к нам с Марком относился очень трогательно, так сказать, оберегая нашу юность, — мы ж были в этой компании самыми маленькими. Нас он называл "гринбержата" (по фамилии Марка, хотя я никогда не носила его фамилию) или иногда "булгачата" (поскольку моя бабушка — Н. А. Земская, урожденная Булгакова, родная сестра М. А. Булгакова). При нас он многого стеснялся, никогда или почти никогда не ругался (кстати, матерился он вообще очень редко) и беспокоился: "Небось, жрать хочешь, парень?" (Марку). И норовил нам скормить все, что Галина приготовила. Она, впрочем, не протестовала, надеясь, что и он с нами чего-то съест».

Совсем по-детски Ерофеев любил дарить и получать подарки. «Он всегда радостно встречал гостей и, по-мальчишески озоруя, тыкал пальцем или прямо залезал в сумочку, — рассказывал Игорь Авдиев. — Не обманувшись в предвкушении гостинца, он выпрямлялся во весь рост, с хохотком запрокидывал голову, ликуя. Такая встреча с Веничкой была ритуалом, и нарушить его, не принести "чего-нибудь", было бы так же непростительно, как забыть конфету ребенку. В награду гость с "гостинцем" становился соучастником такого искреннего счастья, на какое редко кто бывает так щедр, как Веничка. И, собираясь к нему в гости, хотелось обрадовать его редкой книжкой, необычайной штуковиной, небывалой бутылкой (или не-

---

[1] *Игнатова Е.* Венедикт. С. 198.

бывалым сочетанием, или небывалым количеством) и пуком цветов».

В пасхальное воскресенье, 10 апреля 1977 года, Ерофеева впервые увидел Глеб Павловский, который по нашей просьбе написал небольшие воспоминания о своем знакомстве с автором бессмертной поэмы: «Нас познакомил Игорь Авдиев, он же Черноусый из романа "Москва — Петушки". Игорь нагрянул ко мне летом в Одессу в 1975 году, не помню, кто из москвичей его ко мне направил. Он жил у меня и моих знакомых несколько дней. Это был яркий, бравый, циничный москвич, внук профессора-востоковеда Авдиева, по учебнику которого я учился в университете. Помню, Игорь посетил одесский женский монастырь за городом, надеясь, он сказал, подсмотреть монашек, сигающих в море в чем мать родила.

Бывая в столице, я изредка навещал и Авдиева. А в начале 1977 года, бросив стройку в Новоселове под Киржачом, временно у него поселился. В том странном сквоте в Старотолмачевском переулке близ Новокузнецкой, огромной квартире, где прописан был, кажется, только он. Хорошо помню мое переселение прямо-таки в пасхальную ночь 1977 года. Игорь к тому времени пережил духовный переворот, стал православным неофитом. Его гости и он были на всенощной. Вернувшись под утро, они меня растолкали. На Ерофеева я поначалу внимания почти не обратил, полностью захваченный созерцанием молодой Ольги Седаковой. Что неудивительно. Она была как с портрета Модильяни, только лучше.

Мое неучастие в застольных молитвах вызывало заметное даже мне неудобство в присутствующих. Кто-то, кажется именно Венедикт, громко сказал с насмешливой интонацией: "Тут, похоже, на Пасху собрались не православные христиане, а магометане и кошерные иудеи!" Это атмосферу разрядило. Но не спасло меня от застольного троллинга, кстати естественного, — я мало того, что тогда был нехристем, я еще и не пил!

Ближе я познакомился с Ерофеевым, ночуя в авдиевском сквоте. Как-то на полу, на матрасе у окна, я обнаружил Венедикта. Почему он там оказался, хотя мне говорили, что он женат, — не знаю, но это было не раз. В те дни я через Игоря Авдиева пытался устроиться в "вохру" ГЭС-2, что за Домом на набережной. По-моему, там дежурили и подрабатывали почти все герои "Петушков", хотя не все были оформлены. Комично, что хотя ГЭС была запасной электростанцией Кремля, охраняли ее мы, голь перекатная и беспаспортная. Впрочем, тогда это было обыкновенное дело. Советская власть была опасной, но в Москве какой-то рассеянной. Устроиться не удалось, но пару смен я подменял Игоря. Ерофеев тоже был там. Помню, он весь день что-то читал. Увы, хотя "Петушки" к тому времени прочел, я ни разу не говорил с ним о его романе. Это почему-то казалось мне глупым.

Венедикт мне показался похож на лорда из бывших пиратов, или так я лордов себе представлял. При моем тогдашнем возрасте мне он казался слишком крупным, взрослым, стареющим. Кстати, не помню, чтобы его называли Венечкой. Я с ним был на "вы". Легко вступал в разговор, но тут же внутренне отключался и, разговаривая, будто не коммуницировал. Хотя глядел и слушал. Говорил Ерофеев короткими, какими-то, как я тогда думал, телеграфными фразами. К тому же я не всегда их понимал, они могли быть скрытыми цитатами.

Узнав, что у меня была в Одессе диссидентская история, он раздражился. Чуть презрительно бросил что-то типа: "Раньше в Одессе евреи были музыканты, а теперь они просто евреи и несут чепуху!" Я велеречиво попенял ему за антисемитизм, ссылаясь на только прочитанную федотовскую "Империю и свободу". Ерофеев как отрезал: "Так бы и говорили, что вам нужен культурный опер, который декламирует Пушкина. Ладно, будет вам такой опер!" — сказал он. Довольно пророчески.

Я тогда был стеснительный юноша, и нравы обитателей сквота меня коробили. Кроме ученейшего Бориса Сорокина, который, несмотря на тогдашнюю мою антицерковность, сильно увлек меня рассказами о св. Григории Паламе.

По-моему, единственный раз Венедикт вскинул на меня глаза, когда я начал ему рассказывать о своей философии поражения на примере одного авдиевского друга. Это было связано с впечатлением от поездки по просьбе Игоря Авдиева куда-то под Владимир. Он просил меня отвезти письмо какому-то старому другу, проходившему с ним по старому политическому делу. Я долго добирался и нашел в крохотной избе с печкой спившегося человека. Или даже не спившегося, а — сдавшегося, капитулировавшего. Все ему было так безразлично, что письмо он даже не распечатал, а я поспешил вон.

Ерофеев оживился, стал расспрашивать и разговорился на пару-тройку фраз, к сожалению, я их не помню. Запомнил только — ерунда, мол, что я вообще знаю о поражениях, раз не пью! Кстати, мне не довелось видеть его сильно пьяным.

В молодости я гордился тем, как готовлю яичницы и омлеты. Помню, что Венедикт ел пристально, отслаивая в омлете один элемент от другого и хорошо пережевывая. У него были такие деликатные движения руки с вилкой, будто не задевающие пространство.

Спал Венедикт на матрасе и, помнится, спал не раздеваясь. В головах стояла бутылка, к утру она была пуста».

Про электростанцию, обслуживавшую Кремль (при ней, собственно говоря, Ерофеев и служил стрелком вместе с Ольгой Савенковой (Азарх)), рассказывает и Марк Гринберг: «Веня какое-то недолгое время, по иронии позднесоветского устройства, работал на пульте резервного энергоснабжения Кремля, где-то за кинотеатром "Ударник". Он должен был там дежурить. Со смехом говорил: "Если на мой телефон позвонят, то я должен вот эту ручку дернуть". Вот и все его обязанности были. Один раз он позвал туда салют смотреть — много было простых каких-то вещей... Потащились мы и смотреть должны его были с Малого Каменного моста возле "Ударника". Веня должен был туда выйти, но он вышел абсолютно неживой, с какого-то бодуна чудовищного, и Галина привезла ему в сумке крепленое вино — то, чем она его похмеляла тогда. И вот я помню, что у него руки ходили ходуном, она ему налила в пиалу, и он сказал: "Ребятишки, отвернитесь, вам видеть этого не надо". А потом его выгнали оттуда. Начальница ему замечание сделала: "Вы почему курицу оставили в холодильнике?" А он сказал: "Я же курицу оставил, а не бомбу..."» «Охраняли мы важный государственный объект под названием ГЭС № 1. Там было много молодежи: студентов, аспирантов. Была возможность читать, учиться, даже поспать немного за смену», — описывает эту работу Валерия Черных, устроившаяся на нее в том же году, что и Ерофеев.

Бо́льшую часть лета 1977 года Ерофеев провел не в Москве на Флотской улице, а в Абрамцеве, на гостеприимной даче Б. Н. Делоне. «Борис Николаевич его очень полюбил, — вспоминает Елена Энгельгардт. — Когда его внуки Вадим и Миша уехали (они вынужденно эмигрировали в 1975 г.), он не только разрешил, но и сам попросил Веню с женой остаться. И до самой смерти Бориса Николаевича они здесь жили на даче. Даже шли какие-то разговоры о том, что они смогут жить здесь и дальше, если Борис Николаевич выкупит у Академии дачу, которую он арендовал к этому моменту уже около 30 лет»[1]. «В са́мом начале июля 1977 года мы выпивали вдвоем с Ерофеевым в полях под Абрамцевым, — свидетельствует Валерия Черных, — у него был транзисторный приемник, и мы вместе услышали известие о смерти Набокова. Тогда же он мне поставил автограф на первую страницу нами с подругой Ольгой Савенковой (Азарх) перепечатанного на пишу-

---

[1] Поселок академиков Абрамцево. Сборник воспоминаний жителей поселка. С. 224.

щей машинке экземпляра "Москва — Петушки": "Лере Черных в память об августовских грозах 1977 года, которых больше не будет. В. Ерофеев"». Нужно сказать, что Набоков числился у Ерофеева среди любимых писателей. По воспоминаниям Владимира Муравьева, про главу о Чернышевском из набоковского «Дара» Ерофеев не без зависти говорил: «Набоков, гадина, меня обскакал!»[1]

Безмятежную картину летнего времяпровождения Ерофеева в Абрамцеве с периодическими вылазками в Москву рисует дневник Венедикта 1977 года: «25/VII. Путешест<вие> втроем (с дедом) к реке Сумерь, по холмам за белыми, костер... через Артемово-Калистово-Глебово домой.

26/VII. Крошечный ежик на даче и светлая белка. Конец холодов и печей, 26°.

30/VII. После трехдневных москов<ско>-сходненских лежаний-вылазок, снова дача. Опять грибные выходы, но без прежнего энтузиазма. Зацветают огурцы.

31/VII — 1/VIII. Большой поход: Загорск-Хотьково-Соснино-Святогорово — ночь в Святогорово — путь до Пальчино сквозь Велю, холмы и малинники. Назад к даче.

2/VIII. Малый поход с Нос<овой> К роднику Сумери через грибы, малину и зелен<ый> горошек. Неделю стоит жара и бездождье.

3/VIII. В Москву-у-у! 32°. Назавтра сулят 34°. Тоска по топке печей в серед<ине> июля»[2].

Как это ни странно, вселение в квартиру на Флотской улице и ее обустройство на некоторое время если не захватило Ерофеева полностью, то весьма развлекло его в осеннее и зимнее время. «Живем почти превосходно, мания приобретательства и обживания еще не отошла», — не без самоиронии писал Ерофеев сестре Тамаре 24 января 1978 года[3]. Пристрастился он и к почти ежевечернему

---

[1] *Ерофеев В.* Мой очень жизненный путь. С. 582.
[2] Личный архив В. Ерофеева (материалы предоставлены Г. А. Ерофеевой).
[3] *Ерофеев В.* Письма к сестре. С. 127.

сидению перед телевизором. «"Следствие ведут знатоки" и все такое прочее, — вспоминает Марк Гринберг. — Я этого не смотрел, разве что футбол». «Муравьев все удивлялся: Ерофеев Штирлица смотрит! — писала в мемуарах Галина Ерофеева. — А он смотрел и был в восторге, сколько раз ни передавали — раза три, наверное, — каждый раз смотрел. Или "Место встречи изменить нельзя"... Тем более что там Высоцкий. И программу "Время" всегда смотрел»[1]. «На Флотской он устраивался на широкой тахте и смотрел телевизор», — рассказывает Людмила Евдокимова.

Но и в 1978 году с середины мая Ерофеев вновь перебрался в Абрамцево, тем более что там тоже был телевизор. «Дача с 17 мая. Царскосельская жизнь», — с удовольствием отметил он в тогдашней записной книжке[2]. «У нас покуда все более или менее ладно и спокойно, — 8 июня 1978 года писал Ерофеев Тамаре Гущиной. — В Москве я с середины мая почти не появляюсь, разве что за крайней надобностью, т. е. безвылазно в Абрамцеве на даче. Галина через день появляется и исчезает, она хоть связана необходимостью два раза в неделю появляться в Москве. Я, благодарение Богу, ничем не связан. С головой ушел в свои огороды, грядки, навозы, перегнои, дрова, расчистку леса, книги, писанину и десятиверстные прогулки. Веду совершенно здоровый *modus vivendi* (образ, то есть, жизни) и даже почти без спиртного, за вычетом, конечно, тех дней, когда из Москвы на меня обрушиваются шумливые не в меру компании, на предмет отдохнуть, поцедить вина и поваляться в черемухе <...> Приобретать продолжаем, хотя уже без всякого налета одержимости. Завтра, в пятницу, Галине в Москву должны доставить какой-то изысканный набор: банкетного стола и не менее банкетных стульев, за 170 руб.»[3].

---

[1] *Ерофеев В.* Мой очень жизненный путь. С. 604.
[2] *Ерофеев В.* Записные книжки. Книга вторая. С. 410.
[3] *Ерофеев В.* Письма к сестре. С. 128.

Относительно «даже почти без спиртного» Ерофеев, кажется, выдавал желаемое за действительное. Татьяна Левина, иногда видевшая его как раз в этот период в Абрамцеве, вспоминает: «У Ерофеева были такие яркие синие глаза, он всегда очень пристально смотрел при встречах. У моего дяди Сашки Леонтовича была большая коллекция пластинок, и они вместе слушали. А его жена Галя иногда прятала у нас бутылки». «Венедикт был веселый и посвежевший, — свидетельствует тогдашний муж Ольги Седаковой, художник Александр Лазаревич. — Рассказывал, что занят выращиванием чего-то на грядках и писанием чего-то смешного, связанного с текстами В. И. Ленина. Я сказал, что по дороге к нему видел в аллее пионерку, отдающую честь. Веня захохотал. Потом мы много говорили, шутили, пили, почти не закусывая, так как из еды были только макароны»[1]. Однако в Абрамцеве Ерофеев и в самом деле пил значительно меньше, чем в Москве, — сдерживающим его фактором неизменно оказывалось присутствие на даче Бориса Николаевича Делоне. «При старике ему было как-то неудобно пить, — объясняет Сергей Толстов. — Старик сам был человеком спортивным и не пил. Я видел, когда приходил, что он если и пьет, то очень мало <...> Бывали гости. Хорошая атмосфера там была, дружеская. Галина там суетилась. С продуктами плохо было, надо было все эти сумки таскать, готовить. Она все это делала»[2].

Одним из соседей Ерофеева в Абрамцеве был прекрасный и, кажется, еще сильнее пивший, чем автор «Москвы — Петушков», писатель Юрий Казаков. Он, по воспоминаниям Сергея Шарова-Делоне, иногда «приползал (увы, чаще всего было именно так)»[3] на дачу Делоне, от

[1] Про Веничку. С. 116–117.

[2] Поселок академиков Абрамцево. Сборник воспоминаний жителей поселка. С. 233, 235.

[3] *Крохин Ю.* Души высокая свобода. Вадим Делоне. Роман в протоколах, письмах и цитатах. М., 2001. С. 62.

которой жил через один дом. Абрамцевские блокноты Ерофеева пестрят записями: «Весь вечер — у пьяного Казакова»[1], «Вторжение вечером Ю. Казакова с водкой и портвейном»[2] и тому подобное. «Однажды мы с Веней ходили к Казакову на участок, — рассказывает Валерия Черных. — И меня поразила его мрачность. Абсолютно угрюмый человек сидел с каменным лицом. Не знаю, как Ерофеев с ним общался». Если верить литератору Владимиру Христофорову, Казаков следующим образом предостерегал его от чрезмерного увлечения Ерофеевым и его поэмой: «"Москва — Петушки" относится к сортирной литературе, хотя я так не смог бы написать. Не вздумайте подражать ему, и еще "Лолите" Набокова. Вообще, дружить с Ерофеевым не стоит, есть у него в лице что-то дрожащее...»[3] Однако в разговорах с Борисом Шевелевым Юрий Павлович оценивал творчество Ерофеева по-другому: «Казаков любил говорить, что в России только три писателя больших в 20 веке есть: Иван Алексеевич Бунин, он, Казаков, и вот еще Веня Ерофеев»[4]. Евгений Попов рассказывает о взаимоотношениях Казакова и Ерофеева так: «То, что Казаков дружил с Венедиктом, — это факт. Он не раздражал Венедикта. И Венедикт его не раздражал. А многие другие большие писатели — раздражали».

---

[1] *Ерофеев В.* Записные книжки. Книга вторая. С. 436.

[2] Там же. С. 470.

[3] Энергия несогласий // Литературная Россия. 2009. № 31–32. 7 августа. Отчасти сходное мнение о «Москве — Петушках» высказывал еще один очень хороший русский писатель этого времени — Георгий Владимов. Вспоминает Светлана Шнитман-МакМиллин: «Георгий Николаевич признавал за автором несомненный талант и ценил "поэму", как литературное произведение, но привел мне аргумент, который я уже слышала: нельзя так писать о своем народе, как будто его большая часть — спившиеся и опустившиеся дегенераты» (*Шнитман-МакМиллин С.* Встречи с Георгием Владимовым // Знамя. 2018. № 7. С. 124).

[4] Про Веничку. С. 124–125.

В сентябре 1978 года, во время одной из прогулок с Ерофеевыми в абрамцевском лесу, Борису Делоне стало плохо. В письме Вадиму и Ирине Делоне Ерофеев писал: «С дедом было чудовищно, и не передать словами, и если б вы сами на него взглянули, решили б, что это точно конец. И к слову о Галине Носовой, я никогда за 39 своих лет не видел более натуральной и отчаянной мольбы, чем вот ее, прямо к небесам, над посиневшим на полчаса дедом. Там, наверху, мольбе вняли (еще бы, такой да не внять) и уже тем же вечером, с постели дед лукавствовал над нашими громадными подосиновиками»[1]. О своей более действенной помощи больному Ерофеев скромно умолчал. «Дед мой выжил, когда у него был инфаркт, во многом благодаря Вене с Галей, — вспоминает Сергей Шаров-Делоне. — Веня тут просто огромную роль сыграл. Во-первых, они сделали массаж сердца в лесу... Потом Галя осталась с Дедом, а Веня кинулся в Москву, дозвонился до меня, и мы вызвали тут же скорую из академической больницы. С Дедом первое время было непонятно как, и все что нужно — делалось. И Веня делал не потому, что его просили. Если надо съездить, то: "Всё! Я поехал!" И мы знали, что Веня не запьет, если он поехал за лекарствами. Что он вернется. Это даже вопросов не вызывало. Так что еще почти два года замечательной жизни были Деду подарены Веней и Галей. Они были в этот момент с ним».

Эта история, как и некоторые другие, показывает, что, несмотря на бросавшуюся в глаза отстраненность Ерофеева от жизни окружающих его людей, которая порой проявлялась в бездействии и внешнем равнодушии, в критических ситуациях он без раздумий приходил на помощь тем, кто был ему по-настоящему дорог. Приведем здесь и такой рассказ Елены Игнатовой об окончании одной из их совместных загородных прогулок: «Раздраженные, за-

---

[1] Личный архив В. Ерофеева (материалы предоставлены Г. А. Ерофеевой)

331

мерзшие, мы молча спешили за Венедиктом. "Чертов мост" действительно превратился в "чертов" — он оброс льдом, под ним кипел водоворот. Вверх пришлось карабкаться по крутому откосу. Венедикт шагал, как на ходулях. Я шла последней, поскользнулась и начала сползать к воде. Молодой человек был в шаге от меня; я протянула руку, но он вдруг сложил ладони лодочкой и сказал: "Простите, но я не могу прикасаться к женщине". Поэтесса остолбенело смотрела сверху. "Венедикт!" — закричала я, уже предчувствуя ледяное купание. Он пролетел мимо, удержавшись у самой воды, и ровно и сильно, как трактор, потащил меня наверх»[1].

2 ноября 1978 года Ерофеев отправил Тамаре Гущиной письмо. В нем он живописно рассказал сестре о праздновании своего сорокалетия: «День рождения был так многолюден, что без эксцессов не обошлось. Схлестнулись крайне правые диссиденты и экстремисты-левые. Мордобой длился не больше двух минут, но все равно за полночь это все несколько омрачило. Если вся эта шушера-диссидентщина будет и впредь вести себя так суетно-злобно и невеликодушно, я, чего доброго, вступлю в Партию. По свидетельству всех, кто был, я, грешник, был самым уравновешенным и расторопным (да еще и самым трезвым — Галина в конце письма подтвердит — да еще в парижском новом костюме)»[2]. Описание Людмилой Евдокимовой фантасмагорической потасовки на сорокалетии Ерофеева мы процитировали в первой главе этой книги. Здесь приведем версию Марка Гринберга: «У Вени иногда совершенно дикий сброд собирался. Помню безумную драку на одном из дней рождения. Подрались, кажется, отсидевшие люди из "Веча" и кто-то, про кого эти люди думали, что те на них донесли. Я ни тех ни других не знал. Там была так называемая Любка, с которой Тихонов в то вре-

---

[1] *Игнатова Е.* Венедикт. С. 212–213.
[2] *Ерофеев В.* Письма к сестре. С. 129.

мя жил. Она была беременна, и ее затащило в этот водоворот драки, прямо в прихожей. Я и Лазаревич ее вытаскивали из-под кучи дерущихся».

На Флотской и в Абрамцеве протекла значительная часть жизни Ерофеева в 1979 году, хотя в сильные морозы приезжать на любимую дачу Делоне Венедикт возможности не имел. «Большой дом не топился, его на зиму консервировали, — объясняет Сергей Толстов. — И в домике у них никто не жил, он уже был совсем не годен для жилья. Был совсем разрушен»[1]. «Как только пройдут холода, плюну на все это столичное и уеду в Абрамцево, с книгами, кропать бумагу и колоть дрова», — 22 марта писал Ерофеев сестре Тамаре[2].

Едва ли не самым любимым его летним и осенним занятием в Абрамцеве были многочасовые походы за грибами. В «Москве — Петушках» Ерофеев издевался над автором книги «Третья охота» (1967), выходцем из Владимирской области Владимиром Солоухиным: «Мой глупый земляк Солоухин зовет вас в лес соленые рыжики собирать. Да плюньте вы ему в его соленые рыжики!» (155). Однако сам он очень любил не только собирать, но и солить грибы. «Солил грибы он бочонками. Все грибы почитал съедобными», — вспоминал Игорь Авдиев[3]. «Грибы собирать он обожал, — рассказывает Сергей Толстов. — Постоянно ходил за ними в лес. Любил процесс. И я с ним собирал, хотя не люблю. Ерофеев готовить не умел, но грибы, чернушки, пытался солить»[4].

---

[1] Поселок академиков Абрамцево. Сборник воспоминаний жителей поселка. С. 232.

[2] *Ерофеев В.* Письма к сестре. С. 130.

[3] *Авдиев И.* Предисловие // *Ерофеев В.* Последний дневник (сентябрь 1989 г. — март 1990 г.). С. 163.

[4] Поселок академиков Абрамцево. Сборник воспоминаний жителей поселка. С. 235. См. также в абрамцевских воспоминаниях А. Леонтовича: «Он поразительно хорошо искал грибы и знал все грибные места, ходил в лес. Он грибов набирал даже больше, чем Слава Грабарь, а тот именно славился тем, что грибник» (Там же. С. 87).

И даже — мариновать (дополним мы это мемуарное свидетельство). «Грибы и грибные заботы. Весь день, без роздыха. Два лукошка, — 31 июля 1978 года записал Ерофеев в своем абрамцевском дневнике. — Первые опыты маринования и пр. Безалкогольность, подвижность и все такое. (20 белых, 14 подосиновиков, 13 подберезовиков)»[1]. Характерную историю, показывающую, какую роль в жизни Ерофеева играли грибы и все, что с ними связано, рассказывает Марк Гринберг: «На меня он только один раз по-настоящему гаркнул. Как-то утром позвонил и сказал: "Давай-ка подваливай к часу дня на Ярославский вокзал, поедем по грибы". Он меня врасплох застал, и я ему сказал: "Вень, слушай, рад бы, но дел полно..." — что-то такое. И тут он именно прорычал: "Вот кого я терпеть не могу, это деловых людей — у которых дел полно. Ты сам подумай: какие у тебя дела могут быть, которые важнее грибов?" Я захохотал и что-то такое пробормотал извинительное, но тем не менее в тот раз не поехал, действительно не мог — что-то и впрямь было неотложное».

А вот куда более традиционное сельское развлечение русских писателей Ерофееву по душе не пришлось. Марк Гринберг вспоминает шутливый рассказ Венедикта о постигшей его неудаче: «Он рассказывал, как какие-то охотники дали ему ружье, и он пошел с ними охотиться: "Тут она прямо на меня как выскочит, перепелка эта. И я, конечно, ружье бросил и побежал"».

В записной книжке от 12 января 1979 года Ерофеев отметил: «Лев Кобяк<ов>, водка, водка, оздоровление и не туда и не совсем, тоска по Р.»[2] — то есть Юлия Рунова никуда из его жизни не исчезла. В начале августа этого года Венедикт, Юлия и ее дочка Вера вместе приехали в Кировск. «Еще когда мама болела, — вспоминает

---

[1] *Ерофеев В*. Записные книжки. Книга вторая. С. 448.
[2] Там же. С. 475.

Тамара Гущина, — Вена написал, что они с Юлей хотят приехать. Мол, Юля понимает в этих заболеваниях и, может быть, что-то посоветует, скажет, каким врачам надо ее показать. Юля мне понравилась. Симпатичная такая, ухоженная, строгая. Мы ходили на кладбище, она цветов купила, еще нарвали полевых, посидели там, помянули, а когда Вена отошел, я Юлю спросила: "Что же вы, ведь когда-то Венедикт собирался вас привезти к нам познакомиться, почему вы уступили Вале?" Она говорит: "У меня был другой характер. Я, например, не могла рвать юбки и забираться к нему в окно на какой-то этаж"»[1].

В ночь под новый, 1980 год Ерофеева накрыл приступ тяжелой психической болезни на почве алкоголизма. Утром 1 января в квартире Марка Фрейдкина раздался телефонный звонок. «Звонила Галя, — вспоминал он, — и просила срочно приехать, поскольку у Вени начался приступ белой горячки. Спросонья и с похмелья плохо соображая, что к чему, я тем не менее взял ноги на плечи (благо жил совсем недалеко — около станции метро "Аэропорт") и отправился на Флотскую. Я провел там в тот раз около полутора суток. Не стану в подробностях описывать, чему я стал свидетелем, — российскому читателю, без сомнения, прекрасно известны все проявления этого вполне национального недуга <...> Скажу лишь, что изрядную часть этих полутора суток я, героически борясь со сном, просидел на стуле перед дверью на балкон, куда Веня то и дело норовил выскочить, уверяя, что кто-то зовет его снаружи. Удивительно, что сам он все это отлично запомнил и позже записал в своем дневнике»[2]. «Самый поражающий из дней. Начало треклятого пения в стене, — отметил Ерофеев в записной книжке. — Срочно водки. Не помогает. Мышки и лягушата.

---

[1] *Ерофеев В.* Письма к сестре. С. 143.
[2] *Фрейдкин М.* Каша из топора. С. 307.

Срочно вызван Марк Фрейдкин для дежурства. Всю ночь приемник, чтобы заглушить застенное пение. Из метели — физия в окне. Люди в шкафу. Крот на люстре. Паноптикум...»[1]

Упомянем и о том, что столь тяжелые последствия злоупотребления алкоголем были для Венедикта не в новинку. По воспоминаниям Николая Болдырева, еще в 1970-х годах Ерофеев впервые попал в психиатрическую клиническую больницу № 1 им. П. П. Кащенко[2]. Врач Михаил Мозиас вспоминал об одном из визитов Ерофеева в клинику так: «При поступлении он был в состоянии тяжелой алкогольной интоксикации. Постепенно поправился. В отделении вел себя очень скромно, никто из окружающих — ни больные, ни сотрудники — не знали, что он писатель»[3].

9 марта 1980 года Ерофеев читал «Москву — Петушки» на квартирном вечере у Александра Кривомазова, который записал ерофеевское чтение на магнитофон. Именно эта запись теперь воспроизводится в фильмах и радиопередачах о Ерофееве. Выложена она и в интернете. Кривомазов следующим образом вспоминает о том, как проходил вечер: «Ерофеев перед чтением поставил условие: у каждого слушателя должно быть 2 бутылки вина, а перед ним должны были стоять пять. Ну, и стаканчики, понятное дело. Я, организатор, справился с этой формулой. Однокомнатная квартира вместила всех желающих. В ходе чтения автор быстро одолел свои пять бутылок, и — о чудо! — к нему потекли из рук в руки бутылки с вином от слушателей... В конце того вечера была сделана последняя фотография: между слушательницей и слуша-

---

[1] Личный архив В. Ерофеева (материалы предоставлены Г. А. Ерофеевой).

[2] Из неопубликованного интервью А. Агапова с Н. Болдыревым (мы благодарим Александра Агапова за эту информацию. — *О. Л., М. С., И. С.*)

[3] Документальный фильм «Москва — Петушки».

телем с белыми лицами стоит с синим лицом наш замечательный автор». «Выглядел Ерофеев грустно, — рассказывает об этом же чтении Лидия Иоффе. — У него тряслись руки. Он потребовал, чтобы после каждой главы все выпивали по рюмке. Но народ был нестойкий, выпили всего рюмки три за все чтение. А он — да, выпивал, но не точно, что после каждой главы. Вмещались там интересно. Была большая двуспальная тахта и еще сбитые из досок скамейки, помещалось несколько десятков на тахте и скамейках».

В конце марта в квартире Александра Кривомазова прошел еще один вечер Ерофеева, который был разделен между ним и поэтессой Галиной Погожевой. Тогда, вероятно, и состоялось чтение эссе о Розанове, описанное Александром Барулиным (мы приводим это описание в одной из предыдущих глав). Про чтение Ерофеевым своего эссе и про то, что последовало дальше, рассказывает и Погожева: «И вот этот незнакомый, но будто сто лет знакомый человек с простой фамилией, которую я тогда сразу забыла, стал читать о каком-то неведомом мне Розанове, фамилию которого я как раз сразу запомнила. И это было ошеломляюще, дурманяще, как будто в воздухе разлились винные пары, хотя никто не пил. Или нет, вообще что-то необъяснимое, не вещество, но поле. Потом нас развозили по домам, но сначала выдали гонорар. Мне банку клубничного варенья, а Ерофееву две бутылки вина. По дороге он меня проэкзаменовал, выявил пробелы и велел завтра приезжать к нему за книгами в три часа. Адрес дал.

На следующий день я, в юбке до полу, как гимназистка, ровно в три позвонила в дверь в новенькой башне — дом хороший был и место хорошее, но где, не помню. Мне открыла полноватая белобрысая женщина, глядела она подозрительно. Я вежливо поздоровалась и объявила, что я к Венедикту Васильевичу. "А Венедикт Васильевич спит". Как это спит, ведь он меня в гости пригласил! Аж задохнулась от изумления. "А вы кто такая вообще?" — "Я поэтесса, мы вместе выступали вчера, потом в такси ехали, ему еще две бутылки дали, а мне варенья, он меня за книгами позвал! Передайте ему, как проснется, чтоб в следующий раз гостей не звал, когда спит. Ну, я пошла". — "Нет, никуда вы не пошли, будете чай со мной пить, а то он ругать меня будет, что я вас выпустила". — "Нет уж, не буду я с вами чай пить, я ухожу домой!"

На шум вышел Ерофеев, он был в том самом костюме и рубашке, в которых вчера читал про Розанова, только еще более мятых, и если галстук вчера и был, то теперь его не было. Видно было, что обе бутылки он вчера немедленно выпил по приезде, наверно, из горла. Так что чай пили на кухне, втроем. С женой, оказавшейся тоже Галей. Говорили за чаем долго и очень хорошо, только для меня тогда все же сложно. И еще Ерофеев вставлял иногда слова, которые я иногда слышала в деревне. Ужасные, неприличные слова. И я ему строго так сказала: "Зачем вы говорите плохие слова?" Он посмотрел удивленно своими голубыми глазками отщепенца: "Да как же их не говорить-то?" Но перестал! Так что Галя даже с подозрением сказала: "Он в вас влюбился, что ли, в первый раз слышу, чтоб он матом не ругался. Да я вас кислотой оболью!" Поэтому я довольно скоро засобиралась, кто ее знает, еще и вправду обольет кислотой. Влюбился, скажет тоже. Оценил — да. Сказал, между прочим, что ему нравятся мои стихи и еще — Ольги Седаковой. Ерофеев был по-русски опрометчиво щедр: узнав, что я знаю польский, подарил "Москву — Петушки" на польском. Как последнюю рубашку отдал. А другую книжку дал почитать, Зиновьева. Я обещала скоро отдать, но так никогда и не попала больше в этот дом».

17 июля 1980 года умер Борис Николаевич Делоне. «Упал в квартире, сломал шейку бедра и буквально за три месяца из крепкого старика превратился в совершенно немощно-

го», — вспоминает Сергей Толстов[1]. Незадолго до его смерти в семье обсуждался вопрос: выкупать ли Борису Николаевичу в личную собственность дачу, которую государство три десятилетия сдавало Делоне в аренду? «Дед спрашивал нас, покупать или нет, — вспоминает Сергей Шаров-Делоне. — И все решили, что нет: потому что понимали, что без Деда она нам не нужна. Так что это был наш выбор. И нас никто не просил особо освободить дачу — она была снята на весь год. Просто в сентябре мы уехали: потому что позже было уже труднее». «Я помню, как мы собирали там вещи, — рассказывает Сергей Толстов. — Ерофеев переживал больше всех. Пил все время водку. Мы грузим, а он требует, чтобы я в магазин съездил за бутылкой для него. И я вместо того, чтобы грузить, на велике в Абрамцево гонял за бутылкой. И он тут же эту бутылку выпивал. Я-то не пил, мне неудобно, меня помогать позвали, что же напиваться в такой день. А он тут раскис совершенно. Не помогал, не грузил, только сам напился. Он очень не хотел съезжать. Наверное, даже боялся. Понимал (и Галя тоже), что у него с Делоне связан совершенно другой образ жизни, трезвый»[2].

Покидать Абрамцево Ерофеевым очень не хотелось, и на какое-то время они нашли приют на даче Александра Епифанова, внука известного художника и великого реставратора, академика АН СССР Игоря Грабаря. Елена Энгельгардт, сдружившаяся с Галиной и Венедиктом как раз в эту пору, набросала такой словесный портрет Ерофеева: «Зимой он всегда был в ватнике. Кроличью шапку не снимал, по-моему, даже дома. Никаких дубленок он не носил. Галка ругалась, потому что если его нарядить, он был просто "супер". Я как-то видела Веню, когда она его нарядила. Они ехали на один день в Москву. Голубая рубашка, пиджак, пальто. Действительно супер! Но он все-

---

[1] Поселок академиков Абрамцево. Сборник воспоминаний жителей поселка. С. 232.

[2] Там же.

го этого терпеть не мог[1]. Зимой он любил ходить в ватнике. Весной и осенью носил коротенькое пальтецо, типа бушлата. У него была просто ангельская внешность. Он был очень деликатным человеком и очень умным, но в душе он был ребенок, просто дитё»[2]. «Когда ему прислали джинсы, он надел и сказал: "Мерзопакость какая!" — и больше никогда не надевал, — вспоминает Валерия Черных. — А рубашечки голубые он носил». О том, что к этому времени Ерофеев вполне мог позволить себе хорошо одеваться, а попутно о щедрости Венедикта свидетельствует Борис Шевелев: «В 1980 году мой сын Сережа закончил школу, и выяснилось, что идти на выпускной вечер ему не в чем. Позвонили Ерофеевым — Сережа с Венедиктом Васильевичем был одной стати. Вот так и так, говорим, нет ли чего? А Венедикт Васильевич тогда не только деньги из Парижа получил, но и костюм ему, как оказалось, шикарный привезли. Вот он тут же и говорит: "Срочно присылайте ко мне Сережу, я его, как елку, наряжать буду". Я говорю: "А вдруг он там, на празднике, такой прекрасный костюм чем-нибудь обольет?" — "Так он же костюм обольет, а не меня". Широкий был человек. Потом он еще подарил Сереже свое демисезонное пальто»[3].

Зимой и весной 1980–1981 годов Венедикт и Галина Ерофеевы, приезжая в Абрамцево, жили в доме В. А. Исаева, первого и, как вспоминают многие, не слишком чистого на руку управляющего поселком. «У них там очень хороший был участок. Посажены были яблони, крыжовник», — рассказывает Тамара Штрикова о владениях Иса-

---

[1] Ср. с впечатлением встречавшего Ерофеева в Абрамцево Андрея Охоцимского: «В отличие от большинства дачной публики, он выглядел как человек, следящий за своей внешностью» (Поселок академиков Абрамцево. Сборник воспоминаний жителей поселка С. 326.). Александр Кривомазов вспоминает, что в этот же период (1980–1982) Венедикт согласился приехать к нему специально для фотосессии, а потом сам проявил инициативу, договорившись о второй такой же встрече. — *О. Л., М. С., И. С.*

[2] Там же. С. 227.

[3] Про Веничку. С. 123.

ева[1]. Этот дом Галина и Венедикт вознамерились приобрести в собственность. Шутливо называли они его хутором. «От тебя получил письмо позавчера, будучи на хуторе, — 1 декабря 1980 года извещал Ерофеев сестру Тамару. — Я оттуда не выползаю, по существу, у меня там все, что мне нужно, — книги, пишущая машинка, отрадная возня с дровами и с печкой, лыжи, умиротворение и веселая трезвость. И почти ни души, если не считать субботне-воскресных наездов из Москвы наследников Игоря Грабаря. Об эту пору в прошлом году, в Москве, я купался в гостях, недугах, вине и черной меланхолии. Мы уже решили бесповоротно — хуторок загородный нам совершенно необходим. Тем более их цену взвинчивают уже не из года в год, как в милые старые времена, а с часу на час. Хозяин его (я уже называю его экс-хозяином, однако тьфу-тьфу-хаю при этом) дал нам на размышление срок до 1 мая. Крупный задаток можно внести и среди зимы, для упрочения своих позиций»[2]. Задаток за дом был внесен, но в итоге Исаев дом Ерофеевым не продал — то ли ему не посоветовали этого делать компетентные органы[3], то ли просто нашлись лучшие покупатели. В любом случае, вряд ли бывшему управляющему поселком нравилась та атмосфера, которую Ерофеевы привнесли в его дом, и те люди, которые в этом доме теперь часто бывали. «Когда он жил с женой Галей у Исаева, к нему приезжала куча народу — художники, диссиденты, какие-то личности, которые не имели, как мне казалось, никакого отношения к самому Ерофееву, но он, видимо, был достопримечательностью», — вспоминает Алексей Тимофеев[4]. Между прочим, задаток за дом Исаев Ерофеевым не вернул.

---

[1] Поселок академиков Абрамцево. Сборник воспоминаний жителей поселка. С. 70.

[2] *Ерофеев В.* Письма к сестре. С. 131.

[3] См.: Поселок академиков Абрамцево. Сборник воспоминаний жителей поселка. С. 86.

[4] Там же. С. 217.

Время сладкой символической мести Исаеву пришло спустя шесть лет. У Натальи Шмельковой имелся спортивный пневматический пистолет. «В один из прекрасных морозных солнечных дней, — пишет Шмелькова, — провели меня Веня с Галей показать этот злосчастный домик. Зимой в нем никто не жил. Прихватили пистолет. Галю оставили стоять на дороге, как говорится, "на шухере", а мы с Веничкой, открыв калитку, пробрались по сугробам к застекленной терраске. На столе, застеленном белоснежной скатертью, красовался недопитый бокал красного вина. Пять пуль скользнуло по стеклу. Шестая — пробила его насквозь, угодив прямо в бокал!»[1]

Почти все лето и осень 1981 года Венедикт и Галина Ерофеевы провели уже на другой, снятой ими даче — в так называемом генеральском поселке «55 км» близ Абрамцева. Увы, Бориса Николаевича Делоне рядом уже не было, так что Ерофеев теперь и на даче пил по-черному. «Особенно пил он на выходные, когда к нему понаедут какие-то гости, — рассказывает Елена Энгельгардт. — Похмелье было тяжелым, ему бывало плохо, и мы тогда не общались»[2]. «Совершенно плохо, посылаю девку на последнюю мелочь и посуду купить последнюю "Имбирную", — фиксировал Ерофеев в своем блокноте, например, события 2 сентября. — Весь день не подымаюсь с постели. Гадливость ко всему вечером переходит в безбрежную рвоту и длится всю ночь»[3].

Плохо было и то, что Галина Ерофеева быть постоянной надежной опорой для мужа уже не могла. В мае 1981 года окружающие Ерофеевых друзья и приятели впервые заметили, что всегда такая уравновешенная и здравомыс-

---

[1] *Шмелькова Н.* Последние дни Венедикта Ерофеева. Дневники. С. 21.

[2] Поселок академиков Абрамцево. Сборник воспоминаний жителей поселка. С. 226.

[3] Личный архив В. Ерофеева (материалы предоставлены Г. А. Ерофеевой).

лящая Галина психически больна. «Вени дома не было — он еще с майских праздников оставался в Абрамцево, — вспоминал Марк Фрейдкин. — Мы сидели на кухне, и Галя по своему обыкновению меня кормила. Разговор шел о каких-то пустяках, а когда я закончил как всегда обильную трапезу, она сказала: "А теперь смотри, что я тебе покажу". Она сходила в комнату и вернулась с огромной кипой разных бумаг, чертежей и перфокарт. Разложив все это на кухонном столе, а кое-что даже развесив по стенам, она с места в карьер понесла какой-то абсолютно шизофренический бред про приближающуюся комету Галлея и непосредственно связанное с этим крушение советской власти. А в заключение сказала, что вчера наконец закончила все вычисления и теперь совершенно точно знает: 21 мая (в день ее рождения) в 13:45 небо станет цвета бормотухи, на нем появится огромный телевизионный экран, и диктор программы "Время" объявит, что начинается конец света. "И тут, — торжественно объявила Галя, — мне нужно будет сделать самое главное. Вот этим ножом, — она взяла в руки большой зубчатый нож для разрезания хлеба, — я должна зарезать спящего Ерофеева, а потом выброситься с балкона". Причем излагала она этот дикий и безумный текст хотя и довольно оживленно, но без малейшей экзальтации и "сумасшедшего блеска в глазах" — говорила спокойно, уравновешенно, как о чем-то будничном, давно продуманном и решенном <...> В первый (и, увы, не в последний) раз ее забрали в психиатрическую больницу буквально через несколько дней после <...> разговора со мной, и, возможно, только это помешало исполнению ее чудовищных намерений. Веня говорил, что ее взяли прямо с улицы (или из магазина — точно не помню), где она разбрасывала свои перфокарты и призывала людей приготовиться к светопреставлению. На какое-то время ее в больнице привели в порядок <...> Как почти всегда бывает у шизофреников, периоды обострения чередовались с весьма длительными порой периодами просветления»[1]. «Она постепенно свихнулась от этой жизни, — полагает Марк Гринберг. — Она ведь оказалась в ситуации, для нее довольно непонятной. Веню она, конечно, любила, однако длительная жизнь с тяжелобольным человеком ее доконала». «Но пока был жив Ерофеев, у нее эти кризисы были реже. У Гали была такая мощная ответственность за него, что она психологически не позволяла себе этого», — свидетельствует Жанна Герасимова. «Я думаю, что она пыталась бороться с Ерофеевым, и он возобладал как личность в конце концов, — полагает Валерия Черных. — И она сломалась, а не он. И это потом было очень заметно». Уже после смерти Ерофеева, в августе 1993 года, его вдова Галина Ерофеева в состоянии помешательства выбросилась с 13-го этажа своей квартиры на Флотской улице.

«Неслучайно жизнь двух его жен <...> закончилась трагически, — говорит Людмила Евдокимова. — И только Рунова, с ее твердым характером, осталась собой, продолжая работать биологом». Впрочем, опрошенные нами врачи, хорошо знавшие и Венедикта и Галину, не склонны винить Ерофеева в развитии душевной болезни жены. «Так могут говорить люди, которые в этом ничего не понимают, — комментирует психиатр Андрей Бильжо. — Это неправильное отношение к причинно-следственным связям. Не Ерофеев ее довел до этого, а просто есть такое понятие, как симбиоз. Я думаю, что, так как сам наш герой был неординарной личностью, он на уровне интуиции выбрал себе в партнеры неординарную личность, которая потом дала вот такую динамику. Совершенно не связано с ним, это совершенно отдельная история». Лечащий врач Ерофеева психиатр Ирина Дмитренко также полагает, что жизнь с ним никак не усугубила болезни Носовой. Дмитренко даже предложила взглянуть на ситуацию с другой стороны: «Своеобразие Галиной личности,

---

[1] *Фрейдкин М.* Каша из топора. С. 308–309, 312.

болезненного устройства ее личности, привело к тому, что она смогла жить с таким человеком, как Веня».

16 декабря 1981 года после срочной телеграммы Тамары Гущиной Ерофеев с женой и сестрой Ниной Фроловой выехали в Кировск. 25 декабря семья хоронила са́мого старшего брата Венедикта — Юрия. Юрий Ерофеев скончался от рака горла. Забегая вперед, приведем свидетельство психиатра Андрея Бильжо о болезни самого Венедикта: «Когда он жаловался на обходе на неприятные ощущения в области гортани и так далее, все как-то пропускали мимо ушей — считали, что у него такая ипохондрическая симптоматика: брат умер от рака гортани, и пациент жалуется на те же симптомы»[1].

Следующий после похорон день был днем рождения Ольги Седаковой, и именно 26 декабря 1981 года датирована китчевая и трогательная открытка с котенком и надписью «С днем рождения!», которую Ерофеев ей преподнес. «Он рассказал, что купил ее в электричке и что это лучший его (Венички) портрет. И надписал в том же стиле», — вспоминает Седакова. Открытка надписана так: «"Если любишь — то храни, // А не любишь — то порви". Оленьке от Венички».

«За всю жизнь не было такого обил<ия> помещений в клиники» — так впоследствии подытожит Ерофеев 1982 год. В конце марта запой приводит Ерофеева в больницу, где он пробудет больше двух недель. «Первое утро в 1-й палате 1-го отд<еления>. Самый траурный и дрожащ<ий> день. Ни крохи пищи. Баррели холод<ной> воды. Под капельницей — пришедшую в это время Г<алину> не допускают», — продолжал Ерофеев делать записи и на больничной койке. Эти тяжелые подробности соседствуют в дневнике, например, с такой остро́той об очередной встрече с лечащим врачом-психиатром: «Опять Элла Пе-

---

[1] Лечащий врач Ерофеева Ирина Дмитренко свидетельствует, однако, что при этом Венедикта неоднократно осматривали хирург и отоларинголог.

тровна, моя реаниматушка». В следующий раз в больнице Кащенко Ерофеев оказался меньше чем через два месяца, в начале июня, и в дневнике появилась трагикомическая запись: «11/VI — Первый день в больнице, и наичернейший. Оказ<ываюсь>, 4-е отд<еление>. В сотрясениях, едва беседую. Какой-то врач просит автограф — "о, как-н<и>б<удь> потом"»[1].

Вот как о своем посещении Ерофеева в больнице вспоминает Валерия Черных: «В наркологическом отделении Кащенко, куда я приходила навещать Веню Ерофеева, были палаты наркоманов и палаты алкоголиков, они не дружили. Наркоманы называли алкоголиков презрительно "водошники", "краснорожие", а те их — "бледными поганками" и "спирохетами". В отделении были рыбки, птички, стенгазета, библиотека в стеклянном шкафчике, в каких обычно хранят лекарства, только почему-то под замком. Я заметила там книги "Овод" и "Как закалялась сталь", наверное, их выдавали читать за примерное поведение. А может, запирали от наркоманов, чтобы они самокруток не наделали. Ерофеев был на хорошем счету, ходил в трениках, и ему доверяли принести ведро компота из котлопункта. Однажды доктор сказал Вене, что ему страшно повезло — на его кровати умер Алексей Гагарин (отец космонавта № 1). Когда Ерофеев спросил, а от чего он умер, доктор торжествующе ответил: да от того же самого!»

В клинику знакомиться с Ерофеевым пришел прозаик Евгений Попов, который так пишет о своей первой встрече с ним: «Там был я, Слава Лён и жена Ерофеева Галина. Замечательный диалог был между женой и мужем, потому что Ерофеев только что вышел из реанимации и был не совсем еще адекватен.

— Как я сюда попал, в Кащенку?

— Ты запил.

---

[1] В этом абзаце дневник Ерофеева цитируется нами по копии из домашнего архива Анны Авдиевой.

— Скажи, в тот день, когда я сюда попал, как я себя вел?

— Ты встал утром, пошел в магазин, купил портвейна, выпил и сошел с катушек окончательно, тебя пришлось увозить.

— Этого я не помню. А за день до этого?

— Встал утром, портвейна... запил.

— Нет, тоже не помню. Три дня назад что было?

— Встал утром, сходил купил зубровки...

— О, зубровку помню! — все, уцепился за зубровку[1].

— Венедикт, это Женя Попов, я хочу вас познакомить, — представил меня Лён.

Ерофеев как-то не очень прореагировал на это.

Я говорю:

— Как вы себя чувствуете?

Ерофеев:

— Я себя чувствую хорошо, мне уже пора выписываться. — И так на меня стал искательно смотреть, полагая, что от меня что-то зависит. Он меня явно принимал за врача подставного».

Значительную долю разнообразия в жизнь Ерофеева в этом году внесло его путешествие на катере «Авось» по северным рекам и озерам к Белому морю с сыном Светланы Мельниковой Николаем Болдыревым и еще двумя спутниками. Оно состоялось после того, как Ерофеев выписался из клиники (это произошло 18 июня), — во второй половине июля 1982 года. «Тогда собирались поворачивать северные реки назад. И мы были все уверены, что так оно и произойдет, реки повернут, и ничего не останется, и не будет этой Северной Двины, не будет этого Белого моря, не будет этой ерофеевской Кандалакши, — рассказывает Болдырев. — И мы поехали просто в последний раз посмотреть»[2].

---

[1] Вспомним, как по граммам и видам выпитого определяется в жизни главный герой «Москвы — Петушков». — *О. Л., М. С., И. С.*

[2] Телепрограмма «Царицынский дом вспоминает Веничку». URL: https://www.youtube.com/watch?v=9Se1q1GKsD4.

«Сейчас в Великом Устюге, на причале штопаем дыры в бортах своего кораблика, — 7 июля писал Ерофеев Юлии Руновой. — Завтра, в воскресенье утром, отплываем к Северу. Трепещу перед Белым морем. Наше сверхутлое и крохотное судно не выдержит и легкого, пиратским языком выражаясь, бриза, т. е. умеренного шторма <...> Всякую минуту тебя помню и очень люблю. Я, по-моему, впервые в жизни так выражаюсь, никогда так не говорил ни с кем, ни письменно, ни устно...»[1] «Наконец-то получила необещанное, но очень ожидаемое письмо, — 23 июля отвечала Рунова. — Большое спасибо, милый Венька. На душе стало теплее и радостнее <...> Надеюсь, что Север подействует на состояние твое благотворно, а море будет милосердным. Мысленно всегда с тобой <...> на это <...> можешь положиться <...> Очень спешу опустить письмо и очень жду твоих писем. Обнимаю, целую и очень надеюсь, что все будет хорошо. Всегда твоя Ю.»[2]. В ночь с 22 на 23 июля Ерофееву написала влюбленное письмо еще одна женщина — Яна Щедрина, о которой мы чуть подробнее расскажем в следующей главе: «Целую вас. Очень жду. Наверное, все-таки люблю, потому что немыслимо скучаю и думаю»[3].

Смешные подробности о своем путешествии Ерофеев поздее сообщил Ольге Савенковой (Азарх). Например, Венедикт рассказывал ей, что когда экипаж катера все же попал в сильнейший шторм, он обнимал «маленькую белую собачку». «Эта "маленькая белая собачка" оказалась впоследствии догом Митькой, — прибавляет Валерия Черных. — Из путешествия Ерофеев сбежал, когда получил перевод денежный не то от Носовой, не то от Руновой. Сошел на берег и был таков».

В начале октября 1982 года провожали в эмиграцию Юрия Кублановского. «Много за эти дни пришлось про-

---

[1] Летопись жизни и творчества Венедикта Ерофеева. С. 78–79.

[2] Личный архив В. Ерофеева (материалы предоставлены Г. А. Ерофеевой).

[3] Там же.

вожать — туда, разумеется, — писал Ерофеев сестре за несколько лет до этого. — Страшно грустно их провожать (Ал<ександр> Зиновьев в Мюнхенский универ<сите>т, Исаак Гиндис в Тель-Авив<ский> Ун<иверсите>т и др. и др.)»[1]. «Как же я был тронут — чуть не до слез! — когда вдруг увидел Венедикта в толпе провожавших меня в Европу <...> — приехал, не поленился. То была последняя наша встреча», — вспоминает Юрий Кублановский. После проводов Ерофеев пригласил к себе на Флотскую улицу в гости Евгения Попова. «Квартира меня поразила. Я привык — эти мастерские грязные, — вспоминает Попов. — Но у Венедикта был ухоженный, вполне буржуазный дом. Нормальная мебель, нормальное всё. Подали тарелки, вилки, ложки, и мы стали выпивать».

Начиная с осени 1982 года будни Ерофеева скрашивались регулярными занятиями немецким языком, который он изучал еще в студенческие годы в МГУ. «Помню, мы с другом учили немецкий, — вспоминает Марк Гринберг. — Ходили сначала заниматься к одной знакомой, потом разогнались и поступили на заочные курсы на Дорогомиловской. Там выдавали тетради с упражнениями, и Веня очень оживился, узнав это, и сказал: "Давай мне эти упражнения, буду тоже их делать". И делал довольно долгое время, пока не срывался. К учебе он был очень склонен». Срывы Ерофеева, по-видимому, были связаны не только с пристрастием к спиртному, но и с одним из основополагающих свойств его личности. Наделенный от природы прекрасными способностями, Ерофеев почти всегда быстро, нахрапом, достигал первых блестящих результатов и ими вполне удовлетворялся. Все, что требовало усидчивости и долгого, однообразного труда, приводило Ерофеева в уныние, и он, при всей своей тяге к систематизации, остывал и бросал начатое. Вот что писал о занятиях Ерофеева как раз иностранными языками Вла-

---

[1] *Ерофеев В.* Письма к сестре. С. 129.

димир Муравьев: «Ни один язык он так и не одолел. Занимался языком пунктуально, говорят, на занятиях немецким в последние годы был первым учеником, это он мог, а чтобы действительно превзойти язык... Ему нужен был близкий барьер, там, где сразу виден результат. Как говорят: "Социализм сегодня", результат сегодня»[1]. А Евгению Попову, когда он пришел в гости на Флотскую улицу, Ерофеев признался: «Я решил так: как только тройку получу, тут же прекращаю изучать язык».

Однако к истории с заочным обучением Ерофеева на государственных курсах иностранного языка, располагавшихся на Дорогимиловской улице, слова Муравьева подходят не вполне. В данном случае его друг взятием «близкого барьера» не удовлетворился, аккуратно закончив двухгодичное обучение, сдав на «отлично» письменные экзамены, и «получив знания по немецкому языку в объеме программы Госкурсов "ИН-ЯЗ", утвержденной Министерством просвещения РСФСР», о чем свидетельствует хранящаяся в домашнем архиве Ерофеева справка[2]. Сохранились там и отзывы преподавателя В. М. Глазуновой на его годовые контрольные работы. «Уважаемый товарищ Ерофеев! Работу № 8 Вы выполнили с большим интересом и юмором. Мне было приятно проверять ее, — писала она 29 июня 1984 года. — Материалом Вы овладели отлично. Оценка "5"»[3]. А вот резюмирующая рецензия Глазуновой, датированная этим же днем: «Уважаемый товарищ Ерофеев! Экзаменационная работа оценена баллом "5" по лексике, грамматике и по переводу. Материалом III курса Вы отлично овладели и всегда интересно применяли свои знания при выполнении заданий, особенно творческих. И в экзаменационной работе очень

---

[1] *Ерофеев В.* Мой очень жизненный путь. С. 575.

[2] Справка № 298 от 6 июля 1984 г. Протокол экзаменационной комиссии № 341 от 29 июня 1984 г. Личный архив В. Ерофеева (материалы предоставлены Г. А. Ерофеевой).

[3] Там же.

удачны и интересны по содержанию все примеры, Ваше сочинение об Эрнсте Тельмане. Решением экзаменационной комиссии Вы выпускаетесь с курсов с общей оценкой "5" по всем аспектам. Поздравляю Вас с окончанием III курса! Желаю так же успешно сдать устный экзамен и получить свидетельство <...> Приходите на консультацию. Рада Вас видеть. Всего Вам доброго!»[1]

Все это случится через два года, а 13 ноября 1982 года Ерофеев писал Тамаре Гущиной: «...могу похвалиться; за октябрьские контрольные работы, сочинения по немец<кому языку> и пр<очее> получил опять "отлично". (За все сентябрьское — то же самое.) К 20/XI мне надо сдать столько переводов, что я схватился за голову и отложил на время все эти атрибуты Беранже и Хафиза: девок и вино. Быть круглым отличником на 45-м году жизни немножечко нелепо, но все-таки чуть лучше, чем в этом же возрасте быть забулдыгой и блядунишкой. Хорошо еще, что сохранилась четкость памяти, въедливость в немецкие тексты и интерес ко всему земному и небесному, от Аристотеля до Фарабундо Марти»[2].

В этом же письме Ерофеев рассказывал сестре о том, как складываются его отношения с сыном: «С Венедиктом младшим усложнено. Хоть и установлена телеф<онная> связь с его школой-интернатом, он без матери не отваживается выйти на свет божий, в т<ом> числе в столицу, а мать пригласить в дом я не берусь: у нее прежняя остервенелость в отнош<ении> Галины[3] <...>. Посмотрим.

---

[1] Личный архив В. Ерофеева (материалы предоставлены Г. А. Ерофеевой).

[2] *Ерофеев В.* Письма к сестре. С. 132. Фарабундо Марти — революционер, в честь которого был назван коммунистический «Фронт национального освобождения» Сальвадора, в начале 1980-х годов часто упоминавшийся в советских пропагандистских телевизионных репортажах.

[3] Отметим, что, по-видимому, со временем у первой жены Ерофеева со второй установились вполне добрые отношения. Так, например, 1 февраля 1983 года Валентина писала Венедикту и Галине: «Ве-

Во всяком случае, ему там осталось недолго. В 20-х числах ноября туда нагряну»[1]. Нежно любивший Венедикта-младшего в годы его раннего детства (Игорь Авдиев даже вспоминал, что Ерофеев писал «учебники для маленького сына Венедикта Венедиктовича по истории России, по русской литературе, по географии»[2]), позднее Ерофеев к сыну несколько поостыл. «Это в отца, — полагает Нина Фролова, — отец наш все говорил: "И зачем они растут, оставались бы маленькими..."»[3] «Мы с матушкой в Мышлине жили, — вспоминает Ерофеев-сын. — Он меня навещал. Он меня всегда спрашивал: "Ну, дурачок, чего читаешь?" Я ему говорил, ну вот... "Тома Сойера". Ему всегда не нравилось то, что я читаю. Он делал такую гримасу и этот его знак — ладонью — отторгающий»[4]. «Я знал, что у меня отец великий писатель, — признается Венедикт в еще одном интервью, телевизионном. — Я побаивался его, побаивался. Даже, скорее, не побаивался, а стыдился за себя — я бы это слово здесь применил. Потому что он все время на меня возлагал большие надежды. Очень большие. Что я буду читать, и, глядишь, что-то

_____

недикт, Галина, — день добрый. Во-первых, огромнейшее спасибо за все полученные подарки — Веня несказанно рад, да и я тоже: все впору, кроме пальто, его я отдам в мастерскую <...> Как только Веня поправится, заглянем к вам обязательно <...> Жмем ваши руки» (Личный архив В. Ерофеева. Материалы предоставлены Г. А. Ерофеевой). Процитируем и еще одно письмо Валентины Ерофеевой к бывшему мужу и его жене: «Венедикт, Галина! Взываю к вам! У Венички нет зимних ботинок (44), шапки и перчаток. И здесь немыслимо купить. Быть может, что-то можно сделать? Умоляю вас <...> Вся надежда на вас, Галина, хоть Вы сделайте что-нибудь» (Личный архив В. Ерофеева. Материалы предоставлены Г. А. Ерофеевой).

[1] Личный архив В. Ерофеева (материалы предоставлены Г. А. Ерофеевой). При публикации в журнале «Театр» этот фрагмент письма был купирован.

[2] *Авдиев И.* Некролог, «сотканный из пылких и блестящих натяжек» // *Ерофеев В.* Оставьте мою душу в покое (Почти всё). М., 1997. С. 404.

[3] *Ерофеев В.* Мой очень жизненный путь. С. 532.

[4] Вен. Ерофеев-младший. Тот, который завязал // Новая газета. 2010. 26 августа.

путное из меня получится. Он всегда говорил: "МГУ, МГУ, МГУ — там уже профессора знают о твоем существовании, ты будешь там учиться". Поэтому его приезды напрягали меня в детстве, честно скажу. Я вообще считаю, что гениальным людям не стоит никого рожать, потому что им и без этого хватает»[1].

В итоге к Ерофееву-младшему отец выбрался не в двадцатых числах ноября 1982 года, как собирался первоначально, а только к 3 января 1983 года, то есть — ко дню рождения сына.

С лета 1982 года Венедикт и Галина больше не имели постоянного жилья в Абрамцеве, но у них оставалось там множество друзей и приятелей, на чьих дачах Ерофеев проводил летние и осенние дни и даже недели (в первую очередь здесь нужно назвать имя Сергея Толстова). «Помню хорошо один эпизод, — рассказывает Марк Гринберг. — Мы были в Абрамцеве, сидели на крылечке, курили и услышали по нашему радио, — а это было то ли первое сентября 1983 года, когда случилась история с корейским авиалайнером, то ли следующий день, — услышали мутное первое сообщение о том, что этот самый лайнер проследовал куда-то... Я сказал: ничего не поймешь, может, и правда какой-то инцидент... Хотя я был уже взрослый дядя, мне почти 30 лет было в этот момент. А Веня на меня с удивлением посмотрел и сказал: "У, теленок, ты разве не понял, что наши грохнули пассажирский самолет? Пошли слушать «голоса», сейчас скажут". Он меня удивил тогда не столько проницательностью, сколько мгновенной готовностью предположить самое худшее»[2].

---

[1] Телепрограмма «Письма из провинции. Город Петушки (Владимирская область)».

[2] Речь идет об одной из самых крупных в истории авиации катастроф — пассажирский авиалайнер *Boeing 747–230B* южнокорейской авиакомпании *Korean Air Lines*, летевший из Нью-Йорка в Сеул, случайно сбился с курса и над Сахалином был сбит советским военным истребителем. — *О. Л., М. С., И. С.*

К концу 1983 года отношения между Венедиктом и Галиной Ерофеевыми опасно обострились. Одной из причин стало ерофеевское, скажем так, донжуанство, которое наконец положило предел даже ангельскому терпению его жены. «Атмосфера в доме чуть разрядилась после 7 ноября; до того речь шла уже о разводе и размене нашей квартиры на две однокомнатные по разным (как можно более удаленным) концам города, — еще 13 ноября 1982 года докладывал Ерофеев в письме к сестре Тамаре. — Я, как и всегда, был невинен; виновно "бабьё" — не надо бояться этого вульгаризма».[1] Далее Ерофеев юмористически описывал Тамаре соперничество и столкновения в женской части своего окружения, упоминая восемь имен, — в том числе жену Галину и Валентину Ерофееву, которая по его словам «грозилась разбросать всех Ольг, Ирин и Юль с балкона 13-го этажа»[2]. «Он был интриган, это однозначно. Он ужасно любил всевозможные интриги с участием разных дам, — вспоминает актриса Жанна Герасимова, познакомившаяся с Ерофеевым как раз в 1983 году. — Он окружал себя женщинами, любил или не любил их — это уже не имело значения, но так, чтобы все это клубилось вокруг... Ненависть, ревность... А он этим как бы питался».

Но не только Галина в этот период проявляла сильное недовольство Ерофеевым, но и Ерофеев — Галиной. Именно жену Венедикт был склонен винить в том, что летом 1983 года его поместили в психиатрическую клинику. Игорь Авдиев, явно с подачи самого́ Ерофеева, прямо назвал его водворение в клинику им. П. П. Кащенко «деянием Галины Носовой»[3]. Ей и раньше случалось принимать участие в отправке мужа на Канатчикову дачу, однако на

---

[1] Личный архив В. Ерофеева (материалы предоставлены Г. А. Ерофеевой). При публикации в журнале «Театр» этот фрагмент письма был купирован.

[2] Там же.

[3] *Авдиев И.* Предисловие // *Ерофеев В.* Последний дневник (сентябрь 1989 г. — март 1990 г.). С. 165.

этот раз Венедикта что-то явно насторожило и раздражило больше обычного.

Как это почти всегда бывает, однажды возникнув, разговор о расставании и разделе имущества возобновлялся между супругами вновь и вновь. «Галя в <19>84 году, пребывая в болезненном состоянии, подала заявление на развод», — со слов Ерофеева позднее записала в дневнике Наталья Шмелькова[1]. Похоже, автор «Москвы — Петушков» решил всерьез воспользоваться этим поводом, чтобы, наконец, официально зарегистрировать свои многолетние отношения с Юлией Руновой.

Дело дошло даже до осмотра Венедиктом нового жилья, которое могло бы достаться ему в случае размена с Галиной. «Звоню Юле, приглашаю на смотрины ждановской квартиры. Охотно соглашается», — записал Ерофеев в дневнике 8 января 1984 года[2]. «В ожидании квартирных смотрин и расторжения брака <...> Галина появляется вечером и призывает быть готовым к завтра», — отметил он в своем блокноте 9 января[3]. 10 января в дневник Ерофеева была внесена такая запись: «Я с каждым днем все одушевленнее. Дворец расторжения браков. Долгая, но веселая морока. Галина мрачна, как окунь. Звонок к Юлии о состоявшемся. О чувстве свободы. И пр.»[4] И наконец, 11 января в блокноте появилась следующая запись: «Итак, ожидать до 10 апреля. А покуда — я один»[5].

1 и 2 февраля Ерофеев провел у Руновой, предаваясь «воспоминаниям и прожектам»[6]: «О женитьбе, о перемене фамилии, о будущей квартире. Юлия на все согласна»[7]. Од-

---

[1] *Шмелькова Н.* Последние дни Венедикта Ерофеева. Дневники. С. 100.

[2] Личный архив В. Ерофеева (материалы предоставлены Г. А. Ерофеевой). «Ждановской», то есть располагавшейся неподалеку от метро «Ждановская» (ныне «Выхино»).

[3] Там же.

[4] Там же.

[5] Там же.

[6] Там же.

[7] Там же.

нако 7 февраля Галину Ерофееву на несколько месяцев поместили в психиатрическую клинику — ее развод с Ерофеевым автоматически откладывался. Пребывая в больнице, Галина «свою мать и тетку умоляла уговорить Веню взять заявление обратно»[1]. В течение оставшихся месяцев 1984 года ситуация оставалась в подвешенном состоянии, и Ерофеев жил то на улице Удальцова, где получила квартиру Юлия, то у себя на Флотской, куда 28 июля возвратилась Галина. В августе Ерофеев и Рунова вместе побывали на Кольском полуострове — это путешествие оказалось последним визитом Венедикта в родные края. «Все случайные встречи, и последняя на каком-то концерте, уже после операции на горло, когда он говорил голосом робота, начинались фразой "Поехали на родину!"», — вспоминает Елена Романова.

И все-таки в конце концов Ерофеев остался на Флотской улице с Галиной. «У него одно время была мечта соединить свою жизнь с Руновой, — итожил Игорь Авдиев. — Он уже собирался покинуть Галину, все к этому шло: он ездил вместе с Руновой на север, подолгу жил у нее, уже чуть ли не вещи к ней перевозил, — как вдруг Галина заболела. Вызвали доктора Мазурского, и тот ее положил в психбольницу (она тогда в первый раз попала в больницу). И Веничка совершенно переменился; все разговоры о том, чтобы оставить Галину, прекратились. Он понял, что бросить Галину в таком состоянии было бы безнравственно».

«С Руновой я в разладах, — 30 января 1985 года напишет Ерофеев Тамаре Гущиной. — Если в прошлом году я приблизит<ель>но поровну делил время между ул. Флотской и ул. Удальцова, то в 85-м я ни разу к ней не появлялся и не позвонил. Пусть чувствует, до какой степени я бываю во гневе свиреп, и прекратит свою порочную стратегию тер-

---

[1] *Шмелькова Н.* Последние дни Венедикта Ерофеева. Дневники. С. 100.

роризма и пошлого диктата»[1]. Как кажется, коротко описанное нами несостоявшееся изменение судьбы Венедикта Ерофеева и Юлии Руновой если и не поставило окончательную точку в отношениях между ними, то сильно охладило обоих, особенно Юлию. Все-таки после принятия решения выйти замуж и поменять фамилию возвращаться на прежние рубежи бывает очень трудно.

Из других событий жизни Ерофеева в 1984 году нужно упомянуть о последней из его нелитературных подработок — службе консьержем в многоэтажном доме, а также о визите в Караваево к сыну, которого призвали в армию. Вот как об этом вспоминает Ерофеев-младший: «Один из мужиков подошел к отцу и стал его укорять за то, что оставил семью на произвол судьбы. Отец молча слушал и был грустен. И вдруг рассмеялся, так искренне, от души. А вызвала смех фраза: "Ребенок рос, и мать его растила". Рассмеялся и сказал опять-таки грустно: "Мужик, да ты поэт..."»[2] 13 марта 1986 года, за два месяца до возвращения Венедикта Ерофеева-младшего из армии, Ерофеев-старший, многие годы от службы укрывавшийся, напишет Тамаре Гущиной о нем: «Я не поклонник армейского воспитания, но ему, сверхстыдливому, длинному и сильному парню, — это необходимо»[3].

Однако главное событие 1984 года случилось на са́мом его исходе. «В канун 85 года сел, за 3 часа до звона шампанского, — записал Венедикт Ерофеев в дневнике в этот день, — начинаю работать над пьесой "Вальпургиева ночь"»[4].

---

[1] Личный архив В. Ерофеева (материалы предоставлены Г. А. Ерофеевой). При публикации в журнале «Театр» этот фрагмент письма был купирован.

[2] *Фурсов А.* Снятие с креста. Тернии и звезды русского писателя Венедикта Ерофеева. С. 4.

[3] *Ерофеев В.* Письма к сестре. С. 134.

[4] Личный архив В. Ерофеева (материалы предоставлены Г. А. Ерофеевой).

Веничка:
Москва — последние мучения

В начале погружения Венички в бред, возле фантомного Усада, герой встречает последнего дружественного ему персонажа, уже принадлежащего миру призраков, но еще связанного с тем, дневным миром. На вопрос: «Это Усад, да?» — тот отвечает прямо и честно: «Никак нет!!» — а затем передает вопрошающему тайные знаки — пожимает руку, смахивает слезу и шепчет на ухо: «Я вашей доброты никогда не забуду, товарищ старший лейтенант!..» (197). Так, заговорщицки, этот «выходящий» благословляет Веничку на предстоящий ему подвиг трагического узнавания («мысль разрешить») и более чем трагические муки. Тайный ритуал прощания происходит на той остановке, за которой сразу начнется адская область и все ее девять пыточных кругов.

На первом круге, *бессильной тоски*, Сатана испытывал героя «личным», как будто через его голову к самому автору обращенным вопросом: «Тяжело тебе, Ерофеев?» (197) — и искушал беспомощного соблазнами сдачи и самоубийства. На втором круге, *отчаянья*, Сфинкс испытывал героя все более ввергающими в безнадежность загадками, которые приводят в итоге к надписи на сте-

358

кле «...» вместо Дантова «Оставь надежду, всяк сюда входящий»[1].

И вот — после того, как, не доезжая до фиктивного 113-го километра, Веничка допил остаток кубанской, он не только «спустился» на третий адский круг, *абсурдной вины*, но и подошел к решающему, окончательному этапу своего жизненного «странствия»[2]. На перегоне «113-й километр — Омутище», по закону «вечного возвращения»[3], вновь возникает «Неутешное горе» и вновь мерцают знаки былой, усадебной культуры — но только уже в виде кошмара и наваждения.

Такое адское преломление усадебной идиллии (явление княгини, затем камердинера Петра) не отсылает ли к первой главе четвертой части «Преступления и наказания» Достоевского, в которой Свидригайлов рассказывает Раскольникову о посещающих его привидениях в образах покойных жены и слуги? Во всяком случае, в обоих фрагментах фигурируют призраки, в обоих, как и у Ерофеева, — барыни и дворового человека (Марфа Петровна и княгиня, Филька и камердинер Петр), оба фрагмента — разрешаются абсурдом. Сходство диалогов едва заметно. Есть отдаленное подобие поговорок, брошенных на ходу персонажами (Марфа Петровна — Свидригайлову: «...Ни ей, ни себе, только добрых людей насмешите»[4]; княгиня — Веничке: «Ты лучше посиди и помолчи, за умного сойдешь», 206); есть столь же отдаленное созвучие в их оценочных, экспрессивных предикатах (Свидригайлов: «Экой ведь вздор, а?», в ответ на раскольниковское: «Все это вздор!»[5]; княгиня — Веничке: «Чего ты мелешь?», 206).

---

[1] *«Lasciate ogni speranza, voi ch'entrate»* (Данте. «Ад». Песнь 3, строфа 3).

[2] См.: Гаспаров, Паперно. С. 387.

[3] См. рассуждения Д. Быкова в связи с «Москвой — Петушками» о «вечном возвращении», которое выдумал Ницше, а осуществляем только мы (*Быков Д.* Портретная галерея Дмитрия Быкова).

[4] *Достоевский Ф.* Преступление и наказание. М., 1970. С. 223.

[5] Там же. С. 222–223.

По сути, аллюзия держится лишь на одном «хвосте»: «Взяла да и вышла, и хвостом точно как будто шумит» («Преступление и наказание»)[1] — «И вдруг рванулась с места и зашагала к дверям, подметая платьем пол вагона» («Москва — Петушки», 206). Но Ерофееву и этого достаточно, чтобы позаимствовать из романа Достоевского формулу ада как тупика нелепицы, бессмыслицы, скопища пустяков, связать пустой вагон пригородной электрички с ужасом свидригайловской бани и пауков.

Так, подспудно автор поэмы нагнетает атмосферу «достоевского» ада — только вот смысл этой переклички решительно перевернут. Свидригайлов наказан прижизненным погружением в преисподнюю за свою вину, Веничка — за чью-то, неведомую. В разворачивающемся страшном дионисийском действе герой все более ощущает себя обреченным на заклание — жертвой наподобие вселенского козла отпущения. «Ненавижу я тебя, Андрей Михайлович! Не-на-ви-жу!!» — осыпает бранью героя княгиня (206); «Проходимец!»; «Оставайся тут, бабуленька! Оставайся, старая стерва!» — вторит ей камердинер Петр (209). Былой «принц» теперь должен заместить собой всех проклинаемых и взять на себя их вину и их ад. И что же? Веничка сам, в своем вещем безумии делает выбор и принимает эту муку: он, пришедший к княгине, чтобы свою «мысль разрешить» — о том, куда же несут его вагоны, — забывает о «личной» бессильной тоске, о «личном» отчаянии и предается ее «неутешному горю». Свою «загадку» (206) он жертвует «загадке» чужой беды, свое «важное», «главное» (206) переплавляет в полноту сочувствия другому. В сострадающем самозабвении Веничка мысленно превращается в глашатая скорби («О, сказать бы сейчас такое, такое сказать бы, – чтобы брызнули слезы из глаз всех матерей, чтобы в траур облеклись дворцы и хижины, кишлаки и аулы!..», 205), обличителя смеха

---

[1] *Достоевский Ф.* Преступление и наказание. С. 223.

(«О, низкие сволочи! Не оставили людям ничего, кроме "скорби" и "страха", и после этого — и после этого смех у них публичен, а слеза под запретом!..», 206), пророком слез («О, сказать бы сейчас такое, чтобы сжечь их всех, гадов, своим глаголом! такое сказать, что повергло бы в смятение все народы древности!..», 206). За мотивом абсурдной вины, навлекающей на героя оскорбления и побои, все отчетливей слышится лейтмотив — тема страстей Христовых. Мучимый в аду — за Андрея Михайловича, «старую стерву» и, может быть, Свидригайлова — Веничка должен по-новому сыграть роль Христа; не это ли его «загадка», его «главная» мысль?

На четвертом круге, возле обманной остановки с говорящим названием Омутище, автор продолжает игру со свидригайловской сценой в «Преступлении и наказании». Аллюзия здесь вполне очевидна: в романе Достоевского барин после похорон слуги кричит, забывшись: «Филька, трубку!»[1], и тот входит на зов; Веничка тоже вызывает призрачного слугу, только с другой целью: «...Выпить у меня чего-нибудь осталось?..» (207). К этому вопросу герой возвращается с той же маниакальностью, что и в ресторане Курского вокзала, только уныние его многократно возрастает; значит, ему предстоит пройти круг *безысходной жажды*. Значение слов «ничего» и «все» в ответах камердинера Петра на отчаянные вопросы Венички — расширяется до предела. «Есть у нас что-нибудь выпить? — Нет ничего. Все выпито» (208); здесь «ничего» стремится к пределу «нигде» и «никогда не будет», а «все» — к пределу «везде» и «навсегда». «Нечего выпить» — для Венички это означает «нет спасения».

Контрапунктом к теме безысходной жажды нарастает на оборотном перегоне от Омутища до Леонова апокалиптическая тема. Канделябры, зажигаемые камердинером Петром, подобны светильникам из Откровения

---

[1] *Достоевский Ф.* Преступление и наказание. С. 223.

Иоанна Богослова (1:20; 8:10); отсутствие выпивки ассоциируется с проклятьем, падшим «на источники вод» (8:10, 11); диалог хозяина с оборотнем-слугой: «И во всем поезде нет никого? — Никого» (208) — предваряет прямое цитирование «катастрофического» стихотворения Евгения Баратынского «Последняя смерть», в котором развернуто виде́ние конца всего человеческого: «Где люди? где? Скрывалися в гробах!»; «На небосклон светило дня взошло, // Но на земле ничто его восходу // Произнести привета не могло». При этом в образе самого́ камердинера Петра одновременно травестируются и Петр-ключарь у небесных врат, и отрекающийся Петр в ночь перед Страстной пятницей. Судорожным мельканием сниженных соответствий передано перерастание абсурда третьего круга в бедственную фантасмагорию четвертого.

На пятом круге, после ложного Леоново, настает черед *хтонического ужаса.* Герой, причастный стихии дионисийства, как бы спускается все ниже в бездну — к «корням» дионисийства, к глубинным истокам трагического. По логике, подсказанной Ницше, Веничка сходит вглубь, от пограничья Софокла («Эдип-царь») к чудовищным тайнам Эсхила («Эвмениды»). «Теперь перед нами, — пишет Ницше в “Рождении трагедии из духа музыки”, — как бы расступается олимпийская волшебная гора и показывает нам свои корни. Грек знал и ощущал страхи и ужасы существования», то есть «ужасающую судьбу мудрого Эдипа, проклятие, тяготевшее над родом Атридов и принудившее Ореста к матереубийству, короче — всю эту философию лесного бога...»[1] Герой «Москвы — Петушков» именно после роли ужасающегося на краю бездны, перед страшными загадками бытия, Эдипа смещается к роли Ореста, проглоченного этой бездной. Симметрия адских мук становится все более пугающей: когда Эринии, «блюстительницы материнского права» со «змеями в спутанных воло-

---

[1] *Ницше Ф.* Т. 1. С. 66–67.

сах»[1] и они же менады с бубнами и кимвалами, преследуют тракториста Евтюшкина, обидчика «женщины трудной судьбы», это еще может восприниматься как хтоническое возмездие; но когда уже сам Евтюшкин оборотнически гонится за «паническим стадом» (210) Эриний — это уже провал в абсолютный хаос, вне всякого смысла, в непостижимую хтоническую жуть.

В Веничке перед лицом хаоса совмещаются два пласта трагического, тоже в соответствии со схемой Ницше, поставившего рядом «дионисического человека» и Гамлета, который призван призраком отца на познание «ужаса, ужаса, большего ужаса»[2]: «...Истинное познание, взор, проникший ужасающую истину, получает здесь перевес над каждым побуждающим к действию мотивом как у Гамлета, так и у дионисического человека. Здесь уже не поможет никакое утешение, страстное желание не останавливается на каком-то мире после смерти, даже на богах; существование отрицается во всей его целости, вместе с его сверкающим отражением в богах или в бессмертном потустороннем будущем. В осознании раз явившейся взорам истины человек видит теперь везде лишь ужас и нелепость бытия, теперь ему понятна символичность судьбы Офелии, теперь познал он мудрость лесного бога Силена; его тошнит от этого»[3].

Лишь одно отличает Веничку, уже не «принца-аналитика», а принца-страстотерпца, от ницшеанского Гамлета. Как и у датского принца, у Ерофеевского героя уже нет «утешения», он срывается в отрицание существования, он видит «лишь ужас и нелепость бытия», его «тошнит», но даже в средоточии хаоса он хранит свою жалостливую, заступническую слезу. Даже в вихре сотрясающего вагоны страха герой успевает крикнуть Эриниям: «Останови-

---

[1] *Тахо-Годи А.* Греческая мифология. М., 1989. С. 37.
[2] *O, horrible! O, horrible! Most horrible!* («Гамлет», I, 5).
[3] *Ницше Ф.* Т. 1. С. 82.

тесь, девушки! Богини мщения, остановитесь! В мире нет виноватых!..» (209). По закону обратимости и страшной симметрии, неуклонно определяющему Веничкин бред, за эти слова герой должен ответить самопожертвованием хаосу — и вот он уже раздавлен стихией («Вся эта лавина опрокинула меня и погребла под собой...», 210). Его мука в этом эпизоде явно, повтором формулы «паническое стадо» (184, 210), уподобляется участи тех «двух маленьких мальчиков», которые еще в досеменычевскую эру были раздавлены толпой, спасавшейся от контролеров. Невольно следуя евангельскому призыву, Веничка все чаще в конце пути «обращается» и становится «как дети» (Матфей 18:3) — и готовится стать жертвой.

На исходе нашествия и бегства Эриний, перед самыми миражными Петушками, мучимый герой за один миг пролетает шестой круг — *инфернального эроса*. Казалось бы — чем страшно одно короткое предложение: «И хохотала Суламифь» (210)? Но вот — одной фразой («И звезды падали на крыльцо сельсовета», 210) кратчайший эпизод смещен в апокалиптический ряд: «И звезды небесные пали на землю, как смоковница, потрясаемая сильным ветром, роняет незрелые смоквы свои» (Откр. 6:13); «Пятый Ангел вострубил, и я увидел звезду, падшую с неба на землю, и дан был ей ключ от кладязя бездны» (Откр. 9:1). И рядом с этими падающими звездами как знаками катастрофы — кем оборачивается Суламифь, с именем которой устойчиво ассоциируется «царица», «белесая», тринадцать недель назад воскресившая Веничку?[1] «Блудница с глазами, как облака» (150), превращается в вавилонскую блудницу, в хохоте которой — и «зверь багряный», и «багряница» (вместо «пурпура и крученого виссона», 151), и «чаша, наполнен-

---

[1] «Первая встреча героя с девушкой из Петушков представлена как встреча царя Соломона с Суламифью <...> Как кажется, поданная в пародийном виде стилистическая манера "Песни песней" представлена через посредство рассказа Куприна "Суламифь"» (Гаспаров, Паперно. С. 398).

ная мерзостями» (Откр. 17:3–5). Это адский хохот как пародия на веселье той, что смеялась, «как благодатное дитя» (149); теперь оборотническая Суламифь обращает во зло тот смех. Перед самóй зловещей остановкой, издевательски названной Петушками, перед тем, как петушинский Эдем опрокинется на дно московского ада, любовь опрокидывается в скверну, отражается в Коците как любовь-наоборот.

Виток за витком, мука за мукой низвергается Веничка к конечному пределу перрона: два круга смятения (Сатана и Сфинкс), два круга смертельной тревоги (княгиня и камердинер Петр), два круга ужаса (Эринии и Суламифь) — и вот пришло время двух кругов *уничтожения*. Героя уничтожают вовсе не одним ударом, а многократно, вновь и вновь, в кошмаре как наяву, наяву как в кошмаре, но без малейшей надежды на спасительное пробуждение. После всех тычков и хватаний (Сфинкс), дранья за волосы (камердинер Петр), ударов и затаптывания (Эринии) — теперь, на потустороннем перроне, Веничку ждет морок возобновляемой смерти, играющей с ним, перебрасывающей между гибелью понарошку и «гибелью всерьез». Сначала бесовский пункт прибытия (Москва вместо Петушков) оказывается седьмым кругом страданий — местом *убиения* (царь Митридат), а затем восьмым — местом *бойни* (рабочий с молотом и крестьянка с серпом).

Эти, седьмой и восьмой, круги смыкаются с первыми двумя: Сатана и Сфинкс явились именно к Веничке — испытать его, Митридат и рабочий с крестьянкой — убить его. При этом Митридат продолжает линию оборотничества: после всех бесовских проекций («Неутешное горе», Евтюшкин, Суламифь) теперь Веничке угрожает превращенный Митрич, к которому председатель пира был так добр и щедр; молот же с серпом, возможно, являются реализацией метафоры-топонима «Серп и Молот» — названия той станции, возле которой герой принял первую живительную дозу. Так добро возвращается злом, а глоток жизни — ударами смерти. При этом зло нарастает: Митридат еще совершает насилие как единичный акт, тогда как рабочий с крестьянкой (наподобие Медного всадника) уже воплощают насилие-принцип, насилие-процесс. Митридат встречает Веничку-жертву на дне его личного ада: своим другим именем, Ахиллес, убийца указывает на ту сцену из «Преступления и наказания», в которой Свидригайлов ставит точку в своей про́клятой судьбе; рабочий же и крестьянка — отправляют героя механическими движениями серпа и молота на адский конвейер. Митридат поражает правый и левый бок Венички; рабочий и крестьянка — голову и пах; это как бы знак креста, кроваво-символическое приготовление героя к предстоящему распятию. Сгущается и тема Апокалипсиса: туман[1] клубится подобно дыму из «Откровения Иоанна Богослова» («...и вышел дым из кладязя, как дым из большой печи» — Откр. 9:2); апокалиптические «град и огонь, смешанные с кровью» (Откр. 8:7), превращаются на перроне мук в «пламень и лед», от которых кровь то стынет, то кипит[2]; Митридат несет в себе бесов Вавилона и Армагеддона («...в него словно тысяча почерневших бесов вселилась...», 211)[3]; рабочий грозит серпом светопреставленья[4].

---

[1] «Если вы скажете, что то был туман, я, пожалуй, и соглашусь — да, как будто туман» (210).

[2] «А если вы скажете — нет, то не туман, то пламень и лед — попеременно то лед, то пламень. — я вам на это скажу: пожалуй, что и да, лед и пламень, то есть сначала стынет кровь, стынет, а как застынет, тут же начинает кипеть и, вскипев, застывает снова....» (210).

[3] «И видел я *выходящих* из уст дракона и из уст зверя и из уст лжепророка трех духов нечистых, подобных жабам...» (Откр. 16:13); «...Пал Вавилон, великая *блудница*, сделался жилищем бесов и пристанищем всякому нечистому духу, пристанищем всякой нечистой и отвратительной птице; ибо яростным вином блудодеяния своего она напоила все народы» (Откр. 18:2).

[4] «И иной Ангел, имеющий власть над огнем, вышел от жертвенника и с великим криком воскликнул к имеющему острый серп, говоря: пусти острый серп твой и обрежь гроздья винограда на земле, потому что созрели на нем ягоды» (Откр. 10:18).

Выйдя из вагона на перрон, Веничка восклицает: «Царица небесная, я — в Петушках!..» (211) — но он не в Петушках, а в Москве как «тупике бытия». «Ничего, ничего, Ерофеев... — продолжает он. — Талифа куми, как сказал Спаситель, то есть встань и иди» (212) — но идти ему приходится не к возрождению, а к казни и смерти. Итак, герой завершает свое путешествие на последнем, девятом круге ада — в *пространстве абсолютного зла*; здесь ему предстоит преодолеть рубеж более-чем-трагического и достичь крайних пределов «мировой скорби» — сначала *абсолютного отчуждения*, затем *абсолютной боли*.

На страшном, все более страшном пути Веничке вновь приходится испытать все ранее испытанные муки — только теперь они возведены в абсолют: этот максимум *бессильной тоски* («...ты раздавлен, всеми членами и всею душой...», 212), *отчаянья* («О, невозможность!», 211; «...никто никогда не встретит», «некуда идти», 212), *абсурдной вины* («Мене, текел, фарес — то есть "ты взвешен на весах и найден легковесным"», 214), *безысходной жажды* («Если б у меня было хоть двадцать глотков кубанской! <...> Но кубанской не было...», 214), *хтонического ужаса* («...Вы сидели когда-нибудь в туалете на петушинском вокзале? помните, как там, на громадной глубине, под круглыми отверстиями, плещется и сверкает эта жижа карего цвета? — вот такие были глаза у всех четверых», 214; «Петушинский райсобес, а за ним тьма во веки веков и гнездилище душ умерших», 216), предел *инфернального эроса* («...кто зарезал твоих птичек и вытоптал весь жасмин?..», 211), *убиение* в абсолюте — ради убиения («Ну, вот ты и попался...», 215), *бойня* в абсолюте — ради бойни («Ты от нас, от н а с хотел убежать?», 216).

В конце поэмы повторяются, по неумолимой логике закольцовывания, и все главные темы, заданные вначале. Как в первых главках, Веничка и в последних оказывается в пространстве тотального отчуждения — только теперь это отчуждение в прогрессии, во вселенском масштабе. Все объекты кругом становятся не просто чуждыми, но огромными в своей чуждости: «Странно высокие дома понастроили в Петушках!..» (213); «Но почему же так странно расширили улицы в Петушках?..» (214). Они или остаются неузнанными (ни аптеки больше не встретится, ни магазина; «...я все шел и шел, и в упор рассматривал каждый дом, и хорошо рассмотреть не мог...», 214), или, узнанные, угрожают и страшат: «райсобес, а за ним туман и мгла» (216); «...Он [Спаситель] это место [Кремль] обогнул и прошел стороной» (216). При этом город абсолютно пуст: «...на площади ни единой души, то есть решительно ни единой...» (212), на стук, вопреки евангельскому: «стучите, и отворят вам» (Матфей 7:7), не следует никакого ответа. Но никто не отвечает и сверху («...но правды нет и выше»): «все <...> путеводные звезды катятся к закату» (214), ангелы смеются страшным смехом, а Господь — молчит. Веничку окружает космическая пустота, и на огромных улицах и площадях, среди огромных домов он видит только преследователей, только потусторонних мстителей.

Возвращается и другая тема начальных главок — крестного пути и Голгофы, только прежней травестии и комического снижения этой темы в заключительной части поэмы нет и в помине — напротив, до предела нагнетается ужас. Но главное — прежде Веничка, претерпевая свои муки и принимая символическую казнь, знал об обещанном воскресении, теперь же — все худшее ему предстоит (и издевательства, и побои, и страдания плоти, и, наконец, казнь), а в лучшем — в воскресении — отказано: «...С тех пор я не приходил в сознание, и никогда не приду» (218).

В конце крестного пути Веничку ждет не убиение (как от Митридата) и не бойня (как от рабочего и крестьянки), а именно казнь. В литературе о «Москве — Петушках», уже весьма обширной, с особенным рвением обсуждаются две своего рода сфинксовых загадки, связанных с этой казнью, — кто убийцы и что значит красная буква «ю» в последнем предложении?

Сразу напрашивается версия о четырех римских легио-
нерах — стражах ведомого на Голгофу Христа, ведь сказано
же о трижды отрекающемся Петре, что он грелся у костра
«вместе с э т и м и» (215)[1]. Однако одним вариантом дело не
ограничивается: разнонаправленные знаки, рассыпанные
в финальных главках Ерофеевым, диктуют самые разнообразные догадки. Наиболее экзотичная из них предложе-
на Е. Ляховой и В. Тюпой: Веничку убили сами небесные
ангелы, и среди них «не дождавшийся отцовских орехов
умирающий (т. е. присоединяющийся с сонму ангелов) младенец»[2]. Другие исследователи на место четырех «иксов»
подставляют всадников Апокалипсиса[3], животных «перед
лицом Сидящего на престоле» из «Откровения Иоанна
Богослова»[4], серафимов из книг Иезекииля[5]. Ближе всего
к Ерофеевскому замыслу, на наш взгляд, ключ, предложен-
ный Б. Гаспаровым и И. Паперно, согласно которым в ро-
жах убийц проглядывают лики вождей — классиков марксизма-ленинизма[6]; на это соответствие больше всего указа-
ний: «что-то классическое» в лицах (214), «газеты» (215),
«Кремлевская стена» (216). Важной представляется и кафки-
анская ассоциация: «Финал — “М<осквы> — П<етушков>”
представляет собой, по-видимому, цитату финальной сцены “Процесса” Кафки...»[7]; убийцы Венички сближаются
с палачами, которые приходят за Йозефом К[8].

---

[1] См.: *Тюпа В., Ляхова Е.* Эстетическая модальность прозаической поэмы // Анализ одного произведения: «Москва — Петушки»
Вен. Ерофеева. Тверь, 2001. С. 38. См. также: Власов. С. 544.

[2] *Тюпа В., Ляхова Е.* Эстетическая модальность прозаической поэмы. С. 38–39.

[3] Там же. С. 38.

[4] Власов. С. 544–545.

[5] *Липовецкий М.* Паралогии. С. 306–312.

[6] Гаспаров, Паперно. С. 390.

[7] *Левин Ю.* Семиотика Венички Ерофеева // Сборник статей
к 70-летию профессора Ю. М. Лотмана. Тарту, 1992. С. 489.

[8] *Павлова Н., Бройтман С.* Финал романа Вен. Ерофеева «Москва —
Петушки» (к проблеме: В. Ерофеев и Ф. Кафка) // Анализ одного произведения: «Москва — Петушки» Вен. Ерофеева. Тверь, 2001. С. 113–122.

Есть ли один ответ на волнующий исследователей поэмы вопрос? По большей части разгадывающие ерофеевскую загадку руководствуются логикой «или — или», тогда как захваченное делириумным кошмаром сознание Венички, лихорадочно пульсирующее в круговерти сна-ви́дения, гораздо ближе к логике «и — и». Почему убийцам не быть одновременно и римскими гладиаторами — в одном из параллельно возникающих пластов вещего бреда, а в другом явиться к герою в кошмарно-карнавальных масках вождей мирового пролетариата, и при этом еще не зачерпнуть кафкианского абсурда? Загадки всегда загаданы Ерофеевым с умыслом лукавого протеизма: чем больше версий у озадаченных читателей, тем лучше работает выстроенная им машина перекличек и ассоциаций.

Важнее другие вопросы, отчаянно задаваемые Веничкой, — почему и зачем? Почему четверка должна непременно убить героя? На этот вопрос отвечают — «А потому»; «Да потому» (215); таков абсурдный ответ бездны, «жижи карего цвета»; ответ той бессмыслицы, которая плещется уже за пределами трагедии, даже за пределами дочеловеческой мудрости Силена и кипения дионисийской магмы. И все же — не получив другого ответа от тьмы, кроме отмены всех смыслов[1], мы должны получить его от самого убиваемого. И здесь все упирается во вторую загадку — в лейтмотив буквы «ю», расплывающейся в конце красным.

Трудно не согласиться с И. Сухих, выражающим сомнение по поводу попыток ограничиться только биографическим ключом и расшифровать «ю» как Юлию (Рунову)[2]

---

[1] Именно с отменой всех смыслов связаны финальные парадоксы поэмы — противоречие рассказчика, не приходящего в сознание, и противоречие «рассказчика-сейчас» с «рассказчиком-пото́м». См. об этом: Tumanov V. The End in V. Erofeev's "Moskva–Petuŝki" / Russian Literature. 1996. № 39. P. 95–114.

[2] Однако толкование «Ю» как символа, содержащего *в том числе* и намек на Рунову, вполне возможно; Рунова подписывала свои письма «Ю.», так же нередко ее обозначает в дневнике и сам Ерофеев.

или как осколок анаграммы с отгадкой «люблю». Однако и здравого смысла самогó Сухих — нам мало: «Буква "ю", из малой становящаяся большой, символизирует последнюю вспышку сознания героя: это либо его воспоминание о сыне, либо возвращение в детство ("Будем как дети...")»[1]. И только? Тогда бы не приберег автор букву «ю» для последнего, решающего предложения поэмы.

Финал поэмы неразрывно связал эту букву со смертью Венички — из-за нее герой и погиб. Веничка — мученик узнавания: он нисходит до девятого круга ада по летящим в бездну вагонам, чтобы «мысль разрешить», «дойти до самой сути». «...Веничка играл с темными силами, которые выходят из подполья души», — пишет В. Муравьев[2] об авторе «Москвы — Петушков». Веничка-персонаж не таков: он спускается в «подполье души» и мира, жертвует себя «темным силам», чтобы допытаться до последнего смысла.

Вспомним: ранее уже говорилось о том, что ценности для ерофеевского героя проверяются бездной и только бездной. Поэтому он и вызывает на себя тьму — если угодно, потому и допивается «до чертиков», до безумия, раскалывающего сознание, чтобы постичь истину ценности. Только опытом предельного отчуждения, боли, только на грани уничтожения можно всерьез сказать «да» или «нет» миру. И значит, в Веничкином кошмаре за ним должны прийти, подвести к краю боли и уничтожить — чтобы осветить конечный смысл последней вспышкой сознанья, чтобы породить знание о решающей ценности на последнем пороге боли.

Веничка не только бежит от преследователей по адской Москве — он завершает предначертанный ему путь к букве «ю» как итоговому смыслу. На страшной вокзальной площади герой вновь испытывает искушение самоубийством:

---

[1] *Сухих И.* Заблудившаяся электричка.
[2] *Ерофеев В.* Мой очень жизненный путь. С. 583.

«Кто-то мне говорил когда-то, что умереть очень просто: что для этого надо сорок раз подряд глубоко, глубоко, как только возможно, вдохнуть, и выдохнуть столько же, из глубины сердца, – и тогда ты испустишь душу. Может быть, попробовать?..» (212). И отвечает себе: «О, погоди, погоди!.. Может, время сначала узнать? Узнать, сколько времени?..» (212). «Время» здесь — «смысл», как в вагонах «смысл» скрывался в вопросах «Куда мы едем?» и «Есть ли выпить?». Надо добраться до сердцевины узнавания, а для этого — идти дальше. Закрученный в адском Садовом кольце, мученик Веничка продолжает вопрошать; ему надо «знать наверняка, вновь ли возгорается звезда Вифлеема или вновь начинает меркнуть, а это самое главное» (214). Да, он твердит себе, что «на т е х весах вздох и слеза перевесят расчет и умысел» (214), но устоит ли эта ценность — «вздоха и слезы» — перед ужасом богооставленности и уничтожающего ангельского смеха? Чтобы выяснить, надо дойти до последненей точки, до нижнего предела девятого круга *Inferno*. И вот — на границе небытия, в пароксизме небывалой боли, последним всплеском сознанья — Веничка отвечает буквой «ю».

Буква «ю» — это метонимия маленькой гордости отца за четырехлетнего сына, *уже* знающего букву в конце алфавита, то есть милый пустяк как пароль нежности в мире малого. Затем: буква «ю» — почти последняя в алфавите (гордое «я» не в счет); значит, это метонимия всего незаметного, маргинального — прозябающего на обочине мира[1]. Так буква «ю», действительно удвоенная ответом сына («— Ты любишь отца, мальчик? — Очень люблю», 147), становится точкой пересечения всего «малого», «послед-

---

[1] В этом смысле представляется справедливым толкование А. Агаповым «классического» профиля убийц как «указания на ненавистную автору безупречность, "безызъянность"» (*Агапов А.* 7 секретов «Москвы — Петушков». URL: https://arzamas.academy/mag/480-petushki); антитезой этой торжествующей нормативности становится для Ерофеева родной ему ущербный и нуждающийся в сострадании мир.

него» с Эросом умиления и жалости. «Слеза» — вот «звезда Вифлеема», «вздох» перевесит все ценности мира; императив «последней жалости» — вот этическое основание мира; вот ради чего Веничка совершил свой крестный путь, вот ради чего взорвался «личным апокалипсисом».

Получается, что Веничка через сошествие в ад испытал великую христианскую идею — любви к «малым сим», «нищим духом» — и так ее заново спас. «Транс-цен-ден-тально», — повторял декабрист в электричке «Москва — Петушки»; доведя до «последних столпов» свой порыв религиозного опыта, герой поэмы заново осмыслил это «выпитое», ставшее «пустой тарой» слово. В мире молчащего Бога и смеющихся над человеческой бедой ангелов — он трансцендировал в «милость», в идею «другого», в религию слез.

Глава восьмая

Венедикт:
Москва — последний приют

Последние пять с половиной лет жизни Ерофеева оказались отмечены множеством важных вех: написание пьесы и ее последующие постановки в московских, провинциальных и европейских театрах, обнаружение ракового заболевания и потеря голоса, крещение, публикация «Москвы — Петушков» в Советском Союзе и вообще официальное признание на родине — творческие вечера, интервью, телевизионные программы... «Вдруг Вен. Ерофеев всем понадобился — редакциям, театральным студиям, телевизионщикам... — вспоминает Анатолий Иванов. — Слава стояла в передней: посыпались просьбы, предложения, каждый день звонки, аудиенции...»[1] Однако события из этого списка, которые можно назвать радостными, особенного удовлетворения в жизнь Ерофеева, похоже, не привнесли — на сильные положительные эмоции у него уже просто не оставалось сил[2]. Весьма выразительно свое

---

[1] *Иванов А.* Как стеклышко: Венедикт Ерофеев вблизи и издалече. С. 175.

[2] Впрочем, о премьере пьесы Ерофеева в театре на Малой Бронной Ирина Дмитренко вспоминает: «Он был явно доволен, глаза у него блестели. Это ему пришлось по вкусу, он этим не пренебрегал».

тогдашнее впечатление от автора поэмы описывает Дмитрий Бак, единственный раз увидевший Ерофеева на полуофициальном вечере в общежитии московского Литературного института: «Людей было немного, может быть, оттого, что и сама встреча была чем-то средним между обычным тогдашним "квартирником" с входом только для посвященных и теперешней "подиумной дискуссией", ведомой улыбчивым модератором. Венедикт Васильевич, вовсе никакой не Веничка, как-то щурился на всех собравшихся, иногда было впечатление, что он не очень понимает, что происходит. И ему было худо — разумеется, не по причине потребления снадобий с гра́дусами, а просто жить так мало оставалось и го́лоса уже совсем не было, да и говорить с собравшимися было, видимо, не о чем. Присутствовавшие обменивались недоуменными взглядами, видно было, что ждали откровений, а получили сеанс разоблачения обманутых надежд. Я добросовестно вслушивался в натужные вопросы и ответы и остро ощущал себя девочкой Малашей на филевской печи, которая недоуменно наблюдает за тем, как обижают дедушку-Кутузова».

Приведем здесь и фрагмент из устных воспоминаний Надежды Муравьевой, относящихся к этому времени: «В 17 лет я написала свою первую повесть, называлась она "Столб". И начиналась буквально с появления Вени как персонажа. Папа дал Ерофееву это прочесть. Веня страшно заценил и мне передал через отца такие слова: "Жму лапу супер-супер-супер-супер-супер-суперинтеллектуалке". И вот спустя год с небольшим, после его вечера в студенческом театре МГУ я его увидела единственный раз в своей взрослой жизни. Он был огромный. Копна седых волос. Пронзительные яркие голубые глаза. Очень красивые руки, и этот жест, которым он прикрывал горло все время, как бы извиняясь за то, что он без галстука. Говорить Ерофеев уже почти не мог, поэтому между нами разыгралось подобие немого кино: я стою в дверях театра, вдруг входит Веня со свитой. И ему говорят: "А это

Надя Муравьева". Он торжественно протягивает мне руку и начинает ее жать. И жмет так долго-долго-долго. Повисла пауза, все перешептываются... И в какой-то момент до меня доходит, что он выполняет свое собственное пожелание — "жму лапу". При этом мы друг другу не сказали ни одного слова. Это было красиво, и мне эта сцена долго согревала душу. В ней было что-то трогательное и для меня писательски важное».

Ерофеев и раньше экономил слова — когда он мог, то заменял их хмыканьем, жестом, выразительным молчанием. «Люди рядом с ним казались болтливыми, — пишет Ольга Седакова. — При этом на его лице сменялось такое множество выражений, и так быстро, и эти выражения (никогда не гримасы) были очаровательны. Веня лицом разговаривал больше, чем словами. Это и были его реплики на все происходящее и произносимое вокруг, и очень интересно было за ними следить». После выявления болезни и операции на горле предпочтение молчания слову из добровольного выбора превратилось в неизбежность, иногда весьма досадную. «Ему достали говорильный аппарат на батарейках. Сперва начáлу было жутковато слышать "механический" голос робота, — вспоминает Анатолий Иванов. — <...> Ему хотелось быть не только слушателем, но во что бы то ни стало участником разговора. Серчал, стучал рукой, чтобы привлечь внимание собеседников, которые, увлекшись, мешали ему вставить реплику»[1]. «Машинка, а вернее, неизбежная от нее зависимость раздражала его, — свидетельствует Александр Кроник. — Веня, и без того немногословный, стараясь использовать ее как можно реже, говорил лаконично и хлестко»[2]. Ирина Нагишкина, впрочем, отмечает парадокс: «Как ни странно, когда горло было при бинтах, стал больше об-

[1] *Иванов А.* Как стеклышко: Венедикт Ерофеев вблизи и издалече. С. 176.

[2] Свой круг. Художники-нонконформисты в собрании Александра Кроника. С. 43.

щаться, больше говорить»[1]. Ей вторит Жанна Герасимова: «Когда ему сделали операцию, ему больше хотелось разговаривать. Он уже был более разговорчивый с этим аппаратом, чем когда он был здоров».

Однако в январе 1985 года ни о какой операции речи не было еще и в помине. Ерофеев лихорадочно трудился над пьесой, а жена его всячески стимулировала. «"Вальпургиеву ночь" <...> Ерофеев написал под давлением Гали, — со слов одной из подруг ерофеевской супруги отметила в дневнике Наталья Шмелькова. — <Она> заставляла его работать, чуть ли не кричала на него. Выдавала для бодрости виски, помогала печатать на машинке»[2].

С самóй Шмельковой, которой предстояло сыграть в жизни Ерофеева важную роль, он впервые мимолетно пересекся 17 февраля 1985 года. Это произошло в московской квартире известного эпатажного журналиста и издателя Игоря Дудинского. «В разговоре с Ерофеевым спросила: "А над чем вы сейчас работаете?" Ответил, что заканчивает "Вальпургиеву ночь", что действие пьесы происходит в дурдоме, — вспоминает Шмелькова. — "А что вас натолкнуло на этот сюжет?" Рассказал, что не так давно пребывал в "Кащенко", наблюдал, как на 1-е мая для больных мужского и женского отделений устроили вечер танцев, — первое, что и натолкнуло»[3].

В интервью И. Тосунян о первом стимуле к написанию пьесы Ерофеев рассказывал так: «Ко мне <...> приехали знакомые с бутылью спирта. Главное — для того, чтобы опознать, что это за спирт. "Давай-ка, Ерофеев, разберись!" На вкус и метиловый, и такой спирт — одинаковы. Свою жизнь, собаки, ценят, а мою — ни во что. Я выпил рюмку. Чутьем, очень задним, почувствовал, что это хороший спирт. Они смотрят, как я буду окочуриваться. Гово-

---

[1] Про Веничку. С. 93.
[2] *Шмелькова Н.* Последние дни Венедикта Ерофеева. Дневники. С. 67.
[3] Там же. С. 7–8.

рю: "Налейте-ка вторую!" И ее опрокинул. Все вниматель-но всматриваются в меня. Спустя минут десять говорю: "Ну-ка, налейте третью!" Трясущиеся с похмелья — и ведь выдержали, не выпили — ждут. Дурацкий русский рацио-нализм в такой форме. С той поры он стал мне ненави-стен. Это и было толчком. Ночью, когда моя бессонница меня томила, я подумал-подумал об этом метиловом спир-те, и возникла идея»[1]. «Решил, отчего бы не написать клас-сическую пьесу, только сделать очень смешно и в финале героев ухайдокать, а подонков оставить — это понятно нашему человеку», — рассказывал Ерофеев В. Ломазову[2].

Не вызывает сомнений и то, что в «Вальпургиевой ночи» легко отыскать след неосуществленного замысла «Истории еврейского народа», которую Ерофеев плани-ровал закончить и прочесть на вечере у Александра Кри-вомазова еще в 1980 году, «не оскорбив очень нервных юдофилов»[3]. «Материалов скопилось столько, что хвати-ло бы и на "фарс с летальным исходом" <...> и на что-ни-будь пообъемнее, — писал Ерофеев Светлане Гайсер-Шнитман. — <...> Еврей, т. е. должен пройти насквозь, хотя речь не только о них, да и вовсе не о них. Ну, допу-стим, как спиртное в "Москве — Петушках"»[4]. Очевидно, в пьесе Ерофеев как раз и решил идти путем «фарса с ле-тальным исходом». К середине апреля 1985 года «траге-дия в пяти актах» «Вальпургиева ночь, или Шаги Коман-дора» была закончена. «Первую рукопись пьесы Ерофеев принес на хранение отцу, — вспоминает Алексей Мура-вьев, — и она лежала у нас, переписанная его почти калли-графическим дрожащим почерком». «Была надежда, но только не на Россию, — позднее ответил Ерофеев на во-

---

[1] *Ерофеев В.* Мой очень жизненный путь. С. 515–516.

[2] *Ломазов В.* Нечто вроде беседы с Венедиктом Ерофеевым.

[3] Запись в альбоме Александра Кривомазова от 30 марта 1980 г. (Из личного архива А. Кривомазова.)

[4] *Гайсер-Шнитман С.* Венедикт Ерофеев «Москва — Петушки», или «The Rest Is Silence». С. 22.

прос о предполагавшихся перспективах постановки. — Первый читатель и очень маститый литературовед Владимир Муравьев — он прочел и сказал: "Пожалуй, это очень даже можно поставить... допустим, в русском театре на Бродвее"»[1].

Для публикации Ерофеев передал «Шаги Командора» в эмигрантский парижский журнал «Континент». «Познакомились мы с Веничкой Ерофеевым в 1983 году, — вспоминает Александр Бондарев. — Меня рекомендовал ему (в качестве курьера и "эмиссара" журнала "Континент") Володя Муравьев <...> Я начал с делового предложения: журнал "Континент" будет печатать Веничкины творения и добросовестно платить за них авторские гонорары, а за это Веничка будет отдавать их для первой публикации только мне. А я их буду вывозить за кордон. Так в 1985 году была вывезена и напечатана пьеса "Вальпургиева ночь"»[2].

«В "Вальпургиевой ночи" Россия — это сумасшедший дом, обитатели которого гибнут, отравленные — без злого, впрочем, умысла — главным героем, евреем Гуревичем, погибающим вслед за хором под сапогами остервенелого надзирателя, — излагает сюжет пьесы издатель поэмы "Москва — Петушки" Владимир Фромер. — Гуревич настолько по-человечески привлекателен, что Ерофеева никто и не помыслил обвинять в антисемитизме. Как в эсхиловом "Эдипе", в основе ерофеевской трагедии — вечная идея о неотвратимости судьбы и неизбежности возмездия. "Вальпургиева ночь" с большим успехом шла в Израиле»[3]. «Гуревич, конечно же, это Ерофеев во многом, — говорит Нина Черкес-Гжелоньска. — Я вижу, как он разгова-

[1] Документальный фильм «Моя Москва», режиссер Ежи Залевски, съемка 1989 года. Из домашнего архива Нины Черкес-Гжелоньской.

[2] *Бондарев А.* И немедленно выпил // Booknik. 2013. 24 октября. URL: http://booknik.ru/yesterday/all/i-nemedlenno-vypil0/?yclid= 6272426887886670137.

[3] *Фромер В.* Иерусалим — «Москва — Петушки».

ривает, себя ведет, в стихах, оценках... Это Ерофеев. Но он сказал, что делал сборный образ. И еще сказал: "В этой пьесе я со всеми рассчитаюсь. И никого не оставлю в живых. Как Шекспир". Когда я спросила: "Почему он их отравил? И этот мордоворот Боренька... Кто виноват в этом всем?" — Ерофеев ответил: "Я не знаю. Так получилось"».

Фрагменты пьесы и всю пьесу автор множество раз в течение весны читал на квартирных вечерах. На одном из таких чтений, организованном Натальей Ворониной, вновь присутствовала Наталья Шмелькова. «Зачарованно слушаю его исполнение, его прекрасный баритон <...>, — записала она в дневнике. — Периодически — взрывы смеха. В перерыве все курят на кухне. Подошла. Поздоровалась. Не поняла — вспомнил ли он меня? Кажется, нет»[1]. О еще одном чтении трагедии, в мастерской Александра Лазаревича, рассказывает Марк Гринберг: «Глубокий полуподвал, полки с Сашиной керамикой. Я записал бо́льшую часть на магнитофон, но качество записи отвратительное: я не умел записывать и магнитофон прятал, он лежал у меня в сумке».

Конечно же, многие слушатели и читатели сравнивали новую вещь Венедикта Ерофеева с «Москвой — Петушками», и сравнение это почти всегда делалось не в пользу трагедии. «Мне кажется, что после "Петушков" он уже ничего подобного не написал, — говорит, например, одна из хороших знакомых Ерофеева. — "Вальпургиеву ночь" я прочла... Наверное, она хорошая. Но настолько не "Москва — Петушки". Я, конечно, ничего ему не сказала и поздравила». «Веня написал так немного помимо всего прочего еще и потому, что все время искал и далеко не всегда мог найти художественную форму, куда можно было бы втиснуть всю эту литературную "ювелирку" <...>, — размышлял Марк Фрейдкин, под «ювелиркой» подразумевая

---

[1] *Шмелькова Н.* Последние дни Венедикта Ерофеева. Дневники. С. 8.

накопленные Ерофеевым в записных книжках шутки, фразочки, каламбуры. — Если в "Петушках" найти форму Вене блестяще удалось, то вторая его значительная вещь — "Вальпургиева ночь, или Шаги командора" — выглядит гораздо слабее именно из-за того, что художественные пропорции в ней явно нарушены и литературный материал (иной раз не менее изысканный, чем в "Петушках") безоговорочно доминирует над композицией и формой, по сути дела, разваливая их»[1]. Похоже о пьесе высказался Марк Гринберг: «Его депрессивные состояния были во многом спровоцированы тем, что возникал замкнутый круг: он чувствовал себя писателем, которому надо сесть и что-то написать, все время что-то в этих записных книжках записывал, ловил из воздуха. Я даже с удивлением обнаружил там одну свою очень среднего качества хохму. Видно, что "Вальпургиева ночь" во многом слеплена из этого. Там есть сюжет, но это отчасти такой коллаж — и это недостаток. И, скажем, Гуревич и Прохоров сливаются несколько больше, чем надо бы». А Надежда Муравьева даже полагает, что ерофеевская пьеса — это «Москва — Петушки», вывернутые наизнанку»[2].

Некоторые из приведенных упреков кажутся вполне обоснованными — в пьесе могло бы быть поменьше шуток кавээновского типа. Нельзя, однако, не поразиться самому́ факту — Ерофеев сумел собраться с силами и в короткий срок создал цельное и объемное произведение. И сделал это в тот период, когда уже почти никто ничего подобного от автора «Москвы — Петушков» не ждал. «Ты

---

[1] *Фрейдкин М.* Каша из топора. С. 315–316.

[2] Едва ли не единственное исключение из общего правила — следующее признание Лили Панн: «У Венедикта Ерофеева трагедию "Вальпургиева ночь, или Шаги Командора" я люблю больше "Москвы — Петушков". Вернее, "Петушки" с Веничкой люблю, а "Вальпургиеву" с Гуревичем обожаю» (*Панн Л.* Воспоминания под алкогольный «Романс» Володи Гандельсмана // Вавилон. 2007.22.01. URL: http://www.vavilon.ru/inmylife/18pann.html).

меня плохо знаешь, ведь я человек сюрпризный», — однажды сказал Ерофеев Наталье Шмельковой[1]. «Здо́рово все-таки, что он смог, несмотря на свое состояние, написать, и довольно быстро, эту "Вальпургиеву ночь"», — отмечает Марк Гринберг.

Еще в начале 1985 года у Ерофеева после перенесенного гриппа начались сильные боли в горле. Несколько месяцев он пытался лечиться от фарингита, однако ни к каким улучшениям это не приводило. В середине августа Ерофееву сделали биопсию и поставили диагноз — рак гортани. Об истории установления этого диагноза вспоминает ерофеевский лечащий врач-психиатр Ирина Дмитренко: «Венедикта Ерофеева поручил мне Михаил Борисович Мазурский. Сказал, что пациент стал вялый, астенизированный, жалуется на неприятные ощущения в горле и уверен, что у него рак. Но врачи ничего не находят. Мазурский решил, что у Ерофеева ларвированная депрессия, — бывают такие депрессии, при которых возникают боли, — и обратился ко мне. Мы взяли Венедикта в Центр психического здоровья. Уговорили нашего профессора, что это великий русский писатель, и его положили в отдельную палату, у нас есть палаты-люкс. Начали его капать антидепрессантами, и складывалось впечатление, что Венедикт почувствовал себя получше. Но было видно, что под челюстью у него есть увеличенный лимфоузел, поэтому его несколько раз смотрели хирург и отоларинголог, но ничего не нашли. Прошло еще некоторое время, и Венедикт опять пожаловался, что все плохо, опять эти ощущения не дают ему покоя. Я тогда пощупала его... И мне показалось, что от узла идет какое-то образование в сторону глотки. Мне это очень не понравилось, я пошла к заместителю главного врача — Мазурскому — и говорю: "Михал Борисыч, давайте Ерофеева все-таки

---

[1] *Шмелькова Н.* Последние дни Венедикта Ерофеева. Дневники. С. 111.

проконсультируем у онколога. Ну, вдруг. На всякий случай". Он говорит: "Ладно". То есть он этот мячик поймал, поддержал меня. Хотя это был нонсенс с моей стороны — я же психиатр, при чем тут я, когда хирург и отоларинголог ничего опасного не находят. Мазурский дает мне машину, мы едем на Бауманскую улицу в онкологический диспансер и попадаем к доктору пожилому. Он заглянул к Венедикту в горло и сказал: "О!" Взял биопсию и велел нам вернуться через час. Ну, мы там посидели, поговорили, отдохнули за пределами онкодиспансера. Когда мы вернулись через час, диагноз был готов: гортанно-глоточная опухоль. Онкологическая».

У Ирины Дмитренко сохранились записи этого времени, фиксирующие рассказ самогó Ерофеева о своем «очень жизненном пути». Воспользуемся возможностью и взглянем почти на прощанье на уже известные нам факты сквозь призму восприятия главного героя этой книги: «...отец больного умер в возрасте 56 лет. По профессии железнодорожник. В послевоенные годы был осужден, <...> после чего злоупотреблял алкоголем и через 2 года после освобождения умер. Мать больного умерла в 1972 г. Была домохозяйкой, спокойной, уравновешенной женщиной <...> Больной по характеру был живым, общительным, <...> до школы научился читать. В школу был отдан в 6-летнем возрасте вместе с братом, который старше его на 1 год. Учился с первого класса на одни пятерки. Имел прекрасные способности ко всем предметам. Со 2 класса находился в интернате в связи с тем, что отец был осужден[1]. Дом посещал редко. Был несколько замкнутым, любимым занятием было чтение. Испытывал влечение к литературе и истории. С 5–6 класса сочинял стихи, рассказы. Шумных компаний не любил, из спортивных занятий предпочитал лыжи. Отли-

---

[1] Обратим внимание, что об отъезде матери Ерофеев умолчал, видимо, не желая расспросов. — *О. Л., М. С., И. С.*

чался застенчивостью. В школьные годы влечения к девушкам не испытывал.

В 10 классе получил золотую медаль и тут же, в 1955 году, поступил на филологический факультет МГУ. В течение первого семестра учился на "отлично", затем стал пропускать лекции, не хотел сдавать политэкономию и со II курса был отчислен за неуспеваемость. Продолжал писать рассказы, дневники, искал свой стиль, тяготея к авангардизму. В этом же возрасте (17–18 лет) несколько изменился: стал более общительным, выпивал. В течение 1,5 лет работал разнорабочим на стройке, затем около 2 лет — в геологической партии на Украине.

В 1960 г. поступил на факультет иностранных языков Владимирского пед<агогического> института. В период учебы женился, однако через 1,5 года институт бросил, т<ак> к<ак> преподавание казалось малоинтересным. Устроился работать на кабельные работы во Владимирской области, работал там в течение 10 лет. В этот период продолжал много читать, одновременно много пил и еженедельно ездил в деревню, где жена работала педагогом. От брака имеет сына 1966 г. рождения. Продолжал много писать, стремился выработать свой стиль. К концу 1960-х годов написал книгу. В 1973 г. оставил прежнюю работу, к тому времени испортились отношения с женой и длительное время не работал. Жил в Подмосковье, продолжал много читать и писать. Все эти годы испытывал тягу к алкоголю, много общался с определенным кругом людей, с которыми ему было интересно. Время от времени работал. Вторично женат с 1975 г. С тех же пор прописан в Москве. Периодически работал на малоквалифицированных работах, все так же много времени уделял занятиям литературой.

К концу <19>70-х годов влечение к алкоголю стало носить периодический характер, пил, как правило, в компаниях по нескольку дней с интервалами до 2–3 недель. Жил в основном на зарплату жены, а также за счет гонораров,

Венедикт Ерофеев. Деревня Верховье, 1987 г. Фото А. Кроника

Отец – Василий
Васильевич Ерофеев
(1900–1956)

Заявление начальнику Следственного отдела от заключенного Вас. Вас.
Ерофеева, 1 августа 1945 г. Фрагмент из материалов уголовного дела,
Центральный архив ФСБ РФ

Мать – Анна Андреевна
Ерофеева (1899–1972)

Венедикт, Нина и Борис
Ерофеевы. В гостях у тети
Дуни. Москва, 1941 г.

Венедикт и Борис Ерофеевы. Кировск, начало 1950-х гг.

Воспитанники детского дома № 3 г. Кировска в пионерском лагере.
Второй ряд, второй справа – Венедикт; нижний ряд, второй слева – Борис.
Палкина Губа, 1949 или 1950 г.

Верхний ряд: Фаина, жена старшего брата Юрия, и брат Борис;
нижний ряд – сестра Тамара с дочерью Юрия Мариной, Анна Андреевна
и Венедикт. Кировск, 1950-е гг.

Сестра Венедикта Нина Фролова с матерью и дочерьми Леной
(впоследствии Даутовой) и Мариной. 1961 г.

Венедикт в начале
1960-х гг.

Университетские друзья: Владимир Муравьев (вверху слева), Борис
Успенский (вверху справа), конец 1950-х гг., и Лев Кобяков с женой Риммой
Выговской – автором первой перепечатки поэмы «Москва – Петушки»,
1961 г. (внизу)

Валентина Зимакова (в центре) с учениками – сразу после окончания Владимирского педагогического института

Венедикт Ерофеев за год
до написания поэмы «Москва –
Петушки». Деревня Мышлино,
1968 г. Фото И. Авдиева

Валентина Ерофеева (Зимакова)
с сыном Венедиктом
Венедиктовичем. 1966 г.
Фото В. Ерофеева

Дом Венедикта и Валентины Ерофеевых в деревне Мышлино

Венедикт Ерофеев с сыном Венедиктом. Мышлино, 1967 г.

Анна Андреевна с внуком Веней и невесткой Валентиной. 1967 г.
Фото В. Ерофеева

Юлия Рунова с дочерью
Верой. Начало 1970-х гг.

Борис Сорокин. 1970-е гг.
Фото И. Авдиева   .

Вадим Тихонов, «любимый первенец».
Начало 1970-х гг. Фото И. Авдиева

Андрей Петяев и Вячеслав Улитин.
Конец 1970-х гг.

Игорь Авдиев и Валерий Маслов
во Владимире. 1970-е гг.

Автограф Ерофеева Игорю Авдиеву на поэме «Москва – Петушки».
Журнал «Трезвость и культура», 1989 г. Иллюстрации Гарифа Басырова

«Игорю Авдиеву, который должен подозревать, что в главе
"Воиново – Усад" имеется в виду (министр обороны) как раз он самый.
В. Ерофеев 25/II–89»

«Он не так уж много смеялся – скорее именно улыбался, как бы на грани смеха. Меня эта улыбка завораживала. Какой-то я в ней чувствовал особый знак внутренней музыкальности».

Марк Гринберг

«...и этот жест, которым он прикрывал горло все время, как бы извиняясь за то, что он без галстука».

Надежда Муравьева

Ольга Седакова и Венедикт Ерофеев. 1975 г. Фото А. Лазаревича

Владислав Цедринский и Наталья Архипова. 1980 г. Фото Ф. Лоэст

Лидия Любчикова с пуделем Беней, названным в честь Ерофеева. 1970-е гг.

Венедикт Ерофеев. Начало 1970-х гг. Фото А. Брусиловского

Андрей Геннадиев, Венедикт Ерофеев и Виктор Кривулин в мастерской Геннадиева. Ленинград, 1975 г.

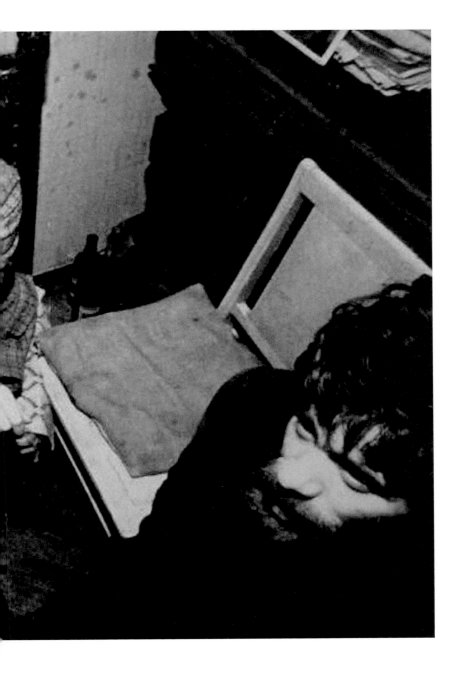

Борис Делоне (Дед), Виктор Тимачев и Венедикт Ерофеев. Абрамцево, конец 1970-х гг. Фото С. Шарова-Делоне

Вадим Делоне перед эмиграцией. 1975 г.   Сергей Шаров-Делоне. 1977 г.

Борис Николаевич Делоне в походе. Начало 1970-х гг.

Справа налево: Венедикт Ерофеев, Юрий Ерофеев, Вера Рунова
(дочь Юлии), Виктор Ерофеев (сын Юрия). Кировск, 1980 г.

Марк Фрейдкин. Начало 1970-х гг.
Фото А. Подгузова

Наталья Шмелькова. Деревня
Верховье, 1987 г. Фото А. Кроника

Венедикт Ерофеев, Нина Черкес, Галина Ерофеева. Психиатрическая
клиническая больница № 1 им. П. П. Кащенко. Начало 1980-х гг.
Фото А. Лаврина

Венедикт и Галина Ерофеевы. Абрамцево, начало 1980-х гг.

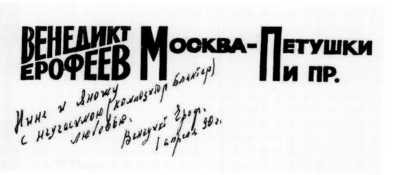

Автограф Венедикта Ерофеева Нине Черкес на издании поэмы «Москва – Петушки». 1 апреля 1990 г.

Жанна Герасимова и автограф Ерофеева для нее на поэме «Москва –
Петушки». Журнал «Трезвость и культура», 1989 г.

*«Милой девчонке Жанне Гер. в твердой надежде на то, что она,
с Божьей помощью и чьей-нибудь еще, перекочует из театра
на Тверской в Русский театр на Бродвее. Это заслуженно и – главное –
реальнее, чем она сама думает. Венед. Ероф. 16/I–89».*

Яна Щедрина

Владимир Муравьев и Игорь Авдиев
в гостях у Венедикта Ерофеева
на Флотской улице. 1988 г.

Достоуважаемый В. Мур.,

отдаю на твой суд, с посвящением тебе, первый свой драматический опыт: «Вальпургиева ночь» (или, если угодно, «Шаги Командора») Трагедия в пяти актах. Она должна составить вторую часть триптиха «Драй Нэхтэ».

Первая ночь. «Ночь на Ивана Купала» (или проще «Диссиденты») сделана пока только на одну четверть и обещает быть самой весёлой и самой гибельной для всех её персонажей. Тоже трагедия, и тоже в 5-ти актах. Третью — «Ночь перед Рождеством» — намерен кончить к началу этой зимы.

Все булгаковские каноны, во всех трёх «Ночах», будут неукоснительно соблюдены: Эрсте Нахт: приёмный пункт винной посуды. Квайте: 31-е отделение психбольницы. Дритте Нахт: православный храм, от паперти до трапезной. И время: вечер — ночь — рассвет.

Если «Вальпургиева ночь» придётся тебе не по вкусу, — я отбрасываю к свиньям собачьим все остальные ночи и вынусь приветствовать кого-нибудь из нынешних немцев. А ты подскажешь мне, кто из них этого заслуживает.

Венедикт Ер.
Весна 85 г.

Автограф посвящения пьесы «Вальпургиева ночь, или Шаги командора» Владимиру Муравьеву. 1985 г.

МОСКОВСКИЙ
ДРАМАТИЧЕСКИЙ
ТЕАТР
на МАЛОЙ БРОННОЙ

ПРЕМЬЕРА

23, 25, 28 марта, 27 апреля 1989   Венедикт ЕРОФЕЕВ

ВАЛЬПУРГИЕВА НОЧЬ
или
ШАГИ КОМАНДОРА

УЧАСТВУЮТ:

Старший врач больницы	— И. Янковский
Медсестра Натали	— Е. Смирнова
Медсестра Люси	— Н. Лазарева
	М. Швыдкая
Медсестра Тамарочка	— Е. Дурова
Медбрат Бореньна по кличне Мордоворт	— К. Бердиков
Гуревич	— Л. Каневский
	Заслуженный артист РСФСР
Прохоров, староста 3 палаты	— А. Грачев
Алеха по кличне Диссидент, оруженосец Прохорова	— В. Ершов
Вова, меланхолический старичон из деревни	— Ю. Катин-Ярцев
	В. Камаев
Серена Клейнмихель, тихоня и прожектер	— С. Баталов
Витя, застенчивый обнора	— Д. Дорлиак
Стасин, декламатор и цветовод	— А. Котов
Коля, интеллектуал и слюнтяй	— Г. Сайфулин
	А. Макаров
Пашка Еремин, комсорг 3 палаты	— В. Изотов
Контр-адмирал Михалыч	— Г. Ляпе
Хохуля, сенсуальный мистик и сатанист	— Н. Серебренников

Все происходит 30 апреля, потом ночью, потом в часы первомайского рассвета

РЕЖИССЕР
Владимир ПОРТНОВ

Художник	Балетмейстер	Композитор
Николай ЭПОВ	**Геннадий АБРАМОВ**	**Юрий ПРЯЛКИНА**

Главный режиссер театра — **Владимир ПОРТНОВ**

Портреты Венедикта Ерофеева авторства Алексея Неймана.
Конец 1980-х гг.

Марк Гринберг и Людмила Евдокимова с сыном Мишей. 1986–1987 гг.

«Последний раз у нас Веня был, кажется, в мае 1987 г. — когда нашему сыну год исполнился. Я вышел встречать его и всю компанию на улицу, а Мишку катил в коляске. Он тогда был беленький и более похож на русую и русскую жену <...>, и Веня, рассмотрев его с верхотуры своего роста, улыбнулся, сделал мне "козу" — это у него такой был знак симпатии — и сказал, то бишь прохрипел в свой аппарат: "Ничего у тебя не вышло, будет наш парень!"»

Марк Гринберг

«Трем Гринберятам, глупейшего из которых я именем нарек, а к двум другим терпеливо сохраняю нежность вот уже ровно 12 лет и 20 дней. 15/I–89. Вен. Ероф.»

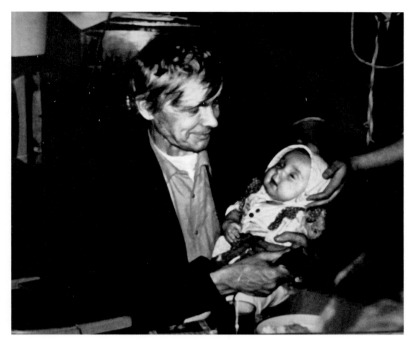

Венедикт Ерофеев с Леной, дочерью Валерии Черных. 1986 г.

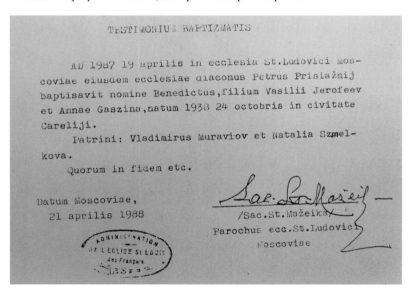

TESTIMONIUM BAPTIZMATIS

AD 1987 19 aprilis in ecclesia St.Ludovici Moscoviae eiusdem ecclesiae diaconus Petrus Prisiažnij baptisavit nomine Benedictus,filium Vasilii Jerofeev et Annae Gaszina,natum 1938 24 octobris in civitate Careliji.

Patrini: Vladimirus Muraviov et Natalia Szmelkova.

Quorum in fidem etc.

Datum Moscoviae,
21 aprilis 1988

/Sac.St.Mažeika/
Parochus ecc.St.Ludovici
Moscoviae

Свидетельство о крещении Венедикта Ерофеева в католичество

На кухне у Юлия Кима и Ирины Якир. 1986 г. Фото И. Якир

С Борисом Мессерером в его мастерской. 1987 г. Фото Инге Морат

«Белла [Ахмадулина] познакомила с женой Артура Миллера (США), и та постоянно пугала меня своим немыслимым фотоаппаратом с обилием самой страшной оптики. Так что на харе у меня наверняка ничего не будет, кроме страха перед объективом».

Венедикт Ерофеев

С Натальей Шмельковой и Евгением Рейном. 1987 г. Фото Л. Панн

Справка с места работы для предоставления в ОВИР. 1986 г.
Венедикт Ерофеев пытался выехать за границу на лечение.

«Ну зачем им моя трудовая книжка, когда нужно отпустить человека по делу? А тем более когда зовет главный хирург Сорбонны».

Венедикт Ерофеев и пес Улан. Деревня Верховье. 1987 г. Фото А. Кроника

Виктор Сукач, Вадим Тихонов, Игорь Авдиев и Борис Сорокин
у мемориальной доски Венедикту Ерофееву на здании Владимирского
педагогического института. Вторая половина 1990-х гг.

изредка получаемых за свою литературную деятельность[1]. С 1981 г. дважды перенес алкогольные психозы на фоне прерывания запоя, по поводу которых находился на лечении в б<ольни>це им. Кащенко. За последние годы существенно по характеру не менялся, оставались прежние интересы. Преобладал ровный фон настроения, ближе к веселому, с кратковременными и не очень выраженными спадами.

Последний раз стационировался в Б<ольни>цу им. Кащенко со 2 по 26 апреля 1985 г. <...> Был выписан в удовлетворительном состоянии, однако вновь стал прибегать к алкоголю. <...> При поступлении и первое время в отделении говорит тихим голосом, выражение лица печальное, жалуется на неприятные ощущения в горле, считает, что, возможно, это раковое заболевание <...>. Жаловался, что нет желания чем-либо заниматься, потерял интерес даже к чтению. <...> В отделении держался обособленно, обвязывал шею шарфом».

12 сентября по ходатайству Ирины Дмитренко и Михаила Мазурского Ерофеев был госпитализирован во Всесоюзный онкологический центр на Каширском шоссе, а 25 сентября прооперирован. По позднейшему признанию Ерофеева, наркоз почти не подействовал из-за неадекватности анестезии. «Я спросил: как ты, а он — он не мог говорить — написал на листе бумаги число, когда делали операцию, и нарисовал череп с костями», — вспоминает Марк Гринберг. Как тут не вспомнить последнюю главу ерофеевской поэмы? «Они вонзили мне свое шило в самое горло. Я не знал, что есть на свете такая боль, я скрючился от муки» (218). Это было написано за много лет до операции.

За несколько дней до того, как ложиться в онкологический центр, Ерофеев устроил «проводы» для своего «за-

---

[1] Т. е. на гонорары от изданий за рубежом — комментирует Ирина Дмитренко.

воражвающего голоса» (определение Татьяны Щербины). «Перед тем как Веня попал в больницу и последний раз мог своим голосом читать, он собрал какое-то количество людей и читал "Вальпургиеву ночь". Как всегда, прекрасно», — рассказывает Елизавета Горжевская. О похожем выступлении Венедикта вспоминает Евгений Попов, который поделился и рядом вполне ожидаемых подробностей о водворении Ерофеева в больницу: «Слава Лён у себя на квартире организовал чтение "Москвы — Петушков". Ерофеев как бы попрощался с голосом. Он читал, собралось человек, наверное, двадцать или тридцать. Читал-читал, потом ему надоело, и он сказал: "Я дальше читать не хочу, ну его..." И началось пьянство обычное. Потом его повез Лён в больницу, в первый день его не приняли, потому что он пьяный был, с похмелюги. Туда не принимали в таком состоянии. Ему пришлось протрезвиться и уже тогда ехать». Спустя несколько месяцев после операции с помощью парижской ерофеевской подруги Ирины Делоне (Белогородской) через московскую ерофеевскую подругу Ирину Якир Венедикта удалось спасти от полной немоты. Ирина переслала Ерофееву дорогой и совершенно недоставаемый в Советском Союзе голосовой аппарат, который был оплачен возглавлявшейся Кириллом Ельчаниновым организацией «Русское студенческое христианское движение». «В последний день мая 19<86> г. мне доставляют (Ир<ина> Як<ир>) аппарат для говорения», — отметил Ерофеев в своем блокноте[1].

«Вене оперировали горло, много было узлов, и хирург ему прямо сказал: "Попытаемся что-нибудь сделать, хоть вы и запустили. Но предупреждаю вас, что своего прекрасного баритона вы лишитесь", — вспоминает Тамара Гущина. — Так оно и произошло. Красивый был голос. Вена уже после первой операции начал говорить с аппа-

---

[1] *Ерофеев В.* Последний дневник (сентябрь 1989 г. — март 1990 г.). С. 175.

ратом. Ему предлагали ходить на занятия к логопеду, заставляли разрабатывать речь — видимо, остатки голосовых связок остались, но разве он согласится? Нужно было упорство, преодоление трудностей: каждый день ездить, каждый день упражняться, и он не захотел. Ему почему-то показалось, что с аппаратом лучше, особенно когда прибор из-за границы привезли»[1].

9 ноября 1985 года, после октябрьских праздников, все еще лежа в онкоцентре, Ерофеев написал для Тамары Гущиной очередной отчет о своей невеселой жизни: «Мне осталось промаяться ровно две недели. Из 25 сеансов облучения 14 я уже одолел. И надо тебе сказать, побочные следствия этих полураминутных процедур все-таки ощутимы: сниженность, в сравнении с октябрем, общего тонуса, сонливость, подверженность простудам и паникерству, раздраженность по пустяшным причинам и пр. Но это все легко проходяще. Сегодня, допустим, уже трое суток без облучений — и уже заметен возврат к прежним равновесию и бодрости <...> В ВОНЦе (Всесоюз<ном> онкол<огическом> науч<ном> цент<ре>) постыло до предела. Отсчитываю дни. Тешусь по мере сил стихами Горация и толстенным томом Вересаева "Пушкин в жизни" (издание Чикаго, поэтому без русских купюр). Набросал, между делом, программу-*minimum* своих зимних занятий, и оказалось, что праздным быть почти не придется»[2].

22 декабря Ерофеев снова писал сестре Тамаре: «Я сегодня месяц как дома. Не сделал больших дел, но немножко сделал. И для этого есть всё — мне всё делают и всё подают; девушек на побегушках много (особый привет и поздравления передает тебе Яна Щедрина — наверняка помнишь. И если будешь писать — чиркни ей поклон, она

---

[1] *Ерофеев В.* Письма к сестре. С. 144. «Он пренебрегал своим здоровьем, — вспоминает Ирина Дмитренко. — Если бы им не занималась Галя, если бы им не занимался Мазурский, он бы мог умереть и раньше от горячки какой-нибудь тяжелой».

[2] *Ерофеев В.* Письма к сестре. С. 133.

будет рада чрезмерно) <...> Здоровье — ну, как здоровье? — если ничего не болит, стало быть, есть здоровье. <...> Написал Юлии Руновой. Она ведет себя странно — обрушилась с телефонным звонком, на который я отвечал мычанием или стуками. Не знаю, где встречу Новый год. Скорее, у Руновой»[1]. Имя Яны Щедриной, появившейся на горизонте Ерофеева еще в 1982 году[2], было вновь упомянуто в ерофеевском письме к Тамаре Гущиной от 27 января 1986 года (Галина в это время в очередной раз была помещена в психиатрическую клинику): «Все дела в доме понемногу прибрала к рукам Яна Щедрина. Решительно все. Так что по возвращении Галина будет состоять формальною женой и хозяйкой квартиры. Но, с ее молчаливого согласия, Яна становится фактически женой и хозяйкой. Женщина юная, умница, и с маху всех очаровывает. Я рад, что Господь нас соединил. (Покуда рад). Твоя Юлия <...> когда звонит сюда и нападает на голос Яны, кладет трубку немедленно. <...> В прошлые заточения Носовой обычно она вступала во все права в доме (июнь — август 83, февраль — апрель 84)»[3].

«Яна была красивая девочка, ее тесть Григорий Исаакович Залкинд поставил знаменитый полуподпольный спектакль "Стулья" по Ионеско, — вспоминает Жанна Герасимова, игравшая в этом спектакле главную женскую роль. — Уже после смерти Ерофеева Яна сошла с ума и выбросилась с лестничной клетки двенадцатого, кажется, этажа. В пролет прыгнула. А ведь у нее было трое или чет-

---

[1] Личный архив В. Ерофеева (материалы предоставлены Г. А. Ерофеевой). При публикации в журнале «Театр» фрагмент о Руновой был из письма купирован. Хотя в самые последние годы жизни Ерофеева они с Юлией Руновой виделись гораздо реже, чем раньше, однако полностью общение прекращено не было.

[2] Ее тогдашнее «полулюбовное» признание Ерофееву мы цитировали в предыдущей главе.

[3] Личный архив В. Ерофеева (материалы предоставлены Г. А. Ерофеевой). При публикации в журнале «Театр» этот фрагмент был из письма купирован.

веро детей...» На всякий случай прибавим, что ни к сумасшествию, ни к смерти Яны Щедриной Ерофеев не имел ни малейшего отношения.

Главную мужскую роль в спектакле «Стулья» сыграл актер Алексей Зайцев, который и познакомил Яну Щедрину с Ерофеевым. А его самого представил Венедикту Марк Гринберг. «В одном Венином знакомстве я был сам виноват, — кается он. — Тогда в Москве был такой актер, Леша Зайцев. Они пытались играть по всяким подвалам и полулегальным зальчикам западную драматургию. И довольно хорошо играли. Леша тоже поддавал очень сильно. Я ему когда-то дал "Петушки", он был в полном восторге. Я на беду познакомил его с Веней, а потом Галина меня долбала за то, что он носил Вене спиртное, хотя этого уже было делать нельзя». В воспоминаниях фотографа Виктора Баженова запечатлена забавная сценка, однажды разыгравшаяся после того, как они с Зайцевым побывали в гостях у Ерофеева: «Переполненный впечатлением от встречи и выпитым, Зайцев размечтался: "Ты хоть понимаешь, у кого мы были! А были мы с тобой у великого человека! Подумать только! Великих людей в мире так мало — раз-два и обчелся! Только Он и Я!" Потом вздрогнул, поняв деревенским умом, что допустил бестактность, обидел меня, закричал в голос, тыча в меня растопыренной пятерней: "И ты, и ты тоже великий!"»[1]

Весной 1986 года друзья устроили Ерофееву вызов из Франции для лечения в парижском онкологическом центре. «Сразу 2 вызова: из филфака Парижского универс‹итета,› из главного онкологич‹еского› центра Сорбонны», — записал Венедикт в одном из блокнотов[2]. «Обещали восстановить голос, — объясняет Анатолий Иванов. — Веня продемонстрировал мне формуляр, выданный в ОВИРе,

---

[1] *Баженов В.* Фотоувеличение. Венедикт Ерофеев и Алексей Зайцев. С. 139.

[2] Личный архив В. Ерофеева (материалы предоставлены Г. А. Ерофеевой).

который ему предстояло заполнить. Там, в частности, имелся такой пункт: "Приглашающая сторона, в случае смерти за границей выезжающего, гарантирует транспортировку трупа домой за свой счет". Не правда ли, веселенькая перспектива? Веня, давясь от смеха, тыкал пальцем в эту цинично сформулированную формальность»[1]. Однако в итоге автор «Москвы — Петушков» и «Вальпургиевой ночи» выпущен из страны не был. «Стали заниматься почему-то моей трудовой книжкой, — с горечью рассказывал Ерофеев в интервью И. Болычеву. — Ну зачем им моя трудовая книжка, когда нужно отпустить человека по делу? А тем более когда зовет главный хирург Сорбонны — он ведь зовет вовсе не в шутку, кажется, можно было понять. И они копались, копались — май, июнь, июль, август 1986 года — и наконец объявили, что в 63-м году у меня был четырехмесячный перерыв в работе, поэтому выпустить во Францию не имеют никакой возможности. Я обалдел. Шла бы речь о какой-нибудь туристической поездке — но ссылаться на перерыв в работе 23-летней давности, когда человек нуждается в онкологической помощи, — вот тут уже... Умру, но никогда не пойму этих скотов...»[2]

Игорь Авдиев опубликовал текст выразительного бюрократического документа, прямо связанного со всей этой кафкианской историей.

ПОСТАНОВЛЕНИЕ

9 августа 1986 г. Я, <...> государственный нотариус 5 Московской государственной нотариальной конторы, рассмотрев просьбу гр. Ерофеевой Галины Павловны, проживающей: г. Москва, Флотская ул., д. 17, кор. 1, кв. 78, об удостоверении копии трудовой книжки Ерофеева Ве-

---

[1] *Иванов А.* Как стеклышко: Венедикт Ерофеев вблизи и издалече. С. 175.

[2] *Ерофеев В.* Мой очень жизненный путь. С. 519.

недикта Васильевича, руководствуясь ст. 31 Закона РСФСР о государственном нотариате

ПОСТАНОВИЛА

в совершении указанного нотариального действия отказать. В представленной трудовой книжке имеются следующие недостатки:

1. Трудовая книжка выдана 1 апреля 1959 г., а первая запись внесена 18.12.1958 г., и запись внесена только на основании номера приказа без ссылки на дату.

2. В записи № 7 от 16.II.1962 г. номер приказа и дата исправлены.

3. В записях с 17 по 24 сведения о приеме на работу, перемещениях по работе и увольнении заполнялись в графах о вынесении благодарностей.

Все это не соответствует действовавшей инструкции о порядке ведения трудовых книжек на предприятиях, учреждениях и организациях, утвержденной Постановлением Государственного Комитета Совета Министров СССР по вопросам труда и заработной платы от 09.07.1958 г. за № 620. В соответствии со статьей 74 Закона РСФСР о Государственном нотариате и с п. 17 инструкции о порядке совершения нотариальных действий государственными нотариальными конторами РСФСР, документ не подлежит засвидетельствованию.

Настоящее постановление может быть обжаловано в народный суд Свердловского р-на г. Москвы (Цветной б-р, д. 25-а) в десятидневный срок в соответствии со ст. 32 Закона РСФСР о Государственном нотариате и ст. 271 ГПК РСФСР.[1]

«К концу лета — конец ОВИРа», — горестно отметил Ерофеев в записной книжке[2].

---

[1] *Авдиев И.* Эринии и документы // Индекс/Досье на цензуру. 1998. № 4–5. С. 243.

[2] Личный архив В. Ерофеева (материалы предоставлены Г. А. Ерофеевой).

От муторных советских хлопот Венедикта отвлекало упоенное занятие цветоводством в квартире на Флотской. На той же странице блокнота, где была помещена запись о «конце ОВИРа», он с гордостью отчитывался о своих успехах: «Вернулся к цветочным заботам на балконе. Наблюдаю с умиленьем, как раскрывается первый анютин глаз немыслимого цвета. В августе их будет бездна. Вьюнки ползут по десяти путям, но пока не цветут. А между тем, настурции и васильки начинают клониться к упадку. Астры по-преж<нему> крохотны. Продолжаю разрежать»[1].

В июле 1986 года наконец произошла долгожданная встреча Ерофеева с Беллой Ахмадулиной. «Бэла[2] оч<ень> хочет познакомиться. Зовут на свой банкет в Переделкино. Спец<иально> будет подана машина», — записал Ерофеев в дневнике 4 июля[3]. «Завтра под окном у нас будет стоять машина и отвезет в Переделкино. *Остальное* стерлось», — отметил он в блокноте в ночь на 9 июля[4]. «В са́мом деле. Машина за окном (чуть вина), — фиксировал Ерофеев развитие событий в записной книжке 9 июля. — За рулем Саня Рабинович. День знакомства с Беллой. Сквозь всех сопровожд<ающих> ее и меня — порывистый жест-бросок. Славная. <...> Теперь уже весь вечер локоть в локоть, уже весь вечер коленка в коленку. Всё о любви, о сожалении о том, что не довелось встретиться прежде. Как я хотела вас видеть. И эта штука совсем не портит вашу красоту и пр. и пр.»[5]. Последующие несколько месяцев Ерофеев буквально считал дни от встречи до встречи

---

[1] Личный архив В. Ерофеева (материалы предоставлены Г. А. Ерофеевой).

[2] Ерофеев пишет имя Ахмадулиной в разных вариантах: Бэла, Бэлла, Белла и пр. Мы сохраняли авторское написание во всех случаях. — *О. Л., М. С., И. С.*

[3] Личный архив В. Ерофеева (материалы предоставлены Г. А. Ерофеевой).

[4] Там же.

[5] Там же.

с ней. «Милая Бэллочка звонит о любви и о том (!) что надо бы встретиться и пр.», — отметил он в блокноте 24 июля[1]. «День Белы Ахмад<улиной> <...> Бел<а> умиляется мною на фоне леса <...> Бел<а> произносит речь (тост) за меня, слишком лестный. "И талант, и ум, и стройность, и красота" и пр.», — записал Ерофеев в дневнике 30 июля[2]. «<В>есь в Белле. И ее пластинки в эти дни ставлю кажд<ый> день» (запись от 3 августа[3]), «С волнен<ием> жду завтраш<него> визита к Месс<ереру> на Воровскую. (Звонок, Лена: приглашение назавтра от Бориса Месс<ерера>. Вечером. «А Беллочка будет?» — «Ну конечно, будет».) И следом — звонок от самой Беллы. Прямо счастлив. И говорю о своем обожании. Великая отрада слышать» (запись от 5 августа[4]). «Беллочка, кстати, все та же: самое трогательное из всех новых знакомств», — писал Ерофеев Тамаре Гущиной 17 ноября[5]. «Мы с Беллой обожали Веничку, и он со своей стороны платил нам любовью и даже, по-моему, был влюблен в Беллу, — рассказывает в мемуарах Борис Мессерер. — Когда она читала стихи, он слушал как завороженный»[6]. «Писатель Ерофеев поразительно совпал с образом, вымышленным мною после первого прочтения его рукописи, — констатировала сама Ахмадулина в 1988 году. — Именно поэтому дружбой с этим удивительным человеком я горжусь и даже похваляюсь»[7].

Рядом с Ахмадулиной и Мессерером запомнила и изобразила Ерофеева американская славистка русского происхождения Ольга Матич, которую художник и поэтесса привезли в гости на Флотскую в феврале 1987 года:

---

[1] Личный архив В. Ерофеева (материалы предоставлены Г. А. Ерофеевой).

[2] Там же.

[3] Там же.

[4] Там же.

[5] *Ерофеев В.* Письма к сестре. С. 135.

[6] *Мессерер Б.* Промельк Беллы. Романтическая хроника. С. 415–416.

[7] *Ахмадулина Б.* Миг бытия. С. 141.

«У него еще была повязка на горле, а в голосообразующем аппарате села батарея, и он старался громко шептать. В комнате было страшно накурено: сидевшая рядом с Ерофеевым Белла, которую он любовно, если не влюбленно, постоянно называл "дурочкой", курила одну сигарету за другой <...> Кончилось тем, что Ерофеева расстроила я, сказав что-то о своей дружбе с Лимоновым, тогда еще отнюдь не представлявшем собой "камня преткновения" для интеллигенции. Прошептав раздраженно, что он Лимонова однажды побил на лестнице, Ерофеев вышел из комнаты и не хотел возвращаться»[1]. Действительно, прозаика и поэта Эдуарда Лимонова он на дух не переносил: «Когда Ерофеев прочел кусок лимоновской прозы, он сказал: "Это нельзя читать: мне блевать нельзя"», — вспоминал Владимир Муравьев[2]. «Лимонову руки не подам» — так в декабре 1989 года Ерофеев отреагировал на слух о том, что Лимонов собирается приехать к нему в Абрамцево[3].

4 февраля 1987 года по приглашению Татьяны Щербины Ерофеев пришел на литературный вечер в московский Дом архитектора. «Мы выступали вчетвером: два прозаика, Витя Ерофеев и Женя Попов, два поэта — Лева Рубинштейн и я, а вел это все философ и литературовед Миша Эпштейн, — вспоминает Щербина. — Веничка пришел. Пришла и Наташа Шмелькова. Я с ней дружила, а с Ерофеевым они однажды встречались в компании, но он этого не помнил. Мы немного поговорили втроем, а выросла из этого целая *love-story*. Наташа стала вторым дыханием и фактически второй женой Венички». «У меня есть самиздатские «Петушки»... так хотелось бы ваш автограф» <...> "Пожалуйста, приезжайте, тем более, что жена моя сейчас в больнице"», — вспоминает Шмелькова свой диалог

---

[1] *Матич О.* Записки русской американки. Семейные хроники и случайные встречи. М., 2017. С. 399–400.

[2] *Ерофеев В.* Мой очень жизненный путь. С. 584.

[3] *Шмелькова Н.* Последние дни Венедикта Ерофеева. Дневники. С. 275.

с Ерофеевым.[1] «Она всегда, приходя, острила, рассказывала какие-нибудь такие байки, что он надрывался от хохота, — вспоминает о появлениях Натальи Шмельковой на Флотской улице Тамара Гущина. — Это сразу поднимало ему тонус. Он всегда любил посмеяться <...> В последние годы Наташа была единственным человеком, который приводил Вену в такое настроение, что он мог смеяться. Порой у него было депрессивное состояние. Одно время, когда Наташа не ездила к нему — Галина запретила, — он просил меня: "Тамара, уговори Галину, чтобы Наташа приезжала". И она все-таки согласилась. Наташа была для него как лекарство»[2].

19 апреля 1987 года[3] произошло событие, взволновавшее многих друзей и знакомых Ерофеева: в этот день он крестился в католическом храме Святого Людовика на Малой Лубянке. «Зная, что Ерофеев был верующим <...> как-то спросила его, почему он до сих пор не крещен? — вспоминает Наталья Шмелькова. — Рассказал, что разговоры об этом идут уже давно. Что приезжали уговаривать его даже священники. Заявил, что не любит православие за холуйство. Что если бы Господь дал ему еще два-три года, то написал бы книгу о православии. Сказал, что сейчас готов креститься, но что примет католическую веру <...> Предложил мне быть его крестной матерью»[4].

Сам обряд крещения в дневнике Шмельковой описан так:

«— Почему так поздно креститесь? — строго спросил его отец Станислав.

— Я с 38-го года! — кратко пояснил Ерофеев.

— Молитвы знаете?

---

[1] *Шмелькова Н.* Последние дни Венедикта Ерофеева. Дневники. С. 10–11.

[2] *Ерофеев В.* Письма к сестре. С. 144.

[3] Согласно справке о крещении из личного архива В. Ерофеева (материалы предоставлены Г. А. Ерофеевой).

[4] *Шмелькова Н.* Последние дни Венедикта Ерофеева. Дневники. С. 25.

— Даже по-латыни. Проходил в университете, — ответил Веничка.

Начался обряд. Крестил ксёндз Петр[1]. Ерофеев не мог скрыть своего волнения. У него дрожали губы.

Началась служба. Полились звуки органа. Запел хор. У Велички на глаза навернулись слезы. Причащались с ним, стоя рядом на коленях»[2].

«Это случилось уже совсем в конце его жизни, под влиянием Володи Муравьева, который был католиком, — рассказывает о ерофеевском крещении Лев Кобяков. — Узнавши, что он принял католичество, я ему послал телеграмму: "С обращеньицем. Иван Павел Второй". Он очень смеялся»[3]. «Под конец жизни он даже принял католическое крещение, я думаю, не без моего влияния, — вспоминал Муравьев, который стал крестным отцом Ерофеева. — Сам я, как католик, что-то старался ему объяснить, сравнивал. Объяснения были очень простые: что религия только одна, что никакой национальной религии быть не может, что православная церковь в России была и остается в подчинении у государства и что вероучение католическое отчетливее, понятнее и несколько разумнее. А он был большим поклонником разума (отсюда у него такое тяготение к абсурду). Несколько упрощая, я ему представлял католичество как соединение рассудка и чувства юмора. Честертон говорил: "В религию людей без чувства юмора я не верю". Я тоже думаю, что Савонарола был просто сумасшедший, а не верующий человек, а у Иисуса Христа, как мы решили с Веничкой, было очень тонкое и изощренное чувство юмора. "Ну, может быть, иногда чересчур тонкое!" Веничка говорил, что за

---

[1] Наталья Шмелькова имеет в виду диакона Петра Присяжного. — *О. Л., М. С., И. С.*

[2] *Шмелькова Н.* Последние дни Венедикта Ерофеева. Дневники. С. 26–27.

[3] Телепрограмма «Венедикт Ерофеев. Жизнь замечательных людей». URL: https://www.youtube.com/watch?v=6759ZwCPWy0.

одно предложение не прелюбодействовать можно дать человеку премию за чувство юмора. У самого́ Венички всегда был очень сильный религиозный потенциал»[1].

«Я думаю, что Ерофеев представлял собой латентный религиозный тип, исключительно честно настроенный», — считает и Андрей Архипов, а Ольга Седакова так говорит о религиозных чувствах автора «Москвы — Петушков» и о его отношении к церковной жизни: «Насколько я помню, Вене всегда хватало его личной веры. Когда люди, окружающие его, становились правильными, крестились в церкви, обращались в православие, он над этим только посмеивался <...> Он говорил мне: "Когда будет уж совсем паршиво, тогда и крещусь". Но говорил он это уже во время болезни. Ранее такой вопрос вообще не стоял перед ним <...>

— Почему именно католичество? — недоумевала я. А он мне ответил, что думал об этом, когда я еще пешком под стол ходила. И что он всегда мечтал о католичестве <...> Когда я его пришла поздравить с крещением, он был вдохновлен и надеялся начать новую жизнь. Но, насколько я знаю, ни в католический, ни в православный собор он больше ни разу не зашел»[2].

А вот что Седакова рассказывает об отношении Ерофеева к православному неофитству 1980-х годов в мемуарном очерке об авторе «Москвы — Петушков»: «Стилизованное благочестие православных неофитов, нестерпимое самодовольство, которое они приобрели со скоростью света — и стали спасать других "соборностью" и "истиной", которые у них уже как будто были в кармане, — все это, несомненно, добавило к Вениным сомнениям в церковности. Он как-то сказал:

— Они слезут с этого трамвая, помяни мое слово.

---

[1] *Ерофеев В.* Мой очень жизненный путь. С. 573.
[2] Летопись жизни и творчества Венедикта Ерофеева. С. 104, 105. По нашей просьбе Ольга Седакова авторизовала этот фрагмент из своих устных воспоминаний, приведенный в «Летописи».

— С трамвая?

— Ну да. Я хотел пойти пешком, а они вскочили на трамвай»[1].

Не все друзья и знакомые Ерофеева поверили в то, что крещение для него было по-настоящему судьбоносным шагом. «По-моему, Веня никогда не был религиозен: для него религия была скорее важна культурологически, чем в качестве жизненной практики», — пишет Лев Кобяков[2]. Сходно о своем отношении к церкви говорил и сам Ерофеев в интервью О. Осетинскому, которое он дал уже после крещения. На вопрос, является ли он верующим человеком, Ерофеев ответил так: «До какой-то степени, но не слишком прочной. <...> Обрядовая сторона меня немножко приостанавливает и пугает. Но христианские-то принципы были для меня священными с 17-летнего возраста, и я их проповедовал по мере сил. И среди студенчества, за что, кстати, и был изгоняем»[3].

---

[1] *Ерофеев В.* Мой очень жизненный путь. С. 594. «Ерофеев захотел креститься еще перед первой операцией на горле, — рассказывает Валерия Черных. — Наверное, боялся умереть. По его просьбе за день до госпитализации мы приехали к нему со знакомым батюшкой, иеромонахом отцом Варсонофием. Он был одним из членов Комитета по защите прав верующих в Союзе (состоящем всего из трех человек), а служил во Владимирской области. Еще он отсидел по политической статье уже после смерти Сталина. Когда мы приехали с ним на Флотскую, я увидела, что Ерофеев суетится, прячет глаза, что-то невразумительное бормочет, будучи абсолютно трезвым. Мы оставили его наедине с батюшкой, ушли в другую комнату. Вдруг вернулась жена Ерофеева, Галина, атеистка и кандидат экономических наук. Как смерч пронеслась она по квартире с криками: "Чернорясые! Налетели! Воронье! Вон! Чтоб духу вашего..." и т. д. И выгнала нас прочь, едва ли не веником... В такси мы боялись встретиться взглядом с о. Варсонофием. После первой операции Венедикт весьма приободрился (не умер!). И тогда Вл. Муравьев легко и просто уговорил его принять католичество. Почему легко и просто? Потому что Галина очень уважала мнение католика Муравьева, буквально смотрела ему в рот, постоянно цитировала и никогда бы не посмела выгнать веником».

[2] Про Веничку. С. 41.

[3] Веня. Последнее интервью.

Отметим, что многолетнее «проповедование» Ерофеевым «христианских принципов» было отнюдь не бесплодным. В частности, его владимирский друг Борис Сорокин в итоге стал диаконом православной церкви. Не без помощи Ерофеева к вере пришел и Игорь Авдиев, который впоследствии вспоминал: Венедикт «в первую буквально нашу встречу подарил мне маленькое Евангелие от Иоанна. Кстати, лондонское издание. Он всех нас преобразил как бы, дал нам закваску Евангелия»[1]. Особенно же выразительным кажется нам следующее воспоминание Натальи Беляевой о Ерофееве и его друзьях «владимирцах»: «В конце 1970-х годов Веничка вместе с другими из этой компании был у меня дома на улице Строителей. Там и произошел эпизод, сыгравший добрую и немаловажную роль в моей жизни. Началось с того, что кто-то процитировал фразу из Нагорной проповеди из Евангелия от Матфея. А потом Веничка устроил мне небольшой экзамен. Спрашивает: "Это откуда?" А я ни бе ни ме. Что-то знакомое, а откуда — не знаю, к своему стыду. Он говорит: "Это Нагорная проповедь. Откуда?" Я опять не знаю. "Ты что, Евангелие не читала?" Я говорю: "Читала, но почти не помню". — "Есть у тебя Евангелие?" — "Есть". — "Неси сюда". Я принесла. Он открыл пятую главу и прочел мне вслух всю Нагорную проповедь. Это я запомнила на всю жизнь. Мало того, что устыдилась своего невежества, но еще и поняла: эту книгу надо читать и знать. Этот эпизод стал одним из приведших меня к христианству толчков. В 1979 году я приняла крещение. Царство небесное Веничке. На Страшном суде буду свидетельствовать о том, что он помог мне прийти ко Христу».

Нужно, впрочем, обратить внимание на то обстоятельство, что и в данном случае, если сопоставить его с другими историями из жизни Ерофеева, на память приходит если не

---

[1] Документальный фильм «Москва — Петушки».

главный герой «Бесов»[1], то центральный персонаж «Преступления и наказания». «Веня ничем не был похож на Раскольникова, как и я — на Сонечку Мармеладову, — рассказывает Ольга Седакова. — Но однажды мы невольно разыграли знаменитую сцену. Веня пришел, как обычно, без предупреждения — в поисках похмелиться. Я в это время читала и была под сильным впечатлением от прочитанного.

— Вень, ты послушай!

— Да читал я это! (речь шла о Ин. 11, 38–46).

— Я тоже читала, но послушай.

Веня выслушал весь рассказ о Лазаре и спрашивает:

— И что, ты в это веришь?

— Конечно.

— Я всегда знал, что ты того (повертев у виска), но не до такой же степени!»

Конец весны, лето и начало осени 1987 года Ерофеев провел в подмосковной деревне Верховье, в доме, который он снимал на пару с коллекционером нонконформистской живописи Александром Кроником. «Мы с Веней, да и с его женой Галей, сразу же почувствовали себя удивительно хорошо и легко друг с другом <…> В будни, когда я должен был уезжать в Москву, Веня хотя и недовольно ворчал, но кормил и выгуливал моего борзого пса Улана», — вспоминает Кроник[2]. 9 октября Ерофеев подарил соседу по деревенскому дому парижское издание «Москвы — Петушков» с такой дарственной надписью: «Александру Кронику в знак признательности за Верховье и за все остальное».

---

[1] Ср. со словами Шатова, обращенными к Ставрогину: «В Америке я лежал три месяца на соломе, рядом с одним… несчастным, и узнал от него, что в то же самое время, когда вы насаждали в моем сердце Бога и родину, — в то же самое время, даже, может быть, в те же самые дни, вы отравили сердце этого несчастного, этого маньяка, Кириллова, ядом…» (*Достоевский Ф.* Бесы // Полное собрание сочинений: в 30 т. Т. 10. Л., 1974. С. 197).

[2] Свой круг. Художники-нонконформисты в собрании Александра Кроника. С. 42.

Одним из главных бытовых увлечений Ерофеева по-прежнему оставался телевизор. За новостями Венедикт следил с интересом и участием. «Помню, как 5-го (?) мая 89-го года по телевизору передали, что в районе Уфы сошел с рельсов поезд. Как ему показалось, я выслушала это сообщение с несколько рассеянным видом. Он возмутился: "Ты как будто посторонняя, как будто по ту сторону, а я, как всегда, рыдаю"», — вспоминает Наталья Шмелькова[3]. Отчасти похожей историей делится в мемуарах Марк Гринберг: «Помню, как он во время ирано-иракской войны пересказывал, что Хомейни гонит подростков-смертников (шахидов) с зелеными повязками на лбу на вражеские минные поля. Обычно он не выражал сильных эмоций, но тут как раз выражал».

В январе 1987 года на пленуме ЦК КПСС был объявлен курс на перестройку. Ситуация в стране начала постепенно меняться. «Ерофеев не отходит от телевизора — съезд», — записала в дневнике Шмелькова[4]. «Никаких принципиальных перемен в сторону лучшего он не ожидал, но все происходящее в стране считал важным и исключительно интересным. Однажды сказал: "Меня-то скоро не будет, а ты когда-нибудь испытаешь гордость за то, что жила в это время"», — поясняет она далее[5]. «У меня есть опасение, что что-нибудь произойдет с нашим президентом, — говорил Ерофеев в позднем интервью О. Осетинскому. — <...> Тогда будет очень паскудно. <...> Если даже и президент останется на месте, мы будем хотя бы там, где мы есть. А если с ним что-нибудь случится, тогда уже яма. Даже не яма, а, я бы сказал, еще покруче»[6].

---

[3] *Шмелькова Н.* Последние дни Венедикта Ерофеева. Дневники. С. 242–243.

[4] Там же. С. 242.

[5] Там же.

[6] Веня. Последнее интервью. Под президентом СССР Ерофеев подразумевает М. С. Горбачева.

В конце октября 1987 года Нобелевская премия по литературе была присуждена Иосифу Бродскому[1]. Ерофеев многократно отзывался о нем как о «лучшем из поэтов нынешней России» (цитата из письма к Тамаре Гущиной[2]). Вероятно, именно поэтому Ерофееву был сделан заказ написать эссе о Бродском в связи с грядущим вручением премии. По просьбе директора американского издательства «Серебряный век» Григория Поляка к автору «Москвы — Петушков» обратилась приехавшая в Москву двоюродная сестра Натальи Шмельковой Лиля Панн, с 1977 года живущая Нью-Йорке. «Сконструированный Ерофеевым по собственным дневниковым записям весьма острый срез неоднородного отношения к Бродскому среди столичной публики я забрала у него в конце своей поездки, во второй свой визит на Флотскую, — вспоминает Панн. — Ни второй, ни тем более первый визит — вместе с Наташей — я никогда не забуду. Память освещается обликом Вени, как материальным источником света. Возможно, эффект обязан нечастому совпадению души и лица. Как я могу судить о его "душе"? Только по всему "ерофеевскому тексту". Другими словами, его лицо привлекало, но не удивляло, а подтверждало Веничку. И лирических героев других книжек (включая записные). А тут еще яркая пригожесть всего облика Венедикта. Поскольку я впервые видела этого человека после операции у него на горле, не могу судить, всегда ли он меньше говорил голосом, чем лицом, улыбчивым и со всполохами отчаяния. Он производил впечатление человека если не молчаливого, то сдержанного, создавшего вокруг себя личное пространство тишины. И при этом оно было не замкнуто, а, благодаря необычно интенсивному зрительному контакту, открыто для собеседника. Наташа характе-

---

[1] *Лосев Л.* Иосиф Бродский. Опыт литературной биографии. М., 2006. С. 254, 257.

[2] *Ерофеев В.* Письма к сестре. С. 136.

ризовала его голос как "космический", и точнее я не могу выразить ощущение и моего слуха».

Эссе Ерофеева о Бродском действительно продемонстрировало «острый срез неоднородного отношения» к поэту со стороны московской публики. Вначале Ерофеев заявляет: «...я, собственно, о Бродском писать не буду, это излишне»[1], — а далее, верный любимой манере издевательской систематизации материала, автор «Москвы — Петушков» приводит подборку высказываний своих знакомых о поэте — большей частью довольно-таки нелепых[2]. Однако итоги в финале все-таки подводит он сам: «Панегирических суждений не привожу за их избыточную восклицательность и единообразие и потому, что ко всем им присоединяюсь, конечно. Как бы ни было, грамотному русскому человеку — это я знаю определенно — было б холоднее и пустыннее на свете, если б поэзия Иосифа Бродского по какой-нибудь причине не существовала»[3].

Отношение свежеиспеченного нобелевского лауреата к Ерофееву было во многом сходным. «Самый низкий поклон через Беллу передал ему Иосиф Бродский», — записывает в дневнике Наталья Шмелькова[4]. «Когда я разгребал архив Бродского, — вспоминает Виктор Куллэ, — в числе прочего интересного я там нашел несколько листков со списками обязательного чтения для его студентов, причем не только по русской литературе. И там были "Москва — Петушки"». Прямо Бродский высказался о поэме в документальном фильме про Ерофеева, снятом Павлом Павликовским: «Легко высмеивать. Легко говорить

---

[1] *Ерофеев В.* Мой очень жизненный путь. С. 324.

[2] Некоторые из этих высказываний, по-видимому, сочинил сам Ерофеев, а потом приписал их своим знакомым. «Я ничего такого не говорил о Бродском», — свидетельствует «автор» одной из реплик, приводимых в эссе, Борис Сорокин.

[3] *Ерофеев В.* Мой очень жизненный путь. С. 325.

[4] *Шмелькова Н.* Последние дни Венедикта Ерофеева. Дневники. С. 124.

колко и остроумно о советской действительности, она и так абсурдна. Изобличить ее ничего не стоит. Однако я понимаю, что это не было главной целью Ерофеева, когда он писал книгу. Он пытался найти, высвободить голос... Да»[1]. «Когда Бродский однажды прислал Ерофееву телеграмму, в которой приглашал его в США — сделать операцию на горле, то Венедикт очень этим был горд и даже положил телеграмму под стекло», — рассказывает Нина Черкес-Гжелоньска[2]. Увы, их личное знакомство так и не состоялось.

Неудивительно, что «под знаком Бродского» в декабре 1987 года прошли сразу два московских литературных вечера, на которые выбрался Ерофеев, — чествование нобелевского лауреата в кафе «Новые времена» и устроенный в память Леонида Губанова вечер в доме культуры «Меридиан». На втором из этих вечеров Ерофеев познакомился с Евгением Евтушенко. Как и у многих современников, ерофеевское отношение к са́мому прославленному поэту-шестидесятнику не было ровным и однозначным. Так, Виктор Баженов вспоминает, что Ерофеев «из поэтов ценил Иосифа Бродского, испытывал отвращение к Евтушенко и его окружению»[3]. А вот Лидия Любчикова рассказывала, как Ерофеев однажды «плакал над стихами Евтушенко. Принес его книжку, сел на тахту, читает, восхищенно восклицает, смотрю — заплакал. Смущенно, как ребенок, смотрит на меня, в глазах слезы: "Разве, — гово-

---

[1] Документальный фильм «Москва — Петушки». С английского языка короткий монолог Бродского по нашей просьбе любезно перевела Александра Борисенко.

[2] Вторая теща Ерофеева Клавдия Грабова, рассказывая о своем покойном зяте для телевидения, «вспоминает» о встрече Ерофеева с Бродским перед отъездом последнего за рубеж (см.: Телефильм «Венедикт Ерофеев»). Это, разумеется, чистой воды фантазии, хотя бы потому, в 1972 году, когда Бродского вынудили уехать из СССР, Ерофеев еще не был знаком со своей будущей женой и ее матерью.

[3] *Баженов В.* Фотоувеличение. Венедикт Ерофеев и Алексей Зайцев. С. 139.

рит, — это не хорошо?" И читает что-то чрезвычайно одухотворенное, но скверно написанное, на мой взгляд. Его тронула до слез доброта какой-то идеи»[1]. В антракте вечера памяти Губанова Ерофеева подвела к Евтушенко Наталья Шмелькова, которая отметила в своем дневнике: «"Вы знаете, — сказал ему Евтушенко, — когда я в Сибири читал "Москва — Петушки", мне очень захотелось выпить". — "За чем же дело, — улыбнулся Ерофеев, — тем более, что у меня нет ни одной вашей книжки". — "А я хочу ваш автограф", — сказал Евтушенко»[2]. Артем Баденков, как и Наталья Шмелькова, бывший свидетелем этой встречи, вспоминает, что «Евтушенко, который не выступал, очень обрадовался свиданию с Ерофеевым. Потому что кто-то из выступавших его задел в выступлении, и он себя чувствовал не в своей тарелке. А тут вдруг совсем другое отношение». Сестре Тамаре Ерофеев о своем впечатлении от Евтушенко 6 января 1988 года писал так: «Он мне очень приглянулся и потертым свитером, и задрипанным шарфом вокруг шеи, и полным отсутствием обдуманности и театральности в манерах»[3].

На вечере памяти Губанова с Ерофеевым познакомился молодой тогда поэт Виктор Куллэ, который так вспоминает о своем общении с автором «Москвы — Петушков»: «Венечка был уже звездой, вокруг него все вились. Он уже от людей как от надоедливых мух отмахивался[4], просто очевидно было, что он устал, а еще многим казалось, что, говоря с ним, нужно обязательно громко материться и обязательно предлагать выпить. Я помню (это уже забегая вперед), был литинститутский вечер Ерофеева, и Игорь Меламед торжественно шел по проходу со

---

[1] *Ерофеев В.* Мой очень жизненный путь. С. 540.
[2] *Шмелькова Н.* Последние дни Венедикта Ерофеева. Дневники. С. 76.
[3] *Ерофеев В.* Письма к сестре. С. 136.
[4] «Он производил впечатление человека высокомерного», — говорит Сергей Гандлевский. — *О. Л., М. С., И. С.*

стаканом... А Веня на него с такой ненавистью смотрел... Как я понимаю, сам по себе акт выпивания для Венечки был делом глубоко интимным, примерно как пописать сходить. Со сцены же странно было бы писать, да? Это уже было бы какое-то нарушение порядка интимности.

В гости на Флотскую меня впервые привел Генрих Сапгир[1]. Был какой-то сапгировский вечер, на котором они с Веней договорились об этом. Соответственно, я доехал до Генриха, и мы уже вместе отправились на Флотскую. Я помню совершенно фантастический по размерам балкон в этой квартире, и там были насаждения, которыми Венечка занимался.

Он, как правило, возлежал на диванчике и беспрерывно благоухал валокордином и корвалолом. Это был запах, который для меня прочно связался с Венечкой. Это постоянное питье, в котором содержалось немножко алкоголя, как я понимаю, являлось для Вени суррогатом крепких напитков. Типа нынешних электронных сигарет. А вокруг всегда было много людей. Хотя он и утомился от них, особенно от новых, но почему-то окружал себя гостями. Может быть, один оставаться боялся? Или это был благовидный повод, чтобы не сидеть и не писать "предсмертное" "гениальное" произведение? И вот создавалось ощущение, что его как бы нет, он был такой точкой отсутствия (а он ведь еще не мог к тому же говорить как следует). Но каким-то образом он структурировал пространство вокруг себя. И каждое его "говорилово" поэтому приобретало особое значение. Вдруг раздавался этот искусственный, довольно-таки жуткий голос, и все, замирая, слушали. Кстати, было видно, что он часто экономил слова́, ведь говорить, наверное, было трудно. И вот Ве-

---

[1] Ерофеев высоко ценил поэзию Сапгира, многие его строки приводятся в записных книжках Венедикта. После смерти Ерофеева Сапгир написал посвященное ему стихотворение «Ангел Веничка», которое авторы не могут здесь привести по не зависящим от них причинам. — *О. Л., М. С., И. С.*

нечка безапелляционно высказывал свое резкое мнение, свой вердикт, с которым принято было соглашаться. Строго говоря, это был тоталитарный дискурс, не помню, чтобы кто-то осмеливался с Венечкой спорить. Я, разумеется, имею в виду не старых друзей, а таких, как я, — посетителей "храма". А были в этом "храме" и жрецы. Нужно, впрочем, отметить, что интонационно Веня никогда не был безапелляционен, даже через машинку он ухитрялся говорить, не припечатывая.

Слушать его через машинку было тяжело, к этому нужно было привыкнуть. Это было как бы постоянное напоминание о том, что человек, с которым ты говоришь, одной ногой уже практически в могиле. Как-то сразу было ясно, что на этом болезнь не остано́вится. Соответственно, ты все время себя чувствовал, как у постели умирающего, а это ведь трудно. И у него все вре́мя был совершенно запредельный трагизм на лице написан. Веня на тебя смотрел как великомученик с иконы неимоверно пронзительными глазами. В то же время от него исходила немалая сила, я бы сказал, сила всеприятия. И это абсолютно не смотрелось как поза, потому что иначе мы бы это чувствовали все более или менее».

После смерти Ерофеева Виктор Куллэ посвятил его памяти стихотворение, снабженное эпиграфом из Тимура Кибирова («Мы не увидели неба в алмазах. // Небо в рубинах увидели мы»):

> И голос, как от ларингита,
> осипший в бешеном совке,
> звучит подобием санскрита
> в глухом арийском пивняке,
> Где не убийцы в полумасках,
> а безнаказанное чмо...
>
> И эти узелки на связках —
> как узелковое письмо —

не поддаются расшифровке
ни хитрым штирлицем, никем.

Так при удаче и сноровке
рискуешь проморгать эдем
и поперхнуться эсперанто,
как рыбьей костью, — подхватив
куплет, который арестанты
выводят на любой мотив.

Запрошлогодняя столица,
которой выпало «зеро»,
такая нищая — ютится
у входа в станции метро;
пьет пиво из литровых банок,
газетой скомканной шуршит,
считает бешеные бабки…

И легкий человек спешит
подальше от ее рубинов —
спешит к развязке роковой
в бутылках заточенных джинов
и ангелов над головой.

И сиплый голос год от года
бесстрастнее со стороны:
до дрожи стенок пищевода,
до шелеста, до тишины —
заржавленным небесным свёрлам
вернуть заточку крепких рук…

Так буква Ю пронзенным горлом
поныне округляет звук[1].

---

[1] *Куллэ В.* Стойкость и свет. Избранные стихотворения и переводы. 1977–2017. М., 2017. С. 295–296.

В начале февраля 1988 года Ерофеев передал парижскому приятелю Александру Бондареву для публикации в «Континенте» свой новый маленький текст, так же, как эссе о Бродском, составленный из цитат и сверхкратких комментариев к ним. Вот как об истории создания этого текста вспоминает Бондарев: «В ответ на привычное Веничкино "Я еще не закончил" я спросил: "Ну хоть что-то у тебя готовое есть? Пусть совсем крохотное?" Автор честно ответил: "Ничего, кроме записных книжек". <...> "Покажи", — потребовал я. И он, на свою беду, показал. В записной книжке были аккуратно выписаны цитаты из ленинского ПСС: среди них были и мои любимые, и такие, которых я раньше не видел <...> "Значит, так, — сказал я. — В воскресенье я улетаю. У тебя есть три дня, чтобы привести это все в божеский вид. Желательно с твоими комментариями, но можно и без. Гонорар получишь сразу". Веничка колебался. Он не верил в литературную и денежную ценность трудов Ильича. "А как все это назвать?" — "Как, как... Назови «Моя лениниана», а там видно будет". Случилось чудо. Перед отлетом я застал Веничку сияющим: в первый раз в жизни он не подвел издателя со сроками, не обманул и теперь честно передает законченную рукопись. Как настоящий профессиональный писатель! В заглавии я заметил слово "маленькая". "Почему?" — "Ну, потому что подумают еще, что я больше крупных вещей не пишу"»[1]. Впрочем, Сергей Шаров-Делоне свидетельствует, что собирать цитаты для «Маленькой ленинианы» Ерофеев начал задолго до 1988 года: «Она писалась прямо в Абрамцеве. Я прекрасно помню, как это все делалось. Это было ужасно трогательно. Это готовилось в Абрамцеве, но и в Москве. И в Москве, чтобы тома́ Ленина посмотреть, он пошел в районную библиотеку. Это была его собственная идея. Когда он наткнулся на одну цитату из Ленина, которая с добрым дедушкой Лениным никак не

---

[1] *Бондарев А.* И немедленно выпил.

вязалась. На вторую. На третью, на четвертую. О его "Лениниане" стали ходить слухи. И Бондарев, я думаю, подтолкнул его, чтобы привести это в окончательный вид» [1].

Наверное, Ерофеев так быстро составил «Мою маленькую лениниану» потому, что ему в данном случае досталась удобная роль формовщика коллажа из ударных ленинских цитат и сопроводителя этих цитат эффектными комментариями вроде: «Воображаю, как вытягивались мордаси у наркома просвещения Анатолия Луначарского, когда он получал от вождя такие депеши: "Все театры советую положить в гроб" (ноябрь 1921)» [2].

«По такому же типу хочу написать "Энгельсиану". Слава богу, материала предостаточно даже в одном шестом томе их совместных с Карлом Марксом сочинений», — впоследствии говорил Ерофеев С. Суховой [3]. Этому плану не суждено было осуществиться. Из маленьких, но все же законченных произведений Венедикта Ерофеева, написанных в 1980-е годы, упомянем еще эссе «Саша Черный и другие», а также «33 зондирующих вопроса абитуриентке Екатерине Герасимовой». Последнее сочинение, найденное в архиве Ерофеева, представляет собой вопросы на знание русского языка и литературы, но такие специфические, что всерьез рассматривать их как тест на эрудицию, пожалуй, невозможно: «Русская литература. В отличие от XX века, ни один русский литератор XIX века не кончил жизнь самоубийством. Исключение одно (Всеволод Гаршин не в счет): в самом начале XIX века наложил на себя руки чрезвычайно известный русский писатель XVIII века. Кто он? В каком году и каким образом он по-

---

[1] Нина Фролова рассказывает, что первые подходы к «Лениниане» Ерофеев стал делать еще в ранней молодости. «Когда мои дети были маленькие, я работала года два в библиотеке. И Венедикт интересовался сочинениями Ленина. Он уже тогда готовил материалы к "Лениниане"».

[2] *Ерофеев В.* Мой очень жизненный путь. С. 335.

[3] Там же. С. 525.

кончил с собой (пистолет, петля, яд) — ненужное зачеркнуть?»[1] И так далее, и тому подобное.

«Крупной вещью», которую Ерофеев мучительно пытался писать в конце жизни и тоже обещал отдать в «Континент», была пьеса «Фанни Каплан». «Разговоры о "Фанни Каплан", я думаю, я слышал еще в конце 1960-х годов, — вспоминает Андрей Архипов, — и уже тогда у этого произведения-призрака было значение мифа, чего-то забавного, но очень важного. Еще ничего не сказано, а каким-то образом уже понятно. А дочерью приемщика стеклотары, мне кажется, Фанни Каплан стала уже после "Шагов"». Еще весной 1985 года Ерофеев начал собирать материалы для пьесы «Диссиденты», замысел которой то переплетался с «Фанни Каплан», то оформлялся в отдельную вещь, причем, иного жанра. Осенью 1989 года Ерофеев рассказывал о своих планах Ирине Тосунян так: «<П>ьеса "Фанни Каплан" <...> почти готова. Уже на Западе было сообщено, что она вот-вот выйдет в журнале "Континент". Вторую пьесу, "Диссиденты", готов принять к постановке Театр на Малой Бронной. Это уже не трагедия, а чистейшая комедия. И в прямом, и в переносном смысле. Мне уже звонили и сказали: "Слушай, Ерофеев, зачем с таким материалом обращаться таким юмористическим образом?" Пьеса о жизни 60-х годов. Поэтому у меня двоякая цель в Абрамцеве — закончить и "Диссидентов", и "Фанни Каплан", трагедию в пяти актах, где вообще из героев ни одного в живых не остается»[2].

Подготовительные материалы к «Диссидентам» содержат выписки из записных книжек — их предполагалось ввести в речь персонажей пьесы, в основном, представляющих собой различные типы советских инакомыслящих. В большинстве случаев для действующих лиц пьесы (Анти-

---

[1] Личный архив В. Ерофеева (материалы предоставлены Г. А. Ерофеевой).

[2] *Ерофеев В.* Мой очень жизненный путь. С. 508.

семитка, Правый католик, Крайне левый, Иудаисты, Люди восточных ориентаций, Дзэн-буддизм и пр<очее> и т. д.) Ерофеев указывал прототипы из своих друзей и знакомых[1]. Некоторое представление о вероятном содержании пьесы «Фанни Каплан» может дать рассказ актрисы Жанны Герасимовой, для которой предназначалась главная женская роль: «Это был жанр абсурдистской пьесы. Я тогда еще сказала Зайцеву: слушай, по-моему, он переплюнул Ионеско. Я помню, что местом действия был пункт приема бутылок, все время закрытый. Была очередь, которая туда выстроилась. И все время что-то происходило в этой живой очереди. А приемщиками в пункте работали Ленин, Троцкий и другие однофамильцы известных партийных деятелей... И они без конца обсуждали: открывать им этот пункт или не открывать? Что им это даст? А Фанни Каплан сидит все время и вяжет "тапочки для папочки". Я ему еще тогда сказала: "И что — это вся роль у меня будет — такое вязание?" Он говорит: "Да. А потом ты встанешь и убьешь Ленина". Я отвечаю: "Спасибо, очень хорошая роль! Слов учить не надо"». В итоге ни один из этих замыслов не оформился в законченное произведение и о ходе работы над ними можно судить лишь по сохранившимся наброскам и отрывкам из писем Ерофеева сестре Тамаре: «Бабьё не дает закончить "Фанни Каплан"» (13 марта 1986 года)[2], «Смущает меня то, что моя "Фанни Каплан" почти не движется (и не потому, что сам я очень подвижен, а просто не замечаю в себе пока должного подъема)» (6 января 1988 года)[3], «звонок из журнала "Театр" с убедительной просьбой закончить, наконец, мою пьесу "Диссиденты" <...>, звонок из Парижа о том, что последний срок (согласно контракту относит<ель>но пьесы "Фанни Каплан") истекает в Като-

---

[1] За предоставленные нам подготовительные материалы к пьесе «Диссиденты» мы благодарим Г. А. Ерофееву и комментатора этих материалов А. Агапова.

[2] *Ерофеев В.* Письма к сестре. С. 134.

[3] Там же. С. 136.

лическое рождество: 25 декабря. Это всего ужаснее» (8 декабря 1988 года)[1], "Фанни Каплан" (надеюсь, к середине апр<еля> поставить точку) (20-30 марта 1989 года)[2]. Увы, необходимое для «должного подъема» здоровье Венедикта становилось все хуже и хуже.

В 1988 году у Ерофеева обострились боли в горле. В середине марта его жена вместе с Яной Щедриной, ее мужем (выполнившим функции водителя) и Натальей Шмельковой отвезла Венедикта Васильевича на обследование в онкоцентр. «Галина отыскала хирурга Огольцову, которая делала Веничке первую операцию, — записала Шмелькова в дневнике. — В кабинет № 28 они вошли с Веничкой вместе. Долго не выходили. Ждала и молилась... Когда они вышли, по лицам их все поняла. Диагноз: один узел. Необходима операция. Будет полегче первой по продолжительности. Веня с трудом добрался до выхода. Его от волнения заносило»[3]. 20 марта Игорь Авдиев привез к Ерофееву священника, который соборовал его[4], а 26 марта Венедикта положили в онкологический центр — освободилось место. «Сначала Веничка был чуть ли не в панике, но потом, уже в больнице, быстро успокоился», — записала Наталья Шмелькова в дневнике.[5]

В апреле в палату к Ерофееву пришел знакомиться поэт Бахыт Кенжеев. «Веничка, конечно, большой ребенок: так и не развернул огромную плитку шоколада, которую принес Бахыт, чтобы не испортить красивую яркую обертку, так ему понравившуюся», — отметила Наталья Шмелькова[6]. «От встреч с Ерофеевым запомнил только, какой он был поразительно красивый и благородный, — пишет

---

[1] *Ерофеев В.* Письма к сестре. С. 138.
[2] Там же. С. 139.
[3] *Шмелькова Н.* Последние дни Венедикта Ерофеева. Дневники. С. 107.
[4] Там же. С. 111.
[5] Там же. С. 113.
[6] Там же. С. 120.

Кенжеев. — А еще: что он тихо сидел в углу, когда читали стихи, попивал водочку и приговаривал себе под нос: "Боже, ну отчего же это так невыносимо плохо!" При этом почему-то получалось не обидно». В октябре 1989 года Кенжеев написал стихотворение, навеянное «Москвой — Петушками», и посвятил его «В. Ерофееву»:

Расскажи мне об ангелах. Именно
о певучих и певчих, о них,
изучивших нехитрую химию
человеческих глаз голубых.

Не беда, что в землистой обиде мы
изныгаем от смертных забот, —
слабосильный товарищ невидимый
наше горе на ноты кладет.

Проплывай паутинкой осеннею,
чудный голос неведомо чей, —
эта вера от века посеяна
в бесталанной отчизне моей.

Нагрешили мы, накуролесили,
хоть стреляйся, хоть локти грызи.
Что ж ты плачешь, оплот мракобесия,
лебединые крылья в грязи?[1]

В том же апреле Кенжеев встретился с Натальей Шмельковой и передал ей для Ерофеева деньги. «"Протяните его хотя бы полгода, чтобы при нем вышли книги, а то все как-то страшно несправедливо", — с горечью сказал он»[2]. Сам Ерофеев в письме к Тамаре Гущиной от

---

[1] *Кенжеев Б.* Невидимые. М., 2004. С. 73.
[2] *Шмелькова Н.* Последние дни Венедикта Ерофеева. Дневники. С. 123.

15 апреля высказал серьезное сомнение в том, что его произведения наконец опубликуют на родине. «Сегодня ровно двадцатый день, как я снова на 23-м этаже этой паскудной онкологической башни, — сообщил он сестре. — Еще в феврале мне говорили, что в день своего 50-летия я имею право на ликование: три года после операции уже практически исключают всякую возможность рецидива. И вот — я немножко не дотянул до этого благостного трехлетия <...> Наталья и Галина приходят ежедневно, остальные варьируются. Дадут ли мне свободу к Первомаю — неизвестно. А надо бы: на 30 апреля назначен мой литературный вечер во Дворце культуры Краснопресненского р<айо>на Москвы <...> Жду в мае месяце своей новой публикации в ФРГ (об этом, когда увидимся) и впервые в СССР. Пока не увижу собственными глазами, не поверю»[1]. Это «пока не увижу» похоже на заклинание. На первую публикацию своей поэмы в Советском Союзе Ерофеев возлагал большие надежды. «Вот посмотришь, какой поднимется страшный бум после издания "Петушков", — говорил он Наталье Шмельковой. — Встанет вопрос: будет ли еще существовать русская литература?»[2]

На короткое время из онкоцентра Ерофеева все же выписали, и 30 апреля состоялся тот литературный вечер, о котором он писал сестре. Это был вечер «Два Ерофеева», проведенный на пару с однофамильцем автора «Москвы — Петушков» — Виктором Ерофеевым. «Большой зал был полон, свободных мест почти не было, — вспоминает Татьяна Нешумова. — Виктор читал рассказ "Жизнь с идиотом", а Веничка — не читал, по-моему. Но он что-то говорил или отвечал на записки. Говорить мог, только приставив к горлу специальный аппарат, который улавливал колебания голосовых связок. Очень красивый, высокий,

---

[1] *Ерофеев В.* Письма к сестре. С. 137.
[2] *Шмелькова Н.* Последние дни Венедикта Ерофеева. Дневники. С. 159.

стройный, элегантный, обаятельный, и этот голос — робота. Такое странное впечатление. И на этом фоне другой Ерофеев, конечно, терял в весе, потому что масштаб задавал Веничка. Но иначе ведь и быть не могло». В письме к сестре Венедикт Ерофеев не зря ни словом не обмолвился об авторе «Жизни с идиотом» — однофамильца он терпеть не мог, выступать с ним на одном вечере не хотел и согласился на это только ради денег. «Я его обожал, боготворил, превозносил его поэму "Москва — Петушки", считая ее самой великой поэмой XX века, а он меня, мягко говоря, не любил, — рассказывает Виктор Ерофеев. — Причина этой неприязни ко мне была в том, что я невольно считался "узурпатором" его имени и славы. Причем славы заслуженной, только отставшей от него. Причем мы не только однофамильцы, но у нас полностью совпадают инициалы: я — Виктор Владимирович, а он — Венедикт Васильевич. Так что на библиотечной полке и в книжных магазинах нас было не разделить. Причем на всех языках мира. С этим совпадением были разные истории, славу богу, ни одной — трагической, скорее комические. Но то обстоятельство, что меня путали с писателем, превосходящим меня по всему, навсегда избавило меня от писательского тщеславия. Я осознавал свое место, которое было и будет гораздо ниже места Венедикта Ерофеева»[1]. «К Виктору Ерофееву он недоброжелательно относился, — свидетельствует Евгений Попов. — Я помню, Венедикт ему говорит: "Ну, вы там всё викаете?" — Витя подписывался "Вик. Ерофеев". А тот ему: "Что бы ты, Веня, не говорил, я тебя все равно люблю!"».

25 мая 1988 года Венедикту Ерофееву во второй раз прооперировали горло. «Операция оказалась опасной. Плюс ко всему — задели нерв», — записала Наталья Шмель-

---

[1] *Ерофеев Вик.* «Я обожал Венедикта Ерофеева, а он меня не любил» // Москвичка. 2014. 11 мая. URL: http://moscvichka.ru/moscvichka/2014/05/11/viktor-erofeev-ya-obozhal-venedikta-erofeeva-i-on-menya-ne-lyubil-9634.html.

кова в дневнике[1]. Длилась операция четыре часа. «Когда я пришла в больницу к Ерофееву, увидела, как он изменился, — вспоминает Татьяна Щербина. — Алкоголь не брал, а болезнь взяла (он тогда не пил вообще), глаза потускнели, он как бы осел, будто из него вытащили тот стержень, который и держал его спину как на параде, и голова, обычно чуть приподнятая, клонилась вниз. Жизнь его тяготила, он неохотно волочил ее за собой по больничной палате, и сразу стало ясно, по контрасту, каким он был лихим и гордым наездником своей жизни, как уверенно держался в седле, несмотря на все недуги». На Флотскую улицу Ерофеев вернулся лишь в начале июля. Этим же месяцем датировано письмо от поэта Михаила Генделева, доставленное Ерофееву из Иерусалима, и сохранившееся в его архиве. Тон письма дает понять представление о том, какой любовью Венедикт был окружен в конце своей жизни, и как на этот момент оценивали его писательский статус читающие современники. «Здравствуйте, Веня. Поздравляю Вас со счастливо перенесенной операцией. Мы — т<о> е<сть> я и мои друзья — очень переживали, и, чуть ли не впервые — я вынужден был обратиться к Высшей Инстанции — поперся я, атеист, к стене Плача, сунул записочку Господу <...> Майя <Каганская> просила Вам передать дословно следующее: она гордится тем, что живет с Вами, Венедикт Ерофеев, в одно историческое время. Я присоединяюсь»[2].

В похожем тоне была выдержана и торжественная речь, произнесенная еще одним поэтом — Александром Величанским на вечере, состоявшемся в московском Доме архитекторов и специально приуроченном к юбилею автора «Москвы — Петушков» (24 октября Ерофееву исполнилось 50 лет, время предварительных итогов):

---

[1] *Шмелькова Н.* Последние дни Венедикта Ерофеева. Дневники. С. 136.

[2] Личный архив В. Ерофеева (материалы предоставлены Г. А. Ерофеевой).

«О нынешних талантливых писателях никогда не скажут, что они, мол, жили во времена Ерофеева. Нет, про них скажут, что они жили во времена друг друга, а во времена Ерофеева жила вся страна — во времена Ерофеева жили все, кто жил в его время. Все наши соотечественники, родившиеся между 30-ми и 50-ми годами, останутся, и не в истории одной лишь словесности, но в истории всей Руси — ерофеевским поколением»[1].

Хотя произнесены эти высокие слова были в са́мом центре Москвы, на утвержденном начальством мероприятии, статус Венедикта Ерофеева в пространстве советской культуры некоторое время еще оставался если не двусмысленным, то не вполне определенным. Ни одно его произведение напечатано в СССР по-прежнему не было. Первая публикация состоялась в конце 1988 — начале 1989 года и по этому поводу Ерофеев составил печальный список:

1988 г. То есть наконец-то разрешили печататься в России.

спустя 2 года после Хельсинки (на финском).

спустя 3 года после Нью-Йорка (английский).

– " – " – 3 года после Белграда (сербский).

– " – " – 5 лет после Лондона (английский).

– " – " – 6 лет после Y. Press, Париж. (на русском). 2-е изд<ание>

– " – " – 6 лет после Бостона, США (на английс<ком>).

– " – " – 8 лет после Любляны, Югославия (на словенском).

– " – " – 9 лет после Стокгольма (на шведском).

– " – " – 9 лет после Амстердама (голландский).

– " – " – 9 лет после Зальцбурга (Австрия) рус<ский> и немец<кий>

– " – " – 9 лет после Мюнхена (немецкий).

[1] *Ерофеев В.* Москва — Петушки и пр. М., 1990. С. 124.

– " – " – 9 лет после Цюриха (Швейцария).

– " – " – 10 лет после Варшавы (на польском).

– " – " – 11 лет после Лондона (на польском).

– " – " – 11 лет после Y. Press, Париж. (на русском) 1-е изд<ание>

– " – " – 11 лет после Милана (итальянский яз<ык>).

– " – " – 12 лет после «Альбен Мишель», Париж (фр<анцузский> язык).

– " – " – 15 лет после Иерусалима (Израиль).

[Аргентина. Куплены права на издание у *Albin Michel* для издат<ельст>ва на испанском, еще в 1977 г.].[1]

Дебют Ерофеева в советской печати смотрелся почти комически — в четырех номерах журнала «Трезвость и культура» была с большими купюрами помещена поэма «Москва — Петушки», сервированная под соусом разоблачения ужасов алкоголизма. «Ерофеев, разумеется, наслаждался подобным парадоксом, — пишет издатель Александр Давыдов. — Действительно, смешно»[2]. Жалко, что автор «Москвы — Петушков» не узнал о своеобразной реакции руководителей московских железных дорог на публикацию поэмы в журнале «Трезвость и культура», — тогда, вероятно, он развеселился бы еще больше. «Контролерам был известен Ерофеев, — пишет Андрей Анпилов. — Когда вышла в “Трезвости и культуре” поэма, — им, оказывается, начальство устроило собрание, где упрекало за поборы с зайцев и пьянство на рабочем месте. То есть меры по результатам сигнала были приняты». Не поручимся, впрочем, что это не городской анекдот.

«Воевать за трезвость партия и правительство решили почему-то культурой, — вспоминает Сергей Чупринин, написавший предисловие к первой публикации “Москвы —

---

[1] Личный архив В. Ерофеева (материалы предоставлены Г. А. Ерофеевой).

[2] *Давыдов А.* Комментарии к неведомому тексту // Знамя. 1999. № 9. URL: http://znamlit.ru/publication.php?id=919.

Петушков". — Даже новый журнал появился, который так и назывался — "Трезвость и культура". Вот оттуда летом 1988 года мне и позвонили — с просьбой написать вступительную статью к "Москве — Петушкам" Венедикта Ерофеева. Надо ли говорить, что от таких предложений не отказываются? Я в ту пору ерофеевскую поэму, на родине еще не публиковавшуюся, знал едва ли не наизусть, поэтому и статью написал, не скрывая своего восхищения и ставя этот текст в один ряд с вершинными достижениями русской литературы XX века. Понравилось ли Венедикту Васильевичу мое сочинение, мне самому и теперь кажущееся не пустым, не знаю, он, поди, к похвалам давно уже привык, но вот о том, что к самóй публикации (1988, № 12; 1989, № 1, 2, 3) классик отнесся через губу, я наслышан. Да оно и правильно — мало того, что журнал этот так потешно назывался, так еще и из хрестоматийного текста трезвые публикаторы ступенчато понавырезали самые лакомые места — что-то в гранках, что-то в верстке, а что-то уже и в сверке. Несколькими месяцами позже появился альманах "Весть", где поэма была напечатана уже как дóлжно, тут же лавиной пошли отдельные издания, так что, увы мне, о публикации с моим предисловием никто уже и не вспомнил»[1].

Действительно, в 1989 году лавина прижизненной и теперь уже вполне официальной популярности Венедикта Ерофеева в Советском Союзе достигла апогея. О том, каким почтением и обожанием он был окружен в этот период, можно судить, например, по коротким воспоминаниям Михаила Дегтярева, которому в 1989 году удалось договориться с автором «Москвы — Петушков» об интервью для телевидения: «Когда в "Останкино" об этом узнали, сбежались все редакторы, все захотели сами разговаривать с Ерофеевым. Но главный был тогда еще порядочный человек, сказал, что раз ты договорился и организо-

---

[1] *Чупринин С.* Вот жизнь моя. Фейсбучный роман. М., 2015. С. 122.

вал, то твое право задать три первых вопроса. В общем, на съемку поехало человек шесть, и редакторы с корреспондентами изображали из себя осветителей и держателей кабеля. А я уселся с В. Е. в кресла. Очень крутым себя чувствовал. И конечно, старался казаться умнее, чем был в моем юном возрасте. Поэтому мало что помню из разговора о литературе, просто старался не опозориться. У В. Е. был очень странный взгляд — детский и мудрый одновременно. И какой-то абсолютно беззащитный. Сбивал с мысли. Потом меня долго хвалили в редакции». «Никогда не лицезрел я более прекрасного лица, — вспоминает о своей встрече с Ерофеевым в 1989 году Вячеслав Кабанов. — Да, именно так — лицезреть его хотелось. Глаза — невероятной глубины, голубизны и светлости»[1].

17 февраля 1989 года состоялся творческий вечер Ерофеева в Литературном институте. «В. Е. уже говорил через аппарат, и разобрать с непривычки удавалось только отдельные слова, хуже радиоглушилки. Обозвал Ленина мудаком, чем сорвал аплодисмент», — вспоминает Николай Романовский. «"Москва — Петушки" он вслух не читал, а поставил магнитофонную запись», — прибавляет к этому Алексей Кубрик. 2 марта вечер Ерофеева прошел в студенческом театре МГУ, в котором в это время ставилась «Вальпургиева ночь». Режиссер Евгений Славутин вспоминает, как поражен был Ерофеев, когда узнал, что при постановке из текста пьесы не было выкинуто ни одно матерное слово. «И хотя он был особенно смел в своем художественном слове, в жизни это был необычайно, до безумия застенчивый, целомудренный человек, — комментирует Славутин. — То, что он говорит о себе в поэме: стыдлив, дескать, — это не маска»[2]. После первого акта на сцену для приветствий Ерофееву поднялись Владимир

---

[1] *Кабанов В.* Однажды приснилось. Записки дилетанта. М., 2000. С. 402.

[2] *Акимова Д.* И немедленно выпил // Вечерняя Москва. 1998. 23 октября.

Муравьев, Ольга Седакова, Евгений Попов и другие писатели — друзья и приятели автора пьесы.

В этот же день с Ерофеевым познакомился поэт Игорь Иртеньев, который по нашей просьбе написал об авторе «Москвы — Петушков» небольшой мемуарный текст: «Впервые я увидел Венедикта Ерофеева в 1989 году на премьере спектакля "Вальпургиева ночь", поставленном по его пьесе на сцене студенческого театра МГУ. Там же и был ему представлен. Позже, по его просьбе, дружившая с ним Таня Щербина привела меня к нему в квартиру на Флотской, где он жил с женой Галей. Он полулежал в постели, прихлебывал принесенный нами коньяк и благожелательно улыбался своей удивительно светлой улыбкой. Уже потом я от его подруги Наташи Шмельковой узнал, что ему нравились мои стихи, а еще несколько лет спустя в его интервью прочел, что из тогдашних молодых поэтов, кроме меня, он отмечал Витю Коркию и Володю Друка[1]. Тогда я еще этого не знал и, должен признаться, сильно его робел — еще бы, живой классик, автор, без особого преувеличения, великой книги. Насколько помню, прочел пару своих стихов, за что был поощрен уже упомянутой улыбкой. Общаться с ним было, конечно, непросто — помимо собственного зажима мешал этот неестественный, как у робота, голос.

Через несколько месяцев я навестил его в НЦПЗ — научном центре психического здоровья, где знакомые психиатры накануне вывели его из очередного запоя. Не помню, о чем мы говорили, вернее, говорил-то практиче-

---

[1] Ерофеев упоминал поэтов Друка, Иртеньева и Коркию в двух интервью — И. Тосунян и И. Болычеву. В интервью И. Болычеву Ерофеев сказал: «...при всем моем почтении к Алесю Адамовичу, Василю Быкову, все равно считал самым перспективным направлением, которое идет вслед за обэриутами, — поэты вроде Коркия, Иртеньева, Друка, Пригова. Они просто иногда кажутся очень шалыми ребятами, но они совсем не шалые ребята, они себе на уме в самом лучшем смысле этого слова» (*Ерофеев В.* Мой очень жизненный путь. С. 520).

ски только я, причем боясь остановиться, чтобы опять не возникло этой мучительной паузы. Я принес ему почитать рукопись Александра Кабакова "Подход Кристаповича", к слову сказать, одной из лучших его книг, которую Ерофеев при следующем моем посещении совершенно незаслуженно расчехвостил: "А я скажу, что мне это совсем не нравится, а я сейчас топну ногой!" Нужно ли говорить, что спорить я с ним не стал.

Последний раз видел его уже на отпевании в церкви Донского монастыря. Спустя три дня после рождения моей дочки Яны. Она родилась ровно в день его смерти».

Спустя несколько недель после премьеры «Вальпургиевой ночи» вышел журнал «Новый мир» с рецензией Андрея Зорина на «Москву — Петушки». По свидетельству Тамары Гущиной, сам Ерофеев считал этот отклик «лучшей статьей о себе»[1]. «С Ерофеевым я не был знаком (видел живьем его один раз из зрительного зала), — вспоминает Зорин, — но с 14 лет был помешан на "Москве — Петушках", практически знал книгу наизусть, и когда она была, наконец, легально напечатана, предложил И. Б. Роднянской, которая заведовала отделом критики в "Новом мире", написать рецензию на нее (и на обе повести Саши Соколова — другого важного для меня автора 1970-х). Она согласилась, рецензия прошла, насколько я помню, легко, никаких трений ни на каком уровне не было (по Соколову как раз небольшие были)»[2].

25 марта Ерофеев присутствовал на премьере свой трагедии в московском театре на Малой Бронной. «После спектакля и до всеобщих актерских чаев я полчаса говорил с глав<ным> режиссером и на многое ему пенял, что заметно возымело действие», — рассказывал Ерофеев

---

[1] *Ерофеев В.* Письма к сестре. С. 139.
[2] К Саше Соколову Ерофеев относился хорошо как к человеку, но прозу его не любил. «Он говорил, что не смог дочитать "Между собакой и волком"», — свидетельствует Марк Гринберг.

в письме к Тамаре Гущиной от 30 марта[1]. В апреле этого же года пьеса была опубликована в журнале «Театр», а 21 октября состоялась ее премьера в студенческом театре МГУ. «"На шестибалльной шкале я даю этой постановке 5,7" — промолвил автор пьесы в ответ на мой захлёб, — вспоминает Лиля Панн разговор с Ерофеевым после спектакля. — Это немало, спектакль МГУ ему понравился больше, чем в театре на Малой Бронной». «Он нам баллы ставил! Как в фигурном катании: 5,7 — 5,4 — 5,9... Я, честно говоря, уже не помню, что он поставил нашей музыке, — вспоминает Алексей Кортнев. — В то время мы работали в Студенческом театре МГУ, в том числе и как драматические артисты <...> Валдис Пельш играл Бореньку Мордоворота. Естественно, написали к спектаклю музыку. Сам Венедикт Васильевич производил очень странное впечатление. Может быть, просто из-за своего механического голоса, этого аппаратика-мембраны. Он был непредсказуемый. <...> Однажды у нас в театре специально для Ерофеева решили устроить читку стихов. Пришел мэтр с супругой, все наши собрались. Дрожащим голосом первый рифмотворец начал читать свои произведения. Когда закончил, от волнения у него просто тряслись руки. "Ну что, Венедикт Васильевич?" — спросили у мэтра. Мэтр приложил руку к горлу и изрек: "Это х...я!". Все были просто в шоке. Галина Павловна ахнула и стала пенять мужу: "Да ты что, с ума сошел? Нас же друзья пригласили... Не можешь повежливее?" Ладно. Вышел следующий автор, в совершенном ужасе, что-то там продекламировал... "Это х... — спокойно повторил ВВ. — А ты, жена, молчи!"»[2]

«Все вокруг трепетали, а он вел себя как утомленный славою классик, — рассказывает Сергей Чупринин о своей встрече с Ерофеевым после премьеры. — Мною не заинтересовался, спасибо за статью в "Трезвости и культу-

---

[1] *Ерофеев В.* Письма к сестре. С. 139.
[2] *Акимова Д.* И немедленно выпил.

ре" не сказал, ничего дурного не сказал тоже. Выпил, никому не предлагая, ритуальную стопку, вяло пожал мне руку и убыл из круга впечатленных поклонников. Стопка была у него своя и с собою, видимо, серебряная». На следующий день, 22 октября, спектакль по «Москве — Петушкам» был впервые показан в Московском экспериментальном театре-студии под руководством В. Спесивцева.

Летом 1989 года вышел тот самый альманах «Весть», о котором вспоминает Чупринин «<Н>евероятно, но <...> разрешено первое кооперативное издательство <...>, созданное под благим нажимом Вениам<ина> Каверина. Первой книгой, изданной коопер<атив>но будут мои "Петушки", по настоянию того же Каверина», — с воодушевлением писал Ерофеев сестре еще в 1988 году[1]. «Вениамин Александрович Каверин пробивал этот альманах, как он говорил, "чуть ли не головой", — рассказывает Ирина Тосунян. — Я поняла, что альманах был ему принципиально важен. Очень был увлечен и самой идеей, и ее участниками, и рукописями. "А вы знаете, — спросил он меня при первой встрече, — что скоро в альманахе «Весть», к которому я имею отношение, выйдет «Москва — Петушки» Ерофеева?" Самому Ерофееву при мне он дал только одну характеристику — "неординарный"». Каверин совсем немного не дожил до выхода альманаха, в котором «Москва — Петушки» были напечатаны почти без купюр, но почему-то — с жанровым подзаголовком «повесть». «Благодаря альманаху "Весть" Венедикт Ерофеев хотя бы последний год прожил во славе и признании, — пишет издатель этого альманаха Александр Давыдов. — Помню его на банкете в ЦДЛ в честь выхода "Вести". Как он сидел за столом, довольный и благостный, рядом с Окуджавой, Са-

[1] *Ерофеев В.* Письма к сестре. С. 136. Создателями альманаха «Весть» были А. Давыдов, Г. Ефремов, Л. Гутман, Г. Евграфов, И. Калугин и И. Кутик. Подробности см. в *Евграфов В.* Весть о «Вести»// Независимая газета. 2009. 29 октября. URL: http://www.ng.ru/kafedra/2009-10-29/4_vest.html.

мойловым, Черниченко, то есть причисленный к мэтрам. При его подчеркнутой независимости, для него это важно было — и кто ж осудит?»[1] «Тосты, при общем поднятии, Булата за мое здоровье», — удовлетворенно отметил Ерофеев в блокноте[2]. «Познакомился с Ерофеевым. Это красивый и очень больной человек», — записал в этот день в дневнике Давид Самойлов[3].

На банкете Ерофеев перебрал, временно потерял контроль над собой, обидел одного из гостей, и на следующий день от него потребовали извинений. «Мне, издыхающему, разъясняют, как я вел вчера», — с горечью отметил он в дневнике 11 ноября 1989 года[4]. Это страшное, беспощадное слово — «издыхающему» — многое объясняет в поведении и настроении Ерофеева в последний год его жизни. Из-за прогрессировавшей болезни он воспринимал едва ли не все с ним происходившее не как радостный пир, а как тяжкое похмелье. Обычно Ерофеев старался держаться в рамках приличий и иногда даже шутил над своей болезнью. «Прихожу я однажды к нему в больницу, — вспоминал Игорь Авдиев, а он говорит: "Жалко, что ты опоздал на полчасика, тут у меня была куча девок, даже Ахмадулина приходила. Со всей Москвы сбежались, все такие хорошенькие, все такие миленькие, и все считали своим долгом повисеть на моей раковой шейке"»[5].

Однако нередко у Ерофеева случались эмоциональные срывы. «Было много народу, и меня посадили рядом с Веней, чтобы я не давал ему вина, — вспоминает Феликс Бух день рождения скульптора Дмитрия Шаховского. — Дело

---

[1] Про Веничку. С. 218.

[2] *Ерофеев В.* Последний дневник (сентябрь 1989 г. — март 1990 г.). С. 178.

[3] *Самойлов Д.* Поденные записи: в 2 т. Т. 2. М., 2002. С. 275.

[4] *Ерофеев В.* Последний дневник (сентябрь 1989 г. — март 1990 г.). С. 178. «Встань, Веничка, встань, пригоженький, к тебе смерть пришла, коньяка принесла», — записал Ерофеев в дневнике в этом же году (цитируем по копии из домашнего архива Анны Авдиевой).

[5] Радиопрограмма «Говорит Владимир».

было после операции, и на Венином горле была марлечка. Сначала все было хорошо: Веня был весел, нарисовал на салфетке то ли Диму, то ли зверушку какую — не помню, но помню, что очень точно нарисовал, — это я как художник отметил <...> А потом стал он мрачнеть, потому что я всем наливал, а ему нет. Веня жутко обиделся, и как даст мне по лицу. Все замерли: испугались, что я отвечу. Но я — нет. Сдержался, потому что ведь я понимал его, и был он очень болен. А он, как ребенок, который наконец настоял на своем, взял и налил себе до краев коньяку, а потом еще»[1].

Сходным образом Ерофеев во второй половине 1989–1990 году вел себя со многими людьми, особенно же — с близкими. До рукоприкладства у него дошло даже с терпеливо сносившей многочисленные ерофеевские капризы Натальей Шмельковой[2]. Но об этом в подробностях рассказывать не хочется, лучше приведем здесь трогательные воспоминания Шмельковой, относящиеся к этому же периоду: «Зимой в Абрамцеве (<...> 1990 год) как-то попросил покатать его на санках. Попросил заговорщицки: "Только когда стемнеет, чтобы никто не видел"»[3].

Припадки агрессии чередовались у Ерофеева с искренним участием в судьбе людей, которых он любил. «Он меня очень морально поддержал, когда у меня был сильный кризис — вспоминает Жанна Герасимова. — Ерофеев забрал меня в Абрамцево и там сделал все, чтобы меня успокоить. У меня осталось в памяти, как он, который обычно пальцем не шевельнет, ходил готовил, приносил... Он утешал меня: "Сиди, девка, плачь". Это было от-

[1] Про Веничку. С. 104.

[2] «Я не знаю про Венедикта в этом отношении, но человек в состоянии алкогольного опьянения иногда бывает совершенно неадекватен самому себе. И стаж тут влияет», — комментирует врач-психиатр Ерофеева Ирина Дмитренко.

[3] *Шмелькова Н.* Последние дни Венедикта Ерофеева. Дневники. С. 41.

крытие душевного порядка, когда я была у него со своими проблемами на даче, и он был мне как отец родной».

Широкое признание, которое Ерофеев получил в последние годы жизни, сопровождалось и улучшением его финансового положения. «Вена всегда был ограничен в средствах, всегда не хватало, всегда где-то займет, перебивается с чьей-то помощью. После гонораров 1988–1989 годов последние два года он впервые почувствовал свободу в этом отношении. Когда он получил первый гонорар (то есть когда в альманахе "Весть" были напечатаны "Петушки") и я появилась у них в Москве, он сразу же мне с торжеством преподнес подарок: бразильский кофе, хорошую копченую колбасу, еще что-то, и говорил: "Вот это Борису, а это — тебе", и чувствовалось, что ему так приятно, что первый раз в жизни и он имеет возможность кому-то что-то подарить», — вспоминает Тамара Гущина[1]. «Да, кстати, похвали меня. Все, что было связано с похоронами Галиной тетки, я финансировал: сын-алкаш и вдовец-алкоголик ничего добавить не могли», — с гордостью писал сестре Ерофеев 13 декабря 1989 года[2].

К сожалению, ему самому воспользоваться запоздалой финансовой свободой практически не пришлось — нереализованной осталась главная мечта о собственном домике на природе, не удалось и посмотреть мир, хотя Ерофеева хотели видеть в разных странах. «Выслали приглашение мне посетить США на три недели. Приглашение будет у меня на руках через неделю. Приглашение исходит от группы англоязычных и русскоязычных литераторов США, в т<ом> числе Бродского. Официально: от Йельского университета. Оплачивается билет на самолет до Нью-Йорка и обратно, причем вне очереди. Гарантируется постоянное место обитания (вилла на берегу озера,

---

[1] *Ерофеев В.* Письма к сестре. С. 144.

[2] Личный архив В. Ерофеева (материалы предоставлены Г. А. Ерофеевой). В журнале «Театр» этот фрагмент письма напечатан с купюрами.

штат Вермонт) и на карманные расходы 25 долл<аров> ежедневно. У всех машины: следоват<ель>но, имею возможность с записной книжкой в зубах исколесить хоть половину штатов. Соблазнительно», — писал Венедикт в письме Тамаре Гущиной в декабре 1988 года[1]. «Сейчас приглашают — это все слишком запоздало, — рассказывал Ерофеев в интервью О. Осетинскому. — Отовсюду: из Соединенных Штатов, Израиля... Но, как говорится, уже поздно, потому что мне передвигаться тяжело»[2].

В Абрамцеве Ерофеев почти безвылазно прожил с октября 1989 года до марта 1990 года у Сергея Толстова, который радушно предоставил Галине и Венедикту свою дачу. Шли даже разговоры о том, что на территории участка этой дачи Ерофеев построит для себя и жены финский домик, — Толстов был не против. Тогдашний облик Ерофеева запомнился Ирине Павловой, чья семья также подолгу жила в Абрамцеве: «Высокий, худой, необыкновенно красивый человек, седой, с особой поступью, ста́тью, с какой-то царской осанкой, при костюме — и при этом в черных резиновых сапогах — шел по нашим разбитым поселковым дорогам и с каждым неизменно раскланивался, в том числе и со мной, девчонкой. Горло у него было забинтовано, значит, это уже было после операции. Он лежал на Каширке, где с ним повстречался наш общий знакомый Володя Войлоков, тоже попавший туда на обследование и ныне уже покойный. Они встретились случайно, обрадовались друг другу — и Ерофеев воскликнул: сюда попадают лучшие люди России!»

4 марта 1990 года в Абрамцево приехал Анатолий Лейкин с женой и привез три пачки отдельного издания «Москвы — Петушков», которое его стараниями только что вышло в московском издательстве «Прометей» с предисловием Владимира Муравьева и рисунком на обложке

---

[1] *Ерофеев В.* Письма к сестре. С. 138.
[2] Веня. Последнее интервью.

Ильи Кабакова. «Галя выбежала к нам с веником, расцеловала, стала стряхивать снег:

— Какие вы молодцы, что приехали. А то мальчик с утра захандрил, решил, что по такой погоде не решитесь...» — вспоминает Лейкин[1].

В онкоцентр на Каширке Ерофеева в последний раз положили 10 апреля 1990 года. Этому печальному событию предшествовало несколько вынужденных его визитов туда для всевозможных процедур. Перед одним из таких посещений (28 марта) Ерофеев грустно сказал жене Галине и Наталье Шмельковой: «А я-то рассчитывал, что в первых числах мая вытащу на балкон кресло и буду глядеть на свои зелененькие всходы, жариться и пописывать»[2].

«Я помню, пришел к нему в больницу и вижу — Вене страшно-страшно больно, — рассказывал Игорь Авдиев. — И вдруг он мне говорит: "Ты чего, с похмелья?" — "Да, Вень, вчера немножечко перебрал". А он: "Вчера Владимир Максимов был из «Континента», возьми там баночку пива от него". Это сейчас баночка пива во всех киосках продается, а тогда это был презент из Парижа! И вот я взял эту баночку, выпил, а он за мной очень чутко следил. Я чувствую — отлегло. И вот вижу — Вене тоже полегчало»[3].

«Когда он уже лежал последний раз в больнице, папа пошел его навестить, — вспоминает Елизавета Епифанова. — А Вене почему-то все приносили горы еды. Ну и он ее раздавал, понятное дело. А к нему в палату уже не пускали, когда папа пришел, сестра только вынесла пакет с едой, типа "просили передать". Там среди прочего лежала пачка сахара рафинада, на которой было лаконично написано: "Епифанову — Ерофеев. Околеваю". И дата. Мы это только дома обнаружили, когда чай сели пить. Дело было совсем незадолго до смерти».

---

[1] Про Веничку. С. 242.

[2] *Шмелькова Н.* Последние дни Венедикта Ерофеева. Дневники. С. 295.

[3] Радиопрограмма «Говорит Владимир».

«С 26 апреля наступают самые тяжелые дни», — предупредила Галину лечащий врач Ерофеева[1]. В эти дни, которые Венедикт Васильевич провел в тяжелой полудреме, у его постели, сменяя друг друга, перебывало множество друзей, а Галина Ерофеева и Шмелькова дежурили там почти неотлучно. «Веня уже ничего говорить не мог, — рассказывает Марк Гринберг о том, как пришел к Ерофееву в онкоцентр вместе с Людмилой Евдокимовой и Ольгой Седаковой 5 мая. — Он лежал с закрытыми глазами, и мы просидели рядом с ним примерно час — я, Люся и Оля. И просто говорили, говорили... Веня лежал с закрытыми глазами и каменным лицом. И было непонятно, слышит ли он нас, понимает то, что мы говорим, или нет. Но мне казалось: надо тем не менее что-то говорить. И мы говорили — о всякой ерунде. А когда уходили, я его взял за руку, нагнулся к нему и сказал: "Веня, ты нас слышал?" И в этот момент он с усилием зажмурил закрытые глаза, показав: "да"».

7 мая вместе с диаконом Петром в палату к Ерофееву приехал Владимир Муравьев. Больной был в беспамятстве[2]. 9 мая всем стало ясно, что мучиться Венедикту Ерофееву осталось уже совсем недолго. «Состояние Венички с каждой минутой резко ухудшается. Задыхается, — записала в этот день в дневнике Шмелькова. — Поздно вечером в палату заходит молоденькая, очень внимательная медсестра Наташа. Советует отказаться от всяких антибиотиков — лишние мучения, обезболивающие — другое дело.

---

[1] *Шмелькова Н.* Последние дни Венедикта Ерофеева. Дневники. С. 308.

[2] Со слов Галины Ерофеевой известно о глухой исповеди и отпущении грехов умирающему (*Шмелькова Н.* Последние дни Венедикта Ерофеева. Дневники. С. 316). «Возможно, ей было сказано это в утешение, — комментирует для нас настоятель тульского католического прихода Сергей Тимашов. — Церковь в этом случае уповает на желание до потери сознания. И полагает, что Господь в этом случае дает отпущение и без исповеди». Мы благодарим за помощь в разъяснении этого вопроса Татьяну Краснову. — *О. Л., М. С., И. С.*

"Не шумите. Он может уйти и сегодня, даже во сне"»[1]. Однако Ерофееву было суждено прожить еще один день.

Все было кончено 11 мая. «Мы по двенадцать часов дежурили у его кровати, и мое дежурство было с шести утра до восьми, — вспоминает Венедикт-Ерофеев младший. — И в мое дежурство он скончался»[2]. «На рассвете, в полудреме услышала резкое, отрывистое дыхание... — записала Наталья Шмелькова в этот день в дневнике. — Ерофеев лежал, повернувшись к стене... Заглянула ему в лицо, в его глаза... Попросила Веничку-младшего срочно разбудить Галю. Она, еще не совсем проснувшись и ничего не понимая, вошла в палату... Через несколько минут, в 7:45, Венедикта Ерофеева не стало...»[3]

«...и с тех пор я не приходил в сознание, и никогда не приду» (218)

. . . .

«Я вошла в автобус, который забирали из морга Онкоцентра, — вспоминает Валерия Черных. — Там сидели Андрей Петяев, Вадя Тихонов, Игорь Авдиев... В конце автобуса поперек стоял гроб с Ерофеевым. И Авдяшка мне сказал: "Ты что-нибудь сделай: куда-то девался его чуб". Я подошла, — а у него расческа была в кармане, Галина положила, — и волосы лежали строго назад. Поэтому совершенно непривычное лицо было. И у меня ничего не получилось. Потому что так ложатся мертвые волосы — и уже никакого чуба не может быть. И я поняла, что никакого Ерофеева здесь уже нет. Я поцеловала Веню в лоб и сразу же ушла».

Отпевание Ерофеева состоялось не по католическому, а по православному обряду в храме Ризоположения на

---

[1] *Ерофеев В.* Мой очень жизненный путь. С. 622.
[2] Телепрограмма «Письма из провинции. Город Петушки (Владимирская область)».
[3] *Шмелькова Н.* Последние дни Венедикта Ерофеева. Дневники. С. 319.

Донской улице в Москве. «Ерофеев к православной церкви как к институту относился плохо, — свидетельствует Алексей Муравьев. — Однако когда он умер, его православные друзья буквально на руках подняли его гроб и внесли в эту церковь»[1]. «Даже мертвый, Ерофеев поражал внешностью: славянский витязь, — рассказывает Александр Генис. — Его отпевали в церкви, вокруг которой толпился столичный бомонд вперемежку с друзьями, алкашами, нищими. Сцена отдавала передвижниками, но в книгах Ерофеева архаики было еще больше»[2]. «Помню, меня поразили артисты театра на Таганке, которых было много, — делится своими впечатлениями Антон Долин, — и они в церкви размашисто крестились, мне тогда это казалось диким и контркультурным». Четырнадцатилетнего Антона привела на отпевание Ерофеева мать, бард и поэтесса Вероника Долина, которая спустя много лет рассказала об этом в стихотворении:

> Теперь, когда мобильник сыплет трель,
> Кто вздрагивает свечкой на морозе?
> Возьмите венедиктову свирель,
> Сыграйте на хорошей русской прозе.
>
> Услышали божественный рингтон?
> Увидели Москву мою такую?
> Да, это я и мой сынок Антон
> Пришли стоять на улицу Донскую.
>
> У церкви небывалые цветы.
> У нас, у лопоухих и бесхвостых,

---

[1] «Впрочем, за два дня до смерти Ерофеева Владимир Муравьев сообщил Наталье Шмельковой о своем разговоре с ксёндзом, который дал согласие на отпевание Венедикта в православной церкви» (*Шмелькова Н.* Последние дни Венедикта Ерофеева. Дневники. С. 318).

[2] *Генис А.* Веничке — 75 // Радио «Свобода». 2013. 25 октября. URL: https://www.svoboda.org/a/25137497.html.

И крылья подрастали, и хвосты.
Там, на углу, в начале девяностых...[1]

«Я подошла его поцеловать, — рассказывает Надежда Муравьева. — Очень высокий лоб с венчиком. И очень красивое — скульптурное, выточенное лицо». «Гремела "Вечная память!" и неслась и неслась под купол, — вспоминает Наталья Четверикова. — Пели все. Гроб из храма выносили на руках "владимирские", и несколько автобусов не смогли вместить всех желающих поехать на Новокунцевское кладбище»[2]. «Друзья, персонажи, актеры, игравшие в Вениных пьесах, старые читатели. Человек 120», — писал Игорь Авдиев[3].

Первоначально Ерофеева должны были хоронить на Ваганьковском кладбище, но место не понравилось жене, и с помощью Сергея Станкевича, который был тогда одним из заместителей мэра Москвы, все удалось переиграть. «Ерофеев был для меня важной символической фигурой, — рассказывает Станкевич. — Я в 1970-е учился в Московском пединституте имени Ленина, жил в знаменитой на всю Москву общаге "на Усачах" (улица Усачева, 64), где собиралась и "зависала" едва ли не вся московская богема — Таганка с Высоцким и Золотухиным, Вознесенский, Ахмадулина... Там мне однажды попался Венечка — сидел пьяный в трико на ступенях лестницы и читал "Москву — Петушки" веселым филологам. В публике уважительно шептались, что автора вышибли аж из трех пединститутов. Кусок поэмы задел и запал. Позже я слышал ее по западным "голосам". Для меня это была даже не литература, а социальный памфлет, я был политизированным радикалом. В 1990-м мы в апреле только пришли к власти в Моссовете. А в мае я узнал, что Ерофеев умер.

---

[1] *Долина В.* Цветной бульвар. М., 2015. С. 136.
[2] Про Веничку. С. 166.
[3] *Авдиев И.* Некролог, «сотканный из пылких и блестящих натяжек». С. 407.

Мы так и не познакомились толком. Друзья и поклонники Венедикта ввалились ко мне в Моссовет и попросили помочь с местом на Ваганьковском. Это кладбище было закрыто, хоронили только по спец<иальным> разрешениям. Я подписал распоряжение на Ваганьково (именно по ходатайству друзей, вдовы с ними не было), поскольку чуял грандиозность личности, а "Москву — Петушки" воспринимал как больной предсмертный бред советской империи, помиравшей на наших глазах. Позже появилась Носова и попросила написать другое разрешение — на Кунцево. Сказала примерно так: "Там спокойнее, а на Ваганьково все продолжится, как при жизни"».

«Слова заупокойной службы утешительны: "...вся прегрешения вольныя и невольныя... раба Твоего... новопреставленного Венедикта"... Не могу, нет мне утешения, — признавалась в коротком некрологе Ерофееву Белла Ахмадулина, побывавшая на его похоронах. — Не учили, что ли, как следует учить, не умею утешиться. И нет таких науки, научения, опыта — утешающих. Научение есть, слушаю, слушаюсь, следую ему. Себя и других людей утешаю: Венедикт Васильевич Ерофеев, Веничка Ерофеев, прожил жизнь и смерть, как следует всем, но дано лишь ему. Никогда не замарав неприкосновенно опрятных крыл души и совести, художественного и человеческого предназначения тщетой, суетой, вздором, он исполнил вполне, выполнил, отдал долг, всем нам на роду написанный. В этом смысле — судьба совершенная, счастливая. Этот смысл — главный, единственный. Все справедливо, правильно, только почему так больно, тяжело? Я знаю, но болью и тяжестью делиться не стану. Отдам лишь легкость и радость: писатель, так живший и так писавший, всегда будет утешением для читателя, для нечитателя тоже. Нечитатель как прочтет? Вдруг ему полегчает, он не узнает, что это Венедикт Ерофеев взял себе печаль и муку, лишь это и взял, а все дарованное ему вернул нам ненасильным сильным уроком красоты, добра и любви, счастьем осознания каждого мгновения бытия. Все это не в среде, не среди писателей и читателей происходило.

Столь свободный человек — без малой помарки, — он нарек героя знаменитой повести своим именем, сделал его своим соименником, да, этого героя повести и времени, страдающего, ничего не имеющего, кроме чести и благородства. Вот так, современники и соотечественники.

Веничка, вечная память»[1].

О свободном человеке, которому довелось жить в несвободное время в несвободной стране, мы и попытались рассказать в этой книге.

---

[1] *Ахмадулина Б.* Миг бытия. С. 141–142.

Наша небольшая венедиктиана
(избранная библиография)

Издания

Ерофеев В. Записные книжки. Книга первая. М., 2005. 672 с.

Ерофеев В. Записные книжки. Книга вторая. М., 2007. 480 с.

Ерофеев В. Мой очень жизненный путь. М., 2008. 624 с.

Воспоминания, материалы к биографии

Венедикт Ерофеев в Орехово-Зуево: воспоминания современников // Орехово-Зуевский литературный альманах. Ежегодное литературное приложение к газете «Ореховские вести». 2007. Вып. 2. С. 463–471.

Время, оставшееся с нами. Филологический факультет в 1955–1960 гг. Воспоминания выпускников. М., 2006. 606 с.

Ерофеев В. Письма к сестре // Театр. 1992. № 9. С. 122–144.

Игнатова Е. Венедикт // Время и мы (Нью-Йорк). 1993. № 122. С. 182–215.

Поселок академиков Абрамцево. Сборник воспоминаний жителей поселка / Автор-составитель Н. Абрикосова. М., 2014. 404 с.

Про Веничку. Книга воспоминаний о Венедикте Ерофееве. М., 2008. 296 с.

Фрейдкин М. Каша из топора. М., 2009. С. 294–318.

Шмелькова Н. Последние дни Венедикта Ерофеева. Дневники. М., 2002. 319 с.

Шталь Е. Венедикт Ерофеев // Газета «30 октября». 2005. № 50.

Видеоматериалы

«Веня. Последнее интервью». 1993 г. Автор и режиссер Олег Осетинский. https://www.youtube.com/watch?v=_J24nH7aaRI.

Документальный фильм «Москва — Петушки». Режиссер П. Павликовский. https://www.youtube.com/watch?v=WHvNN0r_A8w.

Телепрограмма «Острова». Автор и режиссер Светлана Быченко. https://www.youtube.com/watch?v=JvFp_0cxoQk.

Телепрограмма: «Вадим Тихонов: "Я — отблеск Венедикта Ерофеева"». Ведущая Ольга Кучкина. https://www.youtube.com/watch?v=_Efl3hjNTUY.

Поэтика

Анализ одного произведения: «Москва — Петушки» Вен. Ерофеева. Тверь, 2001. 208 с.

Альтшуллер М. «Москва — Петушки» В. Ерофеева и традиции классической поэмы // Новый журнал. 1982. Vol. 146. С. 75–85.

Богомолов Н. «Москва — Петушки»: историко-литературный и актуальный контекст // Новое литературное обозрение. 1999. № 38/4. С. 302–319.

Вайль П., Генис А. Страсти по Ерофееву // Книжное обозрение. 1992. № 7.

Власов Э. Бессмертная поэма Венедикта Ерофеева «Москва — Петушки». Спутник писателя // *Ерофеев В.* Москва — Петушки. М., 2003. С. 124–574.

Гайсер-Шнитман С. Венедикт Ерофеев «Москва — Петушки», или «The Rest Is Silence». Bern; Frankfurt am Main; New York; Paris, 1989. 56 с.

Зорин А. Пригородный поезд дальнего следования // Новый Мир. 1989. № 5. С. 256–258.

Карамитти М. Образ Запада в произведениях Венедикта Ерофеева // Новое литературное обозрение. 1999. № 38. С. 320–325.

Касаткина Т. Мифологема «4» в поэме В. Ерофеева «Москва — Петушки» // Начало. 1995. № 3. С. 203–210.

Курицын В. Четверо из поколения дворников и сторожей // Урал. 1990. № 9. С. 98–109.

Левин Ю. Классические традиции в «другой» литературе. Вен. Ерофеев и Ф. Достоевский // Литературное обозрение. 1992. № 2. С. 45–50.

Левин Ю. Комментарий к поэме «Москва — Петушки» Венедикта Ерофеева // Materialen zur Russishen Kultur. 1996. № 2. 95 с.

Левин Ю. Семиосфера Венички Ерофеева. Сборник статей к 70-летию профессора Ю. М. Лотмана. Тарту, 1992. С. 486–499.

Липовецкий М. Кто убил Веничку Ерофеева? // Новое литературное обозрение. 2006. № 78. С. 64–80.

Муравьев В. Предисловие // *Ерофеев В.* Москва — Петушки: поэма. М., 1990. С. 3–12.

Гаспаров Б., Паперно И. «Встань и иди» // Slavica Hierosolymitana. Slavic Studies of the Hebrew University. 1981. Vol. 5–6. С. 387–400.

Поливанов А. Записные книжки В.В. Ерофеева как один из источников поэмы «Москва — Петушки» // Вестник РГГУ. 2010. № 2. С. 185–194.

Померанц Г. На пути из Петушков в Москву // Новое время. 1995. № 28. С. 40–42.

Седакова О. Несказанная речь на вечере Венедикта Ерофеева // Дружба народов. 1991. № 12. С. 264–265.

Седакова О. Пир любви на «Шестьдесят пятом километре», или Иерусалим без Афин // Канун. Альманах. Вып. 3. Русские пиры. СПб., 1998. С. 353–364.

Смирнова Е. Венедикт Ерофеев глазами гоголеведа // Русская литература. 1990. №3. С. 58–66.

Сухих И. Заблудившаяся электричка // Звезда. 2002. № 12. С. 220–229.

Художественный мир Венедикта Ерофеева: сб. статей / Под ред. *К. Седова.* Саратов, 1995. 56 с.

Titanov V. The End in V. Erofeev's "Moskva — Petuški" // Russian Literature. 1996. № 39. P. 95–114.

Именной указатель

Абрикосова Н. 438

Августин Блаженный 228

Авдиев И. 22, 100, 101, 105, 112, 127, 130, 132, 133, 163, 164, 171, 172, 180, 208, 216, 217, 222, 226, 227, 229, 235, 237, 247, 254, 267–269, 273, 275, 280, 281, 305–307, 312, 322–325, 333, 352, 354, 356, 390, 391, 399, 413, 426, 430, 432, 434

Авдиева А. 25, 133, 308, 346, 426

Авдошин А. 137

Аверинцев С. 72, 212, 319, 320

Аверкин С. 155, 164

Агапов А. 25, 31, 86, 109, 166, 176, 204, 207, 336, 372, 412

Адамович А. 317, 422

Акимова Д. 421

Аккерман Л. 145

Аксёнова Е. 123, 124

Александр III 38

Алешковский Ю. 214

Альтшуллер М. 438

Ангелина П. 117

Андерсен Х. К. 72, 272

Анпилов А. 419

Арагон Л. 199

Аракчеев А. 293

Аристотель 351

Аристофан 187

Архангельские 38

Архипов А. 17–20, 25, 77, 117, 129, 214, 219, 221, 229, 246, 267, 276, 282, 288, 311, 397, 410

Архипова Н. 25, 111, 166, 229, 231, 246, 310
Аскоченский В. 121
Астафьев В. 316, 317
Ауэрбах Э. 94
Афиней 192
Ахмадулина Б. 317–319, 392–394, 403, 426, 434–436
Ахманова О. 64
Ахматова А. 224, 227

Бабасян Н. 111
Баденков А. 405
Баженов В. 19, 294, 389, 404
Байрон Дж. Г. 95, 143
Бак Д. 25, 374
Баратынский Е. 73, 362
Бармичев В. 117, 118
Бармичева В. 118
Барулин А. 239, 337
Бахтин М. 94, 211, 251
Белов В. 316, 317
Белозерский К. 308
Белотелов 42
Белый А. 9
Белькевич А. 177
Белькевич М. 177
Беляева Н. 25, 399
Беляков П. 309
Бенкендорф А. 213
Беранже П.-Ж. де 351
Беркли Дж. 135
Берлин В. 22, 270, 277, 284
Бибихин В. 238, 239
Бизе Ж. 34
Бильжо А. 25, 216, 265, 344, 345
Битов А. 317
Блок А. 58, 93, 280–282
Бобышев Д. 73, 277
Бовуар С. де 199
Богатырева С. 214
Богомолов Н. 438
Боккаччо Дж. 94
Болдырев Н. 178, 336, 347

Болычев И. 67, 73, 320, 390, 422
Бондарев А. 379, 409, 410
Бонди С. 63
Борис Годунов 59
Борисенко А. 25, 404
Боткин В. 121
Брагинская Н. 12, 15, 211, 212, 320
Брандес Г. 143, 144
Бродский И. 73, 319, 402–404, 409, 428
Бройтман С. 369
Брукнер А. 230, 231
Брюсов В. 126
Бубер М. 251
Буденный С. 35
Булгаков М. 315, 322
Бунин И. 330
Буторов А. 287
Бух Ф. 131, 227, 244, 294, 426
Быков В. 317, 422
Быков Д. 296, 359
Быченко С. 28, 29, 43–46, 49–51, 53, 75, 102, 180, 210, 274, 438
Бюргер А. 194

Вагнер Р. 189
Вайль П. 439
Вари Э. 25
Варсонофий, иеромонах (Хайбулин Б.) 398
Вахтин Б. 319
Введенский А. 224, 225
Вебер В. 68, 69
Величанский А. 217, 417
Величанский В. 25
Венцлова Т. 170
Вергилий Марон, Публий 110
Вересаев В. 387
Верховский Ю. 223
Викулов Е. 119, 127
Виньи А. де 104
Висконти Л. 168
Владимов Г. 330
Власов Э. 57, 93, 96, 146, 147, 190, 191, 199, 300, 369, 439
Водопьянов М. 295

Вознесенский А. 126, 434

Войлоков В. 429

Войнович В. 317

Волков А. 64

Волков С. 73

Волкович А. 104

Вольпин Н. 271

Воронель А. 243

Воронель Н. 243

Воронина Н. 380

Вульф В. 54

Выговская Р. 18, 172, 178, 185, 209, 210, 227, 244, 309, 310

Выговский Д. 178

Высоцкий В. 224, 225, 293, 294, 328, 434

Вяземский П. 73

Габрилович Е. 242

Гагарин А. 346

Гайсер-Шнитман (Шнитман-МакМиллин) С. 67, 205, 222, 330, 378, 439

Гамсун К. 277

Гандельсман В. 381

Ганди И. 257

Гандлевский С. 405

Гаршин В. 410

Гаспаров Б. 54, 55, 57, 147, 297, 300, 359, 364, 369, 439

Гаспаров М. 239, 240, 319, 320

Гегель Г. В. Ф. 80, 97

Гейне Г. 143, 144

Генделев М. 246, 247, 417

Генис А. 155, 433, 439

Геннадиев А. 25

Генрих IV 199

Герасимова Ж. 22, 25, 48, 273, 276, 287, 308, 344, 354, 377, 388, 412, 427, 428

Геринг Г. 89

Герцен А. 93

Гессе Г. 230

Гёте И. В. фон 195, 197, 253

Гжелёнзка Я. 25, 102, 167, 227

Гиндис И. 349

Гинзбург А. 288

Гинзбург Л. 140
Гипатия Александрийская 257
Гиппиус З. 223
Гитлер А. 286
Глазунова В. 350
Гланц Т. 288
Глухов Б. 262
Гоголь Н. 43, 195, 203, 212, 213, 256, 440
Голенищев-Кутузов И. 64
Голосовкер Я. 297
Голубев Н. 42
Голубовская В. 213
Гончаров И. 93
Гораций Флакк К. 204, 387
Горбачев М. 401
Гордо С. *см.* Неустроева (Гордо) С.
Горжевская Е. 26, 207, 216, 217, 264, 308, 386
Горький М. 51, 197
Грабарь В. 333
Грабарь И. 339, 341
Грабова К. 272, 307, 356, 404
Грибанов А. 212
Грибачев Н. 118
Григорий VII 199
Гринберг М. 13, 19, 26, 32, 49, 50, 63, 171, 177, 218, 227, 240, 244,
    261, 283, 287, 315, 322, 325, 328, 332–334, 344, 349, 353, 380–
    382, 385, 389, 423, 431
Губанов Л. 216, 404, 405
Губерман И. 319
Гудзий Н. 63
Гудков Ю. 185
Гумилев Н. 297
Гутман Л. 425
Гущина (Ермолаева) Н. 37
Гущина (Ерофеева) Т. 27–30, 35–38, 40, 43–46, 48, 51–53, 75, 76,
    155, 156, 175, 180, 181, 210, 233, 247, 286, 292, 294, 312, 313,
    327, 328, 332, 333, 335, 341, 345, 351, 354, 356, 357, 387, 388,
    393, 395, 402, 405, 412, 414–416, 423, 424, 428, 429

Давыдов А. 419, 425
Даниэль Ю. 47
Данте Алигьери 224, 225, 301, 359

Даутова (Фролова) Е. 21, 107, 111, 174, 178, 179
Даян М. 256, 257
Дворжак А. 150
Дегтярев М. 420
Делоне (Белогородская) И. 284, 285, 289–291, 293, 331, 386
Делоне Б. 283, 284, 326, 327, 329, 331, 333, 338, 339, 342
Делоне В. 284, 289–291, 293, 326, 329
Дельвиг А. 73
Демокрит 183
Дератани Н. 70, 74, 83, 101, 290
Дерягин В. 68
Джойс Дж. 54, 92, 129
Дзержинский Ф. 228
Диккенс Ч. 194
Димитрий, царевич 59
Дмитренко И. 14, 26, 75, 128, 164, 266, 310, 344, 345, 374, 382,
      383, 385, 387, 427
Добронравов Н. 166
Довлатов С. 292
Дога Е. 166
Долин А. 433
Долина В. 433
Долматовский Е. 62
Достоевский Ф. 60, 91, 92, 130, 131, 153, 154, 196, 251, 278, 295,
      359, 360, 361, 400
Друк В. 422
Друскин Я. 224
Дубчек А. 257
Дубшин Д. 26
Дудинский И. 377
Дудкин И. 80, 135, 136
Дунина А. 80

Евграфов Г. 425
Евдокимова Л. 13, 18, 26, 30, 47, 49, 52, 87, 112, 131, 218, 224,
      241, 261, 275, 283, 284, 321, 322, 328, 332, 344, 431
Евсеев В. 30, 102, 108–111, 184, 286
Евтушенко Е. 71, 293, 294, 404, 405
Екатерина II 158
Елин Г. 212
Ельчанинов К. 386
Ельшевская Г. 212

Епифанов А. 339, 430
Епифанова Е. 26, 263, 430
Епишин В. *см.* Лён С. (Епишин В.)
Епхошвили Ш. 26
Ермоленко Н. 87
Ерофеев Б. 27, 34–37, 40, 42, 44–46, 49, 50, 61, 80, 155, 383, 428
Ерофеев Вас. В. 27–32, 34, 35, 37, 39–42, 44, 49, 76–79, 82, 352, 383
Ерофеев В. К. 32, 37, 39
Ерофеев Вен. (мл.) 175, 176, 178–184, 267, 268, 272, 314, 351–353, 357, 384, 432
Ерофеев Вик. 394, 415, 416
Ерофеев И. 37
Ерофеев П. 37
Ерофеев Ю. 27, 44, 80, 82, 345
Ерофеев, помещик 27
Ерофеева В. *см.* Зимакова (Ерофеева) В.
Ерофеева (Гущина) А. 27, 29–32, 35–38, 40, 43–46, 49, 50, 102, 175, 233, 234, 334, 383
Ерофеева (Кузнецова) Д. 32
Ерофеева (Носова) Г. 35, 66, 263, 272–277, 282, 284–286, 290–292, 294, 306–308, 312, 313, 320–322, 326–329, 331, 332, 335, 337–346, 348, 351–356, 377, 384, 387–390, 395, 398, 400, 413, 415, 422, 424, 428–432, 435
Ерофеева Г. А. 14, 26, 28, 32, 37, 41, 42, 45, 52, 76, 78, 168, 175, 181, 223, 272, 275, 286, 291, 292, 313, 331, 336, 342, 348, 350, 352, 354, 355, 357, 388, 389, 391, 392, 393, 395, 411, 412, 417, 419, 428
Ерофеева Н. *см.* Фролова (Ерофеева) Н.
Ерофеева Т. *см.* Гущина (Ерофеева) Т.
Ерофеевы 34, 36, 37, 40, 44, 61
Еселева В. 154, 232, 269
Есенин С. 67, 160, 179, 271
Ефремов Г. 425

Жанна д'Арк 189
Жан-Поль (Рихтер И. П. Ф.) 143
Жарова Л. 108–111
Жолковский А. 26, 63, 64
Жуковская Е. 65, 80–83

Заболоцкий Н. 21
Зайончек И. 291

Зайцев А. 389, 404, 412
Залевски Е. 89, 206, 220, 221, 379
Залкинд Г. 388
Заратустра 282
Засьма Р. 120, 121, 135, 136, 157, 158
Захарова А. 115
Зверев А. 266
Земская (Булгакова) Н. 322
Зимакова (Ерофеева) В. 133, 137, 152, 154–159, 162, 174–176,
    180–184, 232, 233, 267, 268, 271, 292, 308, 335, 351, 352, 354,
    384
Зимакова Н. 174, 182, 184, 267, 268
Зиновьев А. 338, 349
Золотухин В. 434
Зорин А. 26, 211, 214, 296, 423, 439
Зоткин Г. 122, 123

Ибсен Г. Ю. 123, 124
Иванов А. 15, 25, 315, 374, 376, 389, 390
Иванов В. 63
Иванов С. 214
Иванова С. 92
Ивашкина Н. 137, 156, 157
Игнатова Е. 13, 16, 17, 20, 26, 33, 162, 219, 235, 236, 259, 276, 278,
    280, 304, 320–322, 331, 332, 437
Измайлов А. 223
Ильина Н. 26, 159, 160
Ионеско Э. 388, 412
Иофе О. 264
Иоффе Леонид 293
Иоффе Лидия 337
Иоэльс В. 19
Иртеньев И. 26, 319, 422
Иртеньева Я. 423
Исаев В. 340–342
Искандер Ф. 318
Ицкович Д. 26

Кабаков А. 424
Кабаков И. 430
Кабанов В. 421
Каверин В. 425

Каганович Л. 30
Каганская М. 246, 417
Казаков Ю. 329, 330
Калугин И. 425
Камков 117
Кант И. 97, 135, 161
Каплан Ф. 411–413
Каплер А. 242
Карамзин Н. 194
Карамитти М. 439
Карякина А. 45, 53, 101
Касаткина Т. 439
Катаев В. 69, 74, 234, 235
Кафка Ф. 217, 277, 369, 370, 390
Кашкин И. 193
Квинси Т. де 250
Кенжеев Б. 26, 413, 414
Кибиров Т. 407
Ким Н. 26
Ким Ю. 26, 86, 213, 308
Кистяковский А. 72
Кобяков Л. 26, 64, 65, 69–71, 132, 172, 173, 185, 208, 209, 227, 319,
    334, 396, 398
Козлов Б. 235
Козлова Н. 272, 273
Козловский И. 56
Кольцов А. 179
Комаров М. 26, 160, 161
Корвалан Л. А. Л. 281
Коргин 115
Коркия В. 422
Корнель П. 97
Корноухов А. 15, 167
Корноухова (Навериани) В. 167
Кортнев А. 424
Корчак Я. 241
Корчик А. 280, 282
Космодемьянская З. 133, 311
Костюхин Е. 71, 72, 212
Котрелев Н. 26, 100–102, 168, 179, 212, 226
Кравецкий А. 26, 127
Кравченко И. 181

Крамской И. 143
Красильникова Т. 149
Краснова Т. 431
Красносельская Ю. 26
Красовский О. 115
Кривомазов А. 336, 337, 340, 378
Кроник А. 26, 218, 376, 400
Кротов А. 26
Крохин Ю. 329
Крупская Н. 228
Кублановский Ю. 26, 217, 319, 348, 349
Кубрик А. 421
Кузовкин А. 26, 159–161
Кузьмин В. 63
Кузьминский К. 277
Кулешов В. 64
Куллэ В. 165, 311, 403, 405, 407, 408
Куняев С. 30, 40, 271
Курицын В. 439
Курников В. 89
Куросава А. 230
Кутик И. 425
Кутузов М. 375
Кучкина О. 68, 116, 128, 131, 164, 438
Кушнер А. 26, 277, 278
Кьеркегор С. О. 61
Кюхельбекер В. 73

Лазаревич А. 167, 176, 236, 329, 333, 380
Левин М. 244, 245
Левин Ю. 60, 369, 439
Левина Т. 329
Левитин Ю. 34
Лейкин А. 429
Лекманов О. 24
Лекманов Ф. 26
Лён С. (Епишин В.) 129, 216, 235, 306, 317, 346, 347, 386
Ленин В. 34, 39, 228, 237, 285, 286, 320, 329, 409, 410, 412, 421
Леонтович А. 165, 316, 329, 333
Леонтьев К. 219
Лермонтов М. 93
Лесскис Г. 84

Лжедмитрий I 110
Лжедмитрий II 110
Либан Н. 64
Лизюков В. 137
Лимонов Э. 394
Липовецкий М. 55, 296, 369
Лист Ф. 198
Логинова Н. 84, 225
Лойола И. де 150
Ломазов В. 201–203, 219, 378
Лосев Л. 402
Лоскутова Т. 289
Лотман Ю. 239, 276, 369
Лукреция Римская 257
Луначарский А. 410
Любимов Н. 192
Любчикова Л. 15, 19, 112, 116, 125, 127, 132, 151, 152, 164, 171,
    172, 174, 176, 203, 204, 218, 221, 232, 246, 253, 262, 306, 307,
    332, 333, 404
Ляхова Е. 369

Магомедова Д. 26, 280,
Мазурский М. 260, 356, 382, 383, 385, 387
Макаренко А. 233, 241
Макаров А. 26
Максимов В. 430
Макферсон Дж. 223
Малер Г. 165, 166, 173, 181, 204, 230, 231
Мамлеев Ю. 85, 235
Мамлеева М. 85
Мандельштам О. 66, 71, 92, 215, 224
Манн Т. 313
Марецкая В. 75
Марецкая М. 75
Маркс К. 229, 410
Марти Ф. 351
Марченко А. 215, 286
Маслов В. 127
Матвеев П. 26, 106, 234, 236, 237
Матизен В. 214
Матич О. 393, 394
Маяковский В. 29, 51, 70, 120, 223

Мейлах М. 26, 224
Меламед И. 405
Мелетинский Е. 71, 72
Мельникова С. 30, 40, 210, 237, 238, 242, 271, 347
Мельников-Печерский П. 38
Мельчук И. 63
Мережковский Д. 96
Мессерер Б. 317, 318, 393
Мечников И. 125, 126, 130
Мешкова Н. 35, 37, 40, 51
Мильчина В. 261
Минин К. 296, 303
Миронова 155
Митридат VI 365, 366, 368
Мнишек М. 110
Модильяни А. 323
Модин Б. 137
Мозиас М. 336
Моравская М. 223
Моралин А. 115
Морозов А. 42
Моспан В. *см.* Филипповская (Моспан) В.
Музыкантова А. 65, 68, 69, 81–83, 112, 156
Муравьев А. 12, 20, 26, 71, 72, 84, 88, 102, 116, 166, 177, 297, 378,
    433
Муравьев В. 12, 18, 64–67, 70–73, 75, 81, 83, 85, 87–89, 99, 101–
    103, 108, 116, 124, 131, 132, 159, 171, 173, 202–204, 208–210,
    212, 217, 221–223, 238, 244, 246, 253, 255, 257, 278, 288, 298,
    310, 315, 327, 328, 350, 371, 378, 379, 394, 396, 398, 422, 429,
    431, 434, 439
Муравьев-Моисеенко Л. 101, 204, 253
Муравьева А. 29, 317
Муравьева И. 70, 71
Муравьева Н. 26, 66, 171, 177, 375, 376, 381, 433
Мусоргский М. 195
Мухина В. 232
Мюссе А. де 143

Набоков В. 72, 282, 326, 327, 330
Нагишкина И. 111, 308, 376
Надсон С. 70, 82
Назарьев С. 117

Найман А. 55, 73
Наполеон I Бонапарт 95
Нейман А. 26, 86, 241
Неклюдова О. 26
Некрасов Вик. 291, 293, 294
Некрасов Вс. 9
Некрасов Н. 93, 122
Неустроева (Гордо) С. 51, 53
Нешумова Т. 415
Никонов Г. 42
Ницше Ф. В. 86, 87, 113, 130, 142, 143, 161, 362, 363
Новиков А. 62
Новская Г. 286
Носова Г. *см.* Ерофеева (Носова) Г.
Нусинова Н. 214

Оболенский В. 115, 118
Оборина А. 26
Овчинникова М.-Е. 26
Огарев Н. 93
Огольцова Е. 413
Одаховская И. 212
Ойнас Е. 26
Окуджава Б. 68, 71, 130, 425
Окунева В. 115
Олейников Н. 224
Орф К. 281
Осборн Дж. 210
Осеенко А. 104
Осетинский О. 166, 288, 316, 317, 398, 401, 429, 438
Осипов В. 47, 237
Осоков А. 108
Островский Н. 51
Охоцимский А. 305, 316, 340
Оцуп Н. 223
Ошанин Л. 62

Павликовский П. 100, 162, 207, 260, 336, 399, 403, 404, 438
Павлов Е. 267
Павлова И. 429
Павлова Н. 369
Павловский Г. 14, 26, 323

Палама Г. 325

Панн Л. 26, 381, 402, 424

Папанин И. 295

Паперно И. 54, 55, 57, 147, 297, 300, 359, 364, 369, 439

Пастернак Б. 18, 97, 184, 224, 301

Пахмутова А. 166

Пельш В. 424

Пеньковский А. 122, 133

Петр (Присяжный), диакон 396, 431

Петроний А. 193

Петяев А. 127, 130, 214, 222, 306, 432

Петяева А. 26, 171, 306

Пинский Л. 307, 308

Пион В. 103

Платон 188, 192, 204

Плетнев П. 213

Плутарх 192

По Э. А. 82

Победоносцев К. 38

Погожева Г. 26, 337

Погорельский А. 46

Пожарский Д. 296, 303

Поливанов А. 439

Поляк Г. 402

Померанц Г. 66, 70–72, 77, 84, 440

Попов А. 64

Попов Е. 26, 31, 208, 216, 241, 287, 330, 346, 347, 349, 350, 386, 394, 416, 422

Пригов Д. 319, 422

Прокофьев С. 272

Прудовский Л. 29, 30, 44, 46, 47, 49, 50, 51, 61, 73, 74, 89, 99, 122, 123, 128, 156, 168, 205, 216, 220, 244, 246, 288, 304, 316

Пруст М. 58

Прутков К. 224

Пушкин А. 7, 73, 91, 189, 196, 309, 324, 387

Пятницкий В. 308

Рабинович А. 392

Рабле Ф. 95, 96, 192, 200, 203

Равель М. 81

Радзиевская С. 85

Радзиховский П. 246

Радциг С. 63, 70, 73, 74, 83, 101, 290
Расин Ж.-Б. 284
Распе Р. 194
Распутин В. 317
Рейн Е. 73, 319
Рембрандт Х. ван Р. 301
Ремизов А. 96
Ретивов Т. 314
Реформатский А. 63
Робеспьер М. 285
Розанов В. 96, 140, 237–240, 242, 267, 278, 304, 337, 338
Розенцвейг Ф. 251
Романеев Ю. 70, 73, 74, 83, 101, 290
Романова Е. 26, 33, 167, 356
Романовский Н. 421
Ромм М. 242
Рубинштейн Л. 213, 394
Рукавишников И. 223
Рунова В. 232, 334
Рунова Ю. 112, 114, 115, 117, 118, 152–156, 162, 175, 232, 233, 266–269, 307, 334, 335, 344, 348, 355–357, 370, 388
Ряховский В. 104

Савельев В. 69
Савенкова (Азарх) О. 26, 129, 130, 132, 314, 325, 326, 348
Савицкий А. 110, 111
Савонарола Дж. 396
Садкова Н. 153
Салтыков-Щедрин М. 256
Самарин Р. 64, 88
Самойлов Д. 425, 426
Самосейко Л. 69, 101
Сапгир Г. 319, 406
Сартр Ж.-П. 56, 199
Свердлов М. 24
Свиридов В. 269, 273
Северянин И. 71, 88, 224–227, 319
Седакова О. 11–14, 16, 23, 24, 26, 48, 55, 77, 83, 129, 131–133, 167, 187, 188, 190, 191, 201, 204, 211, 212, 224, 225, 236, 253, 261, 263, 269, 270, 276, 296, 299, 301, 307, 309, 311, 318–320, 323, 329, 338, 345, 376, 397, 400, 422, 431, 440
Седов К. 440

Семенов Ю. 317

Сент-Экзюпери А. де 96

Сергеев А. 258

Серебряная М. 264

Сибелиус Я. 165, 166

Сидоров В. 236

Сидоров Ю. 223

Сидорова Т. 236

Синиченкова М. 115

Скабичевский А. 121

Скударь О. 211

Скуратов М. 158

Славутин Е. 421

Слоним М. 212

Смирнова Е. 440

Соколов А. 423

Сократ 187, 190, 191, 196, 197

Солженицын А. 315

Сологуб Ф. 112

Солоухин В. 181, 333

Сопачев А. 114, 115

Сорокин Б. 17, 18, 21, 26, 50, 87, 107, 119, 121, 124–128, 130, 133–137, 152–155, 165, 202, 204, 215, 222, 236, 241, 246, 253, 254, 286, 307, 317, 324, 399, 403

Сорокин И. 20, 21, 33, 225, 308

Составкина О. 159

Софокл 302, 362

Спесивцев В. 425

Сталин И. 286, 398

Станислав (Мажейка), ксендз 395

Станкевич С. 434

Старцев И. 179

Старчик П. 264

Стендаль 95

Стерн Л. 96, 148, 203

Стесин В. 246

Столпер А. 242

Стороженко Н. 144, 145

Стравинский И. 181

Сукач В. 267

Суперфин Г. 212

Сухих И. 191, 192, 297–300, 370, 371, 440
Сухова С. 410

Тахо-Годи А. 363
Телисие Ю. 245
Тельман Э. 351
Тереза Авильская 196
Тимашов С. 431
Тимофеев А. 341
Тимофеева 115
Тихонов В. 68, 105, 116, 127–133, 151, 154, 162, 164, 169–171, 204, 206, 216, 231, 233, 235, 240, 246, 253, 256, 286, 307, 313, 332, 432, 438
Толкин Дж. Р. Р. 72
Толстая Н. 34
Толстов С. 275, 329, 333, 339, 353, 429
Толстой Л. 92, 93, 105, 171, 289, 305
Толстой Н. 131, 132
Тосунян И. 26, 62, 68, 74, 133, 206, 221, 222, 278, 315–318, 377, 411, 422, 425
Трауберг Н. 64, 166, 169, 170, 205, 210, 276, 320
Триоле Э. 199
Троцкий Л. 412
Турбин В. 64
Тургенев И. 92, 93, 189–191, 196, 197
Тюпа В. 369
Тютчев Ф. 16, 17

Уистин А. 64
Улаф, король 253
Улитин В. 31, 86, 109, 166, 176, 204, 207
Успенский Б. 26, 64, 65, 71, 72, 83, 86, 103, 168, 173, 203, 219, 276, 290, 308
Уэйн Дж. 210

Фадеев А. 51
Файнциммер А. 242
Федоров Н. 73
Федотов Г. 13, 324
Федотов О. 158
Фет А. 101, 121, 223, 227

Филиппов С. 20, 21, 32, 33, 225, 308
Филипповская (Моспан) В. 26, 132, 215, 236, 246, 266, 267
Фихте И. 161
Флоренский П. 214
Фома Аквинский 135
Фоменко И. 298, 299
Фомина Т. 161
Франциск Ассизский 190, 196
Фрейдкин М. 15, 131, 133, 171, 212, 213, 240–242, 259, 260, 265, 274, 275, 305, 306, 308, 335, 336, 343, 344, 380, 381, 438
Фролов Ю. 28, 106
Фролова Е. *см.* Даутова (Фролова) Е.
Фролова М. 107
Фролова (Ерофеева) Н. 26–31, 33–37, 39–44, 49, 50, 75, 76, 102, 106, 112, 179, 210, 234, 274, 283, 293, 345, 352, 410
Фромер В. 244, 245, 247, 379
Фурсов А. 157, 314, 357
Фурцева Е. 158

Хара С. 230
Хармс Д. 50, 177, 224, 225
Хафиз Ш. 351
Хвостин В. 167, 205
Хейн Т. 264
Хейфиц И. 242
Хемингуэй Э. 107
Ходасевич В. 9, 212, 227
Хомейни Р. М. 401
Хомяков А. 251
Хоружий С. 26, 215, 238
Христофоров В. 330
Хрущев Н. 69

Цветаева М. 38, 39, 203, 224
Цедринский В. 118, 128, 132, 134, 215, 246, 254
Цукерман Б. 244–246
Цыбульник С. 242

Чемберлен А. Н. 295
Черкасов А. 26
Черкес-Гжелоньска (Черкес) Н. 26, 44, 89, 167, 201, 205, 206, 220, 221, 379, 404

Черниченко Ю. 426

Черный С. 25, 223, 224, 410

Черных (Черняк) В. 26, 166, 178, 241, 261, 262, 264, 274, 276, 321, 326, 327, 330, 340, 344, 346, 348, 398, 432

Чернышева Л. 116

Чернышевский Н. 93, 120, 121, 125, 327

Чернявский А. 128, 136, 157, 158, 312

Честертон Г. К. 396

Четверикова Н. 15, 47, 112, 229, 434

Чосер Дж. 192, 193

Чудаков А. 64

Чудотворцева Т. 212, 226

Чупринин С. 419, 420, 424, 425

Чухонцев О. 211

Шагинян М. 38

Шайкин А. 212

Шаламов В. 286

Шаров-Делоне С. 13, 21, 26, 62, 218, 222, 263, 283, 288, 291, 319, 329, 331, 339, 409

Шатобриан Ф. Р. де 261

Шатуновская Н. 284

Шатуновский В. 264

Шаховской Д. 426

Шевелев Б. 273, 320, 330, 340

Шевелев И. 265

Шевелев С. 340

Шекспир У. 97, 129, 299, 363, 380

Шиллер Ф. 92, 139, 195

Шичалин Ю. 280

Шмаина-Великанова А. 212

Шмелькова Н. 12, 26, 33, 42, 46, 120, 121, 177, 178, 183, 185, 242, 288, 342, 355, 356, 377, 380, 382, 394–396, 401–403, 405, 413–417, 422, 427, 430–433, 438

Шнитман-МакМиллин С. см. Гайсер-Шнитман С.

Шолохов М. 51

Шопен Ф. 167, 236

Шопенгауэр А. 142, 143, 145

Шостакович Д. 166, 220–223, 230

Шпенглер О. 215

Шталь Е. 22, 26, 39, 40, 118, 135–137, 438

Штрикова Т. 340

Шуберт Ф. 165, 307
Шукшин В. 210
Шульпяков Г. 170

Щедрина Я. 348, 387–389, 413
Щерба Л. 69
Щербина Т. 26, 265, 386, 394, 417, 422

Эбан А. 256
Элиот Т. 258
Энгельгардт Е. 290, 326, 339, 342
Энгельс Ф. 125, 410
Эпштейн М. 394, 440
Эрдели О. 189
Эренбург И. 194
Эрль В. 224
Эрмлер Ф. 242
Эсхил 379

Юм Д. 135
Юркевич М. 238
Юшин П. 64

Яблоков А. 58
Якир И. 212, 386
Яхот В. 243
Яцкявичус (Моркус) П. 15, 18, 64, 67, 72, 81, 88, 103, 104, 106, 170, 223, 274, 275

Tumanov V. 370, 440

Об авторах

Олег Андершанович Лекманов (род. в 1967) — филолог, доктор филологических наук, профессор школы филологии гуманитарного факультета НИУ ВШЭ. Автор более 650 опубликованных исследований, среди которых монографии: «Книга об акмеизме и другие работы» (2000); «В лабиринтах романа-загадки. Комментарий к роману В.П. Катаева "Алмазный мой венец"» (2004) (в соавторстве с М. Котовой, при участии Л. Видгофа); «*Mandelstam*» (2010); «Сергей Есенин. Биография» (2011) (в соавторстве с М. Свердловым); «Поэты и газеты. Очерки» (2013); «Русская поэзия в 1913 году» (2014); «Осип Мандельштам: ворованный воздух. Биография» (2016); «"Ликует форвард на бегу...". Футбол в русской и советской поэзии 1910–1950 годов» (2016) (в соавторстве с А. Акмальдиновой и М. Свердловым); «Самое главное: о русской литературе XX века» (2017) и др.

Михаил Игоревич Свердлов (род. в 1966) — критик и литературовед, кандидат филологических наук, доцент Школы филологии Факультета гуманитарных наук НИУ ВШЭ. Автор книг «Статьи и заметки о школьной литературе» (в соавторстве с О. Лекмановым; 2001), «По ту сторону добра и зла. Алексей Толстой: от Буратино до Петра» (2004), «Почему умерла Катерина? "Гроза": вчера и сегодня» (2005), «Сергей Есенин. Биография» (2011) (в соавторстве с О. Лекмановым) и множества учебников-хрестоматий по зарубежной литературе для школ и гимназий (в соавторстве с И. Шайтановым). Публикует статьи в журналах «Вопросы литературы», «Новое литературное обозрение», «Новый мир» и др.

Илья Григорьевич Симановский (род. в 1981) — физик, преподаватель, кандидат физико-математических наук. Выступал научным консультантом документального фильма «Гении и злодеи. Отто Ган. Оставшийся честным» (2013), публиковался в литературных журналах: *Toronto Slavic Quarterly*, «Трамвай» (Новосибирский литературный журнал), «Ликбез», «Прочтение» и др. Автор предисловия к сборнику документальной автобиографической прозы Л. С. Разумовского «Нас время учило...» (2016). Занимается оцифровкой литературных архивов, сотрудничает с Некоммерческой электронной библиотекой *ImWerden*.

ФОТОГРАФИИ ДЛЯ ВКЛАДКИ ПРЕДОСТАВЛЕНЫ ИЗ АРХИВОВ:

А. Авдиевой — с. 9 (сверху слева), 12 (сверху справа), 13, 19 (снизу), 32.

Н. Архиповой — с. 14 (снизу).

Н. Беляевой — с. 12 (сверху слева).

А. Брусиловского — с. 15.

Ж. Герасимовой — с. 22 (сверху).

М. Гринберга — с. 26.

В. Ерофеева — с. 2 (снизу), 8, 9 (сверху справа и снизу), 11 (сверху), 21 (сверху), 22 (снизу слева), 27 (снизу), 29 (снизу).

Л. Кобякова — с. 7 (сверху справа и снизу справа).

А. Кроника — с. 1, 20 (сверху справа), 30, 31.

Б. Мессерера — с. 28 (снизу).

А. Неймана — с. 25.

А. Петяевой — с. 12 (снизу).

М. Фрейдкиной — с. 20 (сверху слева).

Н. Фроловой — с. 2 (сверху), 3, 4, 5, 6 (снизу), 7 (снизу слева), 10.

Н. Черкес — с. 20 (снизу), 21 (снизу).

В. Черных — с. 27 (сверху).

С. Шарова-Делоне — с. 18, 19 (сверху).

Н. Шмельковой — с. 29 (сверху).

Семьи Муравьевых — с. 7 (сверху слева), 22 (снизу справа), 23.

Общества «Мемориал» — с. 28 (сверху).

Хибинского литературного музея Венедикта Ерофеева центральной городской библиотеки им. А. М. Горького — с. 6 (сверху).

Музея нонконформистского искусства — с. 16–17.

Журнала «Театр». 1991. № 9. — с. 14 (сверху).

Новой газеты. № 74. 28.09.2006 — с. 11 (снизу).

Литературно-художественное издание

Олег Лекманов, Михаил Свердлов, Илья Симановский
ВЕНЕДИКТ ЕРОФЕЕВ: ПОСТОРОННИЙ
Биография

18+
Содержит нецензурную брань

Главный редактор *Елена Шубина*
Ведущий редактор *Анна Колесникова*
Младший редактор *Вероника Дмитриева*
Художественный редактор *Елисей Жбанов*
Корректоры *Ольга Грецова, Юлия Кузьмина*
Компьютерная верстка и адаптация макета *Елены Илюшиной*

http://facebook.com/shubinabooks

http://vk.com/shubinabooks

Подписано в печать 29.08.2018. Формат 60x90/16.
Печать офсетная. Усл. печ. л. 29.
Тираж 4000 экз. Заказ 8428.

Издательство просит авторов воспоминаний, с кем не удалось связаться,
и фотографов или их наследников, чьи работы не были атрибутированы
в книге по тем или иным причинам, позвонить в редакцию по телефону
+7(499)951-60-00 (доб. 168, 102)

ООО «Издательство АСТ»
129085, г. Москва, Звёздный бульвар, дом 21, строение 1, комната 705, пом. I, 7 этаж
Наш электронный адрес: **www.ast.ru**

«Баспа Аста» деген ООО
129085, Мәскеу қ., Звёздный бульвары, 21-үй, 1-құрылыс, 705-бөлме, I жай, 7-қабат
Біздің электрондық мекенжайымыз: www.ast.ru

Интернет-магазин: www.book24.kz
Интернет-дүкен: www.book24.kz
Импортер в Республику Казахстан ТОО «РДЦ-Алматы».
Қазақстан Республикасындағы импорттаушы «РДЦ-Алматы» ЖШС.
Дистрибьютор и представитель по приему претензий на продукцию в республике Казахстан:
ТОО «РДЦ-Алматы»
Қазақстан Республикасында дистрибьютор
және өнім бойынша арыз-талаптарды қабылдаушының
өкілі «РДЦ-Алматы» ЖШС, Алматы қ., Домбровский көш., 3«а», литер Б, офис 1.
Тел.: 8 (727) 2 51 59 89,90,91,92
Факс: 8 (727) 251 58 12, вн. 107; E-mail: RDC-Almaty@eksmo.kz
Өнімнің жарамдылық мерзімі шектелмеген.
Өндірген мемлекет: Ресей
Сертификация қарастырылмаған

Отпечатано с готовых файлов заказчика
в АО «Первая Образцовая типография»,
филиал «УЛЬЯНОВСКИЙ ДОМ ПЕЧАТИ»
432980, г. Ульяновск, ул. Гончарова, 14